실전에 더욱 강해지는 **1등급 완성 영단어**

해커스
보카

수능 심화

 해커스 어학연구소

CONTENTS

중·고등 영어도 역시 **1위 해커스**다.

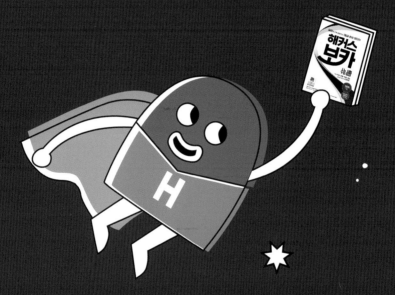

해커스북 _{중·고등}

[브랜드선호도 1위] 2019 한국 브랜드선호도 1위 상장(교육그룹) 부문 해커스 수상

해커스 보카 수능 심화 가 특별한 이유!

손쉽게 **어휘력을 확장**시킬 수 있으니까!

1 어휘력을 폭발적으로 향상시킬 수 있는 **풍부한 유의어**

2 고난도 문제에 대비하는 **파생어 · 반의어**

단어 하나를 외워도 **전략적**으로 외우니까!

3 쓰임새를 같이 익혀
실전에 더욱 강해지는
진짜 기출 예문

4 편리하고 효과적인
복습을 위한
**미니 암기장 &
Daily Quiz**

해커스 어학연구소 자문위원단 3기

강원
박정선 잉글리쉬클럽
최현주 최샘영어

경기
강민정 YLP김진성열정어학원
강상훈 평촌RTS학원
강지인 강지인영어학원
권계미 A&T+ 영어
김미아 김쌤영어학원
김설화 업라이트잉글리쉬
김성재 스윗스터디학원
김세훈 모두의학원
김수아 더스터디(The STUDY)
김영아 백송고등학교
김유경 벨트어학원
김유경 포시즌스어학원
김유동 이스턴영어학원
김지숙 위디벨럽학원
김지ħ현 이지프레임영어학원
김해빈 해빛영어학원
김현지 지앤비영어학원
박가영 한민고등학교
박은별 더킹영수학원
박재홍 록키어학원
성승민 SDH어학원 분당캠퍼스
신소연 Ashley English
오귀연 루나영어학원
유신애 에듀포커스학원
윤소정 ILP이화어학원
이동진 이룸학원
이상미 비밍업영어교습소
이연경 명품M비온드수학영어학원
이은수 광주세종학원
이지혜 리케이온
이진희 이엠원영수학원
이충기 영어나무
이효명 갈매리드앤톡영어독서학원
임한글 Apsun앞선영어학원
장광명 엠케이영어학원
전상호 평촌이지어학원
정선영 코어플러스영어학원
정준 고양외국어고등학교
조연아 카이트학원
채기림 고려대학교티E영어학원
최지영 다른영어학원
최한나 석사영수전문
최희정 SJ클쌤영어학원
현지환 모두의학원
홍태경 공감국어영어전문학원

경남
강다원 더(the)오르다영어학원
라승희 아이작잉글리쉬
박주언 유니크학원
배송현 두잇영어교습소
안윤서 어썸영어학원
임진희 어썸영어학원

경북
권현민 삼성영어석적우방교실
김으뜸 EIE영어학원 옥계캠퍼스
배세왕 비케이영수전문고등관학원
유영선 아이비티어학원

광주
김유희 김유희영어학원
서희연 SDL영어수학학원
송승연 송승연수학원
오진우 SLT어학원수학원
정영철 정영철영어전문학원
최경옥 봉선중학교

대구
권익재 제이슨영어
김명일 독학인학원
김보곤 베스트영어
김연정 달서고등학교
김혜란 김혜란영어학원
문애주 프렌즈입시학원
박정근 공부의힘pnk학원
박희숙 열공열강영어수학학원
신동기 신통외국어학원
위영선 위영선영어학원
윤창원 공터영어학원 상인센터
이승현 학문당입시학원
이주현 이주현영어학원
이헌욱 이헌욱영어학원
장준현 장쌤독해종결영어학원
최윤정 최강영어학원

대전
곽선영 위드유학원
김지운 더포스둔산학원
박미현 라시움영어대동학원
박세리 EM101학원

부산
김건희 레지나잉글리쉬 영어학원
김미나 위드중고등영어학원
박수진 정모클영어국어학원
박수진 지니입시영어
박인숙 리더스영어전문학원
옥지윤 더센텀영어학원
윤진희 위니드영어전문교습소
이종혁 대동학원
정혜인 엠티엔영어학원
조정래 알파카의영어농장
주태양 솔라영어학원

서울
Erica Sull 하버드브레인영어학원
강고은 케이앤학원
강신아 교우학원
공현미 이은재어학원
권영진 경동고등학교
김나영 프라임클래스영어학원
김달수 대일외국어고등학교
김대니 채움학원
김문영 창문여자고등학교
김정은 강북뉴스터디학원
김혜경 대동세무고등학교
남혜윤 함영원입시전문학원
노시은 케이앤학원
박선정 강북세일학원
박수진 이은재어학원
박지수 이플러스영수학원
서승희 함영원입시전문학원
양세희 양세희수능영어학원

우정용 제임스영어앤드학원
우정용 제임스영어앤드학원
이박원 이박원어학원
이승혜 스텔라영어
이정욱 이은재어학원
이지연 중계케이트영어학원
임예찬 학습컨설턴트
장지희 고려대학교사범대학부속고등학교
정미라 미라정영어학원
조민규 조민규영어
채가희 대성세그루영수학원

울산
김기태 그라티아어학원
이민주 로이아카데미
홍영민 더이안영어전문학원

인천
강재민 스터디위드제이쌤
고현순 정상학원
권효진 Genie's English
김솔 전문과외
김정아 밀턴영어학원
서상천 최정서학원
이윤주 트리플원
최예영 영웅아카데미

전남
강희진 강희진영어학원
김두환 해남맨체스터영수학원
송승연 송승연수학원
윤세광 비상구영어학원

전북
김길자 맨투맨학원
김미영 링크영어학원
김효성 연세입시학원
노빈나 노빈나영어전문학원
라성남 하포드어학원
박재훈 위니드수학지앤비영어학원
박향숙 STA영어전문학원
서종원 서종원영어학원
이상훈 나는학원
장지원 링컨더글라스학원
지근영 한솔영어수학학원
최성령 연세입시학원
최혜영 이든영어수학학원

제주
김랑 KLS어학원
박자은 KLS어학원

충남
김예지 더배움프라임영수학원
김철홍 청경학원
노태겸 최상위학원

충북
라은경 이화윤스영어교습소
신유정 비타민영어클리닉학원

이 책의 구성과 특징

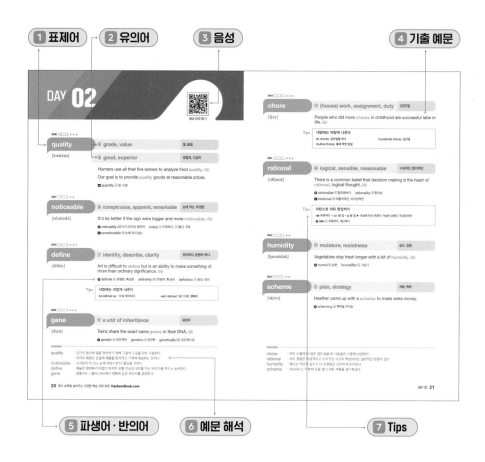

1 표제어

2 유의어

3 음성

4 기출 예문

5 파생어·반의어

6 예문 해석

7 Tips

1 표제어 수능, 모평, 학평, 교육부, EBS 교재에서 엄선한 수능 심화 어휘를 50일 만에 학습할 수 있어요.

2 유의어 하나의 표제어의 다양한 의미와 품사에 따라 각각의 유의어를 학습할 수 있어요.

3 음성 모든 표제어, 유의어, 표제어 뜻, 예문에 대한 음성을 QR 코드로 쉽게 들을 수 있어요.

4 기출 예문 표제어가 실제 기출에서 어떻게 쓰였는지 확인하며 학습할 수 있어요.

5 파생어·반의어 표제어의 파생어와 반의어를 효율적으로 함께 학습할 수 있어요.

6 예문 해석 예문을 먼저 스스로 해석해 본 후 페이지 하단에서 해석을 확인할 수 있어요.

7 Tips 시험에 함께 자주 출제되는 표현과 표제어의 어원을 학습하면서 어휘력을 쉽게 확장할 수 있어요.

Daily Quiz

매 Day마다 제공되는 Daily Quiz를 통해 학습한 내용을 복습하고 학업 성취도를 확인할 수 있어요.

➕ 추가 학습 자료로 어휘 실력 업그레이드!

미니 암기장

미니 암기장을 가지고 언제 어디서나 간편하게 단어를 학습할 수 있어요.

단어가리개

단어가리개를 이용한 셀프테스트로 단어의 암기 여부를 쉽고 빠르게 확인할 수 있어요.

● 교재에 사용된 약호

[n] 명사 [v] 동사 [a] 형용사 [ad] 부사 [prep] 전치사 [conj] 접속사

➕ 파생어 ⬌ 반의어

3회독 학습 플랜

1회독

표제어 + 유의어 + 예문 + Daily Quiz

— 하루에 1 Day씩 표제어와 유의어를 학습하고 예문을 통해 어휘의 쓰임을 학습하세요.

— Daily Quiz로 배운 내용을 복습하세요.

2회독

표제어 + 유의어 + 예문 + 파생어 + 반의어 + Tips

— 하루에 2 Day씩 학습하면서 1회독 때 외웠던 표제어와 유의어를 복습하세요. 잘 외워지지 않는 단어는 따로 체크하세요.

— 표제어의 파생어, 반의어, 그리고 Tips에 등장하는 표현과 어원도 꼼꼼하게 학습하세요.

3회독

잘 외워지지 않는 단어

— 1~2회독 때 잘 외워지지 않았던 단어를 복습하며 다시 암기하세요.

단어암기 TIP

- 미니 암기장을 이용하면 언제 어디서나 간편하게 복습할 수 있어요.
- 해커스북(HackersBook.com)에서 부가물로 제공되는 나만의 단어장 양식을 활용해서 단어장을 만들면, 잘 외워지지 않는 단어를 더 효율적으로 학습할 수 있어요.

✏️ 학습을 완료한 Day에 체크 표시를 해서 학습 여부를 기록해보세요.

DAY 01	DAY 02	DAY 03	DAY 04	DAY 05
☐ ☐ ☐	☐ ☐ ☐	☐ ☐ ☐	☐ ☐ ☐	☐ ☐ ☐

DAY 06	DAY 07	DAY 08	DAY 09	DAY 10
☐ ☐ ☐	☐ ☐ ☐	☐ ☐ ☐	☐ ☐ ☐	☐ ☐ ☐

DAY 11	DAY 12	DAY 13	DAY 14	DAY 15
☐ ☐ ☐	☐ ☐ ☐	☐ ☐ ☐	☐ ☐ ☐	☐ ☐ ☐

DAY 16	DAY 17	DAY 18	DAY 19	DAY 20
☐ ☐ ☐	☐ ☐ ☐	☐ ☐ ☐	☐ ☐ ☐	☐ ☐ ☐

DAY 21	DAY 22	DAY 23	DAY 24	DAY 25
☐ ☐ ☐	☐ ☐ ☐	☐ ☐ ☐	☐ ☐ ☐	☐ ☐ ☐

DAY 26	DAY 27	DAY 28	DAY 29	DAY 30
☐ ☐ ☐	☐ ☐ ☐	☐ ☐ ☐	☐ ☐ ☐	☐ ☐ ☐

DAY 31	DAY 32	DAY 33	DAY 34	DAY 35
☐ ☐ ☐	☐ ☐ ☐	☐ ☐ ☐	☐ ☐ ☐	☐ ☐ ☐

DAY 36	DAY 37	DAY 38	DAY 39	DAY 40
☐ ☐ ☐	☐ ☐ ☐	☐ ☐ ☐	☐ ☐ ☐	☐ ☐ ☐

DAY 41	DAY 42	DAY 43	DAY 44	DAY 45
☐ ☐ ☐	☐ ☐ ☐	☐ ☐ ☐	☐ ☐ ☐	☐ ☐ ☐

DAY 46	DAY 47	DAY 48	DAY 49	DAY 50
☐ ☐ ☐	☐ ☐ ☐	☐ ☐ ☐	☐ ☐ ☐	☐ ☐ ☐

해커스 보카
수능 심화

DAY
01-50

DAY 01

음성 바로 듣기

0001 ☐☐☐ ★★★

mean

[mi:n]

| ⓥ signify, indicate | 의미하다, 나타내다 |
| ⓥ intend, have in mind | 의도하다 |

"White lie" means a harmless lie to protect someone from a harsh truth. 수능

She knew the boys were sorry and had not meant to cause such harm. 모평

➕ meaningful ⓐ 의미 있는, 중요한　meaningfully ⓐⓓ 의미 있게, 유효하게

0002 ☐☐☐ ★★★

regard

[rigá:rd]

| ⓥ consider, think of, see | 여기다, 간주하다 |
| ⓝ appreciation, respect, attention | 평가, 존경, 관심 |

She was worried that her fans would still regard her as a fashion model, not a singer. 학평

Europeans hold leisure in high regard. 모평

➕ regardless ⓐⓓ 상관없이　regarding prep ~에 관하여
➖ disregard ⓥ 무시하다

Tips　┌ 시험에는 이렇게 나온다 ─────────────────────────┐
　　　│ with regard to　~에 관해서　　　　　regard A as B　A를 B로 여기다 │
　　　│ in this regard　이런 관점에서 볼 때　　regardless of　~과 상관없이 │
　　　└──┘

0003 ☐☐☐ ★★

opportunity

[à:pərtú:nəti]

| ⓝ chance | (좋은) 기회, 호기 |

School trips are good opportunities to make friends. 수능

---

mean　· "하얀 거짓말"은 가혹한 진실로부터 누군가를 보호하기 위한 악의 없는 거짓말을 의미한다.
　　　· 그녀는 그 소년들이 미안하고 그런 해를 끼치려고 의도하지 않았다는 것을 알았다.
regard　· 그녀는 그녀의 팬들이 여전히 자신을 가수가 아닌 패션 모델로 여길까 봐 걱정했다.
　　　· 유럽인들은 여가를 높게 평가한다.
opportunity　· 수학여행은 친구들을 사귈 수 있는 좋은 기회이다.

relevant

[réləvənt]

ⓐ **related, applicable**

관련된, 적절한

Drones can gather relevant data in places that were previously difficult to reach. (학평)

➕ relevance ⓝ 관련성, 적절성

➖ irrelevant ⓐ 관련 없는

Tips | **시험에는 이렇게 나온다**

relevant to ~에 관련된   relevant factors 관련 요소들
relevant data/information 관련 정보

current

[kə́:rənt]

ⓐ **present, modern**

현재의, 지금의

ⓝ **flow, stream**

(해류·기류 등의) 흐름

The previous rent was far lower than Jenny's current rent. (학평)

The swimmers struggled against the strong current of the river.

➕ currently ⓐⓓ 현재는, 최근에는

Tips | **어원으로 어휘 확장하기**

cur(r) 흐르다 + ent 형·접 ▶ 지금 세상에 흐르고 있는, 즉 현재의 또는 현재 통용되는

➕ **cur**riculum ⓝ 교육 과정   **curr**ency ⓝ 통화, 통용

leap

[liːp]

ⓝ **jump, spring**

도약, 비약

ⓥ **jump, bounce**

뛰다, 뛰어오르다

Egypt recorded the highest leap in its real GDP growth rate between 2005 and 2006. (학평)

Look before you leap. (수능)

---

relevant · 드론은 이전에 도달하기 어려웠던 장소에서 관련된 데이터를 수집할 수 있다.
current · 이전의 집세는 Jenny의 현재 집세보다 훨씬 더 낮았다.
· 수영하는 사람들은 강의 거센 흐름에 맞서 싸웠다.
leap · 이집트는 2005년과 2006년 사이에 실질 GDP 성장률에서 최고의 도약을 기록했다.
· 뛰기 전에 잘 보라.(돌다리도 두들겨 보고 건너라)

0007 □□□ ★★★

prey

[prei]

ⓝ target of attack, victim 먹이, 사냥감, 희생자

ⓥ hunt, catch, seize 잡아먹다, 먹이로 삼다

Lizards track their prey by picking up scents. 한평

Snow leopards primarily prey on mountain sheep, goats, rodents, birds, and deer. 한평

Tips | **시험에는 이렇게 나온다**

prey on ~을 잡아먹다, 약탈하다   prey species 피식자 종류

0008 □□□ ★★★

physical

[fízikəl]

ⓐ bodily, corporeal 신체적, 육체적인

ⓐ tangible, material 물리적인, 물질적인

Another physical benefit takes longer to achieve, but it is well worth the effort. 수능

Without social bonds, early human beings probably would not have been able to adapt to their physical environments. 한평

➊ physically ⓐⓓ 신체적으로, 물리적으로   physics ⓝ 물리학   physician ⓝ (내과)의사

Tips | **시험에는 이렇게 나온다**

physical activity 신체 활동   physical contact 신체 접촉
physical education class 체육 수업   physical appearance 신체적 외모

0009 □□□ ★★★

noble

[nóubl]

ⓐ honorable, dignified, virtuous 고귀한, 귀족의

Actions of virtue are noble and require no other reward.

➊ nobility ⓝ 고귀함, 귀족

0010 □□□ ★★★

phase

[feiz]

ⓝ stage, step, period 단계, 시기, 국면

The initial phase of any design process is the recognition of a problematic condition. 한평

---

prey   · 도마뱀은 냄새를 따라 감으로써 먹이를 추적한다.
          · 눈표범은 주로 산양, 염소, 설치류, 새, 사슴을 잡아먹는다.
physical · 또 다른 신체적 이점은 성취하는 데 더 오래 걸리지만, 그것은 노력할 가치가 충분히 있다.
          · 사회적 유대감이 없이는, 초기 인간은 아마도 그들의 물리적 환경에 적응할 수 없었을 것이다.
noble   · 미덕의 행동은 고귀하고 다른 보상을 요구하지 않는다.
phase   · 모든 설계 과정의 초기 단계는 문제가 있는 상태의 인식이다.

0011 ☐☐☐ ★★★

enthusiasm

[inθú:ziæzm]

Ⓝ **eagerness, passion** 열정, 열광

I started my long journey with great enthusiasm. 수능

➕ enthusiastic ⓐ 열광적인, 열렬한 enthusiastically ⓐⓓ 열광적으로, 열렬히

Tips **어원으로 어휘 확장하기**

en 안에 + thus 신 + iasm 명·접(ism) ▶ 마음 안에 신이 불어 넣는 것, 즉 열정

➕ engage ⓥ 약속하다, 참가하다

0012 ☐☐☐ ★★★

deserve

[dizə́:rv]

Ⓥ **be entitled to, justify, merit** 받을 자격이 있다

You deserve the better marks since you studied hard. 학평

➕ deserved ⓐ 마땅한, 응당한

➖ undeserved ⓐ 받을 만하지 않은, 과분한

Tips **어원으로 어휘 확장하기**

de 완전히 + serv(e) 섬기다 ▶ 완전히 섬기어 그 대가를 마땅히 받을 자격이 있다

➕ serve ⓥ 차려 주다, 봉사하다 servant ⓝ 하인, 종업원

0013 ☐☐☐ ★★★

kin

[kin]

Ⓝ **relative, family** 친척, 친족

The members of modified extended families may freely move away from kin to seek more opportunities. 수능

➕ kinship ⓝ 친족, 연대감

0014 ☐☐☐ ★★

dull

[dʌl]

ⓐ **boring, tedious** 지루한

I don't want to spend my precious time on dull computer things. 학평

➕ dullness ⓝ 둔함, 둔감

---

enthusiasm · 나는 큰 열정으로 나의 긴 여정을 시작했다.
deserve · 너는 열심히 공부했기 때문에 더 좋은 점수를 받을 자격이 있다.
kin · 수정 확대 가족의 구성원들은 더 많은 기회를 찾기 위해 자유롭게 친척을 떠날 수도 있다.
dull · 나는 내 소중한 시간을 지루한 컴퓨터 관련된 일에 쓰고 싶지 않다.

0015 ☐☐☐ ★★

polish
[pá:liʃ]

Ⓥ shine, rub, improve

윤내다, 닦다, 다듬다

He used napkins to polish the silverware and crystal before each meal. 학평

➕ polishing Ⓝ 연마, 윤내기   polished Ⓐ 광이 나는, 우아한

0016 ☐☐☐ ★★

extract
[ikstrǽkt]

Ⓥ draw out, derive, distill

추출하다, 뽑다

The chef used a small device to extract the juice from the oranges.

➕ extraction Ⓝ 뽑아냄, 추출

> **Tips** 시험에는 이렇게 나온다
>
> extract from ~에서 뽑아내다
> extract knowledge/information 지식/정보를 얻어내다

0017 ☐☐☐ ★★

concrete
[ká:nkri:t]

Ⓐ specific, clear, actual

구체적인, 확실한

The teacher used a concrete example from everyday life to explain the main concept of the lesson.

➕ concretely Ⓐⓓ 구체적으로, 명확하게

0018 ☐☐☐ ★★★

infinite
[ínfənət]

Ⓐ limitless, boundless, immeasurable

무한한, 막대한

Remember when you were little and you imagined that adults had infinite power? 수능

➕ infinity Ⓝ 무한대, 무한성   infinitely Ⓐⓓ 무한히, 한없이
➖ finite Ⓐ 유한한, 한정된

> **Tips** 어원으로 어휘 확장하기
>
> in 아닌 + fin 끝 + ite 형·접 ▶ 끝나지 않는, 즉 무한한
> ➕ refine Ⓥ 정제하다   final Ⓐ 마지막의

---

polish · 그는 매 식사 전에 식기와 크리스털 제품을 윤내기 위해 냅킨을 사용했다.
extract · 요리사는 오렌지에서 즙을 추출하기 위해 작은 장치를 사용했다.
concrete · 선생님은 수업의 주요 개념을 설명하기 위해 일상생활에서 나온 구체적인 예시를 사용했다.
infinite · 당신이 어렸을 때 어른들은 무한한 힘을 가지고 있다고 상상했던 때를 기억하는가?

0019 ☐☐☐ ★★

adolescent

[ǽdəlésnt]

ⓝ **teenager, juvenile**　　　청소년

Arguing is something that adolescents need to do in their family life. 수능

➕ adolescence ⓝ 청소년기

0020 ☐☐☐ ★★

botanical

[bətǽnikəl]

ⓐ **relating to plants**　　　식물의, 식물에 관한

Jake visited the botanical gardens to look at and enjoy the various plant exhibits.

➕ botanically ⓐⓓ 식물학적으로, 식물과 관련하여　botanist ⓝ 식물학자

0021 ☐☐☐ ★★

elevate

[éləvèit]

ⓥ **raise, lift**　　　(들어) 올리다, 증가시키다

Without cranes, it would be nearly impossible to elevate the large steel beams of skyscrapers.

➕ elevation ⓝ 높이, 향상, 승진　elevator ⓝ 엘리베이터

Tips | **어원으로 어휘 확장하기**

e 밖으로(ex) + lev 올리다 + ate 동·접 ▶ 어떤 것을 현재의 자리 밖으로 들어올리다

➕ lever ⓝ 지렛대, 레버　alleviate ⓥ 덜다, 완화하다

0022 ☐☐☐ ★

unanimous

[juːnǽnəməs]

ⓐ **agreed, unified**　　　만장일치의

Every member of the union voted in favor of the policy in a rare unanimous decision.

➕ unanimously ⓐⓓ 만장일치로　unanimity ⓝ 만장일치
➖ divided ⓐ 분열된, 분리된

adolescent ・ 논쟁은 청소년들이 가정생활에서 해야 할 일이다.
botanical ・ Jake는 다양한 식물 전시회를 보고 즐기기 위해 식물원을 방문했다.
elevate ・ 크레인이 없이는, 고층 빌딩의 거대한 철재 빔을 들어 올리는 것은 거의 불가능할 것이다.
unanimous ・ 조합원 전원이 이례적인 만장일치의 결정으로 그 정책에 찬성표를 던졌다.

0023 ☐☐☐ ★★★

profitable

[práfitəbl]

[a] **lucrative, beneficial, advantageous**　이익이 되는, 유익한

Black Friday is the most profitable time of the year for the retailers. 학평

➕ profit ⓝ 이익, 이득, 수익　profitability ⓝ 수익성, 유익성

0024 ☐☐☐ ★★

stink

[stiŋk]

[n] **foul smell, stench**　악취, 고약한 냄새

The stink of the garbage was overwhelming, causing people walking by to hold their noses.

0025 ☐☐☐ ★★

irrational

[irǽʃənəl]

[a] **illogical, unreasonable**　비이성적인, 불합리한

Many parents do not understand why their teenagers occasionally behave in an irrational or dangerous way. 학평

➕ irrationally ⓐd 비이성적으로, 불합리하게　irrationality ⓝ 불합리, 부조리
❌ rational [a] 이성적인, 합리적인

Tips	시험에는 이렇게 나온다
	irrational decision/judgment 비이성적인 결정/판단

0026 ☐☐☐ ★★

obsession

[əbséʃən]

[n] **fixation, preoccupation**　집착, 강박 상태

A person with an obsession will work out of fear or selfish desire. 학평

➕ obsess ⓥ (마음을) 사로잡다, ~에 집착하게 하다　obsessive [a] 사로잡힌, 강박적인
obsessively ⓐd 집요하게, 강박적으로

0027 ☐☐☐ ★★

conceive

[kənsíːv]

[v] **imagine, visualize, think**　상상하다, 생각하다

Most people conceive the universe as infinite space.

➕ conception ⓝ 개념, 구상　conceivable [a] 상상할 수 있는

---

profitable ・ 블랙 프라이데이는 소매업자들에게 일년 중 가장 이익이 되는 시기이다.
stink ・ 쓰레기의 악취가 진동해서, 지나가는 사람들의 코를 막게 했다.
irrational ・ 많은 부모들은 왜 그들의 십대들이 때때로 비이성적이거나 위험한 방식으로 행동하는지 이해하지 못한다.
obsession ・ 집착이 있는 사람은 두려움이나 이기적인 욕망에 의해 일을 할 것이다.
conceive ・ 대부분의 사람들은 우주를 무한한 공간이라고 상상한다.

0028 □□□ ★★

enact

[inǽkt]

Ⓥ **legislate, make into law, establish** (법을) 제정하다

The civil rights movement pressured Congress to enact a new law in 1964.

➕ enactment ⓝ 법률 제정, 입법

Tips **어원으로 어휘 확장하기**

en 하게 만들다 + act 행동하다 ▶ 어떤 행동을 하게 만들기 위해 법을 제정하다

➕ enable Ⓥ ~할 수 있게 하다 active ⓐ 활동적인

0029 □□□ ★★

stance

[stæns]

ⓝ **attitude, posture** 태도, 입장, 자세

The tone of one's voice gives us an enormous amount of information about that person's stance toward life. (수능)

0030 □□□ ★★

discriminate

[diskrímənèit]

Ⓥ **segregate, distinguish, separate** 구별하다, 차별하다

A dog knows how to discriminate one scent from another. (모평)

➕ discrimination ⓝ 차별, 구별

Tips **어원으로 어휘 확장하기**

dis 떨어져 + crimin 분리하다(cern) + ate 동·접 ▶ 떨어뜨려 다른 대우를 받도록 분리하다, 즉 차별하다

➕ discard Ⓥ 버리다 disguise Ⓥ 변장하다, 위장하다

0031 □□□ ★

dwell

[dwel]

Ⓥ **live, reside** 살다, 거주하다

Maasai have given up the traditional life of mobile herding and now dwell in permanent huts. (학평)

➕ dwelling ⓝ 주거(지), 주택

Tips **시험에는 이렇게 나온다**

dwell in ~에 살다   dwell on ~을 숙고하다, 깊이 생각하다

---

enact · 민권운동은 1964년에 새로운 법을 제정하도록 의회에 압력을 가했다.
stance · 사람의 목소리 톤은 우리에게 그 사람이 삶을 대하는 태도에 대한 엄청난 양의 정보를 준다.
discriminate · 개는 하나의 냄새를 다른 냄새와 구별할 줄 안다.
dwell · 마사이족은 전통적인 이동 목축 생활을 포기했고 지금은 상설 오두막에서 산다.

compile

[kəmpáil]

Ⓥ **put together, collect, assemble** (자료 등을) 수집하다

Large online stores compile information about their customers.

➕ compilation Ⓝ 모음집, 편집

vocation

[voukéiʃən]

Ⓝ **job, career, profession** 직업

It is very important to choose the right vocation, the one that suits you best. (학평)

➕ vocational ⓐ 직업과 관련된, 천직의 vocationally ⓐⓓ 직업적으로

pronounced

[prənáunst]

ⓐ **distinct, noticeable, striking** 뚜렷한, 명백한

The development of agricultural pesticides led to a pronounced increase in crop yields.

➕ pronounce Ⓥ 선언하다, 발음하다

preliminary

[prilímənèri]

ⓐ **introductory, preparatory, initial** 예비의, 준비의

A junior high school student survived all the preliminary rounds of a national spelling bee. (학평)

➕ preliminarily ⓐⓓ 예비적으로, 미리, 사전에

> Tips **어원으로 어휘 확장하기**
>
> pre 앞서 + limin 경계 + ary 형·접 ▶ 정해진 경계보다 앞서 사전에 하는, 즉 예비의
>
> ➕ eliminate Ⓥ 제거하다, 삭제하다

---

compile · 대형 온라인 상점은 그들의 고객들에 관한 정보를 수집한다.
vocation · 당신에게 가장 잘 맞는 적합한 직업을 선택하는 것은 매우 중요하다.
pronounced · 농업용 살충제의 개발은 농작물 수확량의 뚜렷한 증가로 이어졌다.
preliminary · 한 중학생이 전국 철자 대회의 모든 예비 경기에서 살아남았다.

Daily Quiz

A 알맞은 유의어를 고르세요.

01 prey		ⓐ target of attack, victim
02 extract		ⓑ shine, rub, improve
03 compile		ⓒ put together, collect, assemble
04 opportunity		ⓓ relating to plants
05 polish		ⓔ chance
06 botanical		ⓕ be entitled to, justify, merit
07 deserve		ⓖ attitude, posture
08 stance		ⓗ related, applicable
09 relevant		ⓘ live, reside
10 dwell		ⓙ draw out, derive, distill

B 밑줄 친 단어와 가장 뜻이 유사한 단어를 고르세요.

11 Most people <u>conceive</u> the universe as infinite space.

   ⓐ signify   ⓑ imagine   ⓒ jump   ⓓ hunt

12 The teacher used a <u>concrete</u> example from everyday life to explain the main concept of the lesson.

   ⓐ related   ⓑ specific   ⓒ present   ⓓ limitless

13 Actions of virtue are <u>noble</u> and require no other reward.

   ⓐ boring   ⓑ boundless   ⓒ honorable   ⓓ beneficial

14 She was worried that her fans would still <u>regard</u> her as a fashion model, not a singer.

   ⓐ put together   ⓑ segregate   ⓒ shine   ⓓ consider

15 It is very important to choose the right <u>vocation</u>, the one that suits you best.

   ⓐ appreciation   ⓑ job   ⓒ chance   ⓓ stream

C 다음 빈칸에 들어갈 가장 알맞은 것을 박스 안에서 고르세요.

kin	pronounced	enthusiasm	infinite	discriminate	mean

16 I started my long journey with great _____.

17 A dog knows how to _____ one scent from another.

18 "White lie" _____(e)s a harmless lie to protect someone from a harsh truth.

19 The development of agricultural pesticides led to a(n) _____ increase in crop yields.

20 Remember when you were little and you imagined that adults had _____ power?

정답

01 ⓐ	02 ⓙ	03 ⓒ	04 ⓔ	05 ⓑ	06 ⓓ	07 ⓕ	08 ⓖ
09 ⓗ	10 ⓘ	11 ⓑ	12 ⓑ	13 ⓒ	14 ⓓ	15 ⓑ	
16 enthusiasm	17 discriminate	18 mean	19 pronounced	20 infinite			

DAY 02

음성 바로 듣기

0036 ☐☐☐ ★★★

quality
[kwá:ləti]

| ⓝ grade, value | 질, 품질 |
| ⓐ good, superior | 양질의, 고급의 |

Humans use all their five senses to analyze food quality. 수능
Our goal is to provide quality goods at reasonable prices.

■ quantity ⓝ 양, 수량

0037 ☐☐☐ ★★

noticeable
[nóutisəbl]

| ⓐ conspicuous, apparent, remarkable | 눈에 띄는, 뚜렷한 |

It'd be better if the sign were bigger and more noticeable. 학평

➕ noticeably ⓐⓓ 두드러지게, 현저히 notice ⓥ 주목하다 ⓝ 통지, 주목
■ unnoticeable ⓐ 눈에 띄지 않는

0038 ☐☐☐ ★★★

define
[difáin]

| ⓥ identify, describe, clarify | 정의하다, 분명히 하다 |

Art is difficult to define but is an ability to make something of more than ordinary significance. 학평

➕ definite ⓐ 분명한, 확실한 definitely ⓐⓓ 분명히, 확실히 definition ⓝ 정의, 의미

Tips | 시험에는 이렇게 나온다
be defined as ~으로 정의되다   well-defined 알기 쉬운, 명확한

0039 ☐☐☐ ★★★

gene
[dʒiːn]

| ⓝ a unit of inheritance | 유전자 |

Twins share the exact same genes in their DNA. 학평

➕ genetic ⓐ 유전적인 genetics ⓝ 유전학 genetically ⓐⓓ 유전적으로

---

quality · 인간은 음식의 질을 분석하기 위해 그들의 오감을 모두 사용한다.
· 우리의 목표는 양질의 제품을 합리적인 가격에 제공하는 것이다.
noticeable · 표지판이 더 크고 눈에 띄었으면 더 좋았을 것이다.
define · 예술은 정의하기 어렵긴 하지만 보통 이상의 의미를 지닌 무언가를 만드는 능력이다.
gene · 쌍둥이는 그들의 DNA에서 정확히 같은 유전자를 공유한다.

0040 □□□ ★★★

chore

[tʃɔːr]

ⓝ (house) work, assignment, duty (집안)일

People who did more chores in childhood are successful later in life. (학평)

Tips · 시험에는 이렇게 나온다

do chores 집안일을 하다 household chores 집안일
routine chores 틀에 박힌 잡일

0041 □□□ ★★★

rational

[ræʃənəl]

ⓐ logical, sensible, reasonable 이성적인, 합리적인

There is a common belief that decision making is the heart of rational, logical thought. (학평)

➕ rationalize ⓥ 합리화하다 rationality ⓝ 합리성
➖ irrational ⓐ 비합리적인, 비이성적인

Tips · 어원으로 어휘 확장하기

rat 추론하다 + ion 명·접 + al 형·접 ▶ 이성에 따라 추론이 가능한 상태인, 즉 합리적인
➕ rate ⓥ 추론하다, 계산하다

0042 □□□ ★★

humidity

[hjuːmídəti]

ⓝ moisture, moistness 습도, 습함

Vegetables stay fresh longer with a bit of humidity. (학평)

➕ humid ⓐ 습한 humidifier ⓝ 가습기

0043 □□□ ★★

scheme

[skiːm]

ⓝ plan, strategy 계획, 책략

Heather came up with a scheme to make extra money.

➕ scheming ⓐ 책략을 꾸미는

---

chore · 어린 시절에 더 많은 집안일을 한 사람들은 나중에 성공한다.
rational · 의사 결정은 이성적이고 논리적인 사고의 핵심이라는 일반적인 믿음이 있다.
humidity · 채소는 약간의 습도로 더 오랫동안 신선하게 유지된다.
scheme · Heather는 여분의 돈을 벌기 위한 계획을 생각해냈다.

0044 □□□ ★★★

tide

[taid]

| n current, flow | 조수, 흐름 |

When the tide is low, some birds walk along the water's edge and grab small animals. 수능

➕ tidal ⓐ 조수의

0045 □□□ ★★

simplify

[símpləfài]

| v make simpler, make easy | 단순화하다 |

Assumptions can simplify the complex world and make it easier to understand. 수능

➕ simplification ⓝ 단일화, 간소화

0046 □□□ ★★★

strip

[strip]

| n band, bar, layer | 띠, 가늘고 긴 조각 |

| v uncover, remove | 벗기다, 없애다 |

The magnetic strip on your card is damaged. 모평

A long hot shower on a cold winter morning can strip the natural oils from your skin. 학평

0047 □□□ ★★★

pesticide

[péstisàid]

| n a substance used to kill harmful insects | 살충제, 농약 |

Fertilizers and pesticides are dangerous chemicals that cause cancer and pollute the environment. 학평

➕ pest ⓝ 해충   pesticidal ⓐ 농약의, 살충제의

Tips | 어원으로 어휘 확장하기

pest(i) 해충 + cide 죽이다 ▶ 해충을 죽이는 농약 또는 살충제

➕ genocide ⓝ 종족 학살   suicide ⓝ 자살

---

tide · 조수가 낮을(썰물일) 때, 몇몇 새들은 물가를 따라 걸어가며 작은 동물들을 잡는다.
simplify · 가정은 복잡한 세상을 단순화하고 이해하기 더 쉽게 만들 수 있다.
strip · 당신 카드의 마그네틱 띠가 손상되었다.
· 추운 겨울 아침의 오랜 시간 뜨거운 샤워는 당신의 피부에서 자연적인 유분을 벗겨낼 수 있다.
pesticide · 비료와 살충제는 암을 유발하고 환경을 오염시키는 위험한 화학물질이다.

0048 ☐☐☐ ★★★

familiarity

[fəmìliǽrəti]

n friendliness, closeness, intimacy 익숙함, 친근함

Familiarity can often lead to errors on multiple-choice exams. (학평)

➕ familiar ⓐ 친숙한, 익숙한   familiarize ⓥ 익숙하게 하다

0049 ☐☐☐ ★★★

nurture

[nə́:rtʃər]

v foster, raise 키우다, 양육하다

A mother bird will nurture her young until they're ready to leave the nest.

➕ nurturer ⓝ 양육하는 사람

0050 ☐☐☐ ★★★

entail

[intéil]

v cause, involve 수반하다, 일으키다

Building the Panama Canal was dangerous, so it entailed a serious risk for the workers.

Tips **어원으로 어휘 확장하기**

en 하게 만들다 + tail 자르다 ▶ 어떤 것을 잘라 다른 결과가 나오게 만들다, 즉 결과를 수반하다

➕ encourage ⓥ 격려하다   tailor ⓝ 재단사 ⓥ (양복을) 짓다

0051 ☐☐☐ ★★

embrace

[imbréis]

v accept, receive, adopt, hug 받아들이다, 포옹하다

Roger quickly embraced the idea of expanding his business.

➕ embracement ⓝ 포옹, 수락

Tips **어원으로 어휘 확장하기**

em 안에 + brace 팔 ▶ 팔 안에 들어오게 껴안다

➕ embed ⓥ 깊이 박다, 끼워 넣다

---

familiarity · 익숙함은 객관식 시험에서 종종 실수로 이어질 수 있다.
nurture · 어미 새는 새끼들이 둥지를 떠날 준비가 될 때까지 그들을 키울 것이다.
entail · 파나마 운하를 건설하는 것은 위험했기에, 그것은 노동자들에게 심각한 위험성을 수반했다.
embrace · Roger는 그의 사업을 확장하는 것에 대한 아이디어를 재빨리 받아들였다.

0052 ☐☐☐ ★★

revenge

[rivéndʒ]

| ⓝ retaliation, vengeance | 복수, 보복 |
| ⓥ get back at, repay | 앙갚음하다, 복수하다 |

I think the law takes away the right of revenge from people and gives that right to the community. (학평)

The old man threw trash into his neighbor's yard to revenge the littering the neighbor had done on his property.

➕ revengeful ⓐ 복수심에 불타는

Tips 어원으로 어휘 확장하기

re 다시 + venge 복수하다 ▶ 원수를 다시 되갚기 위해 하는 복수

➕ avenge ⓥ 복수하다

0053 ☐☐☐ ★★

lean

[liːn]

| ⓥ recline, bend, incline | 기대다, 기울다 |

Victor leaned against his window and looked out. (학평)

0054 ☐☐☐ ★★

summit

[sʌ́mit]

| ⓝ peak, pinnacle, climax | 정상, 정점 |

The mountain is steepest at the summit, but that's no reason to turn back. (수능)

Tips 시험에는 이렇게 나온다

on/at the summit 정상에서   reach the summit 정상에 오르다

0055 ☐☐☐ ★★

barren

[bǽrən]

| ⓐ infertile, sterile, lifeless, desolate | 척박한, 불모의 |

In the barren West, it was barely enough to support a family. (학평)

➕ barrenness ⓝ 불모, 무력함

↔ fertile ⓐ 비옥한, 다산의

---

revenge · 나는 법이 사람들에게서 복수할 권리를 빼앗고 그 권리를 공동체에 준다고 생각한다.
· 그 노인은 이웃이 자기 땅에 쓰레기를 버렸던 것에 앙갚음하기 위해 이웃집 마당에 쓰레기를 버렸다.
lean · Victor는 창문에 기대어 밖을 내다보았다.
summit · 그 산은 정상에서 가장 가파르지만, 그렇다고 그것이 되돌아갈 이유는 아니다.
barren · 척박한 서부에서, 간신히 가족을 부양할 수 있었다.

0056 ☐☐☐ ★★

portray

[pɔːrtréi]

Ⓥ **represent, depict** 나타내다, 그리다

Body language experts say that smiling can portray confidence and warmth. (학평)

➕ portrait ⓝ 초상화   portrayal ⓝ 묘사

Tips **어원으로 어휘 확장하기**

por 앞으로(pro) + tray 끌다(tract) ▶ 특징이 잘 보이게 앞으로 끌어내어 묘사하다
➕ propel Ⓥ 나아가게 하다, 추진하다   attract Ⓥ 끌다, 끌어 모으다

0057 ☐☐☐ ★★

trivial

[tríviəl]

ⓐ **minor, petty, unimportant** 사소한, 하찮은

We decide what is important or trivial in life. (수능)

➕ trivialize Ⓥ 하찮아 보이게 만들다
➖ important ⓐ 중요한

Tips **어원으로 어휘 확장하기**

tri 셋 + vi 길 + al 형·접 ▶ 길이 셋으로 갈라져 작고 사소해진
➕ triple ⓐ 세 배의   via prep ~를 거쳐, ~를 경유하여

0058 ☐☐☐ ★★

pollinate

[pálənèit]

Ⓥ **fertilize with pollen** 수분시키다

Bees carry pollen from flower to flower, pollinating countless plants and allowing them to grow.

➕ pollination ⓝ 수분   pollinator ⓝ 꽃가루 매개자

0059 ☐☐☐ ★★

penetrate

[pénətrèit]

Ⓥ **pierce, go through** 침투하다, 꿰뚫다

The trees increase in wetter climates and on sandier soils because more water is able to penetrate to the deep roots. (모평)

➕ penetration ⓝ 침투, 관통

---

portray   · 바디 랭귀지 전문가들은 미소가 자신감과 따뜻함을 나타낼 수 있다고 말한다.
trivial   · 우리는 인생에서 무엇이 중요하고 사소한지를 결정한다.
pollinate   · 벌들은 꽃에서 꽃으로 꽃가루를 옮기면서, 수많은 식물을 수분시키고 그것들이 자랄 수 있게 한다.
penetrate   · 더 많은 물이 깊은 뿌리까지 침투할 수 있기 때문에 나무는 더 습한 기후와 모래가 더 많은 토양에서 번식한다.

0060 □□□ ★★

backfire

ⓥ **have an opposite effect** 역효과를 낳다

[bǽkfàiər]

The problem with social comparison is that it often **backfires**. 학평

0061 □□□ ★★

flaw

ⓝ **defect, fault, weakness** 결점, 약점

[flɔː]

Anne's lack of experience was the only **flaw** on her résumé.

+ flawless ⓐ 흠이 없는, 완벽한 flawlessly ⓐⓓ 흠 없이, 완전하게

Tips **시험에는 이렇게 나온다**

fundamental flaw 근본적인 결점 / major flaw 주된 약점
flawed perception 잘못된 인식 / free of flaw 완벽한

0062 □□□ ★★

critique

ⓝ **comment, analysis, appraisal** 비평, 평론

[kritíːk]

In addition to **critiques**, Henry James wrote about twenty novels. 학평

0063 □□□ ★★

formidable

ⓐ **tremendous, intimidating, daunting** 엄청난, 무서운, 강력한

[fɔ́ːrmidəbl]

For working parents, raising children is **formidable**.

+ formidability ⓝ 어마어마함, 무서움

Tips **시험에는 이렇게 나온다**

formidable opponent 무서운 적수 / formidable opposition 강력한 반대

0064 □□□ ★★

charitable

ⓐ **philanthropic, generous, benevolent** 자선의, 관대한

[tʃǽritəbl]

We give millions each year to **charitable** organizations. 학평

+ charity ⓝ 자선, 자선 단체

backfire · 사회적 비교가 가진 문제는 그것이 종종 역효과를 낸다는 것이다.
flaw · Anne의 경험 부족은 그녀 이력서의 유일한 결점이었다.
critique · 비평 외에도, Henry James는 약 20편의 소설을 썼다.
formidable · 맞벌이하는 부모에게, 아이를 키우는 일은 엄청난 것이다.
charitable · 우리는 매년 수백만 달러를 자선 단체에 기부한다.

0065 ☐☐☐ ★

adrift

[ədríft]

@ **afloat, drifting**   표류하는

Brightly colored ducks, frogs, and turtles were set adrift in the middle of the Pacific Ocean. 수능

0066 ☐☐☐ ★★

overshadow

[òuvərʃǽdou]

ⓥ **dim, make obscure, eclipse**   무색하게 하다, 가리다

Sadly, the thrill of his reunion with his family was soon overshadowed. 학평

🔺 illuminate ⓥ 밝히다, 분명히 하다

0067 ☐☐☐ ★

patriot

[péitriət]

ⓝ **nationalist, loyalist**   애국자, 애국지사

Tara was a true patriot, so she was always working to improve the country she loved so deeply.

➕ patriotism ⓝ 애국심   patriotic @ 애국적인

Tips | **어원으로 어휘 확장하기**

patr(iot) 아버지 ▶ 아버지의 나라, 즉 조국을 사랑하는 애국자

➕ **patr**on ⓝ 후원자, 보호자

0068 ☐☐☐ ★

adjacent

[ədʒéisnt]

@ **nearby, neighboring, adjoining**   인접한, 가까운

In addition to the World Trade Center, adjacent buildings were damaged on 9/11.

➕ adjacency ⓝ 인접, 근방

🔺 remote @ 먼, 원격의

0069 ☐☐☐ ★

outperform

[àutpərfɔ́:rm]

ⓥ **exceed, surpass**   능가하다

When it comes to innovation, small teams consistently outperform larger organizations. 학평

---

adrift · 밝은 색깔의 오리, 개구리, 그리고 거북이들이 태평양 한가운데에 표류해 있었다.
overshadow · 슬프게도, 그의 가족과 재회의 감격은 곧 무색해졌다.
patriot · Tara는 진정한 애국자였기 때문에 그녀가 그토록 깊이 사랑하는 나라를 발전시키기 위해 항상 노력하고 있었다.
adjacent · 세계 무역 센터 외에도, 인접한 건물들이 9.11 테러로 손상되었다.
outperform · 혁신에 있어서는, 소규모 팀이 지속적으로 대규모 조직을 능가한다.

liability

[làiəbíləti]

| Ⓝ responsibility, accountability | 책임, 의무 |
| Ⓝ debt, burden, loan | 부채, 빚 |

You think determining liability for your displeasure is difficult. 해공

The company went out of business because their liabilities far outweighed their assets.

➊ liable ⓐ 법적 책임이 있는

---

liability　· 당신은 당신의 불쾌감에 대한 책임을 판단하는 것이 어렵다고 생각한다.
　　　　　· 그 회사는 부채가 자산보다 훨씬 많아서 폐업했다.

Daily Quiz

A 알맞은 유의어를 고르세요.

01	charitable	ⓐ	recline, bend, incline
02	pollinate	ⓑ	identify, describe, clarify
03	patriot	ⓒ	nationalist, loyalist
04	rational	ⓓ	exceed, surpass
05	outperform	ⓔ	fertilize with pollen
06	pesticide	ⓕ	pierce, go through
07	lean	ⓖ	logical, sensible, reasonable
08	penetrate	ⓗ	get back at, repay
09	define	ⓘ	philanthropic, generous, benevolent
10	revenge	ⓙ	a substance used to kill harmful insects

B 밑줄 친 단어와 가장 뜻이 유사한 단어를 고르세요.

11 You think determining <u>liability</u> for your displeasure is difficult.
　ⓐ nationalist, 　　ⓑ comment 　　ⓒ responsibility 　　ⓓ friendliness

12 Building the Panama Canal was dangerous, so it <u>entailed</u> a serious risk for the workers.
　ⓐ caused 　　ⓑ uncovered 　　ⓒ accepted 　　ⓓ pierced

13 We decide what is important or <u>trivial</u> in life.
　ⓐ infertile 　　ⓑ tremendous 　　ⓒ afloat 　　ⓓ minor

14 In addition to the World Trade Center, <u>adjacent</u> buildings were damaged on 9/11.
　ⓐ good 　　ⓑ nearby 　　ⓒ conspicuous 　　ⓓ kind

15 Body language experts say that smiling can <u>portray</u> confidence and warmth.
　ⓐ foster 　　ⓑ bend 　　ⓒ represent 　　ⓓ exceed

C 다음 빈칸에 들어갈 가장 알맞은 것을 박스 안에서 고르세요.

flaw	simplify	nurture	summit	barren	formidable

16 For working parents, raising children is ＿＿＿＿＿＿.

17 The mountain is steepest at the ＿＿＿＿＿＿, but that's no reason to turn back.

18 A mother bird will ＿＿＿＿＿＿ her young until they're ready to leave the nest.

19 Assumptions can ＿＿＿＿＿＿ the complex world and make it easier to understand.

20 Anne's lack of experience was the only ＿＿＿＿＿＿ on her résumé.

음성 바로 듣기

0071 □□□ ★★★

still

[stil]

| ad | yet, even now | 아직도, 여전히 |

| a | motionless, stationary, calm | 움직이지 않는, 정지한 |

We still have five more days to study. 학평

If you remain still, you'll start to float. 학평

➕ stillness ⓝ 고요, 정적

0072 □□□ ★★★

suffer

[sʌ́fər]

| v | be in pain, hurt, go through | 고통 받다, ~에 시달리다 |

If you suffer from a sleep disorder, register for this free seminar on sleep health. 학평

➕ suffering ⓝ 고통

0073 □□□ ★★★

indifferent

[indífərənt]

| a | uninterested, unconcerned | 무관심한, 무관한 |

Many of Thomas Edison's inventions did not succeed at that time because the public was indifferent.

➕ indifference ⓝ 무관심

0074 □□□ ★★★

rural

[rúərəl]

| a | country, pastoral, provincial | 시골의, 지방의 |

Summer temperatures in a city can be ten degrees higher than in surrounding rural areas. 학평

⬌ urban ⓐ 도시의, 도회지의

---

still   · 우리는 아직도 공부할 날이 5일 더 남았다.
         · 당신이 움직이지 않은 채 있으면 뜨기 시작할 것이다.
suffer   · 만약 여러분이 수면 장애로 고통 받는다면, 수면 건강에 관한 무료 세미나에 등록하세요.
indifferent · 토마스 에디슨의 발명품 다수는 대중이 무관심했기 때문에 당시에 성공하지 못했다.
rural   · 도시의 여름 기온은 인근의 시골 지역보다 10도 더 높을 수 있다.

firm

[fəːrm]

ⓐ stiff, rigid	단단한, 견고한
ⓐ definite, determined, unyielding	단호한, 확고한
ⓝ company, business	회사

Firm fruits such as apples and pears can be stored in sand. (학평)

He told children in a firm voice that they must follow the rules. (학평)

Many years ago, I visited the chief investment officer of a large financial firm. (학평)

➕ firmly ⓐ 확고히, 단호히   firmness ⓝ 견고, 단단함

➖ wavering ⓐ 흔들리는, 주저하는   soft ⓐ 부드러운, 푹신한

Tips   **시험에는 이렇게 나온다**

firm ground 단단한 지반   firm decision 단호한 결정

bond

[bɑːnd]

| ⓝ connection, relationship | 유대, 인연, 속박 |
| ⓥ establish a relationship, connect | 유대감을 형성하다 |

Jim formed special bonds with the artists he worked with. (수능)

Eating has always been one of the greatest ways for people to bond with others. (학평)

Tips   **시험에는 이렇게 나온다**

social bond 사회적 유대   emotional bond 정서적 유대
strong bond 강력한 유대   common bond 공통적 유대(감)

arise

[əráiz]

| ⓥ happen, occur | 발생하다, 생기다 |

Two-thirds of CO2 emissions arise from transportation and industry. (수능)

---

firm　· 사과나 배와 같은 단단한 과일은 모래 안에 보관될 수 있다.
　　　· 그는 아이들에게 반드시 규칙을 따라야 한다고 단호한 목소리로 말했다.
　　　· 수년 전, 나는 한 대형 금융회사의 최고 투자 책임자를 방문했다.
bond　· Jim은 그와 함께 작업한 예술가들과 특별한 유대를 형성했다.
　　　· 먹는 것은 항상 사람들이 다른 사람들과 유대감을 형성하는 가장 좋은 방법 중 하나였다.
arise　· 이산화탄소 배출의 3분의 2는 운송과 산업에서 발생한다.

0078 ☐☐☐ ★★★

solid

[sá:lid]

ⓐ **hard, firm**　확실한, 고체의, 견고한

ⓝ **a substance that does not flow**　고체, 입체

The case remained unsolved because there was a lack of solid evidence.

The raw egg is fluid inside, whereas the hard-boiled egg is solid. 학평

➕ solidity ⓝ 견고함, 확실성　solidarity ⓝ 연대, 결속　solidify ⓥ 굳어지다, 굳히다

➖ unsubstantial ⓐ 견고하지 않은　unstable ⓐ 불안정한　fluid ⓝ 액체, 유동체

Tips | **시험에는 이렇게 나온다**

solid foundation 확실한 기반　　　　　solid cultural unity 견고한 문화적 통일성

0079 ☐☐☐ ★★★

confront

[kənfrʌ́nt]

ⓥ **face, encounter**　마주치다, 직면하다

Most small animals will flee when confronted with danger.

➕ confrontation ⓝ 직면, 대립

Tips | **어원으로 어휘 확장하기**

con 함께 + front 앞쪽 ▶ 둘이 함께 서로의 앞쪽에 있다, 즉 서로 직면하다

➕ forefront ⓝ 선두, 맨 앞　frontier ⓝ 국경, 경계

0080 ☐☐☐ ★★★

notion

[nóuʃən]

ⓝ **idea, opinion, view, concept**　관념, 개념

The basis of cultural relativism is the notion that no true standards of good and evil actually exist. 학평

➕ notional ⓐ 관념적인, 개념상의

Tips | **어원으로 어휘 확장하기**

not 알다 + ion 명·접 ▶ 사물이나 현상에 대해 알려진 일반적인 지식, 즉 개념

➕ notify ⓥ 알리다　notation ⓝ 표기법, 기호

---

solid　· 그 사건은 확실한 증거가 부족했기 때문에 해결되지 않은 채로 남아 있었다.
　　　　· 날달걀은 속이 유동적인 반면, 완숙 달걀은 고체이다.
confront　· 대부분의 작은 동물들은 위험을 마주칠 경우 도망칠 것이다.
notion　· 문화적 상대주의의 기본은 선과 악의 진정한 기준이 실제로 존재하지 않는다는 관념이다.

0081 ☐☐☐ ★★★

illustrate

Ⓥ **demonstrate, depict**

보여주다, 삽화를 넣다

[íləstrèit]

As illustrated in the study, the high performers placed more importance on social bonds. (수능)

➕ illustration ⓝ 삽화, 설명   illustrative ⓐ 설명적인, 예증이 되는   illustrator ⓝ 삽화가

0082 ☐☐☐ ★★★

bias

ⓝ **prejudice, partiality**

편견, 편향

[báiəs]

We need to be aware of the impact bias has on our decision-making process and our life. (학평)

Tips | **시험에는 이렇게 나온다**

cognitive bias 인지 편향   confirmation bias 확증 편향
social bias 사회적 편견

0083 ☐☐☐ ★★★

revise

Ⓥ **edit, correct, modify**

수정하다, 변경하다

[riváiz]

Our writing instructors will help you plan, edit, or revise your writing. (모평)

➕ revision ⓝ 수정, 변경

Tips | **어원으로 어휘 확장하기**

re 다시 + vis(e) 보다 ▶ 마친 일을 다시 보고 수정하다
➕ vision ⓝ 시력, 시야 improvise Ⓥ 즉흥적으로 하다/만들다

0084 ☐☐☐ ★★

intermediate

ⓐ **middle, median**

중간의, 중급의

[ìntərmíːdiət]

A number of interesting developments occur during the intermediate stage of the insect's life cycle.

➕ intermediary ⓝ 중재자, 중개인

Tips | **어원으로 어휘 확장하기**

inter 사이에 + medi 중간 + ate 형·접 ▶ 둘 사이 중간의, 중급 수준의
➕ median ⓐ 중간의, 중앙의 medium ⓝ 매체, 수단 ⓐ 중간의

---

illustrate   · 연구에서 보여졌듯이, 고성과자들은 사회적 유대감에 더 중요성을 두었다.
bias   · 우리는 편견이 우리의 의사 결정 과정과 우리 삶에 미치는 영향을 인지할 필요가 있다.
revise   · 우리의 글쓰기 강사들은 당신이 글을 구상하고, 편집하거나 수정하는 것을 도와줄 것이다.
intermediate   · 곤충의 수명 주기의 중간 단계에서 많은 흥미로운 성장이 일어난다.

0085 □□□ ★★★

sustain

[səstéin]

ⓥ maintain, continue	유지하다, 지속하다
ⓥ bear, support	견디다, 지탱하다
ⓥ suffer, undergo	(피해 등을) 입다, 경험하다

No other planet in our solar system can sustain life.

Slow muscle fibers are muscle cells that can sustain repeated contractions. (수능)

She sustained a fracture in her foot because she continued to run toward an unreasonable workout target. (학평)

➕ sustainable ⓐ 지속 가능한   sustainability ⓝ 지속 가능성

0086 □□□ ★★★

posture

[pάːstʃər]

| ⓝ stance, attitude | 자세, 태도 |

Remember that proper posture is the first step to healthy computer use. (수능)

Tips | 어원으로 어휘 확장하기

pos(t) 놓다 + ure 명·접 ▶ 어떤 것 또는 누군가가 놓여 있는 자세

➕ expose ⓥ 노출시키다, 드러내다   position ⓝ 자리, 위치

0087 □□□ ★

apprehend

[æprihénd]

| ⓥ understand, comprehend | 파악하다, 이해하다 |
| ⓥ arrest, catch, capture | 체포하다 |

A good leader quickly apprehends a situation and acts decisively.

After a brief search, police apprehended the prisoner that had escaped earlier.

➕ apprehensive ⓐ 이해가 빠른, 우려하는   apprehension ⓝ 이해, 우려

---

sustain
· 우리 태양계의 다른 어떤 행성도 생명을 유지할 수 없다.
· 느린 근육 섬유는 반복적인 수축을 견딜 수 있는 근육 세포이다.
· 그녀는 무리한 운동 목표를 향해 계속 달려갔기 때문에 발에 골절을 입었다.

posture
· 적절한 자세는 건강한 컴퓨터 사용을 위한 첫 번째 단계라는 것을 기억해라.

apprehend
· 좋은 리더는 상황을 빨리 파악하고 단호하게 행동한다.
· 짧은 수색 후에, 경찰은 앞서 탈출한 죄수를 체포했다.

0088 ☐☐☐ ★★

diagnose

[dáiəgnòus]

Ⓥ **identify, recognize, distinguish**   (질병 등의 원인을) 진단하다

Average consumers of health care do not know how to diagnose their medical conditions. 모평

➕ diagnosis ⓝ 진단   diagnostic ⓐ 진단(용)의

Tips	시험에는 이렇게 나온다
	be diagnosed with ~으로 진단받다 diagnose situation 사태를 진단하다

0089 ☐☐☐ ★★

greed

[griːd]

ⓝ **avarice, voracity**   탐욕, 식탐

There is a lot of materialism and greed behind the public scandals. 수능

➕ greedy ⓐ 탐욕스러운, 욕심 많은

0090 ☐☐☐ ★★

faint

[feint]

Ⓥ **pass out, black out**   기절하다, 졸도하다

There is enough blood flow to the brain in the morning to keep us from fainting. 학평

➕ faintly ⓐⓓ 희미하게, 모호하게

0091 ☐☐☐ ★★

insulate

[ínsəlèit]

Ⓥ **protect, shield, isolate**   보호하다, 격리하다

A bear's thick fur insulates it from the bitter winter weather while it hibernates.

➕ insulation ⓝ 격리, 고립, 단열(재)

Tips	어원으로 어휘 확장하기
	insula 섬 + (a)te 동·접 ▶ 땅과 떨어져 있어 못 가는 섬처럼 열과 소리가 못 들어가게 하다
	➕ peninsula ⓝ 반도

diagnose · 의료 서비스의 일반 고객들은 그들의 질병을 진단하는 방법을 모른다.
greed · 대중적 스캔들의 이면에는 많은 물질주의와 탐욕이 있다.
faint · 아침에 뇌로 흐르는 충분한 혈액은 우리가 기절하는 것을 막아준다.
insulate · 곰의 두꺼운 털은 겨울잠을 자는 동안 혹독한 겨울 날씨로부터 곰을 보호한다.

0092 ☐☐☐ ★★

affordable

[əfɔ́ːrdəbl]

ⓐ **inexpensive, cheap**

(가격이) 적당한

Bike riding appeals to a large number of people because it is affordable. 학평

➕ afford ⓥ 여유가 되다　affordability ⓝ 감당할 수 있는 비용

0093 ☐☐☐ ★★

disabled

[diséibld]

ⓐ **handicapped, impaired**

장애를 가진

The library has wide doors and passenger lifts, so older and disabled people can easily use it. 학평

➕ disable ⓥ 장애를 입히다, 무능하게 하다　disability ⓝ 장애

0094 ☐☐☐ ★★

dim

[dim]

ⓐ **faint, weak, dark**

흐릿한, 어둑한

Reading in dim light doesn't affect the function of your eyes. 학평

➕ dimly ⓐⓓ 희미하게
➖ clear ⓐ 분명한

0095 ☐☐☐ ★★

municipal

[mjuːnísəpəl]

ⓐ **concerning cities, civil, civic**

지방 자치의, 시의

The city council determines the municipal regulations that govern behavior in the town.

➕ municipality ⓝ 지방 자치제

0096 ☐☐☐ ★★

linger

[líŋgər]

ⓥ **remain, stay**

남다, 오래 머물다

Although almost all the guests had left the party, Steven lingered to talk to the host.

➕ lingering ⓐ 오래 끄는, 오래 가는

---

affordable ·자전거 타기는 가격이 적당하기 때문에 많은 사람의 흥미를 끈다.
disabled ·도서관은 넓은 문과 승객용 승강기가 있어 노약자나 장애를 가진 사람들도 쉽게 이용할 수 있다.
dim ·흐릿한 불빛 속에서 책을 읽는 것은 눈의 기능에 영향을 주지 않는다.
municipal ·시의회는 도시 내 행위를 통제하는 지방 자치 법규를 결정한다.
linger ·비록 거의 모든 손님들이 파티를 떠났지만, Steven은 주최자에게 말을 걸려고 남는다.

0097 ☐☐☐ ★

adverse

[ǽdvə:rs]

ⓐ **negative, harmful, damaging**

부정적인, 불리한

During an eclipse, pregnant women are told to stay indoors just in case there's an adverse effect on their unborn child. 〔학평〕

➕ adversely ⓐⓓ 불리하게, 반대로　adversity ⓝ 역경

➖ beneficial ⓐ 유익한, 이로운

Tips	시험에는 이렇게 나온다	
	adverse effect/reaction 부작용	adverse circumstances 부정적인 상황

0098 ☐☐☐ ★★

identity

[aidéntəti]

ⓝ **identification, individuality**

정체(성), 신원

We are planning to redesign our brand identity and launch a new logo to celebrate our 10th anniversary. 〔학평〕

➕ identical ⓐ 동일한　identify ⓥ 확인하다

0099 ☐☐☐ ★★

rejoice

[ridʒɔ́is]

ⓥ **delight, celebrate, be happy**

기뻐하다, 기쁘게 하다

If your commitment becomes weak, remember why it is important to you and rejoice in the little victories. 〔모평〕

➖ lament ⓥ 슬퍼하다

0100 ☐☐☐ ★★

debris

[dəbrí:]

ⓝ **remains, fragment, waste**

잔해, 쓰레기

A fisherman caught a piece of the airship's debris in his net. 〔모평〕

0101 ☐☐☐ ★

applaud

[əplɔ́:d]

ⓥ **clap, cheer, praise**

박수갈채를 보내다

When the concert was over, she applauded the musician's passionate performance. 〔수능〕

➕ applause ⓝ 박수, 찬사

---

adverse · 월식 동안에, 임산부는 혹시라도 태아에게 부정적인 영향이 있을 경우를 대비해서 실내에 머무르라는 얘기를 듣는다.

identity · 우리는 10주년을 기념하여 브랜드 정체성을 재설계하고 새로운 로고를 출시하려고 계획 중이다.

rejoice · 만약 당신의 헌신이 약해진다면, 그것이 당신에게 왜 중요한지를 기억하고 작은 성공에 기뻐하세요.

debris · 한 어부가 그물에 비행선의 잔해 조각을 건졌다.

applaud · 콘서트가 끝났을 때, 그녀는 그 연주자의 열정적인 공연에 박수갈채를 보냈다.

abrupt

[əbrʌ́pt]

ⓐ **sudden, unexpected**　　갑작스러운, 뜻밖의

The airbag was wrongly released when the car made an **abrupt** stop.

➕ abruptly [ad] 갑작스럽게, 퉁명스럽게

Tips　어원으로 어휘 확장하기

ab 떨어져 + **rupt** 깨다 ▶ 모르는 사이에 떨어져 깨져서 갑작스러운

➕ cor**rupt** [v] 부패하게 만들다, 타락시키다 ⓐ 부패한

exemplary

[igzémpləri]

ⓐ **ideal, model**　　모범적인, 훌륭한

Children in most Asian cultures read stories of **exemplary** sons and daughters who care for their parents. (학평)

➕ exemplar [n] 모범, 전형

regime

[reiʒíːm]

[n] **government, administration, system**　　정권, 제도, 체제

A new **regime** took power after the successful military coup.

Tips　어원으로 어휘 확장하기

reg 통치하다 + ime 명·접 ▶ 통치하는 권력, 즉 정권

➕ **reg**ion [n] 지방, 지역, 부분　**reg**ulate [v] 규제하다, 단속하다

deflate

[difléit]

[v] **empty the air out of, shrink**　　공기를 빼다, 끌어내리다

Jen **deflated** the air mattress that her guests slept on and put it in the closet.

➖ inflate [v] 부풀리다, (가격을) 올리다

---

abrupt 　· 차가 갑작스러운 정차를 했을 때 에어백이 잘못 터졌다.
exemplary 　· 대부분의 아시아 문화권의 어린이들은 부모를 보살피는 모범적인 아들과 딸의 이야기를 읽는다.
regime 　· 성공적인 군사 쿠데타 후에 새로운 정권이 권력을 잡았다.
deflate 　· Jen은 그녀의 손님들이 잠을 잤던 에어 매트리스의 공기를 빼고, 그것을 장롱에 넣었다.

Daily Quiz

A 알맞은 유의어를 고르세요.

01	adverse	ⓐ	idea, opinion, view, concept
02	intermediate	ⓑ	identify, recognize, distinguish
03	notion	ⓒ	concerning cities, civil, civic
04	exemplary	ⓓ	identification, individuality
05	affordable	ⓔ	ideal, model
06	rejoice	ⓕ	delight, celebrate, be happy
07	indifferent	ⓖ	negative, harmful, damaging
08	diagnose	ⓗ	inexpensive, cheap
09	municipal	ⓘ	uninterested, unconcerned
10	identity	ⓙ	middle, median

B 밑줄 친 단어와 가장 뜻이 유사한 단어를 고르세요.

11 A fisherman caught a piece of the airship's <u>debris</u> in his net.

ⓐ remains　　ⓑ connection　　ⓒ idea　　ⓓ assignment

12 A good leader quickly <u>apprehends</u> a situation and acts decisively.

ⓐ happens　　ⓑ supports　　ⓒ understands　　ⓓ faces

13 The airbag was wrongly released when the car made an <u>abrupt</u> stop.

ⓐ handicapped　　ⓑ sudden　　ⓒ middle　　ⓓ unconcerned

14 He told children in a <u>firm</u> voice that they must follow the rules.

ⓐ inexpensive　　ⓑ negative　　ⓒ ideal　　ⓓ definite

15 A bear's thick fur <u>insulates</u> it from the bitter winter weather while it hibernates.

ⓐ exceeds　　ⓑ protects　　ⓒ drags　　ⓓ edits

C 다음 빈칸에 들어갈 가장 알맞은 것을 박스 안에서 고르세요.

rural	sustain	regime	revise	linger	applaud

16 No other planet in our solar system can _____ life.

17 When the concert was over, she _____(e)d the musician's passionate performance.

18 Our writing instructors will help you plan, edit, or _____ your writing.

19 A new _____ took power after the successful military coup.

20 Summer temperatures in a city can be ten degrees higher than in surrounding _____ areas.

DAY **04**

음성 바로 듣기

0106 ☐☐☐ ★★★

company

[kʌ́mpəni]

| ⓝ business, firm | 회사, 기업 |

| ⓝ companionship, presence | 함께 있음, 동반 |

Last Friday was the deadline for our campaign to name our company's mascot. 학평

Your daughter needs a dog to keep her company. 모평

0107 ☐☐☐ ★★★

renewable

[rinjú:əbl]

| ⓐ sustainable, able to be revived | 재생 가능한, 갱신 가능한 |

Renewable energy sources such as sunlight, water, and wind are created continually by nature. 학평

✚ renew ⓥ 재개하다, 갱신하다   renewal ⓝ 재개발, 재개

0108 ☐☐☐ ★★★

additional

[ədíʃənəl]

| ⓐ extra, supplementary, spare | 추가적인, 부가적인 |

We don't charge an additional fee for delivery. 학평

✚ additionally ⓐⓓ 게다가   addition ⓝ 추가, 덧셈

Tips | 시험에는 이렇게 나온다

additional information 추가 정보   additional charge 추가 요금
additional capacity 추가 용량   additional inquiry 추가 문의

0109 ☐☐☐ ★★★

conference

[kɑ́:nfərəns]

| ⓝ meeting, convention, gathering | 회의, 회담 |

Tom and Sue were attending a conference for music teachers in New York. 학평

✚ confer ⓥ 협의하다, 상담하다

---

company · 지난 금요일은 우리 회사 마스코트의 이름을 짓기 위한 캠페인의 마감일이었다.
· 당신의 딸은 함께 있을 강아지 한 마리가 필요하다.
renewable · 햇빛, 물, 그리고 바람과 같은 재생 가능한 에너지원은 자연에 의해 지속적으로 생성된다.
additional · 저희는 배송에 대한 추가적인 비용을 청구하지 않습니다.
conference · Tom과 Sue는 뉴욕에서 음악 교사들을 위한 회의에 참석하고 있었다.

rapid

[rǽpid]

ⓐ **fast, quick, speedy, swift**   급격한, 빠른

Rapid environmental change can be a challenge to the survival of a species.

➊ rapidly ⓐⓓ 급속히   rapidity ⓝ 급속, 신속
➡ slow ⓐ 느린   gradual ⓐ 점진적인

yield

[ji:ld]

ⓥ **produce, supply, earn**   (결과·이익을) 내다

ⓥ **surrender, submit, give way**   양보하다

ⓝ **produce, output, harvest**   수확량, 생산량

Encouraging someone to question their own worldview will often yield better results. 학평

Drivers should yield to pedestrians on marked crosswalks. 모평

"Organic" farming methods would reduce yields and increase production costs for many major crops. 수능

➡ loss ⓝ 손실, 분실

Tips | **시험에는 이렇게 나온다**

yield to ~에게 양보하다   high-yield 다수확
crop yields 작물 수확량

obstacle

[á:bstəkl]

ⓝ **hindrance, impediment**   장애(물), 방해(물)

Some people give up as soon as an obstacle is placed in front of them. 학평

Tips | **어원으로 어휘 확장하기**

ob 맞서 + sta 서다 + cle 명·접 ▶ 맞서서 막고 서 있는 장애물
➊ obscure ⓐ 분명치 않은, 모호한

---

rapid
yield

obstacle

· 급격한 환경 변화는 종의 생존에 있어서 도전이 될 수 있다.
· 누군가에게 그들 자신의 세계관에 의문을 제기하도록 격려하는 것은 종종 더 나은 결과를 낼 것이다.
· 운전자들은 표시된 횡단보도에서 보행자들에게 양보해야 한다.
· '유기농' 농법은 많은 주요 작물의 수확량을 줄이고 생산 비용은 증가시킬 것이다.
· 어떤 사람들은 장애물이 그들 앞에 놓이자마자 포기한다.

0113 ☐☐☐ ★★★

commitment

[kəmítmənt]

ⓝ devotion, promise, dedication 헌신, 약속, 전념

Although the name of our company has changed, our commitment to customers has not. (학평)

➕ commit ⓥ 이행하다, 전념하다, 저지르다

Tips 시험에는 이렇게 나온다

make a commitment to ~에 (대해) 헌신하다   public commitment 공약

0114 ☐☐☐ ★★★

asthma

[ǽzmə]

ⓝ a disease that makes breathing difficult 천식

Indoor air pollution is directly linked to asthma. (모평)

0115 ☐☐☐ ★★★

confirm

[kənfə́ːrm]

ⓥ prove, verify, affirm (사실임을) 확인하다

This letter is to confirm that you will be dismissed from the company. (수능)

➕ confirmation ⓝ 입증, 확인

Tips 어원으로 어휘 확장하기

con 함께(com) + firm 확실한 ▶ 여럿이 함께 확실하다고 확인하다

➕ firm ⓐ 확실한, 확고한   affirm ⓥ 단언하다, 확언하다

0116 ☐☐☐ ★★★

leak

[liːk]

ⓥ spill, escape, expose (물이) 새다, 누출하다

ⓝ disclosure, exposure, revelation 유출, 누출

The sink is leaking. (수능)

3G or 4G smartphones are at a high risk for private information leaks. (학평)

➕ leakage ⓝ 누출, 누설   leaky ⓐ 새기 쉬운, 잘 새는

---

commitment · 비록 우리 회사의 이름은 바뀌었지만, 고객에 대한 우리의 헌신은 바뀌지 않았다.
asthma   · 실내 공기 오염은 천식과 직접적으로 연결된다.
confirm   · 이 편지는 당신이 회사에서 해고될 것임을 확인하기 위한 것이다.
leak   · 싱크대가 물이 새고 있다.
            · 3G나 4G 스마트폰은 개인 정보 유출의 위험이 높다.

0117 □□□ ★★★

aisle

[ail]

| n passage, corridor, hallway | 통로, 복도 |

A cute three-year-old boy is walking along the aisle of snacks. (수능)

0118 □□□ ★★

abuse

n [əbjúːs]
v [əbjúːz]

n misuse, misapplication	남용, 오용
n offense, maltreatment	학대
v misuse, misapply	남용하다, 오용하다
v insult, maltreat	모욕하다, 학대하다

They grew up in environments with severe poverty, alcohol abuse, or mental illness. (학평)

The abuse of animals is both extremely immoral and illegal.

The town's mayor was accused of abusing his power to enrich himself with public funds.

Nora described how her manager had verbally abused her.

➕ abusive ⓐ 모욕적인

Tips **시험에는 이렇게 나온다**

abuse of power 권력 남용
verbal abuse 언어적 폭력
child abuse 아동 학대

0119 □□□ ★★

digest

[daidʒést]

| v ingest, absorb | 소화시키다 |

A benefit of tofu is that it is extremely easy to digest. (학평)

➕ digestion ⓝ 소화   digestive ⓐ 소화의, 소화를 돕는

Tips **어원으로 어휘 확장하기**

di 떨어져(dis) + gest 나르다 ▶ 음식을 작게 떨어뜨려 신체 여기저기로 날라 소화시키다
➕ congestion ⓝ (교통) 혼잡, (인구) 밀집

---

aisle · 귀여운 세 살짜리 소년이 과자가 있는 통로를 따라 걷고 있다.
abuse · 그들은 심각한 가난, 알코올 남용 또는 정신 질환이 있는 환경에서 자랐다.
· 동물 학대는 극도로 부도덕하면서 또한 불법이다.
· 그 도시의 시장은 공적 자금으로 자신을 부유하게 만들기 위해 권력을 남용한 것으로 기소되었다.
· Nora는 그녀의 매니저가 어떻게 그녀를 말로 모욕했는지 묘사했다.
digest · 두부의 장점은 소화시키기가 매우 쉽다는 것이다.

0120 ☐☐☐ ★★★

loan
[loun]

🔳 **debt, mortgage, credit**　　대출, 대부금

He works part-time as a security guard because he has to pay his bills, student **loan**, and rent. (학평)

0121 ☐☐☐ ★★

overlap
[òuvərlǽp]

🔳 **pile up, overlie**　　겹치다, 포개다

If their geographical market areas **overlap** with yours, they are your competitors. (학평)

➕ overlapping ⓐ 중복된, 부분적으로 덮는

0122 ☐☐☐ ★★

empathy
[émpəθi]

🔳 **sympathy, compassion**　　공감, 감정이입

Reading novels will help people improve their **empathy** ability. (학평)

➕ empathetic ⓐ 공감하는, 감정이입의　empathize ⓥ 공감하다

Tips	어원으로 어휘 확장하기
	em 안에(en) + path 느끼다 + y 명·접 ▶ 마음 안에서 상대의 감정을 똑같이 느끼는 공감
	➕ sympathy ⓝ 동정, 연민　pathetic ⓐ 불쌍한, 무기력한

0123 ☐☐☐ ★★

transition
[trænzíʃən]

🔳 **conversion, change, shift, alteration**　　전환, 변화, 전이

The country's **transition** from monarchy to democracy happened recently.

➕ transit ⓥ 횡단하다, 운반하다　transitional ⓐ 과도기의

Tips	어원으로 어휘 확장하기
	trans 가로질러 + it 가다 + ion 명·접 ▶ 다른 상태나 조건으로 가로질러 가는 것, 즉 변화
	➕ transaction ⓝ 거래, 매매　transport ⓥ 수송하다, 운송하다 ⓝ 수송, 운송

---

loan　　· 그는 고지서, 학자금 대출, 그리고 집세를 내야 하기 때문에 보안 요원으로 아르바이트를 한다.
overlap　　· 그들의 지리적 판매 영역이 당신의 것과 겹친다면 그들은 당신의 경쟁 업체이다.
empathy　　· 소설을 읽는 것은 사람들이 자신의 공감 능력을 향상시키는 데 도움이 될 것이다.
transition　　· 그 나라의 군주제에서 민주주의로의 전환은 최근에 일어났다.

0124 ☐☐☐ ★★

secondhand

[sèkəndhǽnd]

ⓐ used, pre-owned	중고의
ⓐ indirect, secondary	간접의, 전해 들은

A flea market is the best place to sell your secondhand items. (수능)

Exposure to secondhand smoke can lead to difficulty in breathing. (모평)

0125 ☐☐☐ ★★

hospitality

[hὰ:spətǽləti]

ⓝ welcome, generosity	환대, 후한 대접

In ancient Greece, hospitality towards one's guests was considered a great virtue.

➕ hospitable ⓐ 환대하는, 친절한

Tips **어원으로 어휘 확장하기**

hospit 손님 + al 형·접 + ity 명·접 ▶ 손님을 잘 대하는 환대

➕ hospitalize ⓥ 입원시키다, 병원 치료를 하다

0126 ☐☐☐ ★★

clumsy

[klʌ́mzi]

ⓐ awkward, unskillful	서투른, 어색한

Penguins may be clumsy on land. (학평)

➕ clumsily ⓐⓓ 서투르게, 어색하게

0127 ☐☐☐ ★★

furnish

[fə́:rniʃ]

ⓥ equip, provide	(가구를) 갖추다, 비치하다

While awaiting the birth of a new baby, parents typically furnish a room as the infant's sleeping quarters. (수능)

➕ furniture ⓝ 가구   furnished ⓐ 기구가 비치된

Tips **시험에는 이렇게 나온다**

furnish an apartment 아파트에 가구를 비치하다   furnish with ~을 설비하다, 제공하다

---

secondhand · 벼룩시장은 당신의 중고 용품을 팔기에 가장 좋은 장소이다.
· 간접흡연에 노출되는 것이 호흡 곤란으로 이어질 수 있다.
hospitality · 고대 그리스에서는, 자신의 손님을 향한 환대가 큰 미덕으로 여겨졌다.
clumsy · 펭귄은 땅 위에서는 서툴지도 모른다.
furnish · 신생아의 출산을 기다리는 동안, 대개 부모들은 아기의 침실로서의 방에 가구를 갖춰 놓는다.

0128 ☐☐☐ ★★

shrug
[ʃrʌg]

Ⓥ **to raise or draw in the shoulders**　(어깨를) 으쓱하다

The student **shrugged** his shoulders and walked away. 학평

0129 ☐☐☐ ★★

courtesy
[kə́ːrtəsi]

Ⓝ **politeness, civility, formality**　예의, 공손

We all have **courtesy** in our hearts, so all you have to do is cultivate it. 학평

➕ courteous ⓐ 공손한, 정중한
➖ discourtesy ⓝ 무례, 실례

0130 ☐☐☐ ★★

remainder
[riméindər]

Ⓝ **rest, remains**　나머지

If you finish early, you should spend the **remainder** of your time on tomorrow's assignment.

➕ remain Ⓥ 남아 있다, 여전히 ~이다　remaining ⓐ 남아 있는, 남은

0131 ☐☐☐ ★★

humiliation
[hjuːmìliéiʃən]

Ⓝ **shame, embarrassment**　굴욕, 창피

With no attempt there can be no failure and with no failure no **humiliation**. 모평

➕ humiliate Ⓥ 굴욕감을 주다, 창피를 주다
➖ honor ⓝ 명예, 존경

0132 ☐☐☐ ★

stumble
[stʌ́mbl]

Ⓥ **stagger, fall, slip, topple**　비틀거리다

During the course of her recovery, she often **stumbled** and fell. 학평

---

shrug　· 그 학생은 어깨를 으쓱하고 걸어가버렸다.
courtesy　· 우리 모두는 마음 속에 예의가 있으므로, 당신은 그것을 가꾸기만 하면 된다.
remainder　· 만약 당신이 일찍 끝나면 나머지 당신의 시간을 내일 과제에 써야 한다.
humiliation　· 시도가 없다면 실패는 있을 수 없고, 실패가 없다면 굴욕도 없다.
stumble　· 회복 과정에서 그녀는 자주 비틀거렸고 넘어졌다.

0133 ☐☐☐ ★★

pervasive

ⓐ **widespread, prevalent**

널리 퍼진, 만연한

[pərvéisiv]

There is a pervasive idea in Western culture that humans are essentially rational. (학평)

➕ pervade ⓥ 널리 퍼지다   pervasively ⓐⓓ 넘쳐, 충만하게

0134 ☐☐☐ ★

subside

ⓥ **decrease, die down**

진정되다, 가라앉다

[səbsáid]

Let's wait until the lightning subsides before we drive home.

➕ subsidence ⓝ 침하, 진정, 함몰, 감퇴
➖ increase ⓥ 증가하다, 늘(리)다

> **Tips** 어원으로 어휘 확장하기
>
> sub 아래로 + sid(e) 앉다 ▶ 높이 솟았던 것, 소란, 흥분 등이 아래로 가라앉다
> ➕ reside ⓥ 살다, 거주하다   president ⓝ 대통령, 회장, 의장

0135 ☐☐☐ ★

immortal

ⓐ **imperishable, enduring**

불멸의, 영원한

[imɔ́ːrtəl]

The boat placed in the pharaoh's tomb was meant to transport his immortal soul in the afterlife.

➕ immortality ⓝ 불멸   immortalize ⓥ 불멸하게 하다
➖ mortal ⓐ 치명적인, 영원히 살 수 없는, 죽음의

0136 ☐☐☐ ★

whirl

ⓥ **spin, twirl**

빙그르르 돌다

[hwəːrl]

The music came to an end, and the final dancers on the floor whirled to a stop. (모평)

➕ whirling ⓐ 소용돌이치는, 회전하는

---

pervasive · 인간이 본질적으로 이성적이라는 생각은 서양 문화에 널리 퍼진 생각이다.
subside · 집으로 운전해서 돌아가기 전까지 번개가 진정되기를 기다리자.
immortal · 파라오의 무덤에 놓인 배는 사후 세계에서 그의 불멸의 영혼을 실어 나르기 위한 것이었다.
whirl · 음악이 끝나자, 무대 위의 마지막 댄서들이 빙그르르 돌며 멈추었다.

juvenile

ⓐ **adolescent, junior, childish**

청소년의, 아이다운

[dʒúːvənl]

The juvenile detention center is a jail for people who commit crimes before the age of 18.

Tips | **시험에는 이렇게 나온다**

juvenile courts 소년법원   juvenile delinquency 소년 범죄, 청소년 범죄

compulsive

ⓐ **obsessive, impulsive**

충동적인, 강박적인

[kəmpʌ́lsiv]

Compulsive shopping is a serious disorder that can ruin lives if it's not recognized and treated. 학평

➕ compulsory ⓐ 의무적인, 강제적인

persevere

ⓥ **endure, hold on, persist**

인내하다, 참다

[pə̀ːrsəvíər]

I realized that I can do anything if I try and persevere. 학평

➕ perseverance ⓝ 인내(심)

warranty

ⓝ **certificate**

보증, 품질 보증서

[wɔ́ːrənti]

The company is very strict regarding their warranty policies. 학평

➕ warrant ⓥ 보증하다

---

juvenile · 청소년 구치소(소년원)는 18세 이전에 범죄를 저지른 사람들을 대상으로 하는 감옥이다.
compulsive · 충동적인 쇼핑은 인지되어 치료되지 않으면 인생을 망칠 수 있는 심각한 장애이다.
persevere · 나는 내가 노력하고 인내한다면 무엇이든 할 수 있다는 것을 깨달았다.
warranty · 그 회사는 보증 정책에 대해 매우 엄격하다.

Daily Quiz

A 알맞은 유의어를 고르세요.

01 furnish	ⓐ ingest, absorb
02 confirm	ⓑ a disease that makes breathing difficult
03 renewable	ⓒ equip, provide
04 digest	ⓓ obsessive, impulsive
05 asthma	ⓔ passage, corridor, hallway
06 commitment	ⓕ rest, remains
07 compulsive	ⓖ prove, verify, affirm
08 secondhand	ⓗ used, pre-owned
09 aisle	ⓘ devotion, promise, dedication
10 remainder	ⓙ sustainable, able to be revived

B 밑줄 친 단어와 가장 뜻이 유사한 단어를 고르세요.

11 The <u>abuse</u> of animals is both extremely immoral and illegal.
   ⓐ devotion   ⓑ offense   ⓒ produce   ⓓ company

12 The country's <u>transition</u> from monarchy to democracy happened recently.
   ⓐ passage   ⓑ sympathy   ⓒ rest   ⓓ conversion

13 There is a <u>pervasive</u> idea in Western culture that humans are essentially rational.
   ⓐ widespread   ⓑ imperishable   ⓒ awkward   ⓓ sustainable

14 We don't charge an <u>additional</u> fee for delivery.
   ⓐ fast   ⓑ used   ⓒ extra   ⓓ obsessive

15 We all have <u>courtesy</u> in our hearts, so all you have to do is cultivate it.
   ⓐ defender   ⓑpoliteness   ⓒ shame   ⓓ meeting

C 다음 빈칸에 들어갈 가장 알맞은 것을 박스 안에서 고르세요.

warranty	humiliation	persevere	empathy	hospitality	yield

16 Drivers should _____ to pedestrians on marked crosswalks.

17 In ancient Greece, _____ towards one's guests was considered a great virtue.

18 Reading novels will help people improve their _____ ability.

19 With no attempt there can be no failure and with no failure no _____.

20 The company is very strict regarding their _____ policies.

0141 □□□ ★★★

hold

[hould]

Ⓥ carry, retain	가지고 있다, 소유하고 있다
Ⓥ host, throw	개최하다, 열다
Ⓥ accommodate, contain	(사람, 사물을) 수용하다

The letter holds a special significance for me. 수능

Our club will hold a charity event in the auditorium. 학평

How about Crystal Hall? It can hold up to 300 people. 학평

➕ holder ⓝ 소유자, 보유자

Tips **시험에는 이렇게 나온다**

| hold on 기다리다, 고정시키다 | hold on to ~에 메달리다, 의지하다 |
| hold an event 행사를 개최하다 | hold a party 파티를 열다 |

0142 □□□ ★★★

aspect

[ǽspekt]

| ⓝ facet, feature, factor | (측)면, 방향, 관점 |

Ads will cover up negative aspects of the company they advertise. 학평

Tips **어원으로 어휘 확장하기**

a ~쪽으로 + spect 보다(spec) ▶ 보이는 쪽으로 있는 한쪽 면, 측면

➕ approach Ⓥ 접근하다, 다가오다

0143 □□□ ★★★

register

[rédʒistər]

| Ⓥ enroll, record | 능복하다, 기재하다 |

I've just registered for a cooking class that I've wanted to take for a long time. 학평

➕ registration ⓝ 등록, 신고   registry ⓝ 등록, 등기, 등기소

---

hold
· 그 편지는 나에게 특별한 의미를 가지고 있다.
· 우리 동아리는 강당에서 자선 행사를 개최할 것이다.
· 크리스탈 홀은 어때? 거기는 300명까지 수용할 수 있어.

aspect · 광고는 그들이 광고하는 회사의 부정적인 측면을 은폐할 것이다.

register · 나는 내가 오랫동안 듣고 싶었던 요리 수업을 막 등록했다.

0144 ☐☐☐ ★★★

crop

[krɑːp]

ⓝ **produce, harvest, yield**   작물, 농작물

Corn is the most important crop in the United States, which produces about half of the world's total. (학평)

0145 ☐☐☐ ★★★

shift

[ʃift]

ⓝ **change, conversion**   변화, 전환

ⓝ **rotation, work period**   교대 근무, 순환, 교대조

Carter noticed a shift in the direction the wind was blowing.

I took a job on the night shift because the money was much better. (학평)

0146 ☐☐☐ ★★★

infant

[ínfənt]

ⓝ **baby, newborn**   아기, 유아

We begin life as an infant, totally dependent on others. (수능)

➕ infancy ⓝ 유아기

Tips | **어원으로 어휘 확장하기**

in 아닌 + fa 말하다 + (a)nt 명·접(사람) ▶ 아직 말을 하지 않는 어린 유아

➕ fable ⓝ 우화, (꾸며낸) 이야기

0147 ☐☐☐ ★★★

immune

[imjúːn]

ⓐ **resistant, invulnerable**   면역의, 면역이 있는

Ginseng is well known for improving the immune system by increasing the body's resistance to disease. (학평)

➕ immunity ⓝ 면역(력)   immunize ⓥ 면역력을 갖게 하다

Tips | **어원으로 어휘 확장하기**

im 아닌(in) + mun(e) 의무 ▶ 의무를 지지 않도록 면제된, 병에서 면제되어 면역이 있는

➕ communal ⓐ 공동의, 자치 단체의

---

crop · 옥수수는 미국에서 가장 중요한 작물로, 이는 세계 총 생산량의 절반 정도를 생산한다.
shift · Carter는 바람이 불고 있던 방향의 변화를 알아차렸다.
· 급여가 훨씬 더 나았기 때문에 나는 야간 교대 근무 직장을 구했다.
infant · 우리는 다른 사람들에게 완전히 의존하는 아기로서 인생을 시작한다.
immune · 인삼은 질병에 대한 몸의 저항력을 증가시킴으로써 면역 체계를 향상시키는 것으로 잘 알려져 있다.

0148 □□□ ★★★

fluent

ⓐ **articulate, eloquent** (언어가) 유창한, 능수능란한

[flú:ənt]

Justin is a **fluent** speaker and has a lot of background knowledge. 학평

⊕ fluently ad 유창하게 fluency ⓝ 유창함

Tips

시험에는 이렇게 나온다

be fluent in ~에 유창하다
a fluent speaker 유창하게 말하는 사람
fluent resolution 능수능란한 해결
fluent movements 능란한 움직임

0149 □□□ ★★★

civilization

ⓝ **culture, development, society** 문명 (사회)

[sìvəlizéiʃən]

One of the greatest **civilizations** of ancient times was the Egyptians. 학평

⊕ civil ⓐ 시민의, 민간의 civilize ⓥ 문명화하다

0150 □□□ ★★★

sculpture

ⓝ **statue, carving** 조각(품)

[skʌ́lptʃər]

Blue was his favorite color, so he used the color to make paintings and **sculptures**. 학평

⊕ sculpt ⓥ 조각하다 sculptor ⓝ 조각가

0151 □□□ ★★★

optimal

ⓐ **best, ideal, prime, optimum** 최적의, 최상의

[ɑ́ptəməl]

If you live in Helsinki, your **optimal** room temperature is about 59°F. 학평

⊕ optimality ⓝ 최선, 최적 optimally ad 최선으로, 최적으로

Tips

시험에는 이렇게 나온다

maintain optimal weight 최적의 몸무게를 유지하다
optimal temperature 최적의 온도
create optimal results 최적의 결과를 만들다
optimal condition 최적의 상태

fluent · Justin은 유창한 연설가이고 배경 지식이 많다.
civilization · 고대의 가장 위대한 문명 중 하나는 이집트의 것이었다.
sculpture · 파란색은 그가 가장 좋아하는 색이어서 그는 그 색을 그림과 조각품을 만드는 데 사용했다.
optimal · 만약 당신이 헬싱키에 산다면, 최적의 실내 온도는 약 화씨 59도이다.

0152 □□□ ★★★

subjective

ⓐ **personal, based on inner experience** 주관적인, 주관의

[səbdʒéktiv]

People's opinions about music are **subjective** and their tastes often change over time.

⊕ subjectively ad 주관적으로, 개인적으로 subjectivity ⓝ 주관성, 주관적임

↔ objective ⓐ 객관적인

0153 □□□ ★★★

heritage

ⓝ **inheritance, legacy** 유산

[héritidʒ]

The library should be preserved because it protects our cultural **heritage**. 학평

⊕ heritable ⓐ 상속 가능한

Tips

어원으로 어휘 확장하기

herit 상속인 + age 명·접 ▶ 상속인이 받는 유산

⊕ **inherit** ⓥ 상속받다, 물려받다

0154 □□□ ★★★

harsh

ⓐ **brutal, bitter, intense** 가혹한, 거친

[hɑːrʃ]

Conditions in the prison camp were unbearably **harsh**.

⊕ harshly ad 매몰차게 harshness ⓝ 가혹함

↔ moderate ⓐ 온화한

0155 □□□ ★★★

evoke

ⓥ **arouse, cause, bring to mind** (감정·기억을) 불러일으키다

[ivóuk]

Clothes can **evoke** both cherished and painful memories. 수능

Tips

어원으로 어휘 확장하기

e 밖으로(ex) + **vok**(e) 부르다 ▶ 기억, 감정 등을 밖으로 불러 일깨우다

⊕ **provoke** ⓥ (반응을) 유발하다, 화나게 하다 **invoke** ⓥ 빌다, 기원하다

subjective · 음악에 대한 사람들의 의견은 주관적이고 그들의 취향은 시간이 지남에 따라 종종 변한다.
heritage · 도서관은 우리의 문화 유산을 보호하기 때문에 보존되어야 한다.
harsh · 포로 수용소의 상황은 견딜 수 없을 정도로 가혹했다.
evoke · 옷은 소중한 기억과 아픈 기억 모두를 불러일으킬 수 있다.

0156 ☐☐☐ ★★

collision
[kəlíʒən]

ⓝ **crash, conflict**　　충돌, 대립, 상충

Every boat should be equipped with the required lighting to avoid **collisions**. 수능

➕ collide ⓥ 충돌하다, 부딪치다

0157 ☐☐☐ ★★★

disregard
[dìsrigá:rd]

ⓥ **ignore, neglect**　　무시하다, 소홀히 하다

Please **disregard** that last statement.

0158 ☐☐☐ ★★

protest
[prətést]

ⓥ **object, oppose, disagree**　　반대하다, 항의하다

ⓝ **demonstration, complaint**　　시위, 항의

Mark Twain is known as a novelist, but most students do not learn that he **protested** against the war in the Philippines. 학평

The students staged a peaceful **protest** to demand climate change action.

➕ protester ⓝ 항의자, 시위자

Tips　**어원으로 어휘 확장하기**
pro 앞에 + **test** 증언하다 ▶ 앞에 나서서 잘못된 것을 증언하며 항의하다
➕ **test**ify ⓥ 증언하다, 진술하다　con**test** ⓥ 경쟁을 벌이다 ⓝ 대회, 시합

0159 ☐☐☐ ★★

magnify
[mǽgnəfài]

ⓥ **enlarge, amplify, intensify**　　확대하다, 과장하다

Microscopes are used to **magnify** objects that are not visible to the naked eye.

➕ magnification ⓝ 확대, 배율　magnitude ⓝ 크기, 규모　magnificent ⓐ 웅장한, 훌륭한

Tips　**어원으로 어휘 확장하기**
magni 큰 + fy 동·접 ▶ 어떤 것을 크게 확대하다
➕ **magni**tude ⓝ (엄청난) 규모, 거대함, 중요성

---

collision · 모든 보트에는 충돌을 방지하기 위해 필요한 조명이 장착되어 있어야 한다.
disregard · 그 마지막 진술은 무시해 주세요.
protest · Mark Twain은 소설가로 알려져 있지만, 대부분의 학생들은 그가 필리핀 전쟁에 반대했다는 것은 배우지 않는다.
· 학생들은 기후 변화 조치를 요구하기 위해 평화적인 시위를 벌였다.
magnify · 현미경은 육안으로 볼 수 없는 물체를 확대하기 위해 사용된다.

0160 ☐☐☐ ★★

devour

[diváuər]

ⓥ gobble, consume

먹어 치우다, 게걸스레 먹다

This plant is so large that it can devour rats whole. (한원)

0161 ☐☐☐ ★★

humble

[hʌ́mbl]

ⓐ modest, unpretentious

소박한, 겸손한

Despite the actor's tremendous success, he had a very humble house.

➕ humbly ⓐd 겸손하게
➖ lavish ⓐ 사치스러운

0162 ☐☐☐ ★★★

spatial

[spéiʃəl]

ⓐ relating to space

공간의, 공간적인

Because of his poor spatial awareness, Nathan frequently bumped into things when he walked.

➕ spatially ⓐd 공간적으로

0163 ☐☐☐ ★★

supervise

[súːpərvàiz]

ⓥ monitor, manage

감독하다, 관리하다

Steve had supervised one of his company's warehouses for four years. (수능)

➕ supervision ⓝ 감독, 관리, 통제   supervisor ⓝ 감독관, 관리자

Tips	어원으로 어휘 확장하기
	super 위에 + vis(e) 보다 ▶ 위에서 내려다보며 관리 또는 감독하다
	➕ revise ⓥ 수정하다, 변경하다

0164 ☐☐☐ ★★

synthetic

[sinθétik]

ⓐ artificial, man-made

합성의, 인조의

Wallace Carothers developed the first synthetic fiber, called nylon. (한원)

➕ synthesize ⓥ 합성하다, 통합하다   synthesis ⓝ 합성, 통합

---

devour · 이 식물은 너무 커서 쥐를 통째로 먹어 치울 수 있다.
humble · 그 배우의 엄청난 성공에도 불구하고, 그는 매우 소박한 집을 가지고 있었다.
spatial · Nathan은 부족한 공간 인식 능력 때문에 걸을 때 물건과 자주 부딪혔다.
supervise · Steve는 4년 동안 그의 회사의 창고 중 하나를 감독했다.
synthetic · Wallace Carothers는 나일론이라고 불리는 최초의 합성 섬유를 개발했다.

0165 ☐☐☐ ★★

ensue

[insúː]

v follow, succeed — 잇따라 일어나다, 계속되다

When sincere apologies are offered, they are readily accepted by the victims, and reconciliations ensue. (수능)

➕ ensuing ⓐ 다음의, 뒤이은

Tips **어원으로 어휘 확장하기**

en 하게 만들다 + sue 따르다 ▶ 어떤 일이 다른 일을 따르게 만들어 그 일들이 잇따라 일어나다

➕ enable ⓥ ~할 수 있게 하다, 가능하게 하다   ensure ⓥ 확실하게 하다

0166 ☐☐☐ ★★

pillar

[pílər]

n column, post — 기둥

Classical Roman architecture featured several outdoor pillars surrounding a building.

0167 ☐☐☐ ★★

accuse

[əkjúːz]

v charge, put on trial for — 기소하다, 고발하다

v blame, complain — 비난하다, 책망하다

DNA evidence can be used to find a person accused of a crime innocent. (학평)

We are the source of everything good or bad for us, so don't accuse others. (학평)

➕ accused ⓝ 피고인, 피의자 ⓐ 기소당한, 고발된   accusation ⓝ 고발, 비난

Tips **시험에는 이렇게 나온다**

accuse A of ~ A를 ~으로 고발하다/기소하다   accuse oneself 자책하다

0168 ☐☐☐ ★★

perish

[périʃ]

v die, pass away, disappear — 소멸하다, 죽다

Indigenous plants perish when their habitat is overrun by non-native plant species.

➕ perishable ⓐ 잘 상하는

---

ensue · 진심 어린 사과가 나올 경우, 그것은 피해자들에게 선뜻 받아들여지고, 화해가 잇따라 일어난다.
pillar · 고대 로마의 건축물은 건물을 둘러싸고 있는 몇 개의 옥외 기둥을 특징으로 했다.
accuse · DNA 증거는 범죄로 기소된 사람이 무죄라는 것을 알아내는 데 사용될 수 있다.
· 우리 스스로가 우리에게 좋고 나쁜 모든 것의 근원이므로, 다른 사람들을 비난하지 마라.
perish · 토착 식물은 외래 식물 종에 의해 서식지가 뒤덮이면 소멸한다.

0169 ☐☐☐ ★★

inflame

[infléim]

Ⓥ **stimulate, provoke, spur**　　자극하다, 흥분시키다

The man's speech inflamed the protestors.

➕ inflammation Ⓝ 염증　inflammatory Ⓐ 선동적인, 염증을 일으키는

> **Tips**　**어원으로 어휘 확장하기**
>
> in 안에 + flame 타오르다 ▶ 마음 안이 타오르게 불을 붙여 자극하다
>
> ➕ inborn Ⓐ 타고난, 선천적인　indoor Ⓐ 실내(용)의, 내부의

0170 ☐☐☐ ★

alleviate

[əlíːvièit]

Ⓥ **relieve, ease**　　완화시키다

Aspirin may alleviate the symptoms of inflammation.

➕ alleviation Ⓝ 경감, 완화

> **Tips**　**어원으로 어휘 확장하기**
>
> al ~쪽으로(ad) + lev(i) 올리다 + ate 동·접 ▶ 몸 상태가 좋은 쪽으로 올라가도록 고통을 덜다
>
> ➕ elevate Ⓥ (들어) 올리다, 증가시키다

0171 ☐☐☐ ★

diameter

[daiǽmətər]

Ⓝ **measurement across object, width**　　지름, 직경

The diameter of the Earth is 12,756 kilometers long when measuring from the North Pole to the South Pole.

> **Tips**　**어원으로 어휘 확장하기**
>
> dia 가로질러 + meter 재다 ▶ 원의 끝에서 끝까지 가로질러 길이를 잰 수치인 지름
>
> ➕ barometer Ⓝ 기압계, 지표

0172 ☐☐☐ ★

serene

[səríːn]

Ⓐ **calm, tranquil, peaceful**　　고요한, 평화로운

The serene waters of Long Lake are a beautiful sight.

➕ serenely ㄍ 고요히, 침착하게　serenity Ⓝ 고요함, 평온

---

inflame 　· 그 남자의 연설은 시위자들을 자극했다.
alleviate 　· 아스피린은 염증의 증상을 완화시킬 수 있다.
diameter 　· 지구의 지름은 북극에서 남극까지 측정할 때 12,756 킬로미터이다.
serene 　· Long Lake의 고요한 물은 아름다운 광경이다.

impoverish

[impá:vəriʃ]

ⓥ ruin, deplete

빈곤하게 하다

The community became impoverished after the local factory closed down.

➕ impoverishment ⓝ 빈곤, 저하
➖ enrich ⓥ 부유하게 만들다

attest

[ətést]

ⓥ confirm, certify, prove

증명하다, 입증하다

Three witnesses signed the will to attest to its authenticity.

grab

[græb]

ⓥ seize, grip

잡다, 붙잡다

ⓥ take quickly

급히 ~하다

He put his hand out and grabbed my hand tightly.

He was expecting a work phone call, so he just grabbed a quick sandwich for lunch. (미용)

Tips | **시험에는 이렇게 나온다**
grab a bite 급하게(간단히) 먹다
grab one's attention ~의 관심을 끌다
grab a cab 택시를 잡다
grab hold of ~ 갑자기 ~을 움켜잡다

---

impoverish ・ 현지 공장이 문을 닫은 후 지역사회는 빈곤하게 되었다.
attest ・ 세 명의 증인이 유언장의 진위를 증명하기 위해 그것에 서명했다.
grab ・ 그는 손을 내밀어 내 손을 꽉 잡았다.
・ 그는 업무 관련 전화를 기다리고 있어서, 점심으로 급히 샌드위치를 먹었다.

Daily Quiz

A 알맞은 유의어를 고르세요.

01 diameter		ⓐ measurement across object, width	
02 subjective		ⓑ confirm, certify, prove	
03 attest		ⓒ gobble, consume	
04 ensue		ⓓ ruin, deplete	
05 pillar		ⓔ resistant, invulnerable	
06 infant		ⓕ column, post	
07 immune		ⓖ baby, newborn	
08 grab		ⓗ seize, grip	
09 devour		ⓘ personal, based on inner experience	
10 impoverish		ⓙ follow, succeed	

B 밑줄 친 단어와 가장 뜻이 유사한 단어를 고르세요.

11 Wallace Carothers developed the first <u>synthetic</u> fiber, called nylon.
　　ⓐ resistant　　　　ⓑ articulate　　　　ⓒ brutal　　　　ⓓ artificial

12 Steve had <u>supervised</u> one of his company's warehouses for four years.
　　ⓐ caused　　　　ⓑ monitored　　　　ⓒ carried　　　　ⓓ enrolled

13 Clothes can <u>evoke</u> both cherished and painful memories.
　　ⓐ alter　　　　ⓑ ignore　　　　ⓒ arouse　　　　ⓓ enlarge

14 I've just <u>registered</u> for a cooking class that I've wanted to take for a long time.
　　ⓐ intensified　　　　ⓑ enrolled　　　　ⓒ ate　　　　ⓓ followed

15 Indigenous plants <u>perish</u> when their habitat is overrun by non-native plant species.
　　ⓐ manage　　　　ⓑ stimulate　　　　ⓒ die　　　　ⓓ charge

C 다음 빈칸에 들어갈 가장 알맞은 것을 박스 안에서 고르세요.

alleviate	attest	fluent	optimal	collision	aspect

16 Ads will cover up negative _____(e)s of the company they advertise.

17 Aspirin may _____ the symptoms of inflammation.

18 Three witnesses signed the will to _____ to its authenticity.

19 Justin is a(n) _____ speaker and has a lot of background knowledge.

20 If you live in Helsinki, your _____ room temperature is about 59°F.

DAY 06

음성 바로 듣기

0176 ☐☐☐ ★★★

process

[prá:ses]

| ⓝ procedure, course | 과정, 처리 |
| ⓥ handle, manage | 처리하다, 진행하다 |

The entire **process** of making a musical instrument takes around a month. 수능

Applications are available online and are **processed** in the order they're received. 학평

➕ proceed ⓥ 진행하다, 나아가다   procession ⓝ 진행, 행진

0177 ☐☐☐ ★★★

separate

ⓥ[sépərèit]
ⓐ[sépərət]

| ⓥ divide, detach, disconnect | 분리하다, 떼어놓다 |
| ⓐ different, divided | 별개의, 서로 다른 |

I'm going to **separate** the plastic from the paper. 학평

Being full and feeling sated are **separate** matters. 수능

➕ separately ⓐd 개별적으로, 따로따로   separation ⓝ 분리, 헤어짐

0178 ☐☐☐ ★★★

attend

[əténd]

| ⓥ participate, be present, go to | 참석하다, ~에 다니다 |

Students will **attend** the program for two hours a day for a week. 학평

➕ attendance ⓝ 참석, 출석   attendee ⓝ 참석자   attentive ⓐ 주의 깊은, 정중한

Tips | **어원으로 어휘 확장하기**

at ~ 쪽으로(ad) + **tend** 뻗다 ▶ 어떤 장소 쪽으로 발걸음을 뻗어가서 그곳에 출석하다

➕ extend ⓥ 뻗다, 확장하다

---

process · 하나의 악기를 만드는 전체의 과정은 한 달 정도 걸린다.
· 신청은 온라인으로 가능하며 접수된 순서대로 처리됩니다.

separate · 나는 종이와 플라스틱을 분리할 것이다.
· 배부른 것과 식욕이 만족된 것은 별개의 문제이다.

attend · 학생들은 일주일 동안 하루에 두 시간씩 그 프로그램에 참석할 것이다.

appropriate

[əpróupriət]

| ⓐ suitable, apt, proper | 적절한, 적합한 |

Please wear clothing **appropriate** for the weather conditions. 한영

➕ appropriately ⓐ𝖽 적당하게, 알맞게
➖ inappropriate ⓐ 부적절한, 부적합한

destroy

[distrɔ́i]

| ⓥ demolish, devastate, ruin | 파괴하다, 전멸시키다 |

If we **destroy** trees, the climate will get warmer. 한영

➕ destruction ⓝ 파괴　destructive ⓐ 파괴적인

efficient

[ifíʃənt]

| ⓐ effective, productive, competent | 효율적인, 유능한 |

Using many examples is **efficient** for studying. 한영

➕ efficiency ⓝ 효율, 능률　efficiently ⓐ𝖽 효율적으로, 효과적으로
➖ inefficient ⓐ 비효율적인, 비능률적인

Tips **시험에는 이렇게 나온다**

efficient way 효율적인 방법
energy-efficient 에너지 효율이 좋은

efficient alternative 효율적인 대안
make efficient use of ~ ~을 효율적으로 사용하다

guilty

[gílti]

| ⓐ criminal, convicted, ashamed | 유죄의, 죄책감이 드는 |

It is the responsibility of the court to prove that a person is **guilty**. 수능

➖ innocent ⓐ 죄가 없는, 무고한

Tips **시험에는 이렇게 나온다**

be declared guilty 유죄로 선고되다
feel guilty 양심의 가책을 느끼다

---

appropriate · 기상 상태에 적절한 옷을 입으세요.
destroy · 만약 우리가 나무를 파괴한다면, 기후는 더 더워질 것이다.
efficient · 많은 예시를 사용하는 것은 공부하는 데 효율적이다.
guilty · 어떤 사람이 유죄라는 것을 증명하는 것은 법원의 책임이다.

0183 ☐☐☐ ★★★

colony

[kάːləni]

| n territory, possession | 식민지 |
| n community | 집단, 거주지 |

Ireland became a **colony** of Britain in the 16th century when British Protestant settlers began arriving in large numbers.

Ant **colonies** have their own personalities, which are shaped by the environment. 〔학평〕

➕ colonize ⓥ 식민지로 만들다   colonization ⓝ 식민지화   colonial ⓐ 식민지의

0184 ☐☐☐ ★★★

extend

[iksténd]

| v lengthen, expand | 연장하다, 확대하다 |

I was wondering if you could **extend** my deadline. 〔모평〕

➕ extensive ⓐ 넓은, 광범위한   extension ⓝ 확장, 연장

0185 ☐☐☐ ★★★

vice

[vais]

| n sin, evil, wickedness | 악(덕), 부도덕 |

Gambling is strictly regulated in most places because it is considered a **vice**.

🔁 virtue ⓝ 선(행), 미덕

0186 ☐☐☐ ★★★

resort

[rizɔ́ːrt]

n vacation place	휴양지, 리조트
v turn to, have recourse to	의존하다, 도움을 청하다
n method, measure, strategy	수단, 방책

She is on vacation with her family in an island **resort**. 〔학평〕

Gandhi encouraged people not to **resort** to violence during protests.

War should be a last **resort**. 〔수능〕

---

colony	· 아일랜드는 영국 개신교 정착민들이 대규모로 도착하기 시작한 16세기에 영국의 식민지가 되었다.
	· 개미 집단은 환경에 의해 형성되는 그들만의 개성을 가지고 있다.
extend	· 저는 당신이 저의 마감일을 연장해 줄 수 있는지 궁금했어요.
vice	· 도박은 악덕으로 여겨지기 때문에 대부분의 지역에서 엄격하게 규제된다.
resort	· 그녀는 그녀의 가족과 함께 섬의 휴양지에서 휴가를 보내고 있다.
	· 간디는 사람들에게 투쟁하는 동안 폭력에 의존하지 말 것을 장려했다.
	· 전쟁은 최후의 수단이어야 한다.

0187 ☐☐☐ ★★★

burst

[bəːrst]

| ⓥ blow up, break apart, explode | 터지다, 파열하다 |

| ⓝ blow-up, blast, explosion | 파열, 폭발 |

The firecrackers **burst** with a loud noise, scaring away the elephant. 학평

A **burst** in the pipes caused the basement to quickly flood with water.

Tips **어원으로 어휘 확장하기**

burs(t) 갑자기 깨다 ▶ 갑자기 깨고 터져 나오다

➕ outburst ⓝ (감정의) 폭발, 분출

0188 ☐☐☐ ★★★

favorable

[féivərəbl]

| ⓐ beneficial, advantageous | 유리한, 호의적인 |

Cool weather is much more **favorable** for creative thinking than hot weather. 학평

➕ favor ⓝ 호의, 부탁　favorably ⓐⓓ 호의적으로

Tips **시험에는 이렇게 나온다**

favorable attitude 호의적인 태도　　　favorable environment 유리한 환경
favorable response 호의적인 반응

0189 ☐☐☐ ★★

mold

[mould]

| ⓝ form, pattern | 틀, 거푸집 |

| ⓝ fungus | 곰팡이 |

| ⓥ affect, influence, shape, form | 강한 영향을 주다, 만들다 |

Pour the soap into the **mold** and allow it to harden. 학평

The essential oil protects the plant against bacteria and **mold**. 학평

Music is used to **mold** customer experience and behavior. 학평

---

burst 　· 폭죽이 요란한 소음을 내며 터지면서, 코끼리가 놀라 달아났다.
　　　· 수도관의 파열은 지하실이 빠르게 침수되게 만들었다.
favorable · 선선한 날씨는 더운 날씨보다 창의적인 사고에 훨씬 더 유리하다.
mold 　· 비누를 틀 안에 붓고 굳도록 두세요.
　　　· 방향유는 박테리아와 곰팡이로부터 식물을 보호한다.
　　　· 음악은 고객의 경험과 행동에 강한 영향을 주는 데 이용된다.

0190 □□□ ★★★

boost

[buːst]

ⓥ increase, amplify

증가시키다, 신장시키다

Make an egg and mushroom omelet to **boost** your intake of nutrients like vitamin D. (학평)

0191 □□□ ★★★

calculation

[kælkjuléiʃən]

ⓝ computation, estimate

계산, 연산, 추정

The size and the placement of windows in hanok are determined by the senses, not by mathematical **calculation**. (학평)

➕ calculate ⓥ 계산하다, 추정하다   miscalculation ⓝ 계산 착오, 오산

Tips | **시험에는 이렇게 나온다**

make a calculation 계산하다	scientific calculation 과학적 계산
basic calculation 기본 계산	mathematic calculation 수학적 계산

0192 □□□ ★★★

soar

[sɔːr]

ⓥ increase, skyrocket

치솟다, 급상승하다

The demand for cars decreased as the cost of gasoline **soared**.

➕ soaring ⓐ 치솟는

0193 □□□ ★★★

diversify

[divə́ːrsəfài]

ⓥ vary, expand, spread out

다양화하다

We should **diversify** our survey methods to increase the number of respondents. (학평)

➕ diverse ⓐ 다양한   diversity ⓝ 다양성

0194 □□□ ★★★

impatience

[impéiʃəns]

ⓝ hastiness, restlessness

조바심, 조급함

A few minutes later I raised the point again, with growing **impatience**. (수능)

➕ impatient ⓐ 참을성이 없는, 성급한   impatiently ⓐⓓ 참지 못할 만큼, 조급하게

➖ patience ⓝ 참을성, 인내(심)

---

boost	· 비타민 D와 같은 영양소의 섭취를 증가시키기 위해 계란과 버섯 오믈렛을 만드세요.
calculation	· 한옥에서 창문의 크기와 위치는 수학적 계산이 아닌 감각에 의해 결정된다.
soar	· 자동차 수요는 휘발유 가격이 치솟음에 따라 감소했다.
diversify	· 우리는 응답자 수를 늘리기 위해 조사 방법을 다양화해야 한다.
impatience	· 몇 분 후 나는 조바심이 커지면서 다시 요점을 제기했다.

0195 ☐☐☐ ★★

administer

[ədmínistər]

| v | manage, supervise | 관리하다, 통치하다 |

An external consultant has been hired to **administer** the large governmental grant.

➕ administration ⓝ 관리, 운영   administrative ⓐ 관리(상)의

0196 ☐☐☐ ★★★

staple

[stéipl]

| a | basic, primary, main | 기본적인, 주요한 |
| n | basic food or production | 주식, 주요 산물 |

The samovar, a device used to boil water for tea, is a **staple** item in Russian households.

Tofu, a **staple** in Asia for 2,000 years, is a soft cheeselike food. 학평

> Tips **시험에는 이렇게 나온다**
>
> staple crop 주요 작물   staple food 주식
> staple industry 주요 산업

0197 ☐☐☐ ★★★

belly

[béli]

| n | stomach, abdomen | 배, 복부 |

She noticed the dog's **belly** swelling with a litter of puppies. 학평

0198 ☐☐☐ ★★★

entrust

[intrʌ́st]

| v | assign, authorize, deposit | 맡기다, 위임하다 |

Our company is trying to make sure that the personal information **entrusted** to us will not be used for private purposes. 학평

➕ entrustment ⓝ 위탁

> Tips **어원으로 어휘 확장하기**
>
> en 하게 만들다 + trust 신뢰 ▶ 신뢰하여 중요한 일을 하게 만들다, 즉 일을 맡기다
> ➕ mistrust ⓥ 불신하다, 의심하다

---

administer   · 대규모 정부 보조금을 관리할 외부 컨설턴트가 고용되었다.
staple   · 차를 끓이기 위해 물을 끓이는 장치인 사모바르는 러시아 가정의 기본적인 도구이다.
              · 2천년 동안 아시아에서 주식이었던 두부는 부드러운 치즈와 같은 음식이다.
belly   · 그녀는 개의 배가 강아지 새끼들로 인해 부풀어 오르는 것을 알아차렸다.
entrust   · 우리 회사는 우리에게 맡겨진 개인 정보가 사적인 목적으로 사용되지 않도록 확실히 하고자 노력하고 있다.

0199 ☐☐☐ ★★

monk
[mʌŋk]

ⓝ a member of a religious community 수도승, 수도자

A well-trained **monk** could transcribe around four pages of text per day. (수능)

0200 ☐☐☐ ★★

auction
[ɔ́:kʃən]

ⓝ sell-off, competitive sale 경매

ⓥ sell 낙찰되다, 경매에서 팔리다

In 1954, the British government held an **auction** for commercial television regions. (학평)

In 2006, one of Picasso's portraits was **auctioned** at Sotheby's at a closing price of $95,216,000. (학평)

➕ auctioneer ⓝ 경매인

Tips 시험에는 이렇게 나온다

hold an auction 경매를 개최하다	charity auction 자선 경매
online auction site 온라인 경매 사이트	due to be auctioned 경매에 부쳐질 예정인

0201 ☐☐☐ ★★

wither
[wíðər]

ⓥ fade, dry, decay 시들다, 약해지다

The rose **withered** in the sun and the petals fell off.

➕ withered ⓐ 말라 죽은, 시든

0202 ☐☐☐ ★★

subtract
[səbtrǽkt]

ⓥ deduct, take away 빼다, 공제하다

Subtracting the 80 dollars, each girl made a profit of 64 dollars. (학평)

➕ subtraction ⓝ 뺄셈, 삭감

⊟ add ⓥ 더하다, 추가하다

Tips 어원으로 어휘 확장하기

sub 아래로 + tract 끌다 ▶ 일부를 아래로 끌어내어 수량을 떨어뜨리다, 즉 빼다

➕ extract ⓥ 추출하다, 발췌하다

---

monk · 잘 훈련된 수도승은 하루에 약 4페이지의 텍스트를 기록할 수 있었다.
auction · 1954년에 영국 정부는 상업 텔레비전 지구에 대한 경매를 열었다.
· 2006년에 피카소의 초상화 중 하나가 소더비 경매에서 종가 9521만 6천 달러에 낙찰되었다.
wither · 그 장미는 햇빛에 시들어 꽃잎이 떨어졌다.
subtract · 80달러를 빼면, 각 소녀는 64달러의 이익을 얻었다.

0203 ☐☐☐ ★

continuum

[kəntínjuəm]

n **continuation, continuity**   연속(체)

If risk is a **continuum** from high risk to low risk, a retired investor will generally take less risk. 한권

0204 ☐☐☐ ★★

dose

[dous]

n **dosage, amount**   양, 복용량

Exceeding the daily recommended **dose** of salt can cause health problems. 한권

> Tips **어원으로 어휘 확장하기**
>
> **dos**(e) 주다 ▶ 환자에게 주기로 정해둔 약물의 양, 즉 투여량 또는 복용량
> ➕ **dos**age n (약의) 정량, 투약

0205 ☐☐☐ ★

detract

[ditrǽkt]

v **lessen, belittle, devaluate**   (가치 등을) 떨어뜨리다

The unfurnished basement **detracted** from the otherwise charming house.

0206 ☐☐☐ ★

subsidize

[sʌ́bsədàiz]

v **contribute, fund**   보조금을 지급하다

Governments around the world still **subsidize** fossil fuel industries, providing them with billions each year.

➕ **subsidy** n (국가·기관의) 보조금, 장려금

0207 ☐☐☐ ★

laborious

[ləbɔ́ːriəs]

a **difficult, strenuous**   힘든, 인내를 요하는

It took Michelangelo four years of **laborious** painting to finish the Sistine Chapel ceiling.

➕ **laborer** n 노동자   **laboriously** ad 힘들게

---

continuum · 만약 위험률이 고위험에서 저위험으로의 연속체라면, 은퇴한 투자자는 일반적으로 덜 위험한 것을 택할 것이다.
dose · 소금의 일일 권장량을 초과하는 것은 건강 문제를 일으킬 수 있다.
detract · 가구가 갖추어져 있지 않은 지하실은 그렇지 않았더라면 매력적이었을 집의 가치를 떨어뜨렸다.
subsidize · 세계 곳곳의 정부는 여전히 화석 연료 산업에 매년 수십억 달러를 제공하는 보조금을 지급한다.
laborious · 미켈란젤로가 시스티나 성당 천장을 완성하는 데 4년 동안의 힘든 그림 작업이 필요했다.

deterioration

ⓝ **worsening, degeneration**

악화, 저하

[ditìəriəréiʃən]

Overgrazing of livestock resulted in further **deterioration** of the soil. (수능)

➕ deteriorate ⓥ 악화되다, 더 나빠지다   deteriorative ⓐ 악화하는 경향이 있는

➖ improvement ⓝ 개선, 향상

inhale

ⓥ **breathe in**

들이마시다, 빨아들이다

[inhéil]

Find a scent that you like and **inhale** its perfume when you're feeling calmed and at peace. (학평)

➕ inhalant ⓝ 흡입제   inhalational ⓐ 흡입의

➖ exhale ⓥ (숨을) 내쉬다

fuse

ⓥ **combine, merge**

결합하다, 융합하다

[fjuːz]

Humans are born with 300 bones, some of which **fuse** over time, resulting in 206 bones in an adult body.

➕ fusion ⓝ 결합, 융합

Tips

어원으로 어휘 확장하기

fus(e) 붓다, 녹이다 ▶ 녹인 것이 부어져 합쳐지다, 즉 융합되다

➕ confuse ⓥ 혼동하다, 혼란스럽게 하다

---

deterioration · 가축의 과도한 방목은 토양의 악화를 초래했다.
inhale · 당신이 좋아하는 향을 찾고 당신이 차분함을 느끼고 평화로울 때 그 향기를 들이마시세요.
fuse · 인간은 300개의 뼈를 가지고 태어나는데, 그 중 일부는 시간이 지나면서 결합해서 결국 성인의 신체에는 206개의 뼈만 남는다.

Daily Quiz

A 알맞은 유의어를 고르세요.

01	inhale	ⓐ	criminal, convicted, ashamed
02	subsidize	ⓑ	blow up, break apart, explode
03	colony	ⓒ	contribute, fund
04	impatience	ⓓ	procedure, course
05	entrust	ⓔ	territory, possession
06	burst	ⓕ	turn to, have recourse to
07	staple	ⓖ	hastiness, restlessness
08	resort	ⓗ	assign, authorize, deposit
09	guilty	ⓘ	basic, primary, main
10	process	ⓙ	breathe in

B 밑줄 친 단어와 가장 뜻이 유사한 단어를 고르세요.

11 Make an egg and mushroom omelet to underline{boost} your intake of nutrients like vitamin D.
 ⓐ demolish ⓑ increase ⓒ participate ⓓ affect

12 If we destroy trees, the climate will get warmer.
 ⓐ assign ⓑ lessen ⓒ demolish ⓓ deduct

13 Cool weather is much more favorable for creative thinking than hot weather.
 ⓐ difficult ⓑ beneficial ⓒ basic ⓓ effective

14 Being full and feeling sated are separate matters.
 ⓐ ashamed ⓑ fitting ⓒ primary ⓓ different

15 We should diversify our survey methods to increase the number of respondents.
 ⓐ handle ⓑ divide ⓒ fade ⓓ expand

C 다음 빈칸에 들어갈 가장 알맞은 것을 박스 안에서 고르세요.

efficient	vice	deterioration	laborious	soar	resort

16 Overgrazing of livestock resulted in further _____ of the soil.

17 Using many examples is _____ for studying.

18 War should be a last _____.

19 The demand for cars decreased as the cost of gasoline _____(e)d.

20 It took Michelangelo four years of _____ painting to finish the Sistine Chapel ceiling.

음성 바로 듣기

0211 ☐☐☐ ★★★

present

[v][prizént]
[n][a][préznt]

[v]	produce, display	제시하다, 보여주다
[n]	gift	선물
[a]	current, now	있는, 존재하는

If you **present** your ticket, there will be no charge for this service. (수능)

I recently got a new drone as a graduation **present**. (수능)

The differences in perceived stress between days the dog was **present** and absent were significant. (학평)

➕ presentation [n] 제시, 제출, 발표, 수여   presence [n] 존재, 있음

Tips   **어원으로 어휘 확장하기**

pre 앞에 + **sent** 존재하다 ▶ 지금 눈앞에 존재하는, 지금 눈앞에 주어진 선물

➕ repre**sent** [v] 대표하다, 대변하다, 표현하다   ab**sent** [a] 결석한

0212 ☐☐☐ ★★★

general

[dʒénərəl]

| [a] | overall, common | 일반적인, 보통의 |

You can increase your **general** knowledge by surfing the Internet and even talking with your friends. (모평)

➕ generally [ad] 일반적으로   generalize [v] 일반화하다, 보편화하다

generalist [n] 다방면에 걸친 지식을 가진 사람

Tips   **시험에는 이렇게 나온다**

general public 일반 대중	general admission 일반 입장료
as a general rule 일반적으로, 대체로	gonoral knowledge 일반 상식
in general 일반적으로, 보통	general tendency 일반적인 경향

---

present · 당신이 티켓을 제시하면, 이 서비스에 대한 수수료가 없을 것입니다.
· 나는 최근에 졸업 선물로 새 드론을 받았다.
· 개가 있을 때와 없을 때 간의 인지된 스트레스의 차이는 상당했다.

general · 당신은 인터넷 서핑을 하고 심지어 친구들과 이야기함으로써도 당신의 일반적인 지식을 늘릴 수 있다.

perspective

[pərspéktiv]

ⓝ **viewpoint, view, outlook**　　관점

Creativity requires a new **perspective.** (모평)

Tips　**시험에는 이렇게 나온다**

different perspective 서로 다른 관점　　global perspective 범세계적인 관점
cultural perspective 문화적 관점

engage

[ingéidʒ]

ⓥ **partake, involve**　　(참여)하다, 관여하다

ⓥ **hire, employ**　　고용하다

ⓥ **attract, join, engross**　　사로잡다, 끌어들이다

Every adult should **engage** in half an hour of moderate physical activity at least five days per week. (학평)

The magazine **engaged** several excellent writers to make its articles more interesting.

If you follow your affections, you will write well and will **engage** your readers.

➕ engagement ⓝ 참여, 약속, 약혼　　engaging ⓐ 호감이 가는, 매력적인

Tips　**어원으로 어휘 확장하기**

en 안에 + gage 서약 ▶ 서약 안에 들어가 약속하다, 약속한 일에 참가하다
➕ encounter ⓥ 직면하다, 마주치다　enclose ⓥ 둘러싸다, 동봉하다

mechanism

[mékənìzm]

ⓝ **device, instrument**　　장치, 방법

A filter is a **mechanism** that lets some things flow in but screens other things out. (모평)

➕ mechanic ⓝ 정비공, 역학, 기계학　　mechanical ⓐ 기계의, 기계적인

---

perspective　· 창의력은 새로운 관점을 필요로 한다.
engage　　· 모든 성인은 일주일에 최소 5일은 30분 간의 적당한 신체 활동을 해야 한다.
　　　　　· 그 잡지사는 기사를 더 흥미롭게 만들기 위해 몇 명의 훌륭한 작가들을 고용했다.
　　　　　· 만약 당신이 당신의 애정을 따라간다면, 당신은 글을 잘 쓸 것이고 당신의 독자들을 사로잡을 것이다.
mechanism　· 필터는 어떤 것들은 안으로 들어오게 하지만 다른 것들은 걸러 내는 장치이다.

0216 ☐☐☐ ★★★

enhance

[inhǽns]

v **improve, enrich, boost**　높이다, 향상시키다

Marketers can **enhance** the effectiveness of their advertisements strategically. (한평)

➕ enhancement ⓝ 향상, 증대

Tips　**어원으로 어휘 확장하기**

en 하게 만들다 + hance 앞서(ante) ▶ 능력, 자질 등이 지금보다 앞서게 만들다, 즉 향상시키다

➕ enable ⓥ ~할 수 있게 하다　endanger ⓥ 위험하게 하다　enlarge ⓥ 확대하다, 확장하다

0217 ☐☐☐ ★★★

insist

[insíst]

v **assert, claim, demand**　주장하다, 고집하다

Soldiers **insist** that their pay should be increased. (한평)

➕ insistence ⓝ 주장, 고집　insistent ⓐ 주장하는, 우기는

0218 ☐☐☐ ★★★

discharge

ⓥ[distʃá:rdʒ]
ⓝ[dístʃa:rdʒ]

v **release, emit, excrete**　방출하다, 배출하다

n **dismissal, removal**　퇴원, 제대, 내보냄

Certain species of fish **discharge** poison as a way to defend themselves when threatened.

I have a few things to tell you that you have to keep in mind on the day of **discharge**. (수능)

➖ imprison ⓥ 감금하다

0219 ☐☐☐ ★★★

wage

[weidʒ]

n **salary, pay**　임금, 급료

At most chains, employee **wages** are set by local managers. (한평)

Tips　**시험에는 이렇게 나온다**

earn a wage 임금을 받다　　daily/hourly wage 일당, 시급
minimum wage 최저 임금　　employee wage 직원 임금

---

enhance　· 마케팅 담당자는 전략적으로 그들의 광고의 효과를 높일 수 있다.
insist　· 군인들은 그들의 봉급이 인상되어야 한다고 주장한다.
discharge　· 어떤 종류의 어류는 위험을 받으면 자신을 방어하는 한 방법으로써 독을 방출한다.
　　· 퇴원 당일에 당신이 유의하셔야 할 몇 가지 말씀드릴 사항이 있습니다.
wage　· 대부분의 체인점에서, 직원 임금은 지점 관리자에 의해 정해진다.

0220 ☐☐☐ ★★★

bind

[baind] ⓥ **fasten, secure** 묶다, 결박하다

The prisoner's hands had been **bound** up tightly with rope.

■ unbind ⓥ 풀다, 석방하다

0221 ☐☐☐ ★★★

interrupt

[ìntərʌ́pt] ⓥ **disturb, bother, interfere** 방해하다, 중단시키다

Construction workers try to reduce noise in order not to **interrupt** people at night. 학평

➕ interruption ⓝ 방해, 중단

Tips	**어원으로 어휘 확장하기**
	inter 사이에 + **rupt** 깨다 ▶ 사이에 끼어들어 연결을 깨서 방해하다
	➕ dis**rupt** ⓥ 붕괴시키다 e**rupt** ⓥ 분출하다

0222 ☐☐☐ ★★★

conceal

[kənsíːl] ⓥ **cover, hide** 감추다, 숨기다

Polar bears evolved white fur because it better **conceals** them in the Arctic. 학평

➕ concealment ⓝ 숨김, 은폐

■ reveal ⓥ 드러내다

0223 ☐☐☐ ★★

precede

[prisíːd] ⓥ **come before, antecede, forerun** 선행하다, 앞서다

A recovery in airline stocks typically **precedes** a rebound in the economy.

➕ precedent ⓝ 선례, 전례 ⓐ 이전의, 선행하는 precedence ⓝ 앞섬, 선행

Tips	**어원으로 어휘 확장하기**
	pre 앞서 + **cede** 가다 ▶ 다른 것보다 먼저 앞서가다
	➕ re**cede** ⓥ 후퇴하다

---

bind · 죄수의 손은 밧줄로 단단히 묶여 있었다.
interrupt · 건설 노동자들은 밤에 사람들을 방해하지 않기 위해 소음을 줄이려고 노력한다.
conceal · 북극곰은 흰털을 진화시켰는데 그것이 북극에서 그들을 더 잘 감출 수 있기 때문이다.
precede · 항공사 주식의 주가 회복은 일반적으로 경제의 회복에 선행한다.

0224 ☐☐☐ ★★★

trace

[treis]

ⓥ **track, trail**

거슬러 올라가다, 추적하다

The origins of contemporary Western thought can be **traced** back to the age of ancient Greece. 모평

➕ traceable ⓐ 추적할 수 있는

0225 ☐☐☐ ★★★

strive

[straiv]

ⓥ **attempt, struggle**

노력하다, 분투하다

Even though we **strive** to be error-free, it's inevitable that problems will occur. 모평

Tips **시험에는 이렇게 나온다**

strive to win 이기려고 노력하다   strive for ~을 얻으려고 노력하다

0226 ☐☐☐ ★★

merchandise

[mə́:rtʃəndàiz]

ⓝ **goods, product, commodity**

물품, 상품

The thieves stole **merchandise** worth thousands of dollars from the store.

➕ merchandising ⓝ 판매, 판촉   merchandiser ⓝ 상인, 판매업자

0227 ☐☐☐ ★★

prehistoric

[prì:histɔ́:rik]

ⓐ **ancient, primitive**

선사(시대)의

Dr. Branson found evidence of a **prehistoric** settlement, which may have been founded in 10,000 BC.

0228 ☐☐☐ ★★

dilute

[dailú:t]

ⓥ **weaken, watered down**

희석하다, 묽게 하다

Alcohol **diluted** with water is less concentrated.

❶ dilutive ⓐ 묽게 하는

---

trace	· 현대 서구 사상의 기원은 고대 그리스 시대로 거슬러 올라갈 수 있다.
strive	· 비록 우리는 오류가 없도록 노력하지만, 문제가 발생할 것은 불가피하다.
merchandise	· 도둑들은 그 상점에서 수천 달러 상당의 물품을 훔쳤다.
prehistoric	· Branson 박사는 기원전 1만년에 세워졌을 수 있는 선사시대 정착지의 증거를 발견했다.
dilute	· 물로 희석된 알코올은 덜 농축되어 있다.

0229 ☐☐☐ ★★

prescribe

[priskráib]

| ⓥ **write prescription** | 처방하다 |
| ⓥ **stipulate, specify** | 규정하다, 정하다 |

When your doctor **prescribes** a medication, you should ask about how it can affect your ability to drive. ⓦ

In general, people accept the set consequences of their actions **prescribed** by their surroundings.

➕ prescription ⓝ 처방(전)　prescriptive ⓐ 규정하는, 지시하는
　prescribed ⓐ 규정된, 미리 정해진

Tips **어원으로 어휘 확장하기**

pre 전에 + **scrib**(e) 쓰다 ▶ 환자가 약을 사기 전에 의사가 약을 정해서 써주다, 즉 처방하다
➕ de**scribe** ⓥ 서술하다, 묘사하다　sub**scribe** ⓥ 가입하다, 구독하다

0230 ☐☐☐ ★★

provision

[prəvíʒən]

| ⓝ **supply** | 제공, 공급, 지급 |

The organization arranged for **provisions** of food and water to the refugees.

➕ provide ⓥ 제공하다, 공급하다

Tips **어원으로 어휘 확장하기**

pro 앞으로 + **vid**(e) 보다 ▶ 앞으로 필요할 것을 미리 보고 제공하다
➕ e**vid**ent ⓐ 분명한, 명백한

0231 ☐☐☐ ★★

deceive

[disíːv]

| ⓥ **lie, bluff** | 속이다, 기만하다 |

People can control their body language much better than their voices when they **deceive**. ⓗ

➕ deceptive ⓐ 속이는, 기만적인　deception ⓝ 속임(수), 기만, 사기

---

prescribe　· 당신의 의사가 약을 처방할 때, 당신은 그것이 운전하는 능력에 어떤 영향을 미칠 수 있는지 물어봐야 한다.
　　　　　· 일반적으로, 사람들은 주변환경에 의해 규정된 행동의 정해진 결과를 받아들인다.

provision　· 그 단체는 난민들에게 음식과 물을 제공할 준비를 했다.
deceive　· 사람들은 속일 때, 목소리보다 바디랭귀지를 훨씬 더 잘 조절할 수 있다.

0232 ☐☐☐ ★★

postpone

Ⓥ **put off, delay**

연기하다, 미루다

[poustpóun]

If a student has three or more major tests on the same day, the student may request to **postpone** the last assigned test. (학평)

➕ postponement Ⓝ 연기

Tips | **어원으로 어휘 확장하기**
post 뒤에 + pon(e) 놓다 ▶ 예정했던 시점보다 뒤에 놓다, 즉 연기하다
➕ **post**erior ⓐ 뒤의, 이어지는   com**pon**ent Ⓝ 구성 요소

0233 ☐☐☐ ★★

spontaneous

ⓐ **impromptu, improvised**

즉흥적인, 자발적인

[spɑːntéiniəs]

Parents suppress all **spontaneous** expressions of joy, concern, and happiness. (학평)

➕ spontaneously 〔ad〕 자발적으로, 자연스럽게

Tips | **시험에는 이렇게 나온다**
spontaneous reaction 즉각적 반응   spontaneous purchase 즉흥적인 구매
spontaneous settlement 자생적 정착지   spontaneous trip 즉흥 여행

0234 ☐☐☐ ★★★

compensate

Ⓥ **reward, reimburse, make amends**

보상하다, 보충하다

[kɑ́ːmpənsèit]

As she helped Joan clean up, she tried to think of a way to **compensate** her for the damage. (수능)

➕ compensation Ⓝ 보상

0235 ☐☐☐ ★★★

headquarters

Ⓝ **main office, base**

본부, 본사

[hédkwɔ̀ːrtərz]

The general summoned the top official to his **headquarters** for a meeting.

---

postpone · 만약 학생이 같은 날에 3개 또는 그 이상의 주요한 시험이 있다면, 그 학생은 마지막으로 배정된 시험을 연기하도록 요청할 수 있다.

spontaneous · 부모들은 기쁨, 걱정, 행복의 모든 즉흥적인 표현을 억누른다.

compensate · 그녀는 Joan이 청소하는 것을 도와주면서, 그녀에게 피해에 대해 보상할 방법을 생각해 내려고 애썼다.

headquarters · 장군은 회의를 위해 고위직 임원들을 그의 본부로 소집했다.

0236 ☐☐☐ ★★

decode

[dìːkóud]

☑ **decipher, interpret, figure out** 해독하다, 이해하다

Dreams have been regarded as prophetic communications which, when properly **decoded**, would enable us to foretell the future. 〈학평〉

Tips | **어원으로 어휘 확장하기**

de 아닌 + code 암호화하다 ▶ 암호화한 것을 아닌 상태로 해독하다

➕ **de**merit ⓝ 단점, 결점, 잘못 **de**forestration ⓝ 삼림벌채

0237 ☐☐☐ ★★

microbe

[máikroub]

ⓝ **microorganism** 미생물

It is quite clear that without **microbes**, life on Earth could not exist. 〈학평〉

0238 ☐☐☐ ★★

erode

[iróud]

☑ **wear down** 침식시키다, 침식되다

Over time, water and wind can **erode** even the hardest rock formation into dust.

➕ erosion ⓝ 침식, 부식

0239 ☐☐☐ ★

recur

[rikə́ːr]

☑ **happen again, repeat, reappear** 재발하다, 되풀이되다

After the treatment you should be symptom-free, but if they **recur**, call your doctor right away.

➕ recurrent ⓐ 반복되는, 재발되는   recurring ⓐ 순환하는, 거듭 발생하는

0240 ☐☐☐ ★

choke

[tʃouk]

☑ **suffocate, smother, block** 숨을 막히게 하다, 질식하다

A piece of the steak got caught in Diana's throat and she started to **choke**.

decode · 꿈이 적절히 해독되는 경우, 이것은 우리가 미래를 예언할 수 있게 하는 예언적인 의사소통 수단으로 여겨져 왔다.
microbe · 미생물이 없이 지구상의 생명체는 존재할 수 없다는 것은 아주 명백하다.
erode · 시간에 걸쳐, 물과 바람은 가장 단단한 암석층조차도 침식시켜서 흙먼지로 만들 수 있다.
recur · 치료 후에 당신은 증상이 없어야 하지만, 만약 증상이 재발할 경우 즉시 의사에게 연락하세요.
choke · 스테이크 한 조각이 Diana의 목에 걸려서 그녀는 숨이 막히기 시작했다.

compress

Ⓥ squeeze, condense

누르다, 압축하다

[kəmprés]

When you step on a weighing scale, you **compress** a spring inside it that is linked to a pointer. 〔학평〕

➕ compression Ⓝ 압축, 요약　compressible Ⓐ 압축할 수 있는

Tips	어원으로 어휘 확장하기
	com 함께 + press 누르다 ▶ 여러 방향에서 함께 눌러 작게 압축하다
	➕ depress Ⓥ 우울하게 하다　impress Ⓥ 깊은 인상을 주다, 감명을 주다

perplex

Ⓥ confuse, bewilder

당황하게 하다, 복잡하게 하다

[pərpléks]

Her husband's odd behavior **perplexes** Betty at times.

➕ perplexity Ⓝ 당혹감

reciprocate

Ⓥ compensate, give in return

화답하다, 답례하다

[risíprəkèit]

Brenda greeted Raymond warmly but he did not **reciprocate** and just walked past.

➕ reciprocal Ⓐ 상호 간의　reciprocation Ⓝ 교환, 보답

summon

Ⓥ call, hail

소환하다, 호출하다

[sΛmən]

Everyone who has been **summoned** to appear for jury duty must arrive by nine o'clock in the morning. 〔학평〕

➕ summons Ⓝ 소환장, 호출

slender

Ⓐ thin, skinny

날씬한, 가는

[sléndər]

Compared to its close relatives, the bonobo is **slenderer** and has a smaller head. 〔모평〕

🔁 chubby Ⓐ 통통한, 토실토실한

---

compress	· 당신이 체중계를 밟을 때, 당신은 그것의 내부에 있는 바늘에 연결된 스프링을 누른다.
perplex	· 남편의 이상한 행동은 때때로 Betty를 당황하게 한다.
reciprocate	· Brenda는 Raymond를 따뜻하게 맞이했지만 그는 화답하지 않고 그냥 지나쳤다.
summon	· 배심원 직무로 소환된 모든 사람들은 아침 9시까지 도착해야 한다.
slender	· 가까운 동족들과 비교하면, 보노보는 몸이 더 날씬하고 머리가 더 작다.

Daily Quiz

A 알맞은 유의어를 고르세요.

01 prescribe   ⓐ squeeze, condense
02 erode   ⓑ come before, antecede, forerun
03 postpone   ⓒ stipulate, specify
04 summon   ⓓ call, hail
05 decode   ⓔ release, emit, excrete
06 precede   ⓕ put off, delay
07 recur   ⓖ happen again, repeat, reappear
08 compress   ⓗ wear down
09 prehistoric   ⓘ decipher, interpret, figure out
10 discharge   ⓙ ancient, primitive

B 밑줄 친 단어와 가장 뜻이 유사한 단어를 고르세요.

11 Parents suppress all <u>spontaneous</u> expressions of joy, concern, and happiness.
   ⓐ overall   ⓑ ancient   ⓒ impromptu   ⓓ current

12 As she helped Joan clean up, she tried to think of a way to <u>compensate</u> her for the damage.
   ⓐ partake   ⓑ reward   ⓒ disturb   ⓓ fasten

13 Marketers can <u>enhance</u> the effectiveness of their advertisements strategically.
   ⓐ claim   ⓑ improve   ⓒ release   ⓓ cover

14 People can control their body language much better than their voices when they <u>deceive</u>.
   ⓐ track   ⓑ weaken   ⓒ lie   ⓓ call

15 Even though we <u>strive</u> to be error-free, it's inevitable that problems will occur.
   ⓐ decipher   ⓑ attempt   ⓒ suffocate   ⓓ confuse

C 다음 빈칸에 들어갈 가장 알맞은 것을 박스 안에서 고르세요.

provision	merchandise	interrupt	reciprocate	insist	perplex

16 The thieves stole _____ worth thousands of dollars from the store.

17 Soldiers _____ that their pay should be increased.

18 Construction workers try to reduce noise in order not to _____ people at night.

19 The organization arranged for _____ (e)s of food and water to the refugees.

20 Her husband's odd behavior _____(e)s Betty at times.

0246 □□□ ★★★

participant
[pɑːrtísəpənt]

ⓝ **partaker, player**　　　　참가자, 참여자

All **participant** will receive T-shirts. 수능

➕ participate ⓥ 참가하다, 참여하다　　participatory ⓐ 참가의, 참여하는

0247 □□□ ★★★

desire
[dizáiər]

ⓝ **craving, longing**　　　　욕구, 갈망

ⓥ **want, yearn for**　　　　원하다, 바라다

Humans have evolved the **desire** to associate with similar individuals. 수능

Consumers **desire** products that can be personalized through color selection or fabric choices. 학평

➕ desired ⓐ 바랐던, 희망했던　　desirable ⓐ 바람직한

Tips　**어원으로 어휘 확장하기**

de 떨어져 + sire 별 ▶ 별이 떨어질 때 이뤄지기를 비는 바람, 욕구
➕ derive ⓥ 비롯되다, 유래하다, 파생하다

0248 □□□ ★★★

industrial
[indʌ́striəl]

ⓐ **related to manufacturing**　　　　산업의, 공업의

Today, the **industrial** economy is changing into a knowledge economy based on science and technology. 수능

➕ industry ⓝ 산업(계)　　industrialize ⓥ 산업화하다　　industrialization ⓝ 산업화

Tips　**시험에는 이렇게 나온다**

industrial revolution 산업 혁명	industrial robots 산업용 로봇
industrial age 산업 시대	industrial development 산업 발전

---

participant　· 모든 참가자는 티셔츠를 받을 것이다.
desire　　　· 인간은 비슷한 사람과 교제하려는 욕구를 진화시켜 왔다.
　　　　　　· 소비자들은 색상 선택 또는 원단 선택을 통해 맞춤 제작할 수 있는 제품을 원한다.
industrial　· 오늘날, 산업 경제는 과학과 기술을 기반으로 한 지식 경제로 변화하고 있다.

attract

[ətrǽkt]

ⓥ draw, entice, tempt

(관심을) 끌다, 끌어 모으다

It is good to use colorful chalk to **attract** students' attention. 학평

➕ attraction ⓝ 끌림, 매력 attractive ⓐ 마음을 끄는, 매력적인

distinguish

[distíŋgwiʃ]

ⓥ differentiate, discriminate

구별하다, 식별하다

Dogs cannot **distinguish** the color of traffic lights. 학평

➕ distinct ⓐ 뚜렷한 distinguishable ⓐ 구별할 수 있는

urgent

[ə́:rdʒənt]

ⓐ pressing, immediate, critical

급한, 다급해 하는

He said a more **urgent** schedule came up, so he decided not to attend the conference. 학평

➕ urgency ⓝ 긴급, 긴급한 일 urgently ⓐⓓ 긴급하게, 시급하게
urge ⓥ 재촉하다, 촉구하다

defend

[difénd]

ⓥ guard, protect

방어하다, 지키다

The immune system **defends** the body against viruses and bacteria.

➕ defense ⓝ 방어, 수비 defensive ⓐ 방어의, 수비의
defendant ⓝ (재판에서) 피고

Tips | **어원으로 어휘 확장하기**
de 떨어져 + fend 때리다 ▶ 때리는 상대에게서 떨어져 방어하다
➕ offend ⓥ 기분을 상하게 하다

sincerely

[sinsíərli]

ⓐⓓ truly, heartily, cordially

진심으로, 마음으로부터

We **sincerely** thank you for your kind consideration. 학평

➕ sincere ⓐ 성실한, 진심 어린 sincerity ⓝ 성실, 정직

---

attract · 학생들의 관심을 끌기 위해 알록달록한 분필을 사용하는 것은 좋다.
distinguish · 개들은 신호등의 색깔을 구별할 수 없다.
urgent · 그는 더 급한 일정이 생겨서 회의에 참석하지 않기로 했다고 말했다.
defend · 면역 체계는 바이러스와 세균으로부터 신체를 방어한다.
sincerely · 저희는 당신의 친절한 배려에 진심으로 감사 드립니다.

0254 □□□ ★★★

translate

[trænsléit]

Ⓥ **interpret, convert, rephrase**

번역하다, 바꾸다

Subtitles are used to **translate** the dialogue for the viewer. 학평

➕ translation ⓝ 번역, 통역   translator ⓝ 번역가, 통역사

Tips **어원으로 어휘 확장하기**

trans 가로질러 + **lat(e)** 나르다 ▶ 바다를 가로질러 나르기 위해 다른 언어로 번역하다

➕ **trans**fer Ⓥ 옮기다, 이동하다, 환승하다 ⓝ 이동, 전학

0255 □□□ ★★★

representative

[rèprizéntətiv]

ⓐ **typical, characteristic**

대표하는, 대리의

ⓝ **delegate, agent**

대표(자), 대리인

Researchers didn't know how to obtain a **representative** sample of the population. 모평

I have participated in the national speech contest as a school **representative**. 학평

➕ represent Ⓥ 대표하다, 표현하다   representation ⓝ 대표, 표현

0256 □□□ ★★★

innocent

[ínəsənt]

ⓐ **guiltless, naive, honest**

무죄인, 순진한

Almost every man claimed he was **innocent**. 모평

➕ innocence ⓝ 결백, 무죄

➖ guilty ⓐ 유죄의, 죄책감이 드는

0257 □□□ ★★★

profession

[prəféʃən]

ⓝ **job, career**

직업, 전문직

Those who cannot make a success in their **profession** are the ones whose concentration is poor. 수능

➕ professional ⓐ 전문직인, 직업직인   profess Ⓥ 공언하다, 주장하다

---

translate · 자막은 시청자를 위해 대화를 번역하는 데 사용된다.
representative · 연구원들은 모집단의 대표 표본을 얻는 방법을 몰랐다.
· 나는 학교 대표로 전국 웅변대회에 참가한 적이 있다.
innocent · 거의 모든 사람들이 자신이 무죄라고 주장했다.
profession · 자신의 직업에서 성공을 거두지 못하는 사람들은 집중력이 좋지 못한 사람들이다.

0258 ☐☐☐ ★★★

genuine

[dʒénjuin]

ⓐ **true, real, authentic**

진정한, 진짜의, 진실된

The **genuine** smile can impact on the entire face. (학평)

➕ genuinely [ad] 순수하게, 진심으로
➖ counterfeit [ⓐ] 위조의 [v] 위조하다

Tips | **시험에는 이렇게 나온다**

genuine interest 진정한 관심 | genuine happiness 진정한 행복
genuine affinity 진정한 친밀감 | genuine need 진짜 필요

0259 ☐☐☐ ★★★

flip

[flip]

ⓥ **overturn, turn over**

넘기다, 뒤집다

I like to **flip** through the pages at bookstores. (학평)

0260 ☐☐☐ ★★

privilege

[prívəlidʒ]

ⓝ **advantage, benefit**

특권, 특별한 혜택

While in office, the president has the **privilege** of protection by the secret service.

➕ privileged [ⓐ] 특권을 가진

Tips | **어원으로 어휘 확장하기**

priv(i) 떼어놓다 + leg(e) 법 ▶ 법에서 떼어놓고 특별히 취급하는 것, 즉 특권
➕ deprive [v] 빼앗다, 박탈하다 legislation [ⓝ] 법률, 입법 행위

0261 ☐☐☐ ★★★

herd

[hə:rd]

ⓝ **flock, crowd, group**

무리, 떼

Female impalas give birth in an isolated spot away from the **herd**. (학평)

➕ herder [ⓝ] 양치기, 목부

---

genuine   · 진정한 미소는 얼굴 전체에 영향을 미칠 수 있다.
flip   · 나는 서점에서 책장을 넘기는 것을 좋아한다.
privilege · 재직 중, 대통령은 첩보 기관으로부터 보호를 받는 특권을 가진다.
herd   · 암컷 임팔라는 무리로부터 떨어진 외딴 곳에서 새끼를 낳는다.

0262 ☐☐☐ ★★★

diabetes

[dàiəbíːtis]

Ⓝ **disorders characterized by a high blood sugar level** 당뇨병

Insulin resistance is a marker for **diabetes** and heart disease. 학평

Tips | **어원으로 어휘 확장하기**

dia 가로질러 + betes 가다 ▶ 당이 몸을 가로질러 가서 소변으로 배출되는 당뇨병

➕ **dia**gonal ⓐ 대각선의, 사선의 **dia**meter Ⓝ 지름, 직경

0263 ☐☐☐ ★★★

rigid

[rídʒid]

ⓐ **strict, stern, inflexible** 엄격한, 융통성 없는

Arguments are often considered disrespectful in **rigid** families. 수능

➕ **rig**idity Ⓝ 엄격, 경직

➖ flexible ⓐ 유연한, 융통성 있는

Tips | **어원으로 어휘 확장하기**

rig(id) 바르게 이끌다 ▶ 바르게 이끌기 위해 엄격한

➕ **righ**teous ⓐ 정의로운, 옳은, 당연한

0264 ☐☐☐ ★★★

awe

[ɔː]

Ⓝ **admiration, wonder, respect** 경외심, 두려움

One glance at a pyramid can leave the viewer in **awe** of its beauty and splendor. 학평

Tips | **시험에는 이렇게 나온다**

awe and wonder 경외감과 감탄   in awe of ~을 경외하여, ~에 깊은 감명을 받은
awe-inspiring 경외심을 불러일으키는, 장엄한

0265 ☐☐☐ ★★★

toll

[toul]

Ⓝ **charge, fare** 통행료

The EZPass system lets users drive through **toll** gates without stopping. 학평

---

diabetes · 인슐린 저항성은 당뇨병과 심장병의 지표이다.
rigid · 엄격한 가정에서는 말다툼이 종종 무례하다고 여겨진다.
awe · 피라미드를 한 번 보는 것은 보는 사람에게 그것의 아름다움과 화려함에 대한 경외심을 남길 수 있다.
toll · EZPass 시스템은 사용자가 정차 없이 통행료 징수소를 지나가도록 한다.

0266 ☐☐☐ ★★★

bound

[baund]

ⓐ **likely, destined, restrained**   ~할 가능성이 큰, ~해야 하는

Even if you wash the fruit thoroughly, some chemicals are **bound** to remain on the surface of the peel. (수능)

0267 ☐☐☐ ★★★

respective

[rispéktiv]

ⓐ **particular, specific**   각각의, 각자의

Before the show started, he took his son to see the animals in their **respective** cages. (학평)

➕ respectively ⓐⓓ 각자

0268 ☐☐☐ ★★★

vicious

[víʃəs]

ⓐ **cruel, violent, brutal**   악랄한, 공격적인

Abbey's **vicious** comment hurt Lauren deeply.

➕ viciously ⓐⓓ 맹렬하게, 악랄하게   vice ⓝ 악덕, 범죄

➖ gentle ⓐ 온화한, 순한

Tips | **시험에는 이렇게 나온다**
| a vicious cycle/circle 악순환 | spread a vicious rumor 악성 루머를 퍼뜨리다 |
| a vicious criminal 악랄한 범인 | |

0269 ☐☐☐ ★★★

hinder

[híndər]

ⓥ **disrupt, obstruct, impede**   방해하다, 저해하다

Constraints **hinder** our creativity, and the most innovative results come from people who have "unlimited" resources. (학평)

➕ hindrance ⓝ 방해, 저해, 장애(물)

0270 ☐☐☐ ★

itinerary

[aitínərèri]

ⓝ **travel plan, schedule, journey**   여행 일정표

I have attached a copy of our complete **itinerary**, including an emergency phone number. (학평)

---

bound · 과일을 깨끗이 씻어도 껍질 표면에 일부 화학물질이 남아 있을 가능성이 크다.
respective · 쇼가 시작되기 전에, 그는 각각의 우리에 있는 동물들을 보기 위해 아들을 데리고 갔다.
vicious · Abbey의 악랄한 비판은 Lauren에게 몹시 상처를 주었다.
hinder · 제약은 우리의 창의성을 방해하며, 가장 혁신적인 결과는 '제한 없는' 자원을 가진 사람들로부터 나온다.
itinerary · 나는 비상 연락처를 포함한 전체 여행 일정표 사본을 첨부했다.

1 2 3 4 5 6 7 ◆ 9 10 11 12 13 14 15 16 17 18 19 20 21 22 23 24 25

0271 □□□ ★★

equate

[ikwéit]

Ⓥ **identify, associate, relate**

동일시하다

Customers often **equate** a low price point with an inferior product.

➕ equation ⓝ 동일시, 방정식   equator ⓝ 적도

0272 □□□ ★

barbarous

[bá:rbərəs]

ⓐ **cruel, savage**

잔혹한, 야만적인

The public did not want to believe that the prince committed such a **barbarous** crime.

➕ barbaric ⓐ 야만적인, 미개한   barbarian ⓝ 야만인

➖ civilized ⓐ 문명화된, 개화된

0273 □□□ ★★★

geothermal

[dʒì:ouθə́:rməl]

ⓐ **relating to the internal heat of the earth**

지열의, 지열에 관한

Geothermal heat, generated inside the Earth, helps keep the temperature of the ground at a nearly constant temperature. (모평)

Tips   **어원으로 어휘 확장하기**

geo 땅 + therm 열, 온도 + al 형·접 ▶ 땅에서 나는 열인 지열의

➕ geology ⓝ 지질(학)   thermometer ⓝ 온도계, 체온계

0274 □□□ ★★

repel

[ripél]

Ⓥ **push away, chase away**

쫓아버리다, 물리치다

Leaders who are irritable and bossy **repel** people and have few followers. (모평)

➕ repellent ⓐ 물리치는, 혐오감을 주는

Tips   **어원으로 어휘 확장하기**

re 뒤로 + pel 몰다 ▶ 상대를 뒤로 몰아서 쫓아버리다

➕ expel Ⓥ 쫓아내다, 추방하다   propel Ⓥ 추진하다

---

equate	· 고객들은 종종 낮은 가격대와 질 낮은 제품을 동일시한다.
barbarous	· 대중들은 왕자가 그런 잔혹한 범죄를 저질렀다고 믿고 싶지 않았다.
geothermal	· 지구 내부에서 발생된 지열은 지면의 온도를 거의 일정한 온도로 유지하는 데 도움을 준다.
repel	· 짜증을 잘 내고 으스대는 리더들은 사람들을 쫓아버리며 따르는 사람이 거의 없다.

0275 ☐☐☐ ★

rehabilitate

[rìːhəbílətèit]

ⓥ **heal, mend, rebuild**

재활 치료를 하다

Some sport scientists are using the technology to monitor, evaluate, and **rehabilitate** the body. (수능)

➕ rehabilitation ⓝ 재활   rehabilitative ⓐ 건강 회복의, 갱생시키는

0276 ☐☐☐ ★

impart

[impáːrt]

ⓥ **provide, bestow, offer, grant**

부여하다, 주다

Engineers are trying to **impart** human qualities to robots.

➕ impartation ⓝ 전함, 나누어 줌

0277 ☐☐☐ ★

consolidate

[kənsálədèit]

ⓥ **combine, unify**

통합하다, 합병하다

The family **consolidated** all their debts into one payment plan.

➕ consolidation ⓝ 합병, 통합

0278 ☐☐☐ ★

synonymous

[sinánəməs]

ⓐ **equal to, alike**

동의어의, 같은 것을 나타내는

Thomas Edison's name is **synonymous** with invention.

➕ synonym ⓝ 동의어   synonymously ⓐⓓ 동의어로, 같은 뜻으로

0279 ☐☐☐ ★★

universal

[jùːnəvə́ːrsəl]

ⓐ **general, common**

보편적인, 전 세계적인

I saw **universal** truths in their simple lives. (수능)

➕ universally ⓐⓓ 일반적으로, 보편적으로

Tips | **시험에는 이렇게 나온다**

universal phenomenon 보편적 현상   universal language 보편적 언어

---

rehabilitate · 몇몇 스포츠 과학자들은 신체를 관찰하고, 평가하고, 재활 치료를 하기 위해 기술을 사용하고 있다.
impart · 공학자들은 로봇에 인간의 특성을 부여하려고 노력하고 있다.
consolidate · 가족은 그들의 모든 빚을 하나의 상환 계획안에 통합했다.
synonymous · 토마스 에디슨의 이름은 발명품과 동의어이다.
universal · 나는 그들의 단순한 삶에서 보편적인 진리를 보았다.

enchant

ⓥ charm, entice, delight

매료하다, 황홀하게 만들다

[intʃǽnt]

The tourists were **enchanted** by the sunset river cruise through Paris.

➊ enchanted ⓐ 마법에 걸린, 황홀해하는   enchantment ⓝ 황홀감

---

enchant   · 관광객들은 파리를 통과하여 석양을 감상할 수 있는 유람선에 매료되었다.

Daily Quiz

A 알맞은 유의어를 고르세요.

01 hinder
02 synonymous
03 awe
04 innocent
05 itinerary
06 desire
07 bound
08 profession
09 industrial
10 repel

ⓐ push away, chase away
ⓑ disrupt, obstruct, impede
ⓒ likely, destined, restrained
ⓓ honest, naive, guiltless
ⓔ travel plan, schedule, journey
ⓕ equal to, alike
ⓖ related to manufacturing
ⓗ admiration, wonder, respect
ⓘ job, career
ⓙ craving, longing

B 밑줄 친 단어와 가장 뜻이 유사한 단어를 고르세요.

11 The immune system <u>defends</u> the body against viruses and bacteria.
ⓐ interests   ⓑ overturns   ⓒ guards   ⓓ wants

12 Customers often <u>equate</u> a low price point with an inferior product.
ⓐ disrupt   ⓑ push away   ⓒ identify   ⓓ relate

13 Dogs cannot <u>distinguish</u> the color of traffic lights.
ⓐ true   ⓑ exchange   ⓒ delay   ⓓ differentiate

14 Arguments are often considered disrespectful in <u>rigid</u> families.
ⓐ general   ⓑ strict   ⓒ immediate   ⓓ typical

15 Subtitles are used to <u>translate</u> the dialogue for the viewer.
ⓐ interpret   ⓑ call   ⓒ protect   ⓓ overturn

C 다음 빈칸에 들어갈 가장 알맞은 것을 박스 안에서 고르세요.

barbarous	respective	sincerely	representative	attract	privilege

16 While in office, the president has the _____ of protection by the secret service.

17 It is good to use colorful chalk to _____ students' attention.

18 The public did not want to believe that the prince committed such a _____ crime.

19 Before the show started, he took his son to see the animals in their _____ cages.

20 We _____ thank you for your kind consideration.

정답

01 ⓑ	02 ⓕ	03 ⓗ	04 ⓓ	05 ⓔ	06 ⓙ	07 ⓒ
08 ⓘ	09 ⓖ	10 ⓐ	11 ⓒ	12 ⓒ	13 ⓓ	14 ⓑ
15 ⓐ	16 privilege	17 attract	18 barbarous	19 respective	20 sincerely	

음성 바로 듣기

0281 ☐☐☐ ★★★

recently

[rí:sntli]

[ad] **lately, newly**　　최근에, 요즘

My parents **recently** moved from Florida to Maryland to live with my elder sister. 〔수능〕

➕ recent [a] 최근의

0282 ☐☐☐ ★★★

conflict

[n][ká:nflikt]
[v][kənflíkt]

[n] **dispute, disagreement**　　갈등, 충돌

[v] **differ, disagree**　　대립하다, 충돌하다

Most people assume that **conflict** is bad and that being in one's "comfort zone" is good. 〔학평〕

Experts' opinions should be accepted without question when they **conflict** with the opinions of other citizens. 〔학평〕

Tips　시험에는 이렇게 나온다

avoid conflicts 갈등을 피하다　　　　social conflicts 사회적 갈등
resolve conflicts 갈등을 해결하다　　　international conflicts 국제적 갈등

0283 ☐☐☐ ★★★

maintain

[meintéin]

[v] **preserve, keep up**　　유지하다, 지속하다

It's hard to **maintain** a good relationship with neighbors. 〔학평〕

➕ maintenance [n] 유지, 지속

Tips　어원으로 어휘 확장하기

main 손 + tain 잡다 ▶ 상대와 함께 치고받으며 겪는 갈등, 충돌
➕ container [n] 용기, 통

---

recently　· 최근에 우리 부모님은 언니와 함께 살기 위해 플로리다에서 메릴랜드로 이사하셨다.
conflict　· 대부분의 사람들은 갈등은 해로우며 그들의 '안전 지대'에 있는 것이 좋다고 생각한다.
　　　　· 전문가의 의견이 다른 시민들의 의견과 대립할 경우 그것(전문가의 의견)은 이의 없이 받아들여져야 한다.
maintain　· 이웃과 좋은 관계를 유지하는 것은 어렵다.

motivate

ⓥ **inspire, stimulate, prompt**

동기를 부여하다, 자극하다

[móutəvèit]

Academic work is boring and repetitive, so you need to be well **motivated** to keep doing it. 〔학평〕

➕ motivation ⓝ 동기 부여   motivational ⓐ 동기의, 동기를 부여하는

recall

ⓥ **remember, recollect, remind**

기억해 내다, 상기하다

[rikɔ́:l]

I can **recall** the phone numbers of all my close friends and family. 〔학평〕

absence

ⓝ **leave, lack**

부재, 결석, 결근

[ǽbsəns]

Despite the **absence** of the team's star player, they still won the game easily.

➕ absent ⓐ 부재한, 결석한
➖ presence ⓝ (그 자리에) 있음, 존재, 참석

consistent

ⓐ **steady, constant**

일관된, 일치하는

[kənsístənt]

Only **consistent** action will produce the results you want. 〔모평〕

➕ consistency ⓝ 일관성   consistently ⓐⓓ 일관되게, 끊임없이
➖ inconsistent ⓐ 부합하지 않는, 일관성 없는

Tips

시험에는 이렇게 나온다

consistent error 일관된 오류	consistent information 일관된 정보
consistent with ~과 일치하는	consistent flow 일관된 흐름

---

motivate · 학업은 지루하고 반복적이어서, 그것을 계속하기 위해서 당신은 동기부여가 잘 되어야 한다.
recall · 나는 내 친한 친구들과 가족들의 전화번호를 기억해 낼 수 있다.
absence · 팀 내 스타 선수의 부재에도 불구하고, 그들은 여전히 경기에서 쉽게 이겼다.
consistent · 일관된 행동만이 당신이 원하는 결과를 야기할 것이다.

0288 ☐☐☐ ★★★

sequence

[síːkwəns]

ⓝ **order, series** 순서, 차례

The paper must have connection and **sequence**. 수능

➕ sequential ⓐ 순차적인 sequel ⓝ 속편

Tips

어원으로 어휘 확장하기

sequ 따라가다 + ence 명·접 ▶ 앞의 것을 따라가면서 나타나는 순서, 연속

➕ sub**sequ**ently adⓓ 그 후에, 나중에, 이어서 con**sequ**ence ⓝ 결과, 결론

0289 ☐☐☐ ★★★

strike

[straik]

ⓥ **beat, hit** 두드리다, 치다, 부딪히다

ⓝ **walkout, revolt** 파업, 쟁의

Strike while the iron is hot. 수능

Workers at the factory held a **strike** to protest against low pay.

➕ striker ⓝ 파업 참가자, 공격수 stroke ⓝ 뇌졸중, 발작, 타격

0290 ☐☐☐ ★★★

molecule

[máːləkjùːl]

ⓝ **a group of atoms bonded together** 분자

A water **molecule** is made up of two hydrogen atoms and one oxygen atom. 학평

➕ molecular ⓐ 분자의, 분자로 된

0291 ☐☐☐ ★★★

manufacture

[mænjufǽktʃər]

ⓥ **produce, create** 제조하다, 생산하다

ⓝ **production, construction** 생산, 제조, 제품

The factory **manufactures** leather wallets for French buyers.

The **manufacture** of steel requires a large amount of heat.

➕ manufacturing ⓝ 제조업 manufacturer ⓝ 제조자, 생산 회사

----

sequence	· 논문은 연결성과 순서가 있어야 한다.
strike	· 쇠는 뜨거울 때 두드려라.
	· 공장의 직원들은 낮은 임금에 항의하기 위해 파업을 벌였다.
molecule	· 물 분자는 두 개의 수소 원자와 한 개의 산소 원자로 이루어져 있다.
manufacture	· 그 공장은 프랑스 구매자들을 위한 가죽 지갑을 제조한다.
	· 강철의 생산은 많은 양의 열을 필요로 한다.

0292 □□□ ★★★

defeat

[difíːt]

ⓥ **beat, conquer**

패배시키다, 쳐부수다

ⓝ **loss, beating**

패배

Using advanced weapons, the army **defeated** the enemy.

The senator would not admit **defeat**, despite clearly losing the election.

➕ defeated ⓐ 패배한

0293 □□□ ★★★

advocate

ⓥ[ǽdvəkèit]
ⓝ[ǽdvəkət]

ⓥ **support, promote**

주장하다, 옹호하다

ⓝ **proponent, supporter, upholder**

지지자, 옹호자

Cesar Chavez was the founder of the United Farm Workers and strongly **advocated** the reform of labor laws in America.

My neighbor is an **advocate** of environmentalism.

➕ advocacy ⓝ 지지, 옹호

0294 □□□ ★★

distort

[distɔ́ːrt]

ⓥ **misrepresent, twist, falsify**

왜곡하다, 비틀다

A map must **distort** reality in order to portray a complex, three-dimensional world on a flat sheet of paper. (학평)

➕ distortion ⓝ 왜곡, 일그러뜨림

Tips **어원으로 어휘 확장하기**

dis 떨어져 + **tort** 비틀다 ▶ 본래의 모습과 동떨어지게 비틀어 왜곡하다
➕ re**tort** ⓥ 대꾸하다, 쏘아붙이다   **tort**ure ⓝ 고문 ⓥ 고문하다

0295 □□□ ★★★

ethnic

[éθnik]

ⓐ **racial, national, tribal**

민족의, 종족의

I've seen people from different **ethnic** groups merge into harmonious relationships. (수능)

➕ ethnicity ⓝ 민족성

---

defeat · 강화된 무기를 사용하여 군대는 적군을 패배시켰다.
· 그 상원의원은 선거에서 명백히 졌음에도 불구하고 패배를 인정하려 하지 않았다.

advocate · Cesar Chavez는 농민 연합회의 창설자였고 미국 노동법의 개정을 강하게 주장했다.
· 내 이웃은 환경 보호주의 지지자이다.

distort · 지도는 복잡하고 3차원인 세계를 평평한 종이 위에 묘사하기 위해 현실을 왜곡해야 한다.

ethnic · 나는 서로 다른 민족 집단 출신의 사람들이 조화로운 관계로 융합되는 것을 본 적 있다.

0296 ☐☐☐ ★★

misconception

[mìskənsépʃən]

n **fallacy, delusion, misbelief**   오해, 잘못된 생각

It is a common **misconception** that individualism means isolation. (학평)

0297 ☐☐☐ ★★

hemisphere

[hémisfìər]

n **a half of a sphere**   반구, 반구체

The Great Salt Lake is the largest salt lake in the Western **Hemisphere**. (수능)

Tips | **어원으로 어휘 확장하기**
hemi 반 + sphere 구 ▶ 지구나 인간의 뇌를 반으로 나눈 한쪽, 즉 반구
➊ bio**sphere** n 생물권(생물이 살 수 있는 지구 표면과 대기권) atmo**sphere** n 대기, 공기, 분위기

0298 ☐☐☐ ★★★

render

[réndər]

v **make**   (어떤 상태가 되게) 만들다

v **portray, represent, depict**   표현하다, 나타내다

The new technology **rendered** older models of television useless.

Contemporary artist Vik Muniz has used chocolate syrup to **render** Leonardo da Vinci's *Last Supper*. (학평)

0299 ☐☐☐ ★★★

fragile

[frǽdʒəl]

a **delicate, breakable**   손상되기 쉬운, 취약한

With the organization's donation, we can preserve **fragile** coral reefs around the world. (모평)

➊ fragility n 부서지기 쉬움

Tips | **어원으로 어휘 확장하기**
frag 부수다 + ile 형·접 ▶ 부숴지기 쉬운
➊ fragment n 파편, 조각 v 산산이 부수다, 해체하다

---

misconception · 개인주의가 고립을 의미한다는 것은 흔한 오해이다.
hemisphere · 그레이트 솔트레이크는 서반구에서 가장 큰 소금 호수이다.
render · 신기술은 텔레비전 구형 모델을 쓸모 없게 만들었다.
 · 현대 예술가 Vik Muniz는 레오나르도 다빈치의 '최후의 만찬'을 표현하기 위해 초콜릿 시럽을 사용했다.
fragile · 그 단체의 기부로, 우리는 전 세계의 손상되기 쉬운 산호초를 보존할 수 있다.

0300 ☐☐☐ ★★★

testimony

[téstəmòuni]

n **proof, evidence, statement**

증언, 증거

In her **testimony**, Ms. Mixon stated that Mr. Hampton was in another city on the night of the murder.

➕ testimonial n 추천장

0301 ☐☐☐ ★★★

sprout

[spraut]

v **grow, germinate, bud**

싹트다, 발아하다

If more plants **sprout** than are necessary, the extra plants should be pulled out. (학평)

0302 ☐☐☐ ★★★

sarcastic

[sɑːrkǽstik]

a **mocking in speech, ironical**

빈정대는, 비꼬는

Pete made a **sarcastic** comment about the boring presentations.

➕ sarcastically ad 비꼬아서, 풍자적으로   sarcasm n 빈정댐, 풍자

0303 ☐☐☐ ★★★

consent

[kənsént]

v **agree, permit**

동의하다, 승낙하다

n **agreement, permission, approval**

동의, 승낙

The reality show guests **consented** to having their images shown on television.

The federal government banned direct mail marketing to children without the **consent** of their parents. (학평)

🔄 dissent v 반대하다   refuse v 거절하다, 거부하다

Tips **어원으로 어휘 확장하기**

con 함께(com) + **sent** 느끼다 ▶ 함께 똑같이 느끼다, 즉 동의하다

➕ **sent**iment n 감정, 감상   re**sent** v 분개하다, 억울하게 여기다

---

testimony · Ms. Mixon의 증언에서, 그녀는 살인이 있던 날 밤에 Mr. Hampton이 다른 도시에 있었다고 진술했다.
sprout · 만약 필요한 것보다 더 많은 식물이 싹튼다면, 여분의 식물들은 뽑혀야 한다.
sarcastic · Pete는 지루한 발표에 대해 빈정대는 발언을 하였다.
consent · 리얼리티 쇼의 게스트들은 자신들의 모습이 TV에 나가는 것에 동의했다.
· 연방정부는 부모의 동의 없이 아이들에게 보내는 광고 우편물 마케팅을 금지했다.

0304 ☐☐☐ ★★

dialect

ⓝ **regional language**

방언, 사투리

[dáiəlèkt]

The development of **dialects** mainly results from limited communication between different parts of a community that share one language. 모평

➕ dialectal ⓐ 방언의, 방언 특유의

0305 ☐☐☐ ★★

avalanche

ⓝ **snowslide, landslide**

눈사태, 산사태

[ǽvəlæntʃ]

The mountain climbers barely avoided being caught in an **avalanche**.

0306 ☐☐☐ ★★

nomadic

ⓐ **pastoral, wandering**

유목 (생활)을 하는, 방랑의

[noumǽdik]

Early human societies were **nomadic**, basing their lives on hunting and gathering. 모평

➕ nomad ⓝ 유목민

Tips **시험에는 이렇게 나온다**

nomadic culture 유목 문화   nomadic life 유목 생활
nomadic tribes 유목 부족

0307 ☐☐☐ ★

integrity

ⓝ **honesty, principle, sincerity**

진정성, 진실성, 온전함

[intégrəti]

People were impressed by the candidate's **integrity**, as he never spoke badly about his opponents.

➕ integrate ⓥ 통합되다, 통합하다   integration ⓝ 통합
integral ⓐ 통합된, 완전한, 필수적인

0308 ☐☐☐ ★

despise

ⓥ **hate, loathe, look down on**

경멸하다

[dispáiz]

June **despises** people who are late to appointments.

◀▶ admire ⓥ 존경하다, 감탄하다   respect ⓥ 존경하다

---

dialect   · 방언의 발달은 주로 하나의 언어를 공유하는 공동체의 서로 다른 지역들 간의 제한된 의사소통에서 비롯된다.
avalanche   · 등산객들은 눈사태에 갇히는 것을 간신히 피했다.
nomadic   · 초기 인류 사회는 유목 생활을 했고, 그들의 삶은 사냥과 채집에 기반을 두고 있었다.
integrity   · 그 후보가 상대방에 대해 나쁘게 말한 적이 전혀 없었기 때문에 사람들은 그의 진정성에 깊은 인상을 받았다.
despise   · June은 약속에 늦는 사람들을 경멸한다.

0309 □□□ ★★

dwindle

[dwíndl]

ⓥ **lessen, diminish, decrease**

줄어들다, 점점 줄다

One reason for the **dwindling** wine consumption is the decline of the French meal. 모평

0310 □□□ ★

multitude

[mʌ́ltətjùːd]

ⓝ **large group, myriad**

다수, 수많음, 많은 사람

Though he had a **multitude** of options, Henry chose to attend the university in his hometown.

Tips **어원으로 어휘 확장하기**

multi 여럿, 많은 + tude 명·접 ▶ 여럿, 많은 수가 있음

➕ **multi**cultural ⓐ 다문화의, 여러 문화가 공존하는 **multi**ple ⓐ 많은, 다수의

0311 □□□ ★

eligible

[élidʒəbl]

ⓐ **qualified, suitable, fit**

자격이 되는, 적격의

To be **eligible** for this bonus, you must complete a form that is now available in break rooms. 학평

➕ **eligibility** ⓝ 자격, 적격

➖ in**eligible** ⓐ 자격이 없는, 부적격의

0312 □□□ ★

thesis

[θíːsis]

ⓝ **theory, argument, dissertation**

논지, 논제, 논문

The **thesis** of the research paper is that the universe is older than previously thought.

Tips **어원으로 어휘 확장하기**

thes 두다 + (s)is 명·접 ▶ 논리적 판단을 실어둔 문장인 명제, 그런 글 또는 논문

➕ hypo**thes**is ⓝ 가설, 가정, 추측 photosyn**thes**is ⓝ 광합성

---

dwindle · 줄어드는 와인 소비의 한 가지 이유는 프랑스 요리의 쇠퇴이다.
multitude · Henry는 다수의 선택권을 가지고 있었지만, 그의 고향에 있는 대학에 다니기로 정했다.
eligible · 이 보너스를 받을 자격이 되려면 지금 휴게실에 있는 양식을 작성해야 한다.
thesis · 그 연구 논문의 논지는 우주가 이전에 생각했던 것보다 더 오래되었다는 것이다.

dispense

ⓥ **distribute, allot**

내놓다, 나누어 주다

[dispéns]

A new trash can **dispenses** coins when litter is inserted. 한편

➕ dispensable ⓐ 없어도 되는, 불필요한   dispenser ⓝ 분배자, 분배기, 자동판매기

Tips | **어원으로 어휘 확장하기**
| dis 떨어져 + **pens**(e) 무게를 달다 ▶ 무게를 달아 여럿에게 떨어뜨려 분배하다
| ➕ expense ⓝ 돈, 비용

shabby

ⓐ **worn, ragged**

허름한, 낡은

[ʃǽbi]

Kevin's **shabby** coat had a big hole in one of the front pockets.

ingenious

ⓐ **inventive, creative, innovative**

기발한, 독창적인

[indʒíːnjəs]

An **ingenious** system of water pumps has been built to protect the city from flooding.

➕ ingenuity ⓝ 독창성, 기발한 재주

---

dispense · 새로운 쓰레기 통은 쓰레기를 넣으면 동전을 내놓는다.
shabby · Kevin의 허름한 코트는 앞 주머니 중 하나에 큰 구멍이 있었다.
ingenious · 홍수로부터 도시를 보호하기 위해 기발한 양수기 장치가 설치되었다.

Daily Quiz

A 알맞은 유의어를 고르세요.

01 distort   ⓐ support, promote

02 render   ⓑ honesty, principle, sincerity

03 dialect   ⓒ qualified, suitable, fit

04 multitude   ⓓ portray, represent, depict

05 integrity   ⓔ dispute, disagreement

06 consent   ⓕ misrepresent, twist, falsify

07 eligible   ⓖ large group, myriad

08 testimony   ⓗ proof, evidence, statement

09 advocate   ⓘ agree, permit

10 conflict   ⓙ regional language

B 밑줄 친 단어와 가장 뜻이 유사한 단어를 고르세요.

11 With the organization's donation, we can preserve <u>fragile</u> coral reefs around the world.
     ⓐ racial   ⓑ steady   ⓒ delicate   ⓓ qualified

12 Only <u>consistent</u> action will produce the results you want.
     ⓐ pastoral   ⓑ steady   ⓒ tribal   ⓓ cruel

13 Using advanced weapons, the army <u>defeated</u> the enemy.
     ⓐ differed   ⓑ preserved   ⓒ inspired   ⓓ beat

14 I can <u>recall</u> the phone numbers of all my close friends and family.
     ⓐ hate   ⓑ produce   ⓒ distribute   ⓓ remember

15 An <u>ingenious</u> system of water pumps has been built to protect the city from flooding.
     ⓐ likely   ⓑ particular   ⓒ inventive   ⓓ characteristic

C 다음 빈칸에 들어갈 가장 알맞은 것을 박스 안에서 고르세요.

maintain	motivate	strike	ethnic	sarcastic	sequence

16 I've seen people from different _____ groups merge into harmonious relationships.

17 Academic work is boring and repetitive, so you need to be well _____(e)d to keep doing it.

18 Workers at the factory held a(n) _____ to protest against low pay.

19 The paper must have connection and _____.

20 It's hard to _____ a good relationship with neighbors.

0316 ☐☐☐ ★★★

offer	ⓥ provide, present, propose	제공하다, 제안하다
[ɔ́:fər]	ⓝ proposal, suggestion	제안, 제의
	ⓝ deal, bid	할인

Buses **offer** inexpensive services between cities. 수능

There are many job **offers** on the Internet. 학평

This special **offer** is only good until the end of this month. 모평

➕ offering ⓝ 제공된 것, 제물, 선물

Tips 어원으로 어휘 확장하기

of 향하여(ob) + fer 나르다 ▶ 상대방을 향하여 날라서 제공하다

➕ object ⓝ 대상, 물건   transfer ⓥ 옮기다, 이동하다, 환승하다

0317 ☐☐☐ ★★★

refer	ⓥ see, look up	참고하다
[rifə́:r]	ⓥ mention, cite	언급하다, 인용하다
	ⓥ indicate	가리키다, 지시하다

You have to **refer** to old books when there is doubt. 학평

Many of the students **referred** to Oscar Wilde in their term papers.

"Green thumb" **refers** to a great ability to cultivate plants. 수능

➕ reference ⓝ 참고, 언급   referee ⓝ 심판, 보증인, 추천인

offer · 버스는 도시 간 저렴한 서비스를 제공한다.
· 인터넷에는 많은 일자리 제안이 있다.
· 이 특별 할인은 이번 달 말까지만 유효하다.

refer · 의문이 있을 때는 옛날 책들을 참고해야 한다.
· 많은 학생들이 학기 말 과제에서 오스카 와일드를 언급했다.
· '초록 엄지손가락'은 식물을 재배하는 훌륭한 능력을 가리킨다.

reunion

[rijúːnjən]

n **social gathering**

동창회, 모임

Elle saw many of her old classmates at the high school **reunion**.

Tips **어원으로 어휘 확장하기**

re 다시 + union 결합 ▶ 다시 결합함, 즉 재결합 또는 재회

➕ **retrospect** v 돌이켜보다, 추억하다 **recycle** v 재활용하다 **rejoin** v 다시 합류하다

principle

[prínsəpl]

n **rule, standard, foundation**

원리, 원칙

A basic **principle** in economics is that when the supply of something goes up, its price should go down. 학평

Tips **시험에는 이렇게 나온다**

moral principles 도덕적 원칙	scientific principles 과학적 원칙
basic principles 기본 원칙	elementary principles 기본 원리

acquire

[əkwáiər]

v **gain, develop**

습득하다, 얻다

Teachers in the past more often arranged group work or encouraged students to **acquire** teamwork skills. 학평

➕ **acquisition** n 습득, 획득

Tips **어원으로 어휘 확장하기**

ac ~쪽으로(ad) + **quir**(e) 구하다 ▶ 구하는 것 쪽으로 가서 그것을 얻다, 습득하다

➕ **inquire** v 묻다, 질문하다, 알아보다 **require** v 요구하다, 필요로 하다

ingredient

[ingríːdiənt]

n **component, raw material**

재료, 성분

Like onions and chilies, garlic is a common **ingredient** in every kitchen. 학평

---

reunion · Elle은 고등학교 동창회에서 많은 옛날 반 친구들을 보았다.
principle · 경제학의 기본 원리는 어떤 것의 공급이 증가하면, 그것의 가격은 내려가야 한다는 것이다.
acquire · 과거의 선생님들은 단체 활동을 더 자주 마련하거나 학생들이 팀워크 정신을 습득하도록 장려했다.
ingredient · 양파와 고추처럼, 마늘은 모든 주방에서 흔한 재료이다.

0322 ☐☐☐ ★★★

label

[léibəl]

| n | tag, marker, brand | 라벨, 표, 상표 |

| v | mark, classify | 라벨을 붙이다, 분류하다 |

You should read the **labels** when you're shopping. (학평)

Some drugs are **labeled** as needing to be kept in the refrigerator. (학평)

➕ labeled ⓐ 표를 붙인

0323 ☐☐☐ ★★★

abandon

[əbǽndən]

| v | discard, desert | 버리다, 떠나다 |

It is not simple to **abandon** a habit in a short time. (학평)

➕ abandoned ⓐ 버림받은　abandonment ⓝ 포기, 버림, 유기

0324 ☐☐☐ ★★★

substance

[sʌ́bstəns]

| n | material, element, entity | 물질, 실체 |

Melatonin is a **substance** that helps regulate sleep. (학평)

➕ substantial ⓐ 실체의, 실재하는, 상당한　substantially ⓐⓓ 실제적으로, 상당히, 주로

Tips 　**어원으로 어휘 확장하기**

sub 아래에 + **sta** 서다 + (a)nce 명·접 ▶ 하늘 아래 실체를 가지고 서 있는 것, 즉 물질

➕ stance ⓝ 입장, 태도, 자세　instance ⓝ 예, 사례

0325 ☐☐☐ ★★★

seal

[si:l]

| n | a fish-eating aquatic mammal | 물개, 바다표범 |

| v | fasten, secure | 봉하다 |

Several countries joined in the campaign to protect **seals** in their national parks. (수능)

She folded the letter twice and **sealed** it within an envelope. (학평)

---

label　· 당신은 쇼핑할 때 라벨을 읽어봐야 한다.
　　　· 몇몇 약품들은 냉장고에 보관돼야 할 필요가 있음으로 라벨이 붙어진다.
abandon　· 짧은 시간에 습관을 버리는 것은 간단하지 않다.
substance　· 멜라토닌은 수면을 조절하는 것을 돕는 물질이다.
seal　· 몇몇 나라들은 국립공원에서 물개들을 보호하기 위한 캠페인에 동참했다.
　　　· 그녀는 편지를 두 번 접어서 봉투 안에 봉했다.

0326 □ □ □ ★ ★ ★

publication
ⓝ **printing, publishing** 출판(물), 발행(물)

[pʌ́bləkèiʃən]

After the **publication** of her first book, she became one of the world's major female writers. (모평)

➕ publish ⓥ 출판하다, 발행하다   publisher ⓝ 출판인, 출판사

0327 □ □ □ ★ ★ ★

foster
ⓥ **promote, encourage** 촉진하다, 육성하다

[fɔ́:stər]

Facilities in the rural areas should be improved to **foster** a more positive attitude toward rural life. (수능)

0328 □ □ □ ★ ★ ★

gaze
ⓥ **look, stare** 바라보다, 응시하다

ⓝ **stare, fixed look** 시선, 응시

[geiz]

Everyone **gazed** in wonder as the train slowly backed up and returned to the station. (학평)

Dogs follow our **gaze** to figure out what we are looking at. (학평)

Tips | **시험에는 이렇게 나온다**
|
| gaze at ~을 응시하다   gaze in awe 경외의 눈으로 바라보다

0329 □ □ □ ★ ★ ★

descendant
ⓝ **successor, offspring, heir** 후손, 자손, 후예

[diséndənt]

We should keep the earth clean for our **descendants**. (수능)

➕ descend ⓥ 내려오다   descent ⓝ 하강, 혈통, 가문

Tips | **어원으로 어휘 확장하기**
|
| de 아래로 + scend 오르다 + ant 명·접(사람) ▶ 혈통이 아래로 흘러 2, 3세 등 뒤에 붙는 수가 올라간 자손
| ➕ ascend ⓥ 오르다, 올라가다

---

publication · 첫 번째 책의 출판 이후, 그녀는 세계의 주요 여성 작가들 중 한 명이 되었다.
foster · 시골 지역의 시설은 시골 생활에 대한 보다 긍정적인 의식을 촉진하도록 개선되어야 한다.
gaze · 기차가 천천히 후진하여 역으로 돌아오자 모두가 놀라서 바라보았다.
· 개들은 우리가 무엇을 보고 있는지 알아내기 위해 우리의 시선을 쫓는다.
descendant · 우리는 우리의 후손들을 위해 지구를 깨끗하게 유지해야 한다.

0330 ☐☐☐ ★★★

browse

[brauz]

| ⓥ skim, scan, look around | (대강) 훑어보다 |

We **browsed** through the streaming service options before choosing a film to watch.

➕ browser ⓝ (컴퓨터) 브라우저, 둘러보는 사람

0331 ☐☐☐ ★★★

profound

[prəfáund]

| ⓐ deep, complex | (지식 등이) 심오한, 깊은 |

| ⓐ great, significant | (영향 등이) 엄청난 |

Rene Descartes made the **profound** philosophical statement "I think, therefore I am."

The development of nylon had a surprisingly **profound** effect on world affairs. (학평)

➕ profoundly ⓐⓓ 깊이, 극심하게

➖ shallow ⓐ 얕은, 피상적인   superficial ⓐ 피상적인

Tips **시험에는 이렇게 나온다**

profound knowledge 심오한 지식   profound effect 엄청난 효과

0332 ☐☐☐ ★★★

discard

[diskɑ́ːrd]

| ⓥ dispose, dump, abandon | 버리다, 폐기하다 |

We **discard** the old for the new too frequently and without thought. (학평)

Tips **어원으로 어휘 확장하기**

dis 떨어져 + card 카드 ▶ 들고 있던 카드를 떨어뜨려서 버리다

➕ disguise ⓥ 변장하다 ⓝ 변장

0333 ☐☐☐ ★★★

attorney

[ətə́ːrni]

| ⓝ lawyer, legal practitioner | 변호사 |

Sasha is a tax **attorney** at a prominent law firm.

---

browse   · 우리는 볼 영화를 고르기 전에 스트리밍 서비스의 선택지들을 훑어보았다.
profound   · 르네 데카르트는 "나는 생각한다, 그러므로 나는 존재한다"라는 심오한 철학적 진술을 했다.
             · 나일론의 개발은 세계 정세에 놀라울 정도로 엄청난 영향을 끼쳤다.
discard   · 우리는 새것을 위해 옛 것을 너무 자주, 생각 없이 버린다.
attorney   · Sasha는 유명한 법률 사무소의 세무 변호사이다.

0334 □□□ ★★★

compound

[kɑ́:mpaund]

Ⓝ **combination, mixture**

(화학적) 혼합물, 합성물

Extraction is one way to separate chemical **compounds** into elements.

➕ compoundable ⓐ 혼합할 수 있는

0335 □□□ ★★★

devise

[diváiz]

Ⓥ **create, invent, design**

고안하다, 발명하다

A group of scientists has **devised** a procedure for locating infections without surgery. 학평

➕ device Ⓝ 장치, 기구

0336 □□□ ★★★

depict

[dipíkt]

Ⓥ **illustrate, portray, describe**

묘사하다, 그리다

The movie **depicts** artists such as Michelangelo as philosophers and geniuses. 모평

➕ depiction Ⓝ 묘사, 서술　depictive ⓐ 묘사적인

0337 □□□ ★★★

destiny

[déstəni]

Ⓝ **fate, fortune**

운명, 숙명

What you do becomes your habits and your habits determine your **destiny**. 학평

➕ destination Ⓝ 목적지, 도착지　destined ⓐ ~로 향하는, ~할 운명인

0338 □□□ ★★★

gratitude

[grǽtətjù:d]

Ⓝ **thankfulness, gratefulness**

감사, 고마움

The purpose of your letter is very simple: to express love and **gratitude**. 수능

➖ ingratitude Ⓝ 은혜를 모름, 배은망덕

Tips | **어원으로 어휘 확장하기**

grat(i) 감사하는 + tude 명·접 ▶ 감사함, 고마움
➕ grateful ⓐ 감사하는, 고마워하는　gratify Ⓥ 기쁘게 하다, 만족시키다

---

compound · 추출은 화학적 혼합물을 원소로 분리하는 한 가지 방법이다.
devise 　· 한 과학자 그룹은 수술 없이 감염의 위치를 찾아내는 방법을 고안했다.
depict 　· 그 영화는 미켈란젤로와 같은 예술가들을 철학자이자 천재로 묘사한다.
destiny 　· 당신이 하는 일이 당신의 습관이 되고, 당신의 습관은 당신의 운명을 결정한다.
gratitude · 당신의 편지의 목적은 매우 간단하다: 사랑과 감사를 표현하는 것이다.

0339 □□□ ★★

merge

[məːrdʒ]

ⓥ **combine, join, unite** 합치다, 융합하다

The team members decided to **merge** their ideas and make the presentation together.

⊕ merger ⓝ 합병

0340 □□□ ★★

humility

[hjuːmíləti]

ⓝ **modesty, humbleness** 겸손, 겸손한 행동

Intellectual **humility** is admitting that you are human and there are limits to the knowledge you have. 학평

Tips

어원으로 어휘 확장하기

humili 땅 + ty 명·접 ▶ 몸을 땅으로 숙이는 것, 즉 겸손

⊕ **hum**ble ⓐ 겸손한 **hum**anity ⓝ 인류, 인간(성)

0341 □□□ ★★

reside

[rizáid]

ⓥ **live, dwell, stay** 거주하다, 살다

If you **reside** in this area, you may get a library card free of charge. 수능

⊕ resident ⓝ 거주자, 주민 residence ⓝ 주거, 주택

0342 □□□ ★★

mandatory

[mǽndətɔ̀ːri]

ⓐ **compulsory, obligatory, required** 의무적인, 강제적인

All American companies place nutrition information on food products because it is **mandatory**.

⊕ mandate ⓥ 지시하다, 명령하다

Tips

시험에는 이렇게 나온다

mandatory retirement 정년 퇴직 제도 a mandatory fine 강제적인 벌금

---

merge · 팀원들은 그들의 생각을 합쳐서 함께 발표하기로 결정했다.
humility · 지적인 겸손은 당신이 인간이며 당신이 가지고 있는 지식에는 한계가 있다는 것을 인정하는 것이다.
reside · 이 지역에 거주하면 당신은 도서관 카드를 무료로 받을 수 있다.
mandatory · 모든 미국 회사들은 식품에 영양 정보를 기재하는데 그것이 의무적이기 때문이다.

0343 □□□ ★★

sanction
[sǽŋkʃən]

ⓝ ban, embargo

(상대국에 대한) 제재, 처벌

Economic **sanctions** are often an effective way to penalize nations for unacceptable actions.

0344 □□□ ★★

timid
[tímid]

ⓐ shy, fearful, cowardly

소심한, 겁 많은

Sarah tried hard to overcome her **timid** nature.

0345 □□□ ★

remnant
[rémnənt]

ⓝ leftover, remains, residue

잔존물, 나머지

It is possible that comets are **remnants** from the formation of the solar system.

0346 □□□ ★

candid
[kǽndid]

ⓐ honest, frank

솔직한, 정직한

Nonverbal messages are designed to let a partner know one's **candid** reaction indirectly. ⊛

➕ candidly ⓐⓓ 솔직히, 숨김 없이

0347 □□□ ★

speculate
[spékjulèit]

ⓥ guess, suppose, hypothesize

추측하다, 짐작하다

Galileo correctly **speculated** that the planets move around the Sun.

➕ speculation ⓝ 추측, 투기   speculative ⓐ 추론적인, 투기적인

0348 □□□ ★

freight
[freit]

ⓝ cargo, shipment, load

화물, 수송, 운송

Prior to the Industrial Revolution, the quantity of **freight** transported between nations was negligible. ⊛

---

sanction · 경제적 제재는 용인할 수 없는 행위에 대해 국가들을 처벌하는 데 있어 종종 효과적인 방법이다.
timid · Sarah는 소심한 천성을 극복하기 위해 열심히 노력했다.
remnant · 혜성은 태양계의 형성에서 생긴 잔존물일 가능성이 있다.
candid · 비언어적 메시지는 상대방이 다른 사람의 솔직한 반응을 간접적으로 알도록 의도된다.
speculate · 갈릴레오는 행성들이 태양 주위를 돈다고 정확하게 추측했다.
freight · 산업 혁명 이전에, 국가간 수송되는 화물의 양은 무시해도 될 정도였다.

specimen

ⓝ **sample, example**

표본, 견본, 샘플

[spésəmən]

Plant or animal **specimens** teach children about the natural world. (학평)

Tips **어원으로 어휘 확장하기**

spec(imen) 보다 ▶ 미리 볼 수 있게 해주는 견본

➕ **spec**tator ⓝ 관중, 구경꾼　**spec**ies ⓝ (분류상의) 종, 종류

sanitary

ⓐ **hygienic, clean**

위생적인, 청결한

[sǽnətèri]

Regular cleaning will give you an overall **sanitary** environment. (학평)

➕ **sanit**ation ⓝ (공중) 위생　**sanit**izer ⓝ 살균제

---

specimen · 식물이나 동물의 표본은 아이들에게 자연계에 대해 가르쳐 준다.
sanitary · 정기적인 청소는 전반적으로 위생적인 환경을 제공할 것이다.

Daily Quiz

A 알맞은 유의어를 고르세요.

01 foster		ⓐ cargo, shipment, load	
02 mandatory		ⓑ modesty, humbleness	
03 humility		ⓒ compulsory, obligatory, required	
04 devise		ⓓ ban, embargo	
05 acquire		ⓔ promote, encourage	
06 publication		ⓕ printing, publishing	
07 freight		ⓖ rule, standard, foundation	
08 sanction		ⓗ gain, develop	
09 gaze		ⓘ look, stare	
10 principle		ⓙ create, invent, design	

B 밑줄 친 단어와 가장 뜻이 유사한 단어를 고르세요.

11 Nonverbal messages are designed to let a partner know one's candid reaction indirectly.
    ⓐ shy   ⓑ honest   ⓒ hygienic   ⓓ great

12 Galileo correctly speculated that the planets move around the Sun.
    ⓐ marked   ⓑ fastened   ⓒ guessed   ⓓ promoted

13 The team members decided to merge their ideas and make the presentation together.
    ⓐ stare   ⓑ skim   ⓒ combine   ⓓ classify

14 We discard the old for the new too frequently and without thought.
    ⓐ dispose   ⓑ create   ⓒ illustrate   ⓓ propose

15 If you reside in this area, you may get a library card free of charge.
    ⓐ mention   ⓑ live   ⓒ gain   ⓓ secure

C 다음 빈칸에 들어갈 가장 알맞은 것을 박스 안에서 고르세요.

timid	compound	abandon	browse	destiny	sanitary

16 Regular cleaning will give you an overall _____ environment.

17 Sarah tried hard to overcome her _____ nature.

18 What you do becomes your habits and your habits determine your _____.

19 Extraction is one way to separate chemical _____(e)s into elements.

20 It is not simple to _____ a habit in a short time.

0351 ☐☐☐ ★★★

department

[dipá:rtmənt]

🄽 division, branch

부서, 학과

Our **department** workshop in Jeju is only two weeks away. (수능)

➕ departmental ⓐ 부서의

0352 ☐☐☐ ★★★

attempt

[ətémpt]

🄽 try, trial, shot

시도, 기도

🅅 try, make effort

노력하다, 시도하다

There have been many **attempts** to define what music is. (수능)

We should **attempt** to become the best we can be within our limitations. (학평)

0353 ☐☐☐ ★★★

species

[spí:ʃi:z]

🄽 kind, breed, sort

(동·식물의) 종

For **species** approaching extinction, zoos can act as a last chance for survival. (학평)

0354 ☐☐☐ ★★★

overlook

[òuvərlúk]

🅅 miss, disregard

못 보고 넘어가다, 간과하다

If an elephant is in a room, it is impossible to **overlook**. (학평)

Tips | **어원으로 어휘 확장하기**

over 넘어서 + look 보다 ▶ 상대를 못 보고 넘어서 가다, 대강 보고 넘기다

➕ overcome 🅅 극복하다, 이기다   overtake 🅅 따라잡다, 앞지르다

---

department · 제주에서 있을 우리 부서 워크숍이 2주밖에 남지 않았다.
attempt · 음악이 무엇인지 정의하려는 많은 시도가 있었다.
· 우리는 우리의 한계 내에서 우리가 될 수 있는 최고가 되려고 노력해야 한다.
species · 멸종에 가까워지는 종들에게, 동물원은 생존을 위한 마지막 기회로서의 역할을 할 수 있다.
overlook · 만약 코끼리가 방 안에 있다면, 못 보고 넘어가는 것은 불가능하다.

indicate

[índikèit]

⟨v⟩ **show, represent**　　나타내다, 보여주다

A status symbol is something that indicates a high social status for its owner. (수능)

➕ indication ⟨n⟩ 암시, 조심　indicative ⟨a⟩ 나타내는　indicator ⟨n⟩ 지표

> Tips **어원으로 어휘 확장하기**
>
> in 안에 + **dic** 말하다 + ate 동·접 ▶ 안에 가진 생각을 말로 하여 보여주다
> ➕ **dic**tate ⟨v⟩ 지시하다, 받아쓰게 하다　de**dic**ate ⟨v⟩ 바치다, 헌신하다

monitor

[má:nətər]

⟨v⟩ **observe, keep an eye on**　　(추적) 관찰하다, 감시하다

Keeping a diet log can help you monitor your behavior and watch changes in weight. (학평)

➕ monitoring ⟨n⟩ 감시, 관찰

rescue

[réskju:]

⟨v⟩ **save, salvage**　　구조하다, 구출하다

⟨n⟩ **saving, salvage, relief**　　구조, 구출

We're planning to raise money to rescue abandoned dogs. (학평)

I adopted my pet from an animal rescue center. (학평)

➕ rescuer ⟨n⟩ 구조자

metaphor

[métəfɔ:r]

⟨n⟩ **analogy, figure of speech**　　비유, 은유, 상징

He used the metaphor of an iceberg to describe the large portion of learning that remains invisible. (학평)

➕ metaphorical ⟨a⟩ 비유의, 은유의

> Tips **어원으로 어휘 확장하기**
>
> meta 바꾸다 + phor 나르다 ▶ 다른 것으로 바꾸어 의미를 나르는 방식, 즉 은유
> ➕ **meta**morphosis ⟨n⟩ (생물의) 변태, 변형　**meta**bolism ⟨n⟩ 신진대사

---

indicate　· 신분의 상징은 그것의 소유자에 대한 높은 사회적 지위를 나타내는 무언가이다.
monitor　· 다이어트 기록을 남기는 것은 당신의 행동을 관찰하고 몸무게의 변화를 지켜보는 데 도움을 줄 수 있다.
rescue　· 우리는 유기견을 구조하기 위해 돈을 모을 계획이다.
　　　　· 나는 동물 구조 센터에서 반려동물을 입양했다.
metaphor　· 그는 눈에 보이지 않는 학습의 상당 부분을 묘사하기 위해 빙산의 비유를 사용했다.

0359 □□□ ★★★

productive

ⓐ **fruitful, effective** 생산적인, 다산의

[prədʌ́ktiv]

If you are not positive, you cannot be **productive** on your job.

⊕ productively ⓐⓓ 생산적으로　productivity ⓝ 생산성

0360 □□□ ★★★

barrier

ⓝ **obstacle, hindrance, impediment** 장벽, 장애물

[bǽriər]

Language **barriers** significantly reduce the opportunities for contact between different populations. 학평

Tips

시험에는 이렇게 나온다

social barriers 사회적 장벽　trade barriers 무역 장벽
protective barrier 방어벽

0361 □□□ ★★★

incident

ⓝ **event, affair, happening** (범죄 등) 사건, 사고

[ínsədənt]

There have been a lot of news reports about the **incidents** of violence in schools. 학평

⊕ incidental ⓐ 우연히 일어나는, 부수적인　incidentally ⓐⓓ 우연히, 부수적으로
incidence ⓝ (사건 등의) 발생, 발생 빈도

0362 □□□ ★★★

regulate

ⓥ **control, restrict, manage** 조절하다, 규제하다

[régjulèit]

Dairy products help the body make a hormone that helps **regulate** sleep. 모평

⊕ regulation ⓝ 규제, 단속, 통제　regulatory ⓐ 규제력을 지닌, 단속하는

Tips

어원으로 어휘 확장하기

reg(ul) 바르게 이끌다 + ate 동·접 ▶ 바르게 이끌기 위해 제한을 두어 규제하다

⊕ **reg**ular ⓐ 규칙적인, 정규의

---

productive · 만약 당신이 긍정적이지 않다면, 당신은 당신의 일에 생산적일 수 없다.
barrier · 언어 장벽은 서로 다른 사람들 간의 접촉 기회를 상당히 감소시킨다.
incident · 학교 내 폭력 사건에 대한 많은 뉴스 보도가 있어왔다.
regulate · 유제품은 신체가 수면을 조절하는 호르몬을 만드는 것을 돕는다.

0363 ☐☐☐ ★★★

pupil

[pjúːpl]

| Ⓝ the opening in the iris of the eye | 동공, 눈동자 |
| Ⓝ student, learner | 학생, 제자 |

The pupil of your eye is the little black spot in the center of the colored circle. 〔학평〕

There are 12 pupils in Mr. Harris's English class.

0364 ☐☐☐ ★★★

extinction

[ikstíŋkʃən]

| Ⓝ extermination | 멸종, 소멸 |

The pace of extinction for bird species has rapidly accelerated since 1850. 〔학평〕

➕ extinct ⓐ 사라진, 멸종된

0365 ☐☐☐ ★★★

literacy

[lítərəsi]

| Ⓝ the ability to read and write | 글을 읽고 쓸 줄 아는 능력 |

Finland is number one in the world in literacy. 〔수능〕

➕ literate ⓐ 글을 읽고 쓸 줄 아는

➖ illiteracy Ⓝ 문맹, 무식

Tips | 시험에는 이렇게 나온다

media literacy 미디어 정보 해독력   information literacy 정보 활용 능력

a literacy rate 식자율

0366 ☐☐☐ ★★★

migrate

[máigreit]

| Ⓥ move, relocate | 이동하다, 이주하다 |

Birds migrate, carrying with them whatever toxins they have absorbed with their food. 〔학평〕

➕ migration Ⓝ 이동, 이주   migratory ⓐ 이동하는, 이주하는   migrant Ⓝ 이주자

Tips | 어원으로 어휘 확장하기

migr 이동하다 + ate 동·접 ▶ 이동하다

➕ emigrate Ⓥ (타국으로) 이주하다, 이민 가다   immigrate Ⓥ 이주해 오다

---

pupil   · 당신 눈의 동공은 색깔 있는 원의 중심에 있는 작고 검은 반점이다.
          · Harris 선생님의 영어 수업에는 12명의 학생이 있다.
extinction   · 조류 종의 멸종 속도는 1850년 이후로 급속히 빨라져 왔다.
literacy   · 핀란드는 글을 읽고 쓸 줄 아는 능력에서 세계 1위이다.
migrate   · 새들은 먹이와 함께 흡수한 독소가 어떤 것일지라도 그것들을 가지고 이동한다.

0367 ☐☐☐ ★★

outline

[áutlàin]

n overview, summary	윤곽, 개요
v sketch, draft	개요를 설명하다, 윤곽을 그리다

He started to draw the outline of the zebra's body, adding more details. 학평

In the meeting, the project manager outlined how construction would proceed.

0368 ☐☐☐ ★★

aboriginal

[æbərídʒənəl]

a native, indigenous	토착의, 원주민의

One remarkable aspect of aboriginal culture is the concept of "totemism." 모평

➕ aboriginally ad 원시 상태로   aborigine n 원주민

Tips **시험에는 이렇게 나온다**

aboriginal language 토착어   aboriginal races 토착 인종
aboriginal rites 원주민의 의식

0369 ☐☐☐ ★★

recruit

[rikrú:t]

v collect, assemble, hire	모집하다, 채용하다

Jeremy joined an organization that recruits future leaders to teach in low-income communities. 모평

➕ recruitment n 신규 모집, 채용

0370 ☐☐☐ ★★

tactic

[tǽktik]

n strategy, maneuver	전략, 전술

Marketers seek tactics that will overcome consumers' guilt and negative self-regard. 모평

➕ tactical a 전략적인, 전술의

Tips **어원으로 어휘 확장하기**

tact 접촉하다 + ic 형·접 ▶ 손을 접촉하여 위치를 배열한, 위치를 배열해서 짠 전술의
➕ intact a 온전한, 손상되지 않은   contact v 접촉하다, 연락하다

---

outline · 그는 얼룩말 몸통의 윤곽을 그리기 시작했고, 더 많은 세부 사항을 추가했다.
· 회의에서 프로젝트 매니저는 공사가 어떻게 진행될지 개요를 설명했다.
aboriginal · 토착 문화의 한 가지 주목할 만한 측면은 "토테미즘"의 개념이다.
recruit · Jeremy는 저소득 지역사회에서 가르칠 미래의 지도자를 모집하는 단체에 가입했다.
tactic · 마케팅 담당자들은 소비자들의 죄책감과 부정적인 자존감을 극복시킬 전략을 모색한다.

0371 □□□ ★★

tidy

[táidi]

ⓐ **neat, clean, orderly**   잘 정돈된, 깔끔한

ⓥ **clean, neaten, put in order**   정리하다, 정돈하다

Terry preferred to keep his desk neat and tidy.

You should tidy up your stuff so you can share your room with Susan. 〔학평〕

➕ tidiness ⓝ 청결, 정돈   tidily ⓐⓓ 깔끔하게, 단정하게

➖ untidy ⓐ 깔끔하지 못한, 단정치 못한

0372 □□□ ★★

doom

[du:m]

ⓝ **catastrophe, disaster, fate**   파멸, 멸망, 운명

ⓥ **destine**   ~할 운명에 처해 있다

If there is no possibility storing food for the winter, it must seem to promise certain doom to bear. 〔모평〕

A lack of proper planning doomed the mission to failure.

0373 □□□ ★★

stereotype

[stériətàip]

ⓝ **fixed idea**   고정관념, 전형

I think we should break gender stereotypes.

0374 □□□ ★★

immerse

[imə́:rs]

ⓥ **absorb, engage, sink, submerge**   몰입하다, 담그다

Babies are immersed in the language that they are expected to learn. 〔학평〕

➕ immersion ⓝ 몰두, 담금   immersible ⓐ 내수성의, 침수 가능한

Tips | **어원으로 어휘 확장하기**

im 안에(in) + mers(e) 물에 잠기다 ▶ 물 안에 잠기도록 담그다

➕ submerge ⓥ (물속에) 잠기다, 잠수하다

- -

tidy   · Terry는 책상이 깔끔하고 잘 정돈된 상태를 유지하는 것을 선호했다.
        · 너는 Susan과 방을 같이 쓸 수 있도록 너의 짐을 정리해야 한다.

doom   · 만약 겨울을 위한 식량을 저장할 가능성이 없다면, 그것은 곰에게 확실한 파멸을 약속하는 것처럼 보일 것이다.
        · 적절한 계획의 부족은 그 임무를 실패할 운명에 처하게 했다.

stereotype   · 나는 우리가 성 고정관념을 깨야 한다고 생각한다.

immerse   · 아기들은 그들이 배울 것으로 기대되는 언어에 몰입된다.

0375 ☐☐☐ ★★

flesh

🔊 **meat, body tissue**

(동물의) 고기, (인간의) 살

[fleʃ]

A lion's diet consists mainly of the flesh of other animals.

0376 ☐☐☐ ★★

insurmountable

🔊 **impassable, impossible**

극복할 수 없는, 넘을 수 없는

[ìnsərmáuntəbl]

Together, our team can overcome seemingly insurmountable obstacles.

⬛ surmountable ⓐ 극복할 수 있는, 이겨낼 수 있는

0377 ☐☐☐ ★★

nuisance

🔊 **trouble, pest**

골칫거리, 귀찮은 일

[njú:sns]

Mosquitoes are an annoying nuisance during the damp summer months.

0378 ☐☐☐ ★

alienate

🔊 **estrange, seclude**

멀어지게 만들다, 소외시키다

[éiljənèit]

Paul had alienated his old friends with his rude behavior.

➕ alienation ⓝ 멀리함, 소외   alien ⓐ 생경한, 이국의 ⓝ 이방인, 외계인

Tips **어원으로 어휘 확장하기**

al(i) 다른 + en 형·접 + ate 동·접 ▶ 혼자 다른 곳에 있게 소외시키다

➕ alergy ⓝ 알레르기

0379 ☐☐☐ ★

spiral

🔊 **curling, coiled, winding**

나선형의, 소용돌이 꼴의

[spáiərəl]

Harriet's hair was full of spiral curls.

➕ sprially ⓐ𝑑 나선형으로

---

flesh · 사자의 먹이는 주로 다른 동물들의 고기로 이루어져 있다.
insurmountable · 모두 함께, 우리 팀은 극복할 수 없을 것 같은 장애물을 극복할 수 있다.
nuisance · 모기는 습기가 많은 여름 몇 개월 동안 성가신 골칫거리이다.
alienate · Paul은 무례한 행동으로 옛 친구들을 멀어지게 만들었다.
spiral · Harriet의 머리카락은 나선형의 곱슬머리로 가득했다.

0380 ☐☐☐ ★

radiate

ⓥ **emit, spread**

방출하다, 방사하다

[réidièit]

Paved surfaces and structures like streets or buildings in cities heat up and radiate energy into the atmosphere. (학평)

➕ radiation ⓝ 방사(선), 복사   radiant ⓐ 빛을 내는, 밝은

0381 ☐☐☐ ★

outcast

ⓝ **outsider**

버림받은 사람, 따돌려진 사람

[áutkæst]

The aged are often treated like outcasts due to culturally prejudiced attitudes. (수능)

0382 ☐☐☐ ★

ferment

ⓥ **undergo fermentation, brew**

발효시키다

[fərmént]

When sugar is fermented, it produces alcohol. (모평)

➕ fermentation ⓝ 발효

0383 ☐☐☐ ★

mourn

ⓥ **grieve, lament**

애도하다, 비탄하다

[mɔːrn]

People around the world are mourning the death of the legendary singer.

➕ mournful ⓐ 애절한   mournfully ⓐⓓ 슬픔에 잠겨

0384 ☐☐☐ ★

intercept

ⓥ **interrupt, block, obstruct**

가로채다, 가로막다

[ìntərsépt]

If the defense intercepts a pass from the offense, they immediately become the offense. (학평)

➕ interceptive ⓐ 가로막는, 방해하는   interception ⓝ 저지, 차단

Tips | **어원으로 어휘 확장하기**

inter 사이에 + cept 취하다 ▶ 다른 이들의 사이에 끼어들어 가서 그들의 물건을 취하다, 즉 가로채다

➕ interval ⓝ 간격, 중간 휴식 시간   accept ⓥ 받아들이다, 인정하다

---

radiate   · 도시의 거리나 건물과 같은 포장된 표면과 구조물은 가열되어서 에너지를 대기로 방출한다.
outcast   · 나이 든 사람들은 문화적으로 편협한 태도 때문에 종종 버림받은 사람들처럼 취급받는다.
ferment   · 설탕이 발효되면 그것은 알코올을 만들어낸다.
mourn   · 전 세계 사람들이 전설적인 그 가수의 죽음을 애도하고 있다.
intercept   · 수비수가 공격수로부터의 패스를 가로채면 그들은 즉시 공격수가 된다.

vessel

[vésəl]

| n ship, boat | 선박, (대형의) 배 |
| n vein, tube, canal | (동물의) 혈관; (식물의) 물관 |

A philosopher witnessed from the shore the shipwreck of a vessel. 학평

High blood pressure can often result from constricted blood vessels.

Tips | **시험에는 이렇게 나온다**

sailing vessel 범선   blood vessel 혈관
a vesssel of war 군함

---

vessel · 한 철학자가 해안에서 선박의 난파를 목격했다.
· 고혈압은 대개 수축된 혈관이 원인일 수 있다.

Daily Quiz

A 알맞은 유의어를 고르세요.

01	metaphor	ⓐ	native, indigenous
02	aboriginal	ⓑ	obstacle, hindrance, impediment
03	vessel	ⓒ	show, represent
04	intercept	ⓓ	emit, spread
05	indicate	ⓔ	move, relocate
06	migrate	ⓕ	absorb, engage, sink, submerge
07	immerse	ⓖ	analogy, figure of speech
08	radiate	ⓗ	interrupt, block, obstruct
09	barrier	ⓘ	ship, boat
10	stereotype	ⓙ	fixed idea

B 밑줄 친 단어와 가장 뜻이 유사한 단어를 고르세요.

11 If an elephant is in a room, it is impossible to <u>overlook</u>.
 ⓐ grieve   ⓑ miss   ⓒ emit   ⓓ seclude

12 If you are not positive, you cannot be <u>productive</u> on your job.
 ⓐ native   ⓑ neat   ⓒ fruitful   ⓓ impossible

13 Dairy products help the body make a hormone that helps <u>regulate</u> sleep.
 ⓐ disregard   ⓑ show   ⓒ observe   ⓓ control

14 Marketers seek <u>tactics</u> that will overcome consumers' guilt and negative self-regard.
 ⓐ strategies   ⓑ analogies   ⓒ obstacles   ⓓ affairs

15 Mosquitoes are an annoying <u>nuisance</u> during the damp summer months.
 ⓐ meat   ⓑ trouble   ⓒ outsider   ⓓ vein

C 다음 빈칸에 들어갈 가장 알맞은 것을 박스 안에서 고르세요.

monitor	recruit	tidy	incident	literacy	attempt

16 We should _____ to become the best we can be within our limitations.

17 Keeping a diet log can help you _____ your behavior and watch changes in weight.

18 Finland is number one in the world in _____.

19 There have been a lot of news reports about the _____(e)s of violence in schools.

20 Jeremy joined an organization that _____(e)s future leaders to teach in low-income communities.

DAY 12

음성 바로 듣기

0386 □□□ ★★★

drive

[draiv]

ⓥ ride, steer, operate 운전하다, (차 등을) 몰다

ⓥ propel, push, force (어떤 행동 등을) 하게 만들다

I used to **drive**, but I prefer to take the subway these days. 학평

Motivation **drives** the behaviors that bring a goal closer. 학평

⊕ driving ⓝ 운전

0387 □□□ ★★★

approve

[əprúːv]

ⓥ accept, allow 승인하다, 찬성하다

The committee **approved** the building of a new school.

⊕ approval ⓝ 승인

↔ refuse ⓥ 거절하다

Tips

어원으로 어휘 확장하기

ap ~에(ad) + **prov(e)** 시험하다 ▶ 어떤 것에 대해 시험해 본 결과 그것에 찬성하다

prove ⓥ 증명하다, 입증하다

0388 □□□ ★★★

conversely

[kənvə́ːrsli]

ad reversely, on the contrary 반대로, 거꾸로

Texting is growing more popular as a form of communication, while, **conversely**, phone calls are becoming less common.

⊕ converse ⓐ 정반대의

0389 □□□ ★★★

modify

[mɑ́ːdəfài]

ⓥ change, alter, correct, adjust 바꾸다, 수정하다

Intelligence **modifies** as one progresses through life. 학평

⊕ modification ⓝ 변경, 조절

---

drive · 나는 운전을 하곤 했었지만, 요즘에는 지하철 타는 것을 선호한다.
· 동기 부여는 목표를 더 가까워지게 하는 행동을 하게 만든다.
approve · 위원회는 새로운 학교 건설을 승인했다.
conversely · 문자메시지 교환은 의사소통의 한 형태로 점점 더 인기를 얻고 있는 반면, 반대로, 전화 통화는 덜 흔해지고 있다.
modify · 지능은 사람이 삶을 통해 발전해 나가면서 바뀐다.

regularly

[régjulərli]

| ad routinely, periodically | 정기적으로, 주기적으로 |

The school regularly gets new books for the library. (학평)

➕ regular ⓐ 규칙적인, 정규의   regularity ⓝ 규칙적임   regularize ⓥ 규칙화하다
➖ irregularly ad 불규칙하게

operate

[ɑ́:pərèit]

| ⓥ run, function | 작동하다, 운영하다 |

| ⓥ perform surgery | 수술하다 |

The robotic vacuum can operate for 40 minutes when fully charged. (학평)

The surgeon and her team operated on the patient's heart for nearly five hours.

➕ operation ⓝ 작동, 운영, 수술   operational ⓐ 작동하는

Tips   **어원으로 어휘 확장하기**

oper 일 + ate 동·접 ▶ 기계나 사람 등이 일을 하다
➕ cooperate ⓥ 협력하다, 협조하다

transport

ⓥ[trænspɔ́:rt]
ⓝ[trǽnspɔ:rt]

| ⓥ deliver, transfer | 운송하다, 수송하다 |

| ⓝ delivery, shipment | 교통(편), 수송, 운송 |

The organization agreed to transport the T-shirts on their next trip to Africa. (학평)

Free transport to the conference center will be available at the hotel.

➕ transportation ⓝ 수송, 운영   transportable ⓐ 수송 가능한
transportability ⓝ 수송 가능함

Tips   **어원으로 어휘 확장하기**

trans 가로질러 + port 운반하다 ▶ 바다 등을 가로질러 다른 지역으로 운반하다, 즉 수송하다
➕ transmit ⓥ 전송하다, 발송하다   transform ⓥ 변화시키다, 변형하다

---

regularly ・학교는 도서관을 위해 정기적으로 새 책을 구입한다.
operate ・그 로봇 진공 청소기는 완전히 충전되었을 때 40분 동안 작동할 수 있다.
・그 외과의사와 그녀의 팀은 거의 5시간 동안 환자의 심장을 수술했다.
transport ・그 단체는 다음 아프리카 여행 때 티셔츠를 운송하는 것에 동의했다.
・호텔에서 회의장으로 가는 무료 교통편을 이용할 수 있을 것이다.

0393 ☐☐☐ ★ ★ ★

income

[ínkʌm]

Ⓝ **revenue, earnings**

수입, 소득

Most people would agree that an increase in income is likely to improve your quality of life. (학평)

➡ expense Ⓝ 지출, 비용

Tips	시험에는 이렇게 나온다
	income countries 수입국 income levels 소득 수준
	high/low income 고/저소득

0394 ☐☐☐ ★ ★ ★

ritual

[rítʃuəl]

Ⓝ **ceremony, rite, practice**

의식, 의례

Humans have evolved rituals of eating, such as a drink before dinner or the saying of grace. (수능)

➕ ritually [ad] 의식에 따라   ritualize [v] 의례적으로 하다

0395 ☐☐☐ ★ ★ ★

distinctive

[distíŋktiv]

Ⓐ **characteristic, particular, peculiar**

독특한, 구별되는

Maya's large blue eyes are her most distinctive facial feature.

➕ distinction [n] 특징, 차이   distinctively [ad] 특징적으로

0396 ☐☐☐ ★ ★ ★

candidate

[kǽndidèit]

Ⓝ **applicant, competitor**

후보자, 지원자

Two final astronaut candidates are going through intensive training. (학평)

0397 ☐☐☐ ★ ★ ★

prominent

[prɑ́:mənənt]

Ⓐ **outstanding, noticeable**

유명한, 두드러진, 탁월한

When the prominent author publishes a book, it always becomes a bestseller.

➕ prominently [ad] 두드러지게   prominence [n] 유명함, 중요성

---

income · 대부분의 사람들은 수입의 증가가 삶의 질을 향상시킬 가능성이 있다는 것에 동의할 것이다.
ritual · 인간은 저녁 식사 전의 음료 한 잔이나 은혜를 베푸는 말과 같은 식사 의식을 발전시켜 왔다.
distinctive · Maya의 크고 푸른 눈은 그녀의 가장 독특한 얼굴 특징이다.
candidate · 두 명의 최종 우주 비행사 후보자는 강도 높은 훈련을 받고 있다.
prominent · 유명한 작가가 어떤 책을 출판하면, 그것은 항상 베스트셀러가 된다.

0398 ☐☐☐ ★★

disclose

[disklóuz]

Ⓥ reveal, discover — 밝히다, 드러내다

Government officials disclosed that they had been negotiating with the rebels.

➕ disclosure Ⓝ 폭로, 발표

Tips 어원으로 어휘 확장하기

dis 반대의 + clos(e) 닫다 ▶ 닫혀서 안 보이던 것을 반대 상태로 만들다, 즉 드러내다

➕ enclose Ⓥ 둘러싸다, 동봉하다 closet Ⓝ 벽장

0399 ☐☐☐ ★★★

cultivate

[kʌ́ltəvèit]

Ⓥ farm, plant — 재배하다, 경작하다

Ⓥ foster, develop — 함양하다, 기르다

The farmer cultivates corn on his farm. (민평)

The creativity that children possess needs to be cultivated throughout their development. (수능)

➕ cultivation Ⓝ 경작, 재배, 함양 cultivator Ⓝ 경작자 cultivatable Ⓐ 경작 가능한

Tips 시험에는 이렇게 나온다

cultivate one's mind 마음을 갈고 닦다   cultivate spirit 혼을 기르다

cultivate a good habit 좋은 습관을 기르다

0400 ☐☐☐ ★★★

asset

[ǽset]

Ⓝ property, capital — 자산, 재산

The most important asset in business is a sense of humor, an ability to laugh at yourself or the situation. (수능)

0401 ☐☐☐ ★

predecessor

[prédəsèsər]

Ⓝ precursor, forerunner — 이전 것, 전임자, 전신

The predecessor to the AB-3, the AB-2, was much larger than the slim new model. (모평)

↔ successor Ⓝ 후임자, 계승자

---

disclose	· 정부 관리들은 그들이 반군들과 협상해왔다고 밝혔다.
cultivate	· 그 농부는 자신의 농장에서 옥수수를 재배한다.
	· 아이들이 가지고 있는 창의력은 그들의 발달 전반에 걸쳐 함양될 필요가 있다.
asset	· 사업에서 가장 중요한 자산은 유머 감각, 즉 자기 자신이나 상황에 웃을 수 있는 능력이다.
predecessor	· AB-3의 이전 것인 AB-2는 얇은 신형보다 훨씬 더 컸다.

0402 ☐☐☐ ★★

metabolism

[mətǽbəlìzm]

| n the physical and chemical processes in an organism | 신진대사, 대사 (작용) |

Fats from coconut oil help boost metabolism and aid in weight loss.

➕ metabolic ⓐ 신진대사의

Tips **어원으로 어휘 확장하기**

meta 바꾸다 + bol 던지다 + ism 명·접 ▶ 음식을 에너지로 바꿔 신체 곳곳으로 던지는 신진대사 작용
➕ metamorphosis ⓝ (생물의) 변태, 변형 metaphor ⓝ 은유, 비유, 상징

0403 ☐☐☐ ★★

deposit

[dipάːzit]

v entrust, bank	(은행에) 예금하다, 두다
n down payment, balance	보증금, 예치금
n accumulation, sediment	매장물, 퇴적물

I deposited some of my salary into a bank account.

State law requires a 5-cent deposit on all aluminum cans sold. 한공

In 1967 large deposits of diamonds were discovered in the region.

➕ depository ⓝ 보관소
➖ withdraw ⓥ (돈을) 인출하다

Tips **어원으로 어휘 확장하기**

de 아래로 + pos(it) 놓다 ▶ 계약 조건 아래 미리 넣어 두는 보증금
➕ pose ⓥ 자세를 취하다 impose ⓥ 부과하다, 강요하다

0404 ☐☐☐ ★★

expenditure

[ikspénditʃər]

| n expense, spending | 지출, 소비 |

The ultimate goal of an allowance is to have your child skillfully handle all expenditures. 한공

➕ expend ⓥ (시간, 노력, 돈 등을) 들이다, 소비하다
➖ income ⓝ 소득, 수입

---

metabolism · 코코넛 오일의 지방은 신진대사를 증진시키고 체중 감량에 도움을 준다.
deposit · 나는 월급의 일부를 은행 계좌에 예금했다.
· 주 법률은 판매되는 모든 알루미늄 캔에 대해 5센트의 보증금을 요구한다.
· 1967년 이 지역에서 대량의 다이아몬드 매장물이 발견되었다.
expenditure · 용돈의 궁극적인 목표는 당신의 자녀가 모든 지출을 능숙하게 다루도록 하는 것이다.

0405 □□□ ★★★

stability
[stəbíləti]

n firmness, steadiness   안정, 안정성

The stability of a nation depends on its people.

➕ stable ⓐ 안정적인   stabilize ⓥ 안정시키다
➖ instability ⓝ 불안정

0406 □□□ ★★

medication
[mèdəkéiʃən]

n medicine, treatment   약, 약물 (치료)

Storing medication in the refrigerator is not a good idea because of the moisture inside the unit. 학평

➕ medical ⓐ 의료의, 의학의   medicate ⓥ 약을 투여하다

0407 □□□ ★★★

affection
[əfékʃən]

n attachment, fondness   애정, 애착

A pet's continuing affection becomes crucially important for those enduring hardship. 수능

➕ affectionate ⓐ 애정 어린, 다정한

Tips | **시험에는 이렇게 나온다**
objects of affection 애정의 대상   signs of affection 애정 표현
great affection 두터운 애정

0408 □□□ ★★

deem
[di:m]

v believe, consider   생각하다, 여기다

The doctor deemed it necessary for the patient to undergo surgery immediately.

0409 □□□ ★★

acoustic
[əkú:stik]

a sonic, auditory   음향의, 청각의, 소리의

According to McLuhan, television is fundamentally an acoustic medium. 수능

➕ acoustics ⓝ 음향 시설, 음향학

---

stability   · 국가의 안정은 국민에게 달려 있다.
medication   · 약을 냉장고에 보관하는 것은 그 장치 내부의 습기 때문에 좋은 생각이 아니다.
affection   · 반려동물의 지속적인 애정은 어려움을 견디고 있는 사람들에게 지극히 중요해진다.
deem   · 의사는 그 환자가 즉시 수술을 받을 필요가 있다고 생각했다.
acoustic   · McLuhan에 따르면, 텔레비전은 근본적으로 음향 매체이다.

0410 □□□ ★★

authentic

ⓐ **genuine, real**

진짜의, 진정한

[ɔ:θéntik]

The museum has a large collection of authentic artifacts from the late 1400s.

➕ authenticity ⓝ 진품임, 진짜임
➖ inauthentic ⓐ 진짜가 아닌

0411 □□□ ★★

roam

ⓥ **wander, stray**

돌아다니다, 배회하다

[roum]

He always dreamed of a place where animals could roam free and live in caring conditions. 〔학평〕

Tips **시험에는 이렇게 나온다**

roam free 자유롭게 돌아다니다 　　　　　 roam around 어슬렁거리다
roam from place to place 여러 곳을 방랑하다

0412 □□□ ★★

geology

ⓝ **earth science**

지질(학), 암석 분포

[dʒiá:lədʒi]

Geology can explain the formation of the Ngorongoro Crater in Tanzania. 〔학평〕

➕ geologist ⓝ 지질학자　　geological ⓐ 지질학의, 지질학적인

0413 □□□ ★★

deviate

ⓥ **depart, turn aside, diverge**

벗어나다

[dí:vièit]

In the past, sailors looked at the stars so that they would not deviate from their course.

➕ deviation ⓝ 일탈, 편차

Tips **어원으로 어휘 확장하기**

de 떨어져 + via 길 + (a)te 동·접 ▶ 정해진 길에서 떨어져 벗어나다
➕ via prep ~를 거쳐, ~를 경유하여

---

authentic · 그 박물관은 1400년대 후기의 많은 진짜 유물 수집물들을 가지고 있다.
roam · 그는 항상 동물들이 자유롭게 돌아다닐 수 있고 보살핌을 받는 환경에서 살 수 있는 곳을 꿈꿨다.
geology · 지질학은 탄자니아의 응고롱고로 분화구의 형성을 설명할 수 있다.
deviate · 과거에는 선원들이 항로에서 벗어나지 않기 위해 별을 살펴보았다.

0414 ☐☐☐ ★

resonance
n echo

공명, 울림

[rézənəns]

The instruments will sound louder or quieter depending on the resonance of the room they play in.

➕ resonant ⓐ 깊이 울리는, 공명하는

0415 ☐☐☐ ★

verdict
n judgment, decision

평결, 판단, 의견

[və́:rdikt]

The jury delivered a guilty verdict after deliberating for two days.

0416 ☐☐☐ ★

immense
ⓐ huge, vast, massive, enormous

광대한, 엄청난

[iméns]

No aircraft ever appeared in the immense sky. 학평

➕ immensely ⓐⓓ 엄청나게, 대단히

Tips	시험에는 이렇게 나온다
	immense impact 엄청난 영향　　immense improvement 엄청난 향상
	immense expense 막대한 비용

0417 ☐☐☐ ★

compartment
n container, chamber

칸, 객실

[kəmpá:rtmənt]

The best way to store broccoli is to refrigerate them in an open plastic bag in the vegetable compartment. 학평

➕ compartmentalize ⓥ 구획하다, 구분하다

0418 ☐☐☐ ★

contend
ⓥ argue, assert

주장하다, 다투다

[kənténd]

The defense attorneys contended that their client was innocent.

➕ contender n 도전자, 경쟁자

---

resonance · 악기는 그것들이 연주되고 있는 방의 공명에 따라 더 크거나 더 조용하게 들릴 것이다.
verdict · 배심원들은 이틀 동안 심의한 후에 유죄 평결을 내렸다.
immense · 광대한 하늘에는 어떤 비행기도 전혀 나타나지 않았다.
compartment · 브로콜리를 보관하는 가장 좋은 방법은 야채 칸에서 열린 비닐 봉지 안에 그것들을 냉장 보관하는 것이다.
contend · 피고측 변호사들은 자신의 의뢰인이 결백하다고 주장했다.

transfusion

ⓝ an act of transferring donated blood   수혈, 주입

[trænsfjúːʒən]

My sister needed a blood **transfusion** immediately or she would not live through the night. 학평

antibody

ⓝ a substance produced by the body to fight disease   항체

[ǽntibàːdi]

At birth, infants have protection against certain diseases because **antibodies** have passed from the mother to her baby. 학평

Tips | **어원으로 어휘 확장하기**

anti 대항하여 + **body** 신체 ▶ 신체에 들어온 병원균에 대항하는 항체

➕ **anti**biotic ⓐ 항생 물질의 ⓝ 항생제   **anti**bacterial ⓐ 항균성의

---

transfusion   · 내 여동생은 즉시 수혈이 필요했는데, 그렇지 않으면 그녀는 밤을 넘기지 못할 것이었다.
antibody   · 태어났을 때, 엄마로부터 아기에게 항체가 전달되기 때문에 아기는 특정 질병에 대해 보호를 받는다.

Daily Quiz

A 알맞은 유의어를 고르세요.

01	deposit	ⓐ	foster, develop
02	verdict	ⓑ	genuine, real
03	medication	ⓒ	believe, consider
04	authentic	ⓓ	medicine, treatment
05	ritual	ⓔ	echo
06	conversely	ⓕ	ceremony, rite, practice
07	resonance	ⓖ	entrust, bank
08	deem	ⓗ	reversely, on the contrary
09	cultivate	ⓘ	property, capital
10	asset	ⓙ	judgment, decision

B 밑줄 친 단어와 가장 뜻이 유사한 단어를 고르세요.

11 When the <u>prominent</u> author publishes a book, it always becomes a bestseller.
　ⓐ genuine　　　　ⓑ ceremonial　　　　ⓒ outstanding　　　　ⓓ auditory

12 Maya's large blue eyes are her most <u>distinctive</u> facial feature.
　ⓐ genuine　　　　ⓑ characteristic　　　　ⓒ huge　　　　ⓓ unusual

13 Government officials <u>disclosed</u> that they had been negotiating with the rebels.
　ⓐ wandered　　　　ⓑ departed　　　　ⓒ planted　　　　ⓓ revealed

14 The defense attorneys <u>contended</u> that their client was innocent.
　ⓐ functioned　　　　ⓑ diverged　　　　ⓒ believed　　　　ⓓ argued

15 The committee <u>approved</u> the building of a new school.
　ⓐ changed　　　　ⓑ transferred　　　　ⓒ accepted　　　　ⓓ fostered

C 다음 빈칸에 들어갈 가장 알맞은 것을 박스 안에서 고르세요.

regularly	roam	drive	immense	stability	affection

16 The school _____ gets new books for the library.

17 A pet's continuing _____ becomes crucially important for those enduring hardship.

18 The _____ of a nation depends on its people.

19 No aircraft ever appeared in the _____ sky.

20 Motivation _____(e)s the behaviors that bring a goal closer.

정답

01 ⓖ	02 ⓙ	03 ⓓ	04 ⓑ	05 ⓕ	06 ⓗ	07 ⓔ
08 ⓒ	09 ⓐ	10 ⓘ	11 ⓒ	12 ⓑ	13 ⓓ	14 ⓓ
15 ⓒ	16 regularly	17 affection	18 stability	19 immense	20 drive	

DAY 13

0421 ☐☐☐ ★★★

produce

ⓥ[prədjúːs]
ⓝ[prάdjuːs]

ⓥ create, manufacture, generate, yield	생산하다, 만들어 내다
ⓥ cause, effect	야기하다, 초래하다
ⓝ crops, products	농산물, 농작물

It is to protect an industry that produces goods vital to a nation's defense. (수능)

Technology that produces pollution is generally cheaper. (수능)

The farmer's market is an excellent place to find affordable produce.

➕ product ⓝ 생산물, 제품   production ⓝ 생산   productive ⓐ 생산하는, 생산적인

Tips | 어원으로 어휘 확장하기

pro 앞으로 + duc(e) 끌다 ▶ 소비자 앞으로 끌고 올 새 제품을 생산하다

➕ reduce ⓥ 줄이다, 감소하다

0422 ☐☐☐ ★★★

burden

[bə́ːrdn]

ⓥ weigh down, oppress	부담을 주다
ⓝ mental weight, stress, responsibility	부담, 짐

Jealousy is one of those unnecessary evils we burden ourselves with. (학평)

He thinks preparing for the competition is a big burden because he has no experience.

➕ burdensome ⓐ 부담스러운, 힘든
➖ unburden ⓥ (걱정을) 털어놓다, 짐을 덜다

Tips | 시험에는 이렇게 나온다

share the burden 짐을 나누어 지다   put a burden on 부담을 주다

---

produce · 그것은 국가의 방위에 필수적인 상품을 생산하는 산업을 보호하기 위함이다.
· 오염을 야기하는 기술은 일반적으로 더 싸다.
· 농산물 시장은 저렴한 농산물을 찾을 수 있는 훌륭한 장소이다.
burden · 질투는 우리가 우리 스스로에게 부담을 주는 불필요한 폐해 중 하나이다.
· 그는 경험이 없어 대회 준비가 큰 부담이라고 생각한다.

flow

[flou]

ⓥ stream, spill, run	흘러 들어가다, 흐르다
ⓝ current, movement, motion	흐름, 이동

If outside air flows into the building, it takes more energy to cool down the inside air. (학평)

Traffic lights are signaling devices used to control the flow of traffic. (학평)

➕ flowing ⓐ 흐르는, 유창한

Tips **시험에는 이렇게 나온다**

go with the flow 흐름에 맡기다   flow of information 정보의 흐름
blood flow 혈류   traffic flow 교통의 흐름

explore

[iksplɔ́ːr]

ⓥ tour, travel, investigate	탐험하다, 탐구하다

I've always wanted to explore the Amazon, an unknown and mysterious world. (수능)

➕ exploration ⓝ 탐험   explorer ⓝ 탐험가

landscape

[lǽndskèip]

ⓝ scenery, view	풍경

There is very little vegetation on the stark, rocky landscape. (학평)

distribution

[dìstrəbjúːʃən]

ⓝ division, allocation	분배, 분포

Economic fairness refers to the distribution of income and wellbeing. (학평)

➕ distribute ⓥ 분배하다, 나눠주다   distributor ⓝ 배포자, 배급업자

Tips **시험에는 이렇게 나온다**

distribution of time 시간 배분   distribution of income 소득 분배

---

flow   · 만약 외부 공기가 건물 안으로 흘러 들어간다면, 내부 공기를 식히는 데 더 많은 에너지가 든다.
          · 신호등은 교통의 흐름을 제어하기 위해 사용되는 신호 장치이다.
explore   · 나는 알려지지 않은 신비로운 세계인 아마존을 항상 탐험하고 싶었다.
landscape · 삭막하고 바위가 많은 풍경에는 초목이 거의 없다.
distribution · 경제적 공정성은 소득과 복지의 분배를 의미한다.

0427 ☐☐☐ ★★★

beneficial

[bènəfíʃəl]

ⓐ **favorable, advantageous**

이로운, 유익한

Pleasant walks in the park could be beneficial to children with ADHD. (학평)

➕ benefit ⓝ 이익, 이득   beneficiary ⓝ 이익을 얻는 사람, 수혜자

beneficent ⓐ 도움을 주는

0428 ☐☐☐ ★★★

oppose

[əpóuz]

ⓥ **disagree, fight, contend with**

대항하다, 반대하다, 겨루다

I had no reason to oppose my friend. (학평)

➕ opposition ⓝ 반대   opposing ⓐ 대립하는

Tips | **시험에는 이렇게 나온다**

be opposed to ~에 반대하다   as opposed to ~이 아니라
opposed party 반대파, 반대당

0429 ☐☐☐ ★★★

conscious

[kά:nʃəs]

ⓐ **aware, attentive**

의식적인, 자각하는

Most people believe the conscious mind constantly directs their actions. (학평)

➕ consciously ⓐⓓ 의식하여, 의식적으로   consciousness ⓝ 의식, 자각

Tips | **시험에는 이렇게 나온다**

conscious mind 의식적인 마음   conscious effort 의식적인 노력
self-conscious 자의식이 강한

0430 ☐☐☐ ★★★

accommodation

[əkὰ:mədéiʃən]

ⓝ **housing, lodging, habitation**

숙박 시설, 숙소

When looking for accommodations, Larry found that most of the hotels in the city were already full.

➕ accommodate ⓥ 수용하다, 공간을 제공하다, 적응시키다

----

beneficial · 공원에서의 유쾌한 산책은 ADHD가 있는 어린이들에게 이로울 수 있다.
oppose · 나는 내 친구에 대항할 이유가 없었다.
conscious · 대부분의 사람들은 의식적인 마음이 끊임없이 그들의 행동을 지배한다고 믿는다.
accommodation · 숙박 시설을 찾을 때, Larry는 도시에 있는 대부분의 호텔들이 이미 꽉 찼다는 것을 알게 됐다.

0431 ☐☐☐ ★★★

dramatically

[adv] **drastically, rapidly**

급격히, 극적으로

[drəmǽtikəli]

The number of foreigners interested in the Korean language has increased dramatically over the past few years. (수능)

➕ dramatic [a] 급격한, 극적인   dramatize [v] 각색하다, 과장하다

0432 ☐☐☐ ★★★

conquer

[v] **dominate, defeat**

정복하다, 이기다

[kɑ́:ŋkər]

The capital city, Koumbi, was conquered in 1076 by Berber Muslims known as Almoravids. (학평)

➕ conquest [n] 정복, 극복   conquerable [a] 정복할 수 있는   conqueror [n] 정복자

0433 ☐☐☐ ★★★

proceed

[v] **progress, advance**

이동하다, 나아가다

[prəsíːd]

After going through airport security, Jake was free to proceed to his boarding gate.

➕ proceeding [n] (소송) 절차   process [n] 과정, 처리

> Tips   **시험에는 이렇게 나온다**
>
> proceed to ~로 나아가다   proceed with ~을 계속하다

0434 ☐☐☐ ★★

fierce

[a] **vicious, violent**

사나운, 극렬한

[fiərs]

The hunter owned a few fierce and poorly-trained hunting dogs. (학평)

➕ fiercely [adv] 사납게

> Tips   **시험에는 이렇게 나온다**
>
> fierce competition 심한 경쟁   fierce battle 격전, 치열한 싸움
> fiece debates 열띤 논쟁

---

dramatically · 지난 몇 년 동안 한국어에 관심이 있는 외국인의 수가 급격히 증가했다.
conquer · 수도인 쿰비는 1076년 Almoravids라고 알려진 베르베르 이슬람교도들에 의해 정복되었다.
proceed · 공항 검색대를 통과한 후, Jake는 탑승구로 이동할 수 있었다.
fierce · 그 사냥꾼은 사납고 훈련이 잘 안 된 사냥개 몇 마리를 키웠다.

0435 ☐☐☐ ★★★

swallow

[swάːlou]

ⓥ **gulp, eat**

삼키다, 넘기다

The pill is too big to swallow. 학평

0436 ☐☐☐ ★★★

portion

[pɔ́ːrʃən]

ⓝ **part, segment, fragment**

1인분, 부분

Keeping portion sizes in check is one way to manage your calorie intake and your body weight. 학평

0437 ☐☐☐ ★★

offspring

[ɔ́fspriŋ]

ⓝ **baby, child**

자손, 자식, 새끼

A gene that made young children develop fatal cancer would not be passed on to any offspring at all. 학평

0438 ☐☐☐ ★★

interpersonal

[ìntərpə́ːrsənəl]

ⓐ **occurring between individuals**

대인 관계의

They had a difficult time maintaining good interpersonal relations.

➊ interpersonally ⓐⓓ 대인 관계에서

Tips **어원으로 어휘 확장하기**

inter 사이에 + person 사람 + al 형·접 ▶ 사람과 사람 사이의

➊ interrelate ⓥ 서로 연관시키다, 상호 관계를 갖다 interchange ⓥ 서로 교환하다

0439 ☐☐☐ ★★

extent

[ikstént]

ⓝ **range, scope, stretch**

범위, 정도

The extent and rate of diffusion depend on the degree of social contact. 수능

➊ extend ⓥ 뻗다, 확장하다 extended ⓐ 확장된

---

swallow · 그 알약은 너무 커서 삼킬 수 없다.
portion · 1인분 양을 체크하는 것은 칼로리 섭취와 체중을 관리하는 하나의 방법이다.
offspring · 어린 아이들을 치명적인 암에 걸리게 하는 유전자는 어떤 자손에게도 전혀 전해지지 않을 것이다.
interpersonal · 그들은 좋은 대인 관계를 유지하는 데 어려움을 겪었다.
extent · 확산의 범위와 비율은 사회적 접촉의 정도에 달려 있다.

0440 ☐☐☐ ★★

surrender

[səréndər]

ⓥ **give up, yield** 항복하다, 포기하다

ⓝ **submission** 항복, 굴복

Keep on with the war a little while longer, and the enemy shall surrender. (학평)

Each step of surrender will be painful and sad. (수능)

▣ defeat ⓥ 패배시키다, 물리치다

0441 ☐☐☐ ★★

undertake

[ʌ̀ndərtéik]

ⓥ **embark on, launch, commence** (일을) 맡다, 착수하다

Before agreeing to undertake the difficult task, Bianca needed some background information.

0442 ☐☐☐ ★

obstruct

[əbstrʌ́kt]

ⓥ **block, hinder** 저지하다, 막다

The enforcement of the ruling was obstructed by a large group of protesters.

✚ obstruction ⓝ 방해, 차단   obstructive ⓐ 방해하는

Tips **어원으로 어휘 확장하기**

ob 맞서 + struct 세우다 ▶ 맞서는 벽을 세워 진로를 막고 방해하다

✚ construct ⓥ 건설하다, 세우다   destruction ⓝ 파괴, 파멸

0443 ☐☐☐ ★★

setback

[sétbæ̀k]

ⓝ **disappointment** 좌절, 실패, 차질

When we experience life's setbacks and feel down, something strange happens. (학평)

---

surrender · 조금만 더 전쟁을 계속하면, 적군은 항복할 것이다.
· 항복의 각 단계는 고통스럽고 슬플 것이다.
undertake · 그 어려운 임무를 맡는 것에 동의하기 전에, Bianca는 약간의 배경 정보가 필요했다.
obstruct · 그 판결의 집행은 대규모 시위대에 의해 저지되었다.
setback · 우리가 삶의 좌절을 경험하고 우울해지면, 이상한 일이 일어난다.

0444 ☐☐☐ ★★

dispute

[dispjúːt]

| ⓥ argue, contend | 이의를 제기하다, 반박하다 |

| ⓝ argument, disagreement, debate | 논쟁, 쟁의 |

The townspeople disputed the local council's decision to build a new road.

China and Japan struck a deal to end the dispute over agricultural trade products.

➕ disputation ⓝ 논쟁, 토론   disputable ⓐ 논란의 여지가 있는

Tips **시험에는 이렇게 나온다**

in dispute 논쟁 중인   labor dispute 노동 쟁의

0445 ☐☐☐ ★★★

plague

[pleig]

| ⓝ epidemic, disease | 전염병 |

| ⓥ disturb, bother, annoy | 고통을 주다, 괴롭히다 |

An outbreak of the plague killed numerous people in Europe.

Organic farmers grow crops that are no less plagued by pests than those of conventional farmers. 모평

0446 ☐☐☐ ★★★

terrain

[təréin]

| ⓝ land, landscape, territory | 지형, 지대 |

The hike covers 3 to 4 miles and includes moderately difficult terrain. 모평

Tips **어원으로 어휘 확장하기**

terra 땅 + (a)in 명·접 ▶ 땅의 형태, 즉 지형
➕ Mediterranean ⓐ 지중해의, 지중해 연안의

---

dispute · 마을 사람들은 새로운 도로를 건설하려는 지방의회의 결정에 이의를 제기했다.
· 중국과 일본은 교역 농산물에 대한 논쟁을 끝내기 위해 타협했다.

plague · 전염병의 발발은 유럽에서 수많은 사람들을 죽게 했다.
· 유기농 농가는 재래식 농가에 못지않게 해충에 고통받는 작물을 재배한다.

terrain · 그 하이킹은 3~4마일을 이동하며 적당히 험난한 지형을 포함한다.

0447 ☐☐☐ ★★

authorship

[ɔ́:θərʃìp]

ⓝ writer, the profession of writing   저자, 저술(업)

The authorship of the text is unknown, though it seems to have been written in Italy during the 15th century.

0448 ☐☐☐ ★★

quote

[kwout]

ⓥ cite, refer to   인용하다, 전달하다

ⓝ citation, quotation   인용문

In referring to anything your friend has said in his letter, it is best to quote the exact words. (학평)

The quote "with a hammer in hand, everything looks like a nail" highlights selective perception. (학평)

➕ quotation ⓝ 인용(구)

0449 ☐☐☐ ★★

heir

[ɛər]

ⓝ inheritor, successor   상속인

The heirs to John D. Rockefeller's fortune have donated millions of dollars to charity.

➕ heirship ⓝ 상속(권)

0450 ☐☐☐ ★

divine

[diváin]

ⓐ holy, sacred   신성한, 신의

The king believed he had been given a divine right by God to rule over the country.

➕ divinely ⓐⓓ 신처럼, 신의 힘으로

Tips	시험에는 이렇게 나온다
	divine inspiration 신적 영감 divine power 신성한 힘
	divine spirit 신령

---

authorship · 그 글의 저자는 알려져 있지 않지만, 그것은 15세기에 이탈리아에서 쓰여진 것으로 보인다.
quote · 당신의 친구가 편지에서 말한 어떤 것이라도 언급할 때에는 정확한 단어를 인용하는 것이 가장 좋다.
· 손에 '망치가 있으면, 모든 것이 못처럼 보인다'라는 인용문은 선택적 인식을 강조한다.
heir · John D. Rockefeller 재산의 상속인들은 자선 단체에 수백만 달러를 기부했다.
divine · 왕은 자신이 신으로부터 나라를 다스릴 신성한 권리를 부여 받았다고 믿었다.

controversial ⓐ **debatable, disputable** 논란의 여지가 많은, 논쟁의

[kὰ:ntrəvə́rʃəl]

People respond more often to controversial topics than to noncontroversial ones. (학평)

➕ controversy ⓝ 논란, 논쟁

➖ uncontroversial ⓐ 논란의 여지가 없는

Tips **시험에는 이렇게 나온다**

controversial question 논란이 있는 문제   controversial figure 논란이 많은 인물

---

configuration ⓝ **arrangement, layout** 배치, 배열

[kənfìgjuréiʃən]

Jordan changed the configuration of the desks so that the students could work in small groups.

➕ configure ⓥ 배치하다, 형성하다

myriad ⓐ **countless, innumerable, numerous** 매우 많은, 무수한

[míriəd]

Department stores offer myriad products for customers.

➕ myriadly ⓐⓓ 무수하게

cradle ⓝ **crib, bassinet** 요람, 아기 침대

[kréidl]

The minute she put the baby in the cradle, he woke up and began to cry again.

thrust ⓥ **push hard, shove** 찌르다, 밀다

[θrʌst]

The pilum was a heavy spear, used for thrusting or throwing by Roman soldiers. (학평)

➕ thrusting ⓐ 자기주장이 강한, 공격적인

---

controversial · 사람들은 논란의 여지가 없는 주제보다 논란의 여지가 많은 주제에 더 자주 반응한다.
configuration · Jordan은 학생들이 소그룹으로 작업할 수 있도록 책상의 배치를 바꿨다.
myriad · 백화점은 고객들에게 매우 많은 상품들을 제공한다.
cradle · 그녀가 아기를 요람에 눕히는 순간, 아이가 깨어나서 다시 울기 시작했다.
thrust · 투창은 로마 병사들이 찌르거나 던질 때 사용하는 무거운 창이었다.

Daily Quiz

A 알맞은 유의어를 고르세요.

01	undertake	ⓐ	weigh down, oppress
02	surrender	ⓑ	occurring between individuals
03	flow	ⓒ	housing, lodging, habitation
04	accommodation	ⓓ	inheritor, successor
05	offspring	ⓔ	embark on, launch, commence
06	interpersonal	ⓕ	argue, contend
07	heir	ⓖ	stream, spill, run
08	burden	ⓗ	epidemic, disease
09	plague	ⓘ	give up, yield
10	dispute	ⓙ	baby, child

B 밑줄 친 단어와 가장 뜻이 유사한 단어를 고르세요.

11 The king believed he had been given a <u>divine</u> right by God to rule over the country.
　ⓐ favorable　　　ⓑ vicious　　　　ⓒ holy　　　　ⓓ countless

12 Economic fairness refers to the <u>distribution</u> of income and wellbeing.
　ⓐ arrangement　　ⓑ plan　　　　　ⓒ citation　　　ⓓ division

13 People respond more often to <u>controversial</u> topics than to noncontroversial ones.
　ⓐ violent　　　　ⓑ advantageous　ⓒ debatable　　ⓓ sacred

14 Most people believe the <u>conscious</u> mind constantly directs their actions.
　ⓐ noticeable　　　ⓑ real　　　　　ⓒ aware　　　　ⓓ enormous

15 The enforcement of the ruling was <u>obstructed</u> by a large group of protesters.
　ⓐ created　　　　ⓑ blocked　　　　ⓒ investigated　ⓓ dominated

C 다음 빈칸에 들어갈 가장 알맞은 것을 박스 안에서 고르세요.

proceed	conquer	produce	extent	fierce	myriad

16 It is to protect an industry that _____(e)s goods vital to a nation's defense.

17 Department stores offer _____ products for customers.

18 The hunter owned a few _____ and poorly-trained hunting dogs.

19 The _____ and rate of diffusion depend on the degree of social contact.

20 After going through airport security, Jake was free to _____ to his boarding gate.

DAY 14

음성 바로 듣기

0456 ☐☐☐ ★★★

immediately

[imíːdiətli]

[ad] directly, instantly, right away 즉시, 즉각

Please wash your hands immediately after eating sweet or sticky foods. (학평)

➕ immediate ⓐ 즉각적인, 직접적인   immediacy ⓝ 직접성, 신속성

Tips | 어원으로 어휘 확장하기
im 아닌(in) + medi 중간 + ate 형·접 ▶ 중간에 다른 것이 끼지 않아 직접적이고 즉각적인
➕ mediation ⓝ 중재, 조정   intermediate ⓐ 중간의, 중급의

0457 ☐☐☐ ★★★

fair

[fɛər]

ⓝ exhibit, festival 박람회, 축제

ⓐ just, impartial 공정한, 공평한

ⓐ reasonable, acceptable 타당한, 온당한

Joan was looking for volunteers to work in a fair she was organizing. (수능)

Zach's conscience whispered that a true victory comes from fair competition. (모평)

Some taxpayers may be paying more than what they believe is a fair amount. (학평)

➕ fairly [ad] 상당히, 공정하게   fairness ⓝ 공정성
➖ unfair ⓐ 불공평한, 부당한

0458 ☐☐☐ ★★★

classification

[klæsəfikéiʃən]

ⓝ category, kind 분류, 유형

Classification allows us to focus on one or two features and see something in terms of those characteristics alone. (모평)

---

immediately · 달거나 끈적끈적한 음식을 먹은 후에는 즉시 손을 씻으세요.
fair · Joan은 그녀가 조직하고 있는 박람회에서 일할 자원 봉사자를 찾고 있었다.
· Zach의 양심이 진정한 승리는 공정한 경쟁에서 비롯된다고 속삭였다.
· 일부 납세자들은 그들이 생각기에는 타당한 금액보다 더 많이 지불하고 있을 수도 있다.
classification · 분류는 우리가 한두 가지 특징에 초점을 맞추고 그 특징들만의 관점에서 무언가를 볼 수 있게 해준다.

adequate
ⓐ **enough, acceptable, decent** 충분한, 적절한, 알맞은

[ǽdikwət]

Adequate hydration may improve cognitive function among children and adolescents. (학평)

➕ adequacy ⓝ 적절, 타당성   adequately ⓐⓓ 충분하게
➖ inadequate ⓐ 부적당한, 불충분한

> Tips **어원으로 어휘 확장하기**
>
> ad ~에 + equ 같은 + ate 형·접 ▶ 어떤 기준에 딱 맞게 같은, 즉 그 기준에 알맞은
> ➕ equal ⓐ 같은, 동일한 equation ⓝ 방정식, 등식

announce
ⓥ **report, declare** 발표하다, 알리다

[ənáuns]

It was officially **announced** that the city will build a new soccer stadium. (학평)

➕ announcement ⓝ 발표, 소식   announcer ⓝ 발표자, 아나운서

> Tips **어원으로 어휘 확장하기**
>
> an ~에(ad) + nounc(e) 알리다 ▶ 누군가에게 알리다, 발표하다
> ➕ pronounce ⓥ 선언하다, 발음하다

sensitive
ⓐ **susceptible** 예민한, 민감한

[sénsətiv]

Most people who are **sensitive** to caffeine experience a temporary increase in energy and elevation in mood. (학평)

➕ sensitivity ⓝ 세심함, 예민함   sense ⓥ 느끼다 ⓝ 느낌, 감각

integral
ⓐ **essential, necessary** 필수적인, 없어서는 안될

[íntigrəl]

Light is an **integral** element for most life forms. (수능)

➕ integration ⓝ 통합, 완성   integrally ⓐⓓ 없어서는 안 되게

---

adequate	· 충분한 수분 공급은 어린이와 청소년의 인지 기능을 향상시킬 수 있다.
announce	· 그 도시가 새로운 축구 경기장을 지을 것이라는 것이 공식적으로 발표되었다.
sensitive	· 카페인에 예민한 대부분의 사람들은 일시적인 에너지 증가와 기분 상승을 경험한다.
integral	· 빛은 대부분의 생명체에게 필수적인 요소이다.

0463 ☐☐☐ ★★★

ancestor

[ǽnsestər]

| n | forefather, predecessor | 조상, 선조 |

From the fossil record and from DNA analysis, we can tell that our **ancestors** nearly went extinct. (학평)

➕ ancestral ⓐ 조상의, 선조의   ancestry ⓝ 가계, 혈통
➖ descendant ⓝ 후손, 자손

Tips | **어원으로 어휘 확장하기**

anc 앞에 + (c)est 가다(cede) + or 명·접(사람) ▶ 앞에 간 사람, 즉 조상
➕ **anc**ient ⓐ 과거의, 오래된   **anc**hor ⓝ 닻, 고정 장치

0464 ☐☐☐ ★★★

external

[ikstə́ːrnl]

| ⓐ | outside, outer, superficial | 외부의, 겉의 |

Dogs aren't affected by **external** circumstances the way we are. (학평)

➕ externally ⓐⓓ 외부에   externalize ⓥ 외면화하다
externalization ⓝ 외적 표현, 외면성
➖ internal ⓐ 내부의, 안의

Tips | **어원으로 어휘 확장하기**

exter(n) 밖에 + al 형·접 ▶ 밖에 있는, 즉 외부의
➕ **extre**me ⓐ 극단적인, 맨 끝의

0465 ☐☐☐ ★★★

row

[rou]

| ⓥ | paddle, pull | (배를) 젓다, 노를 젓다 |

| ⓝ | line, column, tier | 줄, 열 |

It's a long pole with a flat blade at one end which is used for **rowing** a boat. (학평)

They planted a single **row** of trees in front of the apartment house. (학평)

---

ancestor · 화석 기록과 DNA 분석으로부터, 우리는 우리의 조상들이 거의 멸종했다는 것을 알 수 있다.
external · 개들은 우리가 그러는 방식처럼 외부의 환경에 영향을 받지 않는다.
row · 그것은 배를 젓는 데 사용되는 한쪽 끝에 평평한 날이 있는 긴 장대이다.
· 그들은 아파트 앞에 한 줄의 나무를 심었다.

0466 ☐☐☐ ★★★

manual

[mǽnjuəl]

| ⓐ hand-operated | 수동의, 손으로 하는 |

| ⓝ instruction, handbook | 설명서, 매뉴얼 |

You can choose between a manual toothbrush and an electric one depending on your lifestyle and situation. (학평)

I can't learn how to use a computer just by reading an instruction manual. (수능)

➕ manually ⓐⓓ 수동으로

0467 ☐☐☐ ★★★

stare

[stɛər]

| ⓥ gaze, watch | 응시하다, 빤히 쳐다보다 |

| ⓝ a long fixed or vacant look | 응시 |

The only brightness in the room was in her dark old eyes that stared at me. (수능)

Metaphors such as 'icy stares' and 'cold shoulders' describe social rejection. (학평)

➕ staring ⓐ 노려보는

Tips	**시험에는 이렇게 나온다**
stare at ~을 응시하다	blank stare 멍한 눈으로 빤히 봄
stare into the air 허공을 응시하다	

0468 ☐☐☐ ★★

tame

[teim]

| ⓐ domesticated, gentle, dull | 길든, 재미없는 |

| ⓥ domesticate, train | 다스리다, 길들이다 |

Although sea otters look cute and friendly, they are not tame and should not be approached.

The real lesson of chess is learning how to tame your mind. (모평)

➖ wild ⓐ 야생의

---

manual · 당신은 생활방식과 상황에 따라 수동 칫솔과 전동 칫솔 중 하나를 선택할 수 있다.
· 나는 사용 설명서를 읽는 것만으로는 컴퓨터 사용법을 배울 수 없다.

stare · 방안의 유일한 밝기는 나를 응시하는 그녀의 어둡고 늙은 눈동자에 있었다.
· '냉담한 응시'와 '냉대하다'와 같은 비유는 사회적 거부를 나타낸다.

tame · 해달은 귀엽고 다정해 보이지만 길들여지지 않아 접근해서는 안 된다.
· 체스의 진정한 교훈은 마음을 다스리는 법을 배우는 것이다.

0469 ☐☐☐ ★★

steep

| ⓐ sheer, abrupt | 가파른 |

[stiːp]

I forgot that the hills are very steep, so you are not allowed to ski here. 〔학평〕

➕ steepness ⓝ 가파름

➖ gradual ⓐ 완만한, 점진적인

0470 ☐☐☐ ★★

miserable

| ⓐ unhappy, depressed, pathetic | 우울한, 비참하게 만드는 |

[mízərəbl]

After all, you choose to be happy or miserable. 〔학평〕

➕ misery ⓝ 불행, 고통, 비참함   miserably ⓐⓓ 불쌍히

Tips | **어원으로 어휘 확장하기**

mis(er) 잘못된 + able 할 수 있는 ▶ 잘못된 일이 일어날 수 있는 상태인, 즉 비참한 또는 불행한

➕ misguide ⓥ 잘못 지도하다   misunderstand ⓥ 오해하다

0471 ☐☐☐ ★★

straightforward

| ⓐ clear, direct | 솔직한, 명료한 |

[streitfɔ́ːrwərd]

In the flood of information, it has become increasingly difficult to find unbiased and straightforward news. 〔학평〕

➕ straightforwardly ⓐⓓ 솔직하게, 단도직입적으로

0472 ☐☐☐ ★★

crack

| ⓝ gap, fracture | (갈라진) 금, 틈 |
| ⓥ break, split | 깨지다, 금이 가다 |

There's a crack in his old helmet. 〔학평〕

Torrie's coffee mug cracked when she dropped it on the ground.

---

steep · 나는 언덕이 매우 가파르다는 것을 깜빡 했는데, 그래서 당신은 여기서 스키를 탈 수 없다.
miserable · 결국, 당신은 행복하거나 우울하기를 선택한다.
straightforward · 정보의 홍수 속에서, 편파적이지 않고 솔직한 뉴스를 찾기가 점점 더 어려워지고 있다.
crack · 그의 낡은 헬멧에 갈라진 금이 있다.
· Torrie가 커피 머그잔을 땅에 떨어뜨렸을 때 그것이 깨졌다.

0473 ☐☐☐ ★★

insecure

[ìnsikjúər]

ⓐ **nervous, uncertain**

불안한, 불안정한

If the world gets more complex, we will feel more helpless and insecure. 수능

➊ insecurity ⓝ 불안정

➖ secure ⓐ 안전한, 확신하는

0474 ☐☐☐ ★★

successive

[səksésiv]

ⓐ **sequential, consecutive, serial**

연속적인

The successive victories won by the team qualified it for the national championship tournament.

➊ succession ⓝ 연속, 잇따름   successor ⓝ 후임자, 계승자

> **Tips** | **시험에는 이렇게 나온다**
>
> successive generations 연속된 세대, 역대   successive layers 여러 층, 연속되는 층
> successive occasions 연속되는 일, 연속되는 사건

0475 ☐☐☐ ★★

texture

[tékstʃər]

ⓝ **textile**

질감, 직물

Freshly caught fish and duck, frozen quickly in a distinctive fashion, kept their taste and texture. 학평

➊ textural ⓐ 조직의, 구조상의

> **Tips** | **어원으로 어휘 확장하기**
>
> text 짜다 + ure 명·접 ▶ 짜놓은 천에서 느껴지는 감촉
> ➊ context ⓝ 맥락, 문맥

0476 ☐☐☐ ★★★

paradox

[pǽrədàks]

ⓝ **dilemma, contradiction**

역설, 모순된 일

Paradoxes are statements that seem contradictory but are actually true. 학평

➊ paradoxical ⓐ 역설의, 모순적인   paradoxically ⓐⓓ 역설적으로, 모순적으로

---

insecure · 세상이 더 복잡해지면, 우리는 더 무력해지고 불안해질 것이다.
successive · 그 팀에 의해 쟁취된 연속적인 승리는 팀이 전국 선수권 대회를 위한 자격을 주었다.
texture · 갓 잡은 생선과 오리는 독특한 방식으로 빠르게 냉동시켜 맛과 질감을 유지했다.
paradox · 역설은 모순되는 것처럼 보이지만 실제로 진실인 진술이다.

1 2 3 4 5 6 7 8 9 10 11 12 13 14 15 16 17 18 19 20 21 22 23 24 25

0477 ☐☐☐ ★★

errand

ⓝ task, duty

심부름, 일

[érənd]

I need to run an errand for my mother. 〔학평〕

0478 ☐☐☐ ★★

involuntary

ⓐ instinctive, spontaneous

무의식적인, 저절로 움직이는

[inváləntèri]

Blinking is an involuntary action that protects the eye. 〔학평〕

➕ involuntarily 〔ad〕 모르는 사이에, 본의 아니게

➖ voluntary 〔a〕 자발적인, 자원봉사의

Tips **시험에는 이렇게 나온다**

an involuntary movement (놀랐을 때 등의) 무의식적 동작

an involuntary cry of pain 자기도 모르게 내뱉는 고통에 찬 비명

0479 ☐☐☐ ★★

trim

ⓥ cut, crop, clip

다듬다, 손질하다

[trim]

Most people regularly trim their hair, but others let it grow and grow. 〔학평〕

➕ trimmer 〔n〕 다듬는 기계

0480 ☐☐☐ ★★

ascribe

ⓥ attribute, accredit

~의 공/탓으로 돌리다

[əskráib]

The public ascribed the technological advancement to one company.

Tips **어원으로 어휘 확장하기**

a ~에게(ad) + scrib(e) 쓰다 ▶ 누군가에게 책임이 있거나 속한다고 써서 그의 탓으로/것으로 돌리다

➕ inscribe 〔v〕 (이름 등을) 쓰다, 새기다   transcribe 〔v〕 (다른 형태로) 바꿔 쓰다

0481 ☐☐☐ ★★

cozy

ⓐ comfortable, comfy, snug

아늑한, 포근한

[kóuzi]

The flower pot on the counter makes this place feel cozy. 〔학평〕

---

errand	· 나는 엄마를 위해 심부름을 좀 해야 한다.
involuntary	· 눈을 깜빡이는 것은 눈을 보호하는 무의식적인 행동이다.
trim	· 대부분의 사람들은 주기적으로 머리를 다듬지만, 다른 사람들은 머리가 계속 자라게 둔다.
ascribe	· 대중은 기술적인 발전을 한 회사의 공으로 돌렸다.
cozy	· 카운터에 있는 화분이 이곳을 아늑한 느낌이 들게 만든다.

0482 ☐☐☐ ★★

rhetorical

[ritɔ́:rikəl]

ⓐ **stylistic, wordy, exaggerated**　수사적인, 과장이 심한

Rhetorical questions are not intended to be answered.

➕ rhetoric ⓝ 수사법, 미사여구

0483 ☐☐☐ ★

agonize

[ǽgənàiz]

ⓥ **anguish, excruciate**　몹시 괴로워하다

She agonized over the difficult decision for days.

➕ agony ⓝ 극도의 고통, 괴로움

0484 ☐☐☐ ★

discrepancy

[diskrépənsi]

ⓝ **inconsistency, dissimilarity**　불일치

Check your tax forms to ensure there is no discrepancy between your reported and actual income.

➕ discrepant ⓐ 일치하지 않는

0485 ☐☐☐ ★

raid

[reid]

ⓥ **attack, strike, break in**　습격하다, 급습하다

ⓝ **attack, seizure**　습격, 급습

Most farmers had no idea that their fields were being raided until the damage was done. 학평

People living in Central London were overwhelmed by nightly bombing raids. 학평

➕ raider ⓝ 침입자

0486 ☐☐☐ ★

ponder

[pá:ndər]

ⓥ **wonder, consider, contemplate**　곰곰이 생각하다

Eric pondered all day over the social questions that his professor raised in class.

- -

rhetorical · 수사적인 질문들은 대답을 얻기 위해 의도된 것이 아니다.
agonize · 그녀는 며칠 동안 그 어려운 결정에 대해 몹시 괴로워했다.
discrepancy · 당신이 신고한 소득과 실제 소득 사이에 불일치하는 부분이 없도록 확실히 하기 위해 세금 신고서를 확인해라.
raid · 대부분의 농부들은 피해를 입기 전까지 자신의 밭이 습격당하고 있다는 사실을 전혀 알지 못했다.
· 런던 중심부에 사는 사람들은 매일 밤 일어나는 폭탄 습격에 압도되었다.
ponder · Eric은 교수님이 수업시간에 제기했던 사회적 문제들을 하루 종일 곰곰이 생각했다.

dispose

[dispóuz]

ⓥ dump, discard	처리하다, 처분하다
ⓥ arrange	배치하다, 배열하다
ⓥ incline	~하고 싶어지다

Some cities have required households to dispose of all waste in special trash bags. 수능

The staff disposed the tables and chairs throughout the venue.

Wanting to please his teachers, Max was disposed to following all the rules.

➕ disposable ⓐ 처분할 수 있는, 일회용의   disposal ⓝ 처분, 처리

assault

[əsɔ́:lt]

| ⓝ attack, aggression | 공격, 폭행 |
| ⓥ attack, abuse | 폭행하다, 괴롭히다 |

The troops planned an assault on the enemy's base camp.

It is not acceptable to assault a flight attendant in the air because your plane is delayed. 학평

➕ assaultive ⓐ 공격적인
➖ retreat ⓥ 후퇴하다, 물러서다 ⓝ 후퇴

laughter

[lǽftər]

| ⓝ expression of amusement | 웃음, 웃음소리 |

Laughter is the most powerful and constructive force for calming tension. 수능

➕ laugh ⓥ 웃다, 비웃다

attic

[ǽtik]

| ⓝ space under the roof of a house | 다락방 |

Zero Waste Day is an opportunity for you to clean out your attic and donate items for reuse. 학평

---

dispose
· 일부 도시들은 모든 쓰레기를 특수한 쓰레기 봉투에 담아 처리하도록 세대에 요구했다.
· 직원들은 행사장 곳곳에 테이블과 의자를 배치했다.
· 선생님들의 마음에 들고 싶어서, Max는 모든 규칙을 따르고 싶어졌다.

assault
· 군대는 적의 베이스 캠프에 대한 공격을 계획했다.
· 비행기가 연착되었다고 공중에서 승무원을 폭행하는 것은 허용되지 않는다.

laughter
· 웃음은 긴장을 완화시키는 가장 강력하고 건설적인 힘이다.

attic
· 쓰레기 없는 날(제로 웨이스트 데이)은 다락방을 청소하고 재사용할 물품을 기부할 수 있는 기회이다.

Daily Quiz

A 알맞은 유의어를 고르세요.

01	external	ⓐ	dump, discard
02	successive	ⓑ	clear, direct
03	ponder	ⓒ	susceptible
04	rhetorical	ⓓ	instinctive, spontaneous
05	involuntary	ⓔ	hand-operated
06	sensitive	ⓕ	stylistic, wordy, exaggerated
07	manual	ⓖ	anguish, excruciate
08	dispose	ⓗ	wonder, consider, contemplate
09	agonize	ⓘ	outside, outer, superficial
10	straightforward	ⓙ	sequential, consecutive, serial

B 밑줄 친 단어와 가장 뜻이 유사한 단어를 고르세요.

11 Light is an <u>integral</u> element for most life forms.

ⓐ instinctive　　ⓑ comfortable　　ⓒ wordy　　ⓓ essential

12 The public <u>ascribed</u> the technological advancement to one company.

ⓐ gazed　　ⓑ declared　　ⓒ attributed　　ⓓ broke

13 The staff <u>disposed</u> the tables and chairs throughout the venue.

ⓐ reported　　ⓑ arranged　　ⓒ trained　　ⓓ cropped

14 If the world gets more complex, we will feel more helpless and <u>insecure</u>.

ⓐ sheer　　ⓑ domesticated　　ⓒ nervous　　ⓓ direct

15 <u>Adequate</u> hydration may improve cognitive function among children and adolescents.

ⓐ necessary　　ⓑ enough　　ⓒ superficial　　ⓓ gentle

C 다음 빈칸에 들어갈 가장 알맞은 것을 박스 안에서 고르세요.

tame	paradox	fair	stare	steep	assault

16 I forgot that the hills are very _____, so you are not allowed to ski here.

17 The troops planned a(n) _____ on the enemy's base camp.

18 The real lesson of chess is learning how to _____ your mind.

19 _____(e)s are statements that seem contradictory but are actually true.

20 Some taxpayers may be paying more than what they believe is a(n) _____ amount.

0491 ☐☐☐ ★★★

party

[pá:rti]

ⓝ celebration, social gathering	파티, 모임
ⓝ entity, individual	당사자, 상대방
ⓝ faction	당, 정당

Let's make sure everything is ready for the party. 수능

Trade will not occur unless both parties want what the other party has to offer. 학평

Thomas created the elephant as the symbol for the Republican Party. 학평

➕ part ⓝ 부분, 일부 ⓥ 가르다, 갈라지다

Tips 시험에는 이렇게 나온다

throw/hold a party 파티를 열다   third party 제 3자
ruling party 여당, 집권당

0492 ☐☐☐ ★★★

prevent

[privént]

| ⓥ forestall, stave off | 예방하다, 막다 |

Wash your hands five times a day to prevent illnesses. 학평

➕ prevention ⓝ 예방, 방지   preventive ⓐ 예방(용)의, 방지하는

Tips 어원으로 어휘 확장하기

pre 앞에 + vent 오다 ▶ 어떤 것의 앞에 와서 진행을 막다
➕ venture ⓝ 모험, 벤처 ⓥ 모험하다

---

party   · 파티를 위해 모든 것이 준비되었는지 확인하자.
              · 두 명의 당사자가 상대방이 제공해야 하는 것을 원하지 않는 한 거래는 일어나지 않을 것이다.
              · Thomas는 공화당의 상징으로 코끼리를 만들어냈다.
prevent   · 질병을 예방하기 위해 손을 하루에 다섯 번 씻으세요.

0493 ☐☐☐ ★★★

challenging

[tʃǽlindʒiŋ]

ⓐ **arduous, demanding, ambitious** 　도전적인, 어려운

The more challenging, the more rewarding. 〈학평〉

➕ challenge ⓝ 난제, 도전 ⓥ 도전하다 　challenger ⓝ 도전자

0494 ☐☐☐ ★★★

evolution

[èvəlúːʃən]

ⓝ **development, progress** 　진화, 발전

Genetic evolution is the mother of new habits. 〈수능〉

➕ evolve ⓥ 발전시키다, 발달시키다 　evolutionary ⓐ 진화의 　evolutionist ⓝ 진화론자

0495 ☐☐☐ ★★★

psychological

[sàikəládʒikəl]

ⓐ **mental, cerebral** 　심리적인, 정신의

Psychological factors limit our potential and narrow the range of things we can do with our lives. 〈학평〉

➕ psychologically ⓐⓓ 심리(학)적으로 　psychology ⓝ 심리학, 심리 (상태)

0496 ☐☐☐ ★★★

enormous

[inɔ́ːrməs]

ⓐ **large, huge, giant, gigantic, massive** 　엄청난, 막대한

Blaming others takes an enormous amount of mental energy. 〈학평〉

➕ enormously ⓐⓓ 엄청나게, 대단히

Tips **어원으로 어휘 확장하기**

e 밖으로(ex) + norm 기준 + ous 형·접 ▶ 기준 밖으로 벗어날 만큼 막대한
➕ normal ⓐ 정상적인, 보통의, 평범한

0497 ☐☐☐ ★★★

garbage

[gáːrbidʒ]

ⓝ **trash, litter** 　쓰레기

A man next door threw a bag of garbage in my garden again. 〈학평〉

---

challenging · 더 도전적일수록, 더 보람이 있다.
evolution · 유전적 진화는 새로운 습관의 어머니다.
psychological · 심리적 요인들은 우리의 잠재력을 제한시키고 우리가 삶에서 할 수 있는 것들의 범위를 좁힌다.
enormous · 다른 사람들을 비난하는 것은 엄청난 양의 정신적 에너지를 사용한다.
garbage · 옆집의 한 남자가 내 정원에 다시 쓰레기 봉지를 던졌다.

0498 ☐☐☐ ★★★

float

[flout]

Ⓥ **buoy, drift**

뜨다, 떠다니다, 흘러가다

If you threw a handful of wheat and sand into the ocean, the sand would sink and the wheat would float. 모평

➕ floating ⓐ 떠 있는, 유동적인

🔲 sink Ⓥ 가라앉다, 침몰하다

0499 ☐☐☐ ★★★

opponent

[əpóunənt]

Ⓝ **adversary, rival**

상대, 반대자

Instead of deliberately choosing someone, he decided to select his opponent randomly. 수능

➕ oppose Ⓥ 반대하다   opposed ⓐ 반대의, 대항하는

Tips | **어원으로 어휘 확장하기**

op 맞서(ob) + pon 놓다(pos) + ent 명·접(사람) ▶ 맞서서 반대 수를 놓는 상대, 적수

➕ oppress Ⓥ 억압하다, 압박하다

0500 ☐☐☐ ★★★

fate

[feit]

Ⓝ **destiny, doom**

운명, 숙명

One penguin's destiny alters the fate of all the others. 학평

➕ fateful ⓐ 운명적인   fatal ⓐ 치명적인

Tips | **시험에는 이렇게 나온다**

alter the fate 운명을 바꾸다   in a twist of fate 이상한 운명의 장난으로

resign oneself to fate 운명을 체념하다

0501 ☐☐☐ ★★★

esteem

[istí:m]

Ⓥ **respect, admire**

존경하다, 높이 평가하다

The president had met many great men during his career, but he esteemed his father above them all.

Tips | **시험에는 이렇게 나온다**

self-esteem 자부심, 자존감   hold A in high esteem A를 매우 존경하다

---

float   · 만약 여러분이 밀과 모래 한 움큼을 바다에 던지면, 모래는 가라앉고 밀은 뜰 것이다.
opponent   · 일부러 누군가를 고르는 대신, 그는 무작위로 상대를 선택하기로 했다.
fate   · 한 마리의 펭귄의 운명이 다른 모든 펭귄의 운명을 바꾼다.
esteem   · 대통령은 그의 임기 동안 많은 위인들을 만났지만, 그는 그들보다 그의 아버지를 더 존경했다.

0502 □□□ ★★★

formal

[fɔ́:rməl]

| ⓐ official, ceremonial | 공식적인, 형식적인 |

Remember, very short dresses don't look good on formal occasions. (학평)

➕ form ⓝ 형태, 형식 ⓥ 형성되다, 구성하다　formalize ⓥ 공식화하다

➖ informal ⓐ 형식에 매이지 않는, 편안한

0503 □□□ ★★★

compliment

ⓥ[ká:mpləmènt]
ⓝ[ká:mpləmənt]

| ⓥ praise, commend | 칭찬하다, 경의를 표하다 |
| ⓝ praise, flattery | 칭찬 |

The manager complimented the employee on her accomplishments.

Each time you give a compliment, you should focus completely on the other person. (학평)

➕ complimentary ⓐ 칭찬하는

➖ criticize ⓥ 비평하다

| Tips | 어원으로 어휘 확장하기 |

com 모두 + pli 채우다 + ment 명·접 ▶ 인간의 욕구를 모두 채우기 위해 필요한 것, 즉 칭찬

➕ accomplish ⓥ 완수하다, 성취하다

0504 □□□ ★★★

confine

[kənfáin]

| ⓥ imprison, constrain, restrict | 국한시키다, 가두다 |

Knowledge of writing was confined to professionals who worked for the king or temple. (수능)

➕ confinement ⓝ 갇힘, 가둠

| Tips | 어원으로 어휘 확장하기 |

con 모두(com) + fin(e) 경계 ▶ 모든 면에서 경계 안에 있게 제한하다

➕ define ⓥ 정의를 내리다, 한정하다

---

formal
compliment
confine

· 기억해라, 아주 짧은 드레스는 공식적인 행사에 어울리지 않는다.
· 관리자는 그 직원의 성과에 대해 그녀를 칭찬했다.
· 당신이 칭찬을 할 때마다, 당신은 상대방에게 완전히 집중해야 한다.
· 글쓰기에 대한 지식은 왕이나 사원을 위해 일하는 전문가들에게만 국한되었다.

0505 □□□ ★★★

retreat

[ritríːt]

ⓥ withdraw, back off	후퇴하다, 물러나다
ⓝ withdrawal, evacuation	철수, 후퇴

The army began to retreat after losing a few decisive battles.

The general called for the retreat of all troops from the region.

Tips **어원으로 어휘 확장하기**

re 뒤로 + treat 끌다 ▶ 있던 자리에서 뒤로 끌어 물러나다, 즉 후퇴하다

➕ treaty ⓝ 조약, 협정

0506 □□□ ★★★

revive

[riváiv]

ⓥ recharge, refresh, revitalize	회복시키다, 소생시키다

Breaks are necessary to revive your energy levels and recharge your mental stamina. (학평)

➕ revival ⓝ 회복, 부흥, 부활

Tips **어원으로 어휘 확장하기**

re 다시 + viv(e) 살다 ▶ 분위기 등이 다시 살아나다, 즉 활기를 되찾다

➕ survive ⓥ 살아남다   vivid ⓐ 생기 있는, 선명한

0507 □□□ ★★

roar

[rɔːr]

ⓝ loud outburst, scream	굉음, 고함
ⓥ growl, howl, shout	포효하다, 고함치다

The siren kept screaming and the roar of planes was heard in the sky. (학평)

You can see the dinosaurs move and hear them roar in virtual reality. (학평)

➕ roaring ⓐ 으르렁거리는

---

retreat	· 군대는 몇 번의 결정적인 전투에서 패배한 후 후퇴하기 시작했다.
	· 장군은 그 지역에서 모든 군대의 철수를 요구했다.
revive	· 휴식은 당신의 에너지 수준을 회복시키고 정신적인 체력을 재충전하기 위해 필요하다.
roar	· 사이렌이 계속 울렸고 하늘에서 비행기의 굉음이 들렸다.
	· 가상 현실에서 공룡들이 움직이는 것을 볼 수 있고 그들이 포효하는 것을 들을 수 있다.

0508 ☐☐☐ ★★★

corrupt

[kərʌ́pt]

ⓥ degrade, worsen	변질시키다, 타락시키다

ⓐ dishonest, vicious	부패한, 타락한

Many educators are concerned that Netspeak, the language young people use on the Internet, is corrupting English. 학평

Poor countries are mostly led by a leader who has complete power or other corrupt governments. 학평

➕ corruption ⓝ 부패, 타락   corruptive ⓐ 부패성의, 타락시키는
🔁 honest ⓐ 정직한, 공정한

0509 ☐☐☐ ★★★

nourish

[nə́ːriʃ]

ⓥ feed, nurture	영양분을 공급하다, 키우다

The dead bodies of organisms turned into soil, which in turn nourishes other organisms. 수능

➕ nourishment ⓝ 영양(분), 자양분

0510 ☐☐☐ ★★★

inspection

[inspékʃən]

ⓝ investigation, examination	검사, 점검

All vehicles must pass a safety inspection. 학평

➕ inspect ⓥ 검사하다, 점검하다   inspector ⓝ 조사관

0511 ☐☐☐ ★★★

dissolve

[dizá:lv]

ⓥ melt, fuse	녹다, 용해되다

When water is stored in plastic containers, chemicals from the plastic can dissolve into the water. 학평

➕ dissolution ⓝ 용해, 해소, 소멸

Tips | **어원으로 어휘 확장하기**

dis 떨어져 + solv(e) 느슨하게 하다 ▶ 뭉친 것들이 느슨하게 떨어져 풀어지다, 즉 녹다
➕ solve ⓥ 풀다, 해결하다

---

corrupt · 많은 교육자들은 젊은이들이 인터넷상에서 사용하는 언어인 인터넷 은어가 영어를 변질시키고 있다고 우려한다.
· 가난한 나라들은 대부분 완전한 권력을 갖고 있는 지도자나 다른 부패한 정부에 의해 이끌어진다.
nourish · 유기체의 사체는 흙으로 변해 결국 다른 유기체에 영양분을 공급한다.
inspection · 모든 차량은 안전 검사를 통과해야 한다.
dissolve · 물이 플라스틱 용기 안에 보관될 때, 플라스틱 용기에서 나온 화학물질이 물에 녹을 수 있다.

0512 ☐☐☐ ★★★

dissent

ⓝ opposition, objection

의견 차이, 이의 표시

[disént]

There was substantial dissent regarding the new policy, so it was far from a unanimous decision.

➕ dissension ⓝ 의견 차이, 불일치

➖ consent ⓥ 찬성하다

0513 ☐☐☐ ★★★

prophecy

ⓝ prediction

예언

[prá:fəsi]

Expecting to fail can be a self-fulfilling prophecy.

➕ prophet ⓝ 예언자 prophetic ⓐ 예언의

0514 ☐☐☐ ★★★

outbreak

ⓝ onset, outburst

(전쟁, 질병 등의) 발생, 발발

[áutbrèik]

An outbreak of cholera in 1849 killed nearly 13,000 people in London. 학평

Tips **어원으로 어휘 확장하기**

out 밖으로 + break 깨뜨리다 ▶ 어떤 사건이 밖으로 깨뜨리고 나감, 즉 발생

➕ outstanding ⓐ 눈에 띄는, 뛰어난 outlook ⓝ 경치, 전망, 견해

0515 ☐☐☐ ★★★

obscure

ⓐ vague, unclear

잘 보이지 않는, 불분명한

[əbskjúər]

Jane had trouble identifying the obscure figures in the old photograph.

➕ obscurity ⓝ 불분명, 모호

Tips **어원으로 어휘 확장하기**

ob 맞서 + scure 덮여진 ▶ 보려는 시도에 맞서 무언가로 덮여 분명하게 보이지 않는

➕ obstacle ⓝ 장애(물), 방해(물)

---

dissent · 새 정책에 대해 상당한 의견 차이가 있어 그것은 만장일치 결정과 거리가 멀었다.
prophecy · 실패할 것을 예상하는 것은 자기실현적 예언일 수 있다.
outbreak · 1849년에 콜레라의 발생은 런던에서 거의 1만 3천명의 목숨을 앗아갔다.
obscure · Jane은 오래된 사진 속 잘 보이지 않는 사람들을 식별하는 데 어려움을 겪었다.

0516 ☐☐☐ ★★

curb

[kəːrb]

| ⓥ restrain, restrict, tighten | 억제하다, 제한하다 |
| ⓝ an edging built along a street | 도로 경계석 |

Heather curbed her spending habit by cutting up all her credit cards.

The driver slowly parked the limousine by the curb.

0517 ☐☐☐ ★

fraud

[frɔːd]

| ⓝ deception, deceit | 사기 |

Some frauds endanger the health and even the lives of citizens. 모평

➕ fraudulent ⓐ 사기를 치는, 속이는

➖ honesty ⓝ 정직

Tips | **시험에는 이렇게 나온다**

election fraud 부정 선거   computer fraud 컴퓨터 사기
banking fraud 금융 사기

0518 ☐☐☐ ★

snatch

[snætʃ]

| ⓥ grab, steal | 낚아채다, 빼앗다 |

The outfielder snatched the ball out of the air, getting the batter out.

0519 ☐☐☐ ★

terminology

[tə̀ːrmənálədʒi]

| ⓝ vocabulary, jargon, language | 전문 용어 |

Science articles that are meant for a general audience should avoid complex terminology.

➕ term ⓝ 용어

0520 ☐☐☐ ★

shatter

[ʃǽtər]

| ⓥ smash, break | 산산이 부서지다, 파괴하다 |

Jason woke up in the middle of the night, when he heard glass shattering. 학평

---

curb	· Heather는 모든 신용카드를 자르는 것으로 그녀의 소비 습관을 억제했다.
	· 그 운전자는 도로 경계석 옆에 리무진을 천천히 주차했다.
fraud	· 어떤 사기는 건강과 심지어 시민들의 생명까지도 위태롭게 한다.
snatch	· 그 외야수는 공중에서 공을 낚아채서 타자를 아웃시켰다.
terminology	· 일반 독자를 위한 과학 기사는 복잡한 전문 용어를 피해야 한다.
shatter	· Jason은 유리잔이 산산이 부서지는 소리를 들었을 때, 한밤중에 깨어났다.

desolate

[désələt]

ⓐ **deserted, barren, dreary**

황량한, 적막한

Desolate settlements known as ghost towns are common in the American Midwest.

➕ desolation ⓝ 쓸쓸함, 황량한 곳, 슬픔

impel

[impél]

ⓥ **force, compel, prompt**

~하도록 압박하다, 재촉하다

He felt **impelled** to go to the doctor to get checked out. ⓗ

➕ impellent ⓐ 추진하는, 밀어붙이는

Tips	**어원으로 어휘 확장하기**
	im 안에(in) + **pel** 몰다 ▶ 안으로 들어가서 일을 하도록 몰아대다
	➕ **repel** ⓥ 쫓아버리다, 물리치다

underlying

[ʌ́ndərlàiiŋ]

ⓐ **fundamental, basic, prime**

근본적인, 잠재적인

One of the **underlying** principles of investing is based upon the relationship between risk and return. ⓗ

➕ underlie ⓥ 근본이 되다, 밑바탕이 되다

guardian

[gɑ́ːrdiən]

ⓝ **defender, protector**

보호자, 수호자

Children must be accompanied by a **guardian**. ⓢ

➕ guard ⓥ 보호하다, 지키다

bewilder

[biwíldər]

ⓥ **baffle, confuse, confound**

당황하게 하다

The variety of accents used in Johannesburg **bewildered** Lenny.

➕ bewildering ⓐ 어리둥절하게 만드는

---

desolate	· 유령 마을로 알려진 황량한 정착지들은 미국 중서부 지방에 흔하다.
impel	· 그는 의사에게 가서 검진을 받아야겠다는 압박을 느꼈다.
underlying	· 투자하는 것의 근본적인 원칙 중 하나는 위험과 수익 사이의 관계에 기초한다.
guardian	· 어린이들은 보호자가 동반 되어야 한다.
bewilder	· 요하네스버그에서 사용되는 다양한 억양들은 Lenny를 당황하게 했다.

Daily Quiz

A 알맞은 유의어를 고르세요.

01 dissent		ⓐ degrade, worsen	
02 float		ⓑ fundamental, basic, prime	
03 dissolve		ⓒ deserted, barren, dreary	
04 nourish		ⓓ respect, admire	
05 desolate		ⓔ opposition, objection	
06 underlying		ⓕ vocabulary, jargon, language	
07 esteem		ⓖ buoy, drift	
08 psychological		ⓗ feed, nurture	
09 corrupt		ⓘ melt, fuse	
10 terminology		ⓙ mental, cerebral	

B 밑줄 친 단어와 가장 뜻이 유사한 단어를 고르세요.

11 Remember, very short dresses don't look good on <u>formal</u> occasions.
ⓐ large ⓑ mental ⓒ arduous ⓓ official

12 Jane had trouble identifying the <u>obscure</u> figures in the old photograph.
ⓐ demanding ⓑ proper ⓒ vague ⓓ dishonest

13 The army began to <u>retreat</u> after losing a few decisive battles.
ⓐ smash ⓑ confine ⓒ nurture ⓓ withdraw

14 He felt <u>impelled</u> to go to the doctor to get checked out.
ⓐ recharged ⓑ forced ⓒ melted ⓓ drifted

15 The manager <u>complimented</u> the employee on her accomplishments.
ⓐ constrained ⓑ fused ⓒ praised ⓓ degraded

C 다음 빈칸에 들어갈 가장 알맞은 것을 박스 안에서 고르세요.

confine curb inspection outbreak challenging prophecy

16 Expecting to fail can be a self-fulfilling _____.

17 Knowledge of writing was _____(e)d to professionals who worked for the king or temple.

18 The more _____, the more rewarding.

19 Heather _____(e)d her spending habit by cutting up all her credit cards.

20 All vehicles must pass a safety _____.

0526 □□□ ★★★

object

n[ɑ́ːbdʒekt]
v[əbdʒékt]

| n thing, item, purpose, goal | 물체, 대상, 목표 |
| v disagree, oppose | 반대하다, 이의를 제기하다 |

A moving **object** continues to move unless some force is used to stop it. 수능

In the 1970s, when schools began allowing students to use portable calculators, many parents **objected**. 학평

➕ objective ⓐ 객관적인   objectively ⓐⓓ 객관적으로   objectivity ⓝ 객관성

0527 □□□ ★★★

advance

[ædvǽns]

| v move forward, develop | 나아가다, 진보하다 |
| n improvement, progress | 진보, 향상 |

Only 10 participants will **advance** to the final round. 수능

Technological **advances** have helped many industries progress.

➕ advanced ⓐ 진보한, 고급의   advancement ⓝ 발전, 진보

Tips

| 시험에는 이렇게 나온다 |
| advanced technology 진보된 기술   advanced countries 선진국 |

0528 □□□ ★★★

intense

[inténs]

| ⓐ extreme, acute | 격렬한, 강렬한 |

We had some really **intense** thunderstorms throughout the night. 학평

➕ intensify ⓥ 강화하다   intensive ⓐ 격렬한, 집중적인   intensity ⓝ 강렬함, 격렬함

---

object　· 움직이는 물체는 그것을 멈추기 위해 어떤 힘이 사용되지 않는 한 계속 움직인다.
　　　· 1970년대에, 학교에서 휴대용 계산기를 사용하도록 허용하기 시작했을 때, 많은 부모들은 반대했다.
advance　· 오직 10명의 참가자만이 결승전으로 나아갈 것이다.
　　　· 기술적 진보는 많은 산업들이 발전하도록 도와주었다.
intense　· 우리는 밤새 정말 격렬한 뇌우를 몇 차례 겪었다.

ensure

ⓥ **guarantee, assure**　　보장하다, 확실하게 하다

[inʃúər]

He worked hard to **ensure** the financial security of his family.

➕ sure ⓐ 확실한, 틀림 없는

Tips **어원으로 어휘 확장하기**

en 하게 만들다 + sure 확실한 ▶ 어떤 일이 일어나는 것을 확실하게 만들다

➕ endanger ⓥ 위험하게 하다, 위험에 빠뜨리다　enlarge ⓥ 확대하다, 확장하다

assume

ⓥ **guess, presume**　　추정하다, 가정하다

[əsúːm]

ⓥ **shoulder, take**　　(책임 등을) 맡다

Most people **assume** that the water in a bottle is cleaner than the water from your kitchen tap. 학평

Ms. Denver temporarily **assumed** the role of head researcher in her colleague's absence.

➕ assumption ⓝ 가정　assumptive ⓐ 추정적인, 가정의

Tips **어원으로 어휘 확장하기**

as ~쪽으로(ad) + sum(e) 취하다 ▶ 생각의 방향을 어떤 쪽으로 취하다, 즉 그 방향으로 추정하다

➕ presume ⓥ 추정하다, 간주하다　resume ⓥ 다시 시작하다, 다시 차지하다

expand

ⓥ **enlarge, widen**　　확장하다, 넓히다

[ikspǽnd]

The construction for **expanding** the parking lot will begin next Monday. 수능

➕ expansion ⓝ 확장, 확대
➖ contract ⓥ 수축하다

minimum

ⓐ **lowest, least**　　최저의, 최소한의

[mínəməm]

They work for **minimum** wage, and I often wonder how they make a living. 학평

---

ensure　· 그는 가족의 경제적 안정을 보장하기 위해 열심히 일했다.
assume　· 대부분의 사람들은 병에 든 물이 부엌 수도꼭지에서 나오는 물보다 더 깨끗하다고 추정한다.
　　　　· Ms. Denver는 그녀의 동료가 없는 동안 임시로 수석 연구원의 역할을 맡았다.
expand　· 주차장을 확장하는 공사가 다음 주 월요일에 시작할 것이다.
minimum　· 그들은 최저 임금을 받고 일하는데, 나는 그들이 어떻게 생계를 유지하는지 종종 궁금하다.

0533 □□□ ★★★

composition

[kàmpəzíʃən]

| n | structure, arrangement | 구조, 구성 |

| n | musical arrangement | 작곡, 작품 |

Kids who exercise have healthier bone density, body **composition**. (학평)

She lost all interest in music **composition**. (수능)

➕ compose ⓥ 구성하다, 작곡하다   composite ⓐ 합성의 ⓝ 합성물

0534 □□□ ★★★

persuade

[pərswéid]

| ⓥ | convince, induce | 설득하다, 납득시키다 |

The government spends billions of dollars on educational programs to **persuade** teens not to smoke. (학평)

➕ persuasion ⓝ 설득, 확신   persuasive ⓐ 설득력 있는

0535 □□□ ★★★

vulnerable

[vʌ́lnərəbl]

| ⓐ | weak, sensitive, helpless | 취약한, 연약한 |

Villages along the riverbank are **vulnerable** to floods.

➕ vulnerability ⓝ 취약성   vulnerably ⓐⓓ 취약하게

0536 □□□ ★★★

convert

[kənvə́:rt]

| ⓥ | alter, modify, transform | 바꾸다, 변화하다, 개조하다 |

Fats from coconut oil easily **convert** to energy. (학평)

➕ convertible ⓐ 바꿀 수 있는, 개조할 수 있는   conversion ⓝ 전환, 개조

Tips

어원으로 어휘 확장하기

con 모두(com) + **vert** 돌리다 ▶ 모든 것을 다 돌려서 바꾸다

➕ ad**vert**ise ⓥ 광고하다, 선전하다   **vert**ical ⓐ 수직의, 세로의

----

composition	· 운동을 하는 아이들이 더 건강한 뼈 밀도와 신체 구조를 갖고 있다.
	· 그녀는 작곡에 대한 모든 관심을 잃었다.
persuade	· 정부는 흡연을 하지 않도록 십대들을 설득하는 교육적인 프로그램에 수십억 달러를 지출한다.
vulnerable	· 강둑을 따라 있는 마을들은 홍수에 취약하다.
convert	· 코코넛 오일의 지방은 쉽게 에너지로 바뀐다.

0537 ☐☐☐ ★★★

intuition
[ìntjuːíʃən]

🔤 **instinct, sixth sense**   직관(력), 직감

We need our **intuitions** to make the millions of quick judgments that fill our lives from day to day. 〔학평〕

➕ intuitive ⓐ 직관적인

Tips	**시험에는 이렇게 나온다**	
	human intuition 인간의 직관력	basic intuition 기본적인 직관력
	universal intuition 보편적 직관	

0538 ☐☐☐ ★★★

autograph
[ɔ́ːtəgræ̀f]

🔤 **signature**   사인, 서명

After the movie, I got an **autograph** from the main actor. 〔학평〕

➕ autographic ⓐ 자필의, 친필의

0539 ☐☐☐ ★★★

compromise
[ká:mprəmàiz]

🔤 **agreement, settlement**   타협

🔤 **agree, negotiate**   타협하다, 양보하다

Finally, a **compromise** has been reached and both parties are happy. 〔학평〕

Each of us is willing to **compromise** as we realize that both of us can be right.

➖ disagreement 🔤 의견 충돌, 불일치

0540 ☐☐☐ ★★

collaboration
[kəlæ̀bəréiʃən]

🔤 **partnership, cooperation**   합작, 협력

The **collaboration** between the two companies resulted in a number of revolutionary products.

➕ collaborative ⓐ 협력적인, 공동의   collaboratively ⓐⓓ 협력적으로, 합작으로

---

intuition · 우리는 하루하루 우리의 삶을 채우는 수백만 가지의 빠른 판단을 내리기 위해 직관력이 필요하다.
autograph · 영화가 끝난 후, 나는 주연 배우에게 사인을 받았다.
compromise · 마침내, 타협에 도달하였고 양측 모두 만족하고 있다.
· 우리 각자는 우리 모두 옳을 수 있다는 것을 깨달았으므로 타협할 용의가 있다.
collaboration · 두 회사 간의 합작으로 많은 혁신적인 제품들이 탄생했다.

0541 ☐☐☐ ★★★

ripen

[ráipən]

Ⓥ **mature, mellow** 익다, 숙성시키다

Every summer when the cherries begin to **ripen**, people spend hours high in the tree picking them. (학평)

➕ ripe ⓐ 익은, 숙성한   ripeness ⓝ 원숙, 성숙

0542 ☐☐☐ ★★★

transaction

[trænsǽkʃən]

ⓝ **deal, negotiation** 거래, 매매

Transactions are meaningless unless you can clearly keep track of who owns what. (수능)

➕ transact Ⓥ 거래하다   transactional ⓐ 거래의

Tips **시험에는 이렇게 나온다**

mutually beneficial transactions 상호 이익이 되는 거래   commercial transactions 상거래

0543 ☐☐☐ ★★★

utilitarian

[juːtìlətέəriən]

ⓐ **practical, pragmatic, functional** 실용적인, 실리적인

Autonomous vehicles should be programmed to be **utilitarian** and to minimize harm to pedestrians. (학평)

➕ utilize Ⓥ 활용하다, 이용하다

0544 ☐☐☐ ★★★

enlarge

[inláːrdʒ]

Ⓥ **expand, extend** 확대하다, 확장하다

When the image is **enlarged**, its quality decreases.

➕ enlargement ⓝ 확대, 확장

➖ reduce Ⓥ 줄이다, 감소시키다

Tips **어원으로 어휘 확장하기**

en 하게 만들다 + large 큰 ▶ 커지게 만들다, 즉 확대하다

➕ enrich Ⓥ 부유하게 하다, 풍요롭게 하다   ensue Ⓥ 잇따라 일어나다, 계속되다

---

ripen · 매년 여름 체리가 익기 시작하면, 사람들은 나무의 높은 곳에서 체리를 따는 데 몇 시간을 보낸다.
transaction · 누가 무엇을 소유하고 있는지 명확하게 추적할 수 없다면 거래는 의미가 없다.
utilitarian · 자율 주행 차량은 실용적이면서 보행자에 대한 피해를 최소화하도록 프로그래밍되어야 한다.
enlarge · 이미지가 확대되면 화질은 저하된다.

0545 ☐☐☐ ★★★

circulate

[sə́:rkjulèit]

Ⓥ **rotate, flow**

순환하다

Blood **circulates** through our veins, allowing the transport of nutrients to cells, thanks to the heart.

➕ circulation ⓝ 순환, 유통   circular ⓐ 원형의, 순환하는

0546 ☐☐☐ ★★★

fallacy

[fǽləsi]

ⓝ **misconception, misbelief**

틀린 생각, 오류

It is a **fallacy** to believe that we make better decisions when we have more information.

➕ fallacious ⓐ 잘못된, 틀린

0547 ☐☐☐ ★★★

weary

[wíəri]

ⓐ **tired, exhausted**

지친, 피곤한

When running the marathon, he was feeling **weary** and tired. 모평

➕ wearisome ⓐ 지치게 하는, 지루한
➖ refreshing ⓐ 원기를 북돋우는, 상쾌한

0548 ☐☐☐ ★★★

console

Ⓥ[kənsóul]
ⓝ[kánsoul]

Ⓥ **comfort, appease, relieve**

위로하다, 위안을 주다

ⓝ **a unit that contains the controls for a machine**

제어 장치

Friends and family **consoled** the grieving widow.

The technician adjusted the broadcast volume at the **console**.

➕ consolation ⓝ 위로, 위안   consolable ⓐ 위안이 되는
➖ distress Ⓥ 괴롭히다

Tips | **시험에는 이렇게 나온다**

console oneself 스스로를 달래다   console on ~에 대해 위로하다
console with ~으로 위로하다

---

circulate · 혈액은 우리의 혈관을 통해 순환하며 심장 덕분에 세포로 영양분의 운반을 가능하게 한다.
fallacy · 우리가 더 많은 정보를 가지고 있을 때 더 나은 결정을 내린다고 믿는 것은 틀린 생각이다.
weary · 마라톤을 뛸 때, 그는 지치고 피곤함을 느꼈다.
console · 친구들과 가족들이 슬픔에 잠긴 미망인을 위로했다.
· 그 기술자는 제어 장치에서 그 방송의 음량을 조절했다.

0549 ☐☐☐ ★★

extinguish

[ikstíŋgwiʃ]

Ⓥ **put out a fire**　　(불을) 끄다, 끝내다

You have to practice how to use various equipment for **extinguishing** fires. 수능

➕ extinguisher ⓝ 소화기　extinguishment ⓝ 소화, 소멸
extinguishable ⓐ 절멸시킬 수 있는

0550 ☐☐☐ ★★

replicate

[répləkèit]

Ⓥ **copy, mimic, duplicate**　　복제하다, 모사하다

Scientists tried for years to **replicate** the results of the study.

➕ replication ⓝ 복제, 모사

Tips　**어원으로 어휘 확장하기**

re 다시 + **plic** 접다 + ate 동·접 ▶ 접어서 같은 것을 다시 만들다, 즉 복제하다
➕ **explic**it ⓐ 분명한, 명백한

0551 ☐☐☐ ★★

epic

[épik]

ⓝ **heroic poem**　　서사시

The ancient **epic** told the tale of a number of great mythological heroes.

0552 ☐☐☐ ★★

encompass

[inkʌ́mpəs]

Ⓥ **include, contain, embrace**　　포함하다, 망라하다

Hawaii **encompasses** eight major islands and numerous smaller ones.

➕ encompassment ⓝ 에워싸기, 포위

Tips　**어원으로 어휘 확장하기**

en 하게 만들다 + com**pass** 둘러싸다 ▶ 어떤 것을 둘러싸서 포함되게 만들다
➕ by**pass** Ⓥ 우회하다 ⓝ 우회 도로

---

extinguish　· 당신은 불을 끄기 위해 다양한 장비를 사용하는 방법을 연습해야 한다.
replicate　· 과학자들은 수년 동안 그 연구 결과를 복제하려고 노력했다.
epic　· 고대 서사시는 많은 위대한 신화적 영웅들의 이야기를 들려주었다.
encompass　· 하와이는 8개의 주요 섬과 수많은 더 작은 섬들을 포함하고 있다.

0553 □□□ ★

unprecedented
ⓐ **unlike anything in the past, novel**　전례 없는, 새로운

[ʌnprésidèntid]

Unprecedented declines in consumer demand impacted the profitability of the airline industry. 학평

🔁 precedented ⓐ 전례가 있는

0554 □□□ ★

compatible
ⓐ **consistent, adaptable, consonant**　양립할 수 있는, 호환이 되는

[kəmpǽtəbl]

They do "good works" that are **compatible** with the religious values of individuals. 학평

➕ compatibility ⓝ 호환성, 양립 가능성
🔁 incompatible ⓐ 호환성이 없는, 양립할 수 없는

0555 □□□ ★

sermon
ⓝ **speech, lecture, address**　설교

[sə́:rmən]

The pastor's **sermon** resonated with the people, reinforcing their beliefs.

➕ sermonize ⓥ 설교를 늘어놓다

0556 □□□ ★

sewage
ⓝ **the waste matter that passes through sewers**　(하수도의) 오수, 하수

[súːidʒ]

Water flows to the sea, carrying **sewage** and other waste with it. 학평

0557 □□□ ★

oppressive
ⓐ **overwhelming, repressive**　억압적인, 억압하는

[əprésiv]

Even in the most **oppressive** decades of the Industrial Revolution, people didn't give up their free will. 학평

➕ oppress ⓥ 억압하다, 압박하다　oppression ⓝ 억압, 압박

---

unprecedented · 전례 없는 소비자 수요의 감소가 항공업계의 수익성에 영향을 미쳤다.
compatible · 그들은 개인의 종교적 가치와 양립할 수 있는 "좋은 일"을 한다.
sermon · 목사의 설교는 사람들에게 반향을 일으켜 그들의 신앙을 강화시켰다.
sewage · 물은 오수와 다른 쓰레기를 함께 옮기며 바다로 흘러간다.
oppressive · 산업혁명의 가장 억압적이었던 수십 년 동안에도, 사람들은 그들의 자유 의지를 포기하지 않았다.

traitor

[tréitər]

ⓝ **betrayer, spy**

반역자, 배신자

The spy was found to be a **traitor** after selling his own country's secrets to their enemies.

➕ traitorous ⓐ 배반하는, 반역하는

ethical

[éθikəl]

ⓐ **moral, righteous**

윤리적인, 도덕적으로 옳은

Should there be **ethical** limits to technological development? 수능

➕ ethicality ⓝ 윤리성, 도덕성   ethically ad 윤리적으로
➖ unethical ⓐ 비윤리적인

Tips

시험에는 이렇게 나온다

unethical/ethical behavior 비윤리적/윤리적 행동   ethical consumer 윤리적 소비자
ethical principle 윤리 규범   ethical hacker 선의의 해커

delusion

[dilúːʒən]

ⓝ **misconception, illusion**

착각, 망상

Charles lived his life under the **delusion** that money brings happiness.

➕ delusive ⓐ 기만적인, 현혹하는   delude ⓥ 속이다, 기만하다

---

traitor · 그 스파이는 자국의 기밀을 적에게 팔아 넘긴 후 반역자로 밝혀졌다.
ethical · 기술 개발에 윤리적 제한이 있어야 하는가?
delusion · Charles는 돈이 행복을 가져온다는 착각 속에서 그의 삶을 살았다.

Daily Quiz

A 알맞은 유의어를 고르세요.

01 collaboration

02 oppressive

03 ripen

04 intuition

05 utilitarian

06 composition

07 object

08 unprecedented

09 persuade

10 compatible

ⓐ mature, mellow

ⓑ structure, arrangement

ⓒ instinct, sixth sense

ⓓ disagree, oppose

ⓔ unlike anything in the past, novel

ⓕ consistent, adaptable, consonant

ⓖ practical, pragmatic, functional

ⓗ overwhelming, repressive

ⓘ convince, induce

ⓙ partnership, cooperation

B 밑줄 친 단어와 가장 뜻이 유사한 단어를 고르세요.

11 Scientists tried for years to replicate the results of the study.

ⓐ comfort ⓑ rotate ⓒ copy ⓓ expand

12 He worked hard to ensure the financial security of his family.

ⓐ relieve ⓑ guarantee ⓒ agree ⓓ modify

13 Charles lived his life under the delusion that money brings happiness.

ⓐ purpose ⓑ improvement ⓒ misconception ⓓ signature

14 Hawaii encompasses eight major islands and numerous smaller ones.

ⓐ negotiates ⓑ includes ⓒ duplicates ⓓ transforms

15 Fats from coconut oil easily convert to energy.

ⓐ oppose ⓑ develop ⓒ assure ⓓ alter

C 다음 빈칸에 들어갈 가장 알맞은 것을 박스 안에서 고르세요.

intense	ethical	fallacy	compromise	vulnerable	advance

16 Technological _____(e)s have helped many industries progress.

17 Finally, a(n) _____ has been reached and both parties are happy.

18 Villages along the riverbank are _____ to floods.

19 It is a(n) _____ to believe that we make better decisions when we have more information.

20 We had some really _____ thunderstorms throughout the night.

DAY 17

0561 □□□ ★★★

support

[səpɔ́ːrt]

ⓥ **help, assist, advocate** — 도움을 주다, 지지하다

ⓝ **aid, help, backing** — 지지, 도움

The good bacteria can **support** the immune system. 모평

Adults are generally less honest about their need for **support**. 수능

➕ supportive ⓐ 지원하는 ． supporting ⓐ 지탱하는 ． supporter ⓝ 지지자
➖ oppose ⓥ 반대하다

0562 □□□ ★★★

predict

[pridíkt]

ⓥ **prophesy, foresee** — 예측하다, 예견하다

Researchers **predict** that many of our jobs are likely to be automated within the next 20 years. 학평

➕ prediction ⓝ 예측, 예견 ． predictable ⓐ 예측할 수 있는

Tips | **어원으로 어휘 확장하기**

pre 앞서 + dict 말하다 ▶ 미래에 발생할 일을 앞서 말하다, 즉 예측하다
➕ **pre**view ⓥ 사전 검토하다 ． **pre**occupy ⓥ 몰두하게 하다, 사로잡히게 하다

0563 □□□ ★★★

organism

[ɔ́ːrɡənìzm]

ⓝ **living thing, creature** — 생물, 유기체

Food intake is essential for the survival of every living **organism**. 수능

Tips | **어원으로 어휘 확장하기**

organ 기관 + ism 명·접 ▶ 내부에 여러 기관이 모여 이뤄진 생명체
➕ **organ**ize ⓥ 조직하다, 체계화하다 ． micro**organ**ism ⓝ (세균 등) 미생물

---

support · 좋은 박테리아는 면역 체계에 도움을 줄 수 있다.
· 어른들은 일반적으로 지지를 받고 싶은 자신들의 욕구에 대해 덜 솔직하다.
predict · 연구원들은 우리의 직업 중 많은 것들이 향후 20년 안에 자동화될 것이라고 예측한다.
organism · 음식 섭취는 모든 살아있는 생물의 생존을 위해 필수적이다.

0564 ☐☐☐ ★★★

describe

[diskráib]

ⓥ **explain, portray**　　묘사하다, 서술하다

Coach Wooden often **described** his team as a finely tuned automobile. 학평

➕ description ⓝ 묘사, 서술　descriptive ⓐ 묘사하는, 서술하는

0565 ☐☐☐ ★★★

inactive

[inæktiv]

ⓐ **dormant, stagnant, passive**　　활동적이지 않은, 소극적인

You get more and more **inactive** as you get older. 학평

➕ inactivity ⓝ 활동하지 않음
➖ active ⓐ 활동적인, 적극적인

0566 ☐☐☐ ★★★

spirit

[spírit]

ⓝ **soul**　　정신, 영혼

The club leader decided that it would be good for team **spirit** if all of the members crossed the finish line together. 모평

➕ spiritual ⓐ 영적인, 정신적인　spiritually ⓐⓓ 영적으로, 정신적으로

0567 ☐☐☐ ★★★

narrative

[nǽrətiv]

ⓝ **anecdote, description**　　이야기, 묘사

ⓐ **having the form of a story**　　서술적인, 이야기로 된

The book's **narrative** was made more interesting by its unusual characters.

Externalization is the foundation from which many **narrative** conversations are built. 수능

➕ narration ⓝ 이야기를 진행하기, 서술하기　narrate ⓥ 이야기를 하다, 서술하다

Tips | **시험에는 이렇게 나온다**

narrative structure 서사 구조　　narrative conversation 서사적 대화

---

describe　· Wooden 코치는 종종 그의 팀을 정교하게 정비된 자동차라고 묘사했다.
inactive　· 당신은 나이가 들면서 점점 더 활동적이지 않게 된다.
spirit　· 구단 대표는 구성원 모두가 다 함께 결승선을 통과하면 공동체 정신에 유익할 것이라고 결정을 내렸다.
narrative　· 그 책의 이야기는 특이한 등장인물들로 인해 더 흥미로워졌다.
· 외부화는 많은 서술적 대화들이 만들어지는 기반이다.

0568 ☐☐☐ ★★★

admit

[ædmít]

ⓥ **confess, agree, acknowledge**　　인정하다, 승인하다

ⓥ **accept, allow, receive**　　(입장 · 입학 등을) 허가하다

Brian **admits** that he was too sensitive and hurt Paul's feelings by yelling at him. 수능

Children under 10 will not be **admitted** to the zoo without an adult. 학평

➕ admission ⓝ 입장, 입학, 인정　admittedly ⓐⓓ 인정하건대
➖ deny ⓥ 부인하다

Tips　**어원으로 어휘 확장하기**

ad ~에 + mit 보내다 ▶ 자신에게 보내진 것을 받아들이다
➕ submit ⓥ 제출하다　permit ⓥ 허락하다

0569 ☐☐☐ ★★★

distract

[distrǽkt]

ⓥ **disturb, divert**　　집중이 안 되게 하다

Movement or noise in the classroom may **distract** the students from their work. 학평

➕ distraction ⓝ 집중을 방해하는 것

Tips　**어원으로 어휘 확장하기**

dis 떨어져 + tract 끌다 ▶ 어떤 것에서 주의가 떨어지도록 끌어 산만하게 하다
➕ attract ⓥ (관심 등을) 끌다, 끌어 모으다

0570 ☐☐☐ ★★★

unexpectedly

[ʌ̀nikspéktidli]

ⓐⓓ **surprisingly, unpredictably**　　예기치 않게, 예상 밖으로

The expression "out of the blue," means something happens **unexpectedly.** 수능

➕ unexpected ⓐ 예상 밖의, 뜻밖의

---

admit　　· Brian은 자신이 너무 예민했고 Paul에게 소리를 질러서 그의 감정을 상하게 했다는 것을 인정한다.
　　　　· 10세 미만의 어린이들은 어른 없이는 동물원에 입장이 허가되지 않을 것이다.
distract　· 교실에서의 움직임이나 소음은 학생들이 하던 일에 집중이 안 되게 할 수 있다.
unexpectedly　· 'out of blue'라는 표현은 어떤 일이 예기치 않게 일어난다는 것을 의미한다.

0571 □□□ ★★★

secure

[sikjúər]

| a | safe, stable, protected | 안전한 |

| v | assure, protect, guarantee | 안전을 보장하다, 보호하다 |

| v | anchor, fasten | 고정시키다 |

Cookies make shared computers far less **secure**. 학평

Schools have a duty to **secure** their students' safety, but they should not violate their privacy in the process. 학평

Fred **secured** his boat to the dock with a thick rope.

✚ securely ad 안전하게, 단단히   security n 안전, 안보, 보안
➖ insecure a 위험한, 불안한

Tips **어원으로 어휘 확장하기**

se 떨어져 + **cure** 돌봄 ▶ 위험한 것에서 떨어져 있도록 돌보아 안전한

✚ **se**gregation n 분리(정책), 차별(정책)   **se**parate v 분리하다, 갈라지다

0572 □□□ ★★★

propose

[prəpóuz]

| v | suggest, recommend | 제안하다, 제의하다 |

At the presentation, students will **propose** a variety of ideas for developing employment opportunities for the youth. 학평

✚ proposal n 제안, 제의, 청혼   proposition n 제안, 계획, 일

Tips **어원으로 어휘 확장하기**

pro 앞에 + **pos(e)** 놓다 ▶ 상대 앞에 의견을 놓아 제시하다

✚ **pro**spect n 전망, 예상, 가능성

0573 □□□ ★★★

substantial

[səbstǽnʃəl]

| a | significant, considerable | 상당한, 많은 |

Assumed to have a **substantial** amount of water, Mars is probably most habitable out of all the planets. 학평

✚ substantially ad 상당히

---

secure
· 쿠키는 공유 컴퓨터를 훨씬 덜 안전하게 만든다.
· 학교는 학생들의 안전을 보장할 의무가 있지만, 그 과정에서 그들의 사생활을 침해해서는 안 된다.
· Fred는 두꺼운 밧줄로 자신의 배를 부두에 고정시켰다.

propose
· 발표회에서 학생들은 청년을 위한 취업기회 개발에 대해 다양한 아이디어를 제안할 예정이다.

substantial
· 상당한 양의 물을 가지고 있다고 가정하면, 화성은 아마도 모든 행성들 중에서 가장 살기에 알맞을 것이다.

0574 □□□ ★★★

inhabit

[inhǽbit]

ⓥ **reside in, live in, occupy**

~에 살다, 거주하다

People may **inhabit** very different worlds, according to their wealth or poverty. (학평)

➊ inhabitant ⓝ 주민, 거주자

Tips | **어원으로 어휘 확장하기**

in 안에 + **hab(it)** 가지다 ▶ 어떤 장소를 가져서 그 안에 살다

➊ **hab**itat ⓝ 서식지, 거주지

0575 □□□ ★★★

prosper

[prɑ́:spər]

ⓥ **thrive, flourish in**

번창하다, 번성하다

In the business world, competition makes our economy **prosper**. (학평)

➊ prosperity ⓝ 번영, 번창   prosperous ⓐ 번창하는, 성공한

Tips | **어원으로 어휘 확장하기**

pro 앞으로 + **sper** 희망 ▶ 희망차게 앞으로 발전해 나가다, 즉 번영하다

➊ de**sper**ate ⓐ 절망적인, 자포자기한

0576 □□□ ★★

wilderness

[wíldərnis]

ⓝ **desert, outback**

황야, 황무지

The family camped for a week, remaining isolated in the **wilderness**, far from society.

0577 □□□ ★★

inquire

[inkwáiər]

ⓥ **ask, question**

묻다, 알아보다

The doctors **inquired** about my family health history to see if any of my relatives had suffered from similar diseases. (학평)

➊ inquiry ⓝ 문의, 질문   inquisitive ⓐ 탐구심이 많은, 꼬치꼬치 캐묻는

Tips | **시험에는 이렇게 나온다**

inquire about ~에 관하여 묻다   inquire into ~을 조사하다

---

inhabit · 사람들은 그들의 부와 가난에 따라 매우 다른 세계에서 살 수 있다.
prosper · 비즈니스 세계에서, 경쟁은 우리 경제를 번창하게 만든다.
wilderness · 그 가족은 사회와 동떨어진 황야에 고립된 채 일주일 동안 캠핑을 했다.
inquire · 의사는 나의 친척 중 누군가 비슷한 질병을 앓았던 적이 있는지 확인하기 위해 가족력에 대해 물어봤다.

0578 □□□ ★★★

combustion

[kəmbʌ́stʃən]

n ignition, explosion, on fire　　연소, 불이 탐

The flammable material ignited and caught fire through the **combustion** of some components on the surface.

➕ combust v 연소하기 시작하다

0579 □□□ ★★★

receptive

[riséptiv]

a responsive, open to new ideas　　수용적인, 선뜻 받아들이는

Some people would likely be less **receptive** to new ways of looking at the world. 수능

➕ reception n 수용, 수신　　receptivity n 수용성, 이해력

0580 □□□ ★★★

renowned

[rináund]

a famous, celebrated　　유명한, 명성 있는

One of the world's most **renowned** castles is Neuschwanstein Castle. 학평

➕ renown n 명성

0581 □□□ ★★★

deprive

[dipráiv]

v take away, rob　　빼앗다, 박탈하다

School uniforms have **deprived** us of such a precious opportunity to make a choice. 학평

➕ deprivation n 박탈, 부족

Tips　어원으로 어휘 확장하기

de 떨어져 + priv(e) 떼어놓다 ▶ 소유했던 것에서 떨어뜨려 떼어놓다, 즉 그것을 빼앗다

➕ private a 개인의, 사적인

0582 □□□ ★★

decisive

[disáisiv]

a conclusive, definitive, resolute　　결단력 있는, 결정적인

Joel was a **decisive** man, making decisions quickly.

➕ decisively ad 결정적으로　　decision n 결정, 판단

➖ indecisive a 우유부단한

---

combustion · 인화성 물질은 표면에 있는 일부 요소의 연소를 통해 점화되어 불이 붙었다.
receptive · 어떤 사람들은 세상을 바라보는 새로운 방식에 덜 수용적일 것이다.
renowned · 세계에서 가장 유명한 성 중 하나는 Neuschwanstein성이다.
deprive · 교복은 우리에게 선택을 할 수 있는 정말 소중한 기회를 빼앗았다.
decisive · Joel은 결단력이 있는 사람이었으므로, 결정을 빨리 내렸다.

0583 □□□ ★★

breathtaking

[bréθtèikiŋ]

ⓐ **amazing, impressive**

멋진, 굉장한

In Arusha National Park, you can enjoy **breathtaking** views of lakes and mountains. (학평)

➊ breath ⓝ 숨, 호흡 ⓥ 숨을 쉬다, 호흡하다

Tips	시험에는 이렇게 나온다	
	breathtaking beauty 굉장한 미인	breathtaking scenery 멋진 풍경
	breathtaking views 멋진 전망	breathtaking experience 멋진 경험

0584 □□□ ★★

commerce

[ká:mərs]

ⓝ **trade**

상업, 무역

Commerce in retail environments is vital to modern economies.

➊ commercial ⓐ 상업의 ⓝ 광고 방송   commercialize ⓥ 상업화하다

0585 □□□ ★★

precipitation

[prisìpətéiʃən]

ⓝ **rainfall**

강수량, 강수

The above chart compares the average monthly **precipitation** in Rome with that in Moscow. (학평)

➊ precipitate ⓥ 촉발시키다 ⓝ 침전물

0586 □□□ ★★

catastrophe

[kətǽstrəfi]

ⓝ **disaster, accident, adversity**

재앙, 참사

A defining element of **catastrophes** is the magnitude of their harmful consequences. (수능)

➊ catastrophic ⓐ 대재앙의, 파멸의, 비극적인

0587 □□□ ★★

rationale

[ræʃənǽl]

ⓝ **reason, excuse, explanation**

근거, 이유

The **rationale** for the decision was logical, so nobody argued that it was a bad choice.

----

breathtaking	· 아루샤 국립공원에서는 호수와 산의 멋진 경치를 즐길 수 있다.
commerce	· 소매업 환경에서의 상업은 현대 경제에 필수적이다.
precipitation	· 위의 차트는 로마에서와 모스크바에서의 평균 월간 강수량을 비교한다.
catastrophe	· 재앙을 정의하는 요소는 폐해의 규모이다.
rationale	· 그 결정에 대한 근거는 논리적이어서, 아무도 그것이 잘못된 선택이라고 주장하지 않았다.

duplicate

[djú:pləkèit]

Ⓥ **copy, repeat**

되풀이하다, 복제하다

We hear about wonderful changes people have made in their lives, and we want to **duplicate** those results. 한평

➕ duplication ⓝ 복제, 중복

---

repress

[riprés]

Ⓥ **suppress, hold back**

억제하다, (감정을) 참다

Meditation is based on the principle that if we try to **repress** unpleasant thoughts, they only become more intense. 한평

➕ repression ⓝ 억제, 탄압, 진압　repressive ⓐ 억압적인, 탄압적인, 진압하는
➖ release Ⓥ 석방하다, 방출하다

---

frost

[frɔːst]

ⓝ **ice crystals, ice**

서리, 성에

A **frost** in Brazil would damage the coffee crop and reduce the worldwide supply of coffee. 한평

➕ frosty ⓐ 서리가 내리는, 몹시 추운

---

benevolent

[bənévələnt]

ⓐ **kind, generous, charitable**

자비로운

The emperor was **benevolent**, doing everything he could to make sure everyone in his empire was happy.

➕ benevolence ⓝ 자비심　benevolently ⓐⓓ 자애롭게, 호의적으로
➖ malevolent ⓐ 악의적인

---

duplicate · 우리는 사람들이 그들의 삶에서 이룬 놀라운 변화에 대해 듣고, 우리는 그 결과들을 되풀이하기를 원한다.
repress · 명상은 우리가 불쾌한 생각을 억제하려고 하면 그것들이 더 강렬해지기만 한다는 신념에 바탕을 둔다.
frost · 브라질의 서리는 커피 수확량에 피해를 입히고 전 세계 커피 공급량을 감소시킬 것이다.
benevolent · 황제는 자비롭고, 그의 제국 내 모든 사람들이 행복할 수 있도록 최선을 다했다.

0588 ☐☐☐ ★★

expire

[ikspáiər]

☑ **end, run out, come to an end**　만료되다, 끝나다

My passport **expires** at the end of the year. (학평)

➕ expiration ⓝ 만료, 만기

Tips	**시험에는 이렇게 나온다**	
	expired coupon 만료된 쿠폰	expired passport 만료된 여권
	expired food 유통기한이 지난 음식	expired patent 만료된 특허

0589 ☐☐☐ ★★

impede

[impíːd]

☑ **obstruct, hamper, hinder, delay**　방해하다, 지연시키다

Drought **impeded** the growth of many agricultural crops last summer.

➕ impediment ⓝ 방해, 장애(물)

0590 ☐☐☐ ★

skeleton

[skélətn]

ⓝ **structure of bones**　골격, 뼈대, 해골

The bones that make up the human **skeleton** are surprisingly strong, allowing them to withstand tremendous force.

➕ skeletal ⓐ 뼈대의, 해골 같은

0591 ☐☐☐ ★

pledge

[pledʒ]

ⓝ **promise, vow, oath**　약속, 맹세, 서약

☑ **promise, swear**　약속하다, 맹세하다

The mayoral candidate made a **pledge** to reduce the city's crime rate.

It simply said, 'I **pledge** support for Claremont's Recycling Program. (학평)

---

expire	· 내 여권은 연말에 만료된다.
impede	· 가뭄이 지난 여름에 많은 농작물의 성장을 방해했다.
skeleton	· 인간의 골격을 구성하는 뼈들은 놀라울 정도로 튼튼해서, 엄청난 힘을 견딜 수 있게 해준다.
pledge	· 시장 후보는 도시의 범죄율을 낮추겠다는 약속을 했다.
	· 그것은 단순히 '나는 Claremont의 재활용 프로그램에 대한 지원을 약속한다'고 쓰여있었다.

Daily Quiz

A 알맞은 유의어를 고르세요.

01	propose	ⓐ	safe, stable, protected
02	receptive	ⓑ	significant, considerable
03	duplicate	ⓒ	ask, question
04	combustion	ⓓ	structure of bones
05	substantial	ⓔ	suppress, hold back
06	narrative	ⓕ	ignition, explosion, on fire
07	inquire	ⓖ	responsive, open to new ideas
08	skeleton	ⓗ	copy, repeat
09	repress	ⓘ	suggest, recommend
10	secure	ⓙ	anecdote, description

B 밑줄 친 단어와 가장 뜻이 유사한 단어를 고르세요.

11 Drought <u>impeded</u> the growth of many agricultural crops last summer.
ⓐ assisted　　ⓑ obstructed　　ⓒ confessed　　ⓓ ended

12 In the business world, competition makes our economy <u>prosper</u>.
ⓐ occupy　　ⓑ thrive　　ⓒ suppress　　ⓓ repeat

13 Movement or noise in the classroom may <u>distract</u> the students from their work.
ⓐ ask　　ⓑ advocate　　ⓒ disturb　　ⓓ foresee

14 You get more and more <u>inactive</u> as you get older.
ⓐ stable　　ⓑ significant　　ⓒ famous　　ⓓ dormant

15 Joel was a <u>decisive</u> man, making decisions quickly.
ⓐ responsive　　ⓑ amazing　　ⓒ conclusive　　ⓓ moral

C 다음 빈칸에 들어갈 가장 알맞은 것을 박스 안에서 고르세요.

describe	unexpectedly	renowned	expire	pledge	inhabit

16 People may _____ very different worlds, according to their wealth or poverty.

17 Coach Wooden often _____(e)d his team as a finely tuned automobile.

18 The expression "out of the blue," means something happens _____.

19 One of the world's most _____ castles is Neuschwanstein Castle.

20 My passport _____(e)s at the end of the year.

01 ⓘ　02 ⓖ　03 ⓗ　04 ⓕ　05 ⓑ　06 ⓙ　07 ⓒ
08 ⓓ　09 ⓔ　10 ⓐ　11 ⓑ　12 ⓑ　13 ⓒ　14 ⓓ
15 ⓒ　16 inhabit　17 describe　18 unexpectedly　19 renowned　20 expire

DAY 18

음성 바로 듣기

0596 ☐☐☐ ★★★

ignore

[ignɔ́ːr]

Ⓥ **neglect, disregard**

무시하다, 못 본 척하다

How do you know when to follow your instincts and when to **ignore** them? 수능

➕ ignorant ⓐ 무지한, 무식한　ignorance ⓝ 무지, 무식

Tips **어원으로 어휘 확장하기**

i 아닌(in) + **gno**(re) 알다 ▶ 아는체하지 않고 무시하다
➕ dia**gno**se Ⓥ (질병, 문제의 원인 등을) 진단하다

0597 ☐☐☐ ★★★

certainty

[sə́ːrtnti]

ⓝ **sureness, assurance**

확신, 확실성

The **certainty** Brian felt about his choice made him sure it was the right thing to do.

➕ certain ⓐ 확실한
➖ uncertainty ⓝ 불확실함, 확신 없음

0598 ☐☐☐ ★★★

perceive

[pərsíːv]

Ⓥ **notice, recognize**

인식하다, 인지하다

People with pets were **perceived** as being more socially attractive. 학평

➕ perception ⓝ 인식, 지각　perceptive ⓐ 통찰력 있는, 지각의
　perceivable ⓐ 지각할 수 있는

Tips **어원으로 어휘 확장하기**

per 완전히 + **ceive** 잡나 ▶ 어떤 것에 대해 완진히 김을 잡아 인지하디
➕ re**ceive** Ⓥ 받다, 받아들이다　de**ceive** Ⓥ 속이다, 기만하다

---

ignore　· 본능을 따를 때와 그것들을 무시할 때를 어떻게 알 수 있나요?
certainty　· Brian이 자신의 선택에 대해 느낀 확신은 그것이 해야 할 옳은 일이라는 확신을 갖게 했다.
perceive　· 반려동물이 있는 사람들은 사회적으로 더 매력적인 존재로 인식되었다.

address

[ə]ˌ[ədrés]
[n][ǽdres]

n place of residence or business	주소
v resolve, manage, settle	해결하다, 처리하다
v speak to	말을 걸다
v to mark directions for delivery on	~에 주소를 적다

Your application should be sent to the following email **address**. 학평

I would like to see if there is some way we can **address** your concerns. 학평

Dr. Einstein slowly arose from his seat and **addressed** the young conductor. 학평

Then, with a last look at the precious pages, she **addressed** the package. 학평

fortunately

[fɔ́ːrtʃənətli]

ad luckily, by good luck	다행히, 운 좋게

Fortunately, my son, who is a left-hander, was born after baseball gloves for the left-handers were invented. 학평

➕ fortunate ⓐ 운 좋은
➖ unfortunately ad 불행하게도, 유감스럽게도

accompany

[əkʌ́mpəni]

v occur with, come with	동반하다, 동행하다

In some thunderstorms, hail **accompanies** the heavy wind, thunder, and lightning.

➕ accompaniment ⓝ 동반되는 것, 곁들이는 것, (노래의) 반주

Tips | **시험에는 이렇게 나온다**

accompany on ~으로 반주를 하다
accompany a guest to the door 손님을 문까지 바래다

---

address	· 귀하의 지원서는 다음 이메일 주소로 보내져야 합니다.
	· 우리가 당신의 걱정을 해결할 수 있는 어떤 방법이 있는지 알고 싶다.
	· 아인슈타인 박사는 그의 자리에서 천천히 일어나 젊은 경영자에게 말을 걸었다.
	· 귀중한 페이지를 마지막으로 보고나서, 그녀는 그 소포에 주소를 적었다.
fortunately	· 다행히, 왼손잡이인 나의 아들은 왼손잡이용 야구 글러브가 발명된 후에 태어났다.
accompany	· 일부 뇌우동안, 우박은 강한 바람, 천둥 그리고 번개를 동반한다.

0602 ☐☐☐ ★★★

imitate

[ímətèit]

| v copy, simulate, emulate | 흉내 내다, 모방하다 |

Everyone looked at how the man held his chopsticks, so that they could **imitate** him. (모평)

➕ imitation ⓝ 모조품, 모방 imitative ⓐ 모방적인

0603 ☐☐☐ ★★★

precise

[prisáis]

| ⓐ accurate, exact, meticulous | 정확한, 정밀한 |

For the physicist, the duration of a "second" is **precise** and unambiguous. (수능)

➕ precisely ⓐⓓ 바로, 정확하게 precision ⓝ 정확, 정밀
➖ imprecise ⓐ 부정확한 ambiguous ⓐ 애매한

0604 ☐☐☐ ★★★

apparently

[əpǽrəntli]

| ⓐⓓ obviously, clearly, outwardly | 분명히, 겉보기에 |

Even though you were looking at the words, you **apparently** were not paying attention. (모평)

➕ apparent ⓐ 분명한, 명백한

0605 ☐☐☐ ★★★

foresee

[fɔːrsíː]

| v predict, forecast, anticipate | 예견하다, 예상하다 |

The consequences of interaction can be difficult to **foresee**. (수능)

➕ foreseeable ⓐ 예측할 수 있는

Tips **어원으로 어휘 확장하기**

fore 미리 + see 보다 ▶ 상황을 미리 보다, 즉 예견하다
➕ forecast ⓥ 예측하다 ⓝ 예보, 예측 foretell ⓥ 예언하다

---

imitate · 모든 사람들이 그 남자가 젓가락을 어떻게 잡고 있는지를 봤으므로, 그들은 그를 흉내 낼 수 있었다.
precise · 물리학자에게 '초'의 지속 시간은 정확하고 명확하다.
apparently · 단어들을 보고 있었음에도 불구하고, 분명히 당신은 주의를 기울이지 않고 있었다.
foresee · 상호 작용의 결과는 예견하기 어려울 수 있다.

0606 ☐☐☐ ★★★

pretend
ⓥ **feign, assume**
~인 척하다, 가장하다

[priténd]

Although he was awake, the merchant **pretended** to be in a deep sleep. (학평)

➕ pretension ⓝ 허세, 가식

Tips **어원으로 어휘 확장하기**

pre 앞서 + **tend** 뻗다 ▶ 실제와 다른 모습이 앞서게 뻗어 보여주다, 즉 다른 것인 척하다

➕ extend ⓥ 뻗다, 확장하다

0607 ☐☐☐ ★★★

voluntary
ⓐ **spontaneous, willing**
자발적인, 자원봉사의

[vá:ləntèri]

Most of the company training workshops are mandatory, but this Saturday's event is **voluntary**.

➕ voluntarily ⓐⓓ 자발적으로

➖ obligatory ⓐ 의무적인, 필수의

0608 ☐☐☐ ★★★

allocate
ⓥ **assign, distribute**
할당하다, 배분하다

[ǽləkèit]

More manpower needs to be **allocated** to provide diverse language services. (학평)

➕ allocation ⓝ 할당량, 할당액   reallocate ⓥ 재분배하다

Tips **어원으로 어휘 확장하기**

al ~에(ad) + **loc** 장소 + ate 동·접 ▶ 여러 장소에 나누어 두다, 즉 할당하다

➕ local ⓐ 지방의, 지역의, 현지의   locate ⓥ (~에) 두다, 위치시키다

0609 ☐☐☐ ★★★

plot
ⓝ **story, scenario**
줄거리, 구상

[plɑːt]

The **plot** of the movie is about a character accidentally traveling to the future. (학평)

---

pretend · 비록 상인은 깨어있었지만, 그는 깊은 잠에 빠져있는 척했다.
voluntary · 회사 교육 워크숍의 대부분은 의무적이지만, 이번 주 토요일 행사는 자발적이다.
allocate · 다양한 언어 서비스를 제공하기 위해 더 많은 인력이 할당되어야 한다.
plot · 그 영화의 줄거리는 우연히 미래로 여행을 가는 주인공에 대해서이다.

0610 ☐☐☐ ★★★

enroll
[inróul]

ⓥ **register, sign up**   등록하다, 입학시키다

When Daniel was a freshman in college, he **enrolled** in a public speaking course. (학평)

➕ enrollment ⓝ 등록, 입학

0611 ☐☐☐ ★★

equivalent
[ikwívələnt]

ⓐ **equal, comparable**   상응하는, 동등한

Americans take in the caffeine **equivalent** of 530 million cups of coffee every day. (학평)

➕ equivalence ⓝ 같음, 등가
➖ different ⓐ 다른

Tips **시험에는 이렇게 나온다**
equivalent in ~이 동등한   equivalent to ~에 상당하는

0612 ☐☐☐ ★★

violate
[váiəlèit]

ⓥ **infringe, disobey**   위반하다, 침해하다

Prisoners must not **violate** any rules to be considered for early release.

➕ violation ⓝ 위반, 침해   violative ⓐ 침해하는

Tips **시험에는 이렇게 나온다**
violate one's right 남의 권리를 침해하다   violate regulation 규정을 위배하다
violate a person's 남의 사생활을 침해하다   violate principle 원칙을 위반하다

0613 ☐☐☐ ★★

collapse
[kəlǽps]

ⓥ **fall, crash, cave in**   무너지다, 붕괴하다

The floor **collapsed** almost immediately after the firefighters escaped. (학평)

➕ collapsible ⓐ 접을 수 있는, 조립식인

---

enroll · Daniel이 대학교 1학년이었을 때, 그는 대중 연설 강좌에 등록했다.
equivalent · 미국인들은 매일 5억 3천만 잔의 커피에 상응하는 카페인을 섭취한다.
violate · 죄수들은 조기 석방을 위해 고려되기 위해서 어떤 규칙도 위반해서는 안 된다.
collapse · 바닥은 소방관들이 탈출한 후 거의 즉시 무너졌다.

0614 ☐☐☐ ★★

impose
[impóuz]

| ⓥ charge, levy | (의무·세금 등을) 부과하다 |

| ⓥ enforce, command | 강요하다 |

Centuries ago, the Duke of Tuscany imposed a tax on salt. (기출)

Karen imposed her will upon the rest of the group, and they all ended up at the museum.

➊ imposition ⓝ 부과, 부담

Tips **시험에는 이렇게 나온다**

impose charges 요금을 부과하다   impose restrictions/limitations 제약을 가하다
impose deadline 기한을 정하다

0615 ☐☐☐ ★★

quest
[kwest]

| ⓝ search, pursuit | 탐구, 추구 |

The great scientists are driven by an inner quest to understand the nature of the universe. (모평)

0616 ☐☐☐ ★★

deforestation
[diːfɔ̀ːristéiʃən]

| ⓝ the act of cutting down all the trees | 삼림 벌채 |

Deforestation left the soil exposed to harsh weather. (수능)

➊ deforest ⓥ 삼림을 없애다

Tips **어원으로 어휘 확장하기**

de 아닌 + forest 숲, 삼림 + ation 명·접 ▶ 숲을 베어 숲이 아닌 상태로 만드는 삼림 벌채
➊ demerit ⓝ 단점, 결점, 잘못

0617 ☐☐☐ ★★

rhyme
[raim]

| ⓥ to have the same sounds | 운이 맞다, 각운을 이루다 |

Laura tried hard to make the words rhyme, but she was unable to find an appropriate word.

---

impose   · 수 세기 전에, 토스카나 공작은 소금에 세금을 부과했다.
     · Karen은 자신의 뜻을 무리의 나머지 사람들에게 강요했고, 결국 그들은 모두 박물관에 가게 되었다.
quest   · 위대한 과학자들은 우주의 본질을 이해하기 위한 내적 탐구에 의해 움직인다.
deforestation   · 삼림 벌채는 토양이 혹독한 날씨에 노출되게 했다.
rhyme   · Laura는 단어들이 운이 맞도록 하기 위해 열심히 노력했지만 그녀는 적절한 단어를 찾을 수 없었다.

0618 ☐☐☐ ★★

contradict

[kὰ:ntrədíkt]

ⓥ **conflict, deny, disprove**　　모순되다, 반박하다

Everything that Mabel learned in class **contradicted** her personal experience.

➕ contradictory ⓐ 모순되는　contradiction ⓝ 모순, 반박

0619 ☐☐☐ ★★

ambivalent

[æmbívələnt]

ⓐ **mixed, unsure, conflicting**　　모순된 감정을 가진, 양면적인

A report concluded that Americans were deeply **ambivalent** about wealth. 모평

➕ ambivalence ⓝ 양면 가치, 반대 감정 공존

0620 ☐☐☐ ★★

awkward

[ɔ́:kwərd]

ⓐ **embarrassing, uncomfortable**　　어색한, 불편한

Many left-handed people rotate the paper to the left when writing, so their letters and words may look **awkward**. 학평

➕ awkwardly ⓐⓓ 어색하게, 서투르게

➖ comfortable ⓐ 편안한

Tips　**시험에는 이렇게 나온다**

in an awkward manner 어색하게　　　be in an awkward situation 곤란한 처지에 있다

0621 ☐☐☐ ★★

surmount

[sərmáunt]

ⓥ **overcome, conquer**　　(곤란·장애를) 극복하다

Randy couldn't find a way to **surmount** the problems he was facing.

➕ surmountable ⓐ 이겨낼 수 있는

0622 ☐☐☐ ★

epidemic

[èpədémik]

ⓝ **plague, spread**　　(병의) 만연, 유행

The World Health Organization has declared a sleep loss **epidemic** throughout industrialized nations. 학평

---

contradict　· Mabel이 수업에서 배운 모든 것은 그녀의 개인적인 경험과 모순되었다.
ambivalent　· 한 보고서는 미국인들이 부에 대해 모순된 감정을 깊게 갖고 있다고 결론지었다.
awkward　· 많은 왼손잡이들은 글을 쓸 때 종이를 왼쪽으로 돌리기 때문에 그들의 글자와 단어가 어색해 보일 수 있다.
surmount　· Randy는 그가 직면하고 있던 문제들을 극복할 방법을 찾을 수 없었다.
epidemic　· 세계보건기구는 산업화된 국가 전역에 걸친 수면 부족이 만연을 공표했다.

0623 ☐☐☐ ★★★

implication

[ìmplikéiʃən]

☐ **suggestion, connotation**

함축적 의미, 암시

The **implication** of the book is that hope never dies.

➕ implicate ☑ 함축하다, 연루시키다　implicit ⓐ 함축적인, 암시적인
implicitly ⓐⓓ 함축적으로

0624 ☐☐☐ ★★

excavate

[ékskəvèit]

☑ **dig, unearth**

발굴하다, 파내다

In search of ancient ruins, an archaeology team **excavated** possible sites on the island.

➕ excavation ☐ 발굴

0625 ☐☐☐ ★

withstand

[wiðstǽnd]

☑ **resist, bear, endure**

견뎌내다, 버티다

Posts that hold up street lights need to be strong enough to **withstand** earthquakes. 학평

Tips **어원으로 어휘 확장하기**

with 뒤에 + stand 서다 ▶ 무너지지 않도록 뒤에 서서 견뎌내다, 버티다
➕ withhold ☑ 억제하다, 주지 않다

0626 ☐☐☐ ★★

afflict

[əflíkt]

☑ **distress, torment**

고통을 주다, 학대하다

A person **afflicted** with loneliness will realize that only he can find his own cure. 수능

➕ affliction ☐ 고통, 고통의 원인

Tips **어원으로 어휘 확장하기**

af ~쪽으로(ad) + flict 치다 ▶ 누군가 쪽으로 계속 쳐서 그 사람을 괴롭히다
➕ conflict ☐ 갈등, 충돌 ☑ 충돌하다, 다투다

---

implication · 그 책의 함축적 의미는 희망은 결코 죽지 않는다는 것이다.
excavate · 고대 유적을 찾기 위해 한 고고학 팀이 섬에서 후보지를 발굴했다.
withstand · 가로등을 받치는 기둥은 지진을 견딜 수 있을 만큼 튼튼해야 할 필요가 있다.
afflict · 외로움으로 고통을 받은 사람은 자신만이 자신의 치료법을 찾을 수 있다는 것을 깨달을 것이다.

throne

[θroun]

| n seat of state, royal seat | 왕좌, 왕위 |

The queen sat on her **throne**, overlooking her loyal subjects.

ornament

[ɔ́ːrnəmənt]

| n decoration, trimming | 장식, 꾸밈 |
| v decorate, adorn | 장식하다 |

Most stores put up Christmas **ornaments** during the holiday season.

Timothy's house was **ornamented** with various flowers.

➕ ornamental ⓐ 장식용의

ingest

[indʒést]

| v consume, swallow, absorb | 섭취하다, 삼키다 |

Humans must be cautious not to **ingest** foods that are physiologically harmful. 학평

➕ ingestion ⓝ 섭취

prolong

[prəlɔ́ːŋ]

| v lengthen, extend | 연장시키다, 연기하다 |

Trying to work out within a few weeks of the surgery would **prolong** the recovery time.

➕ prolonged ⓐ 오래 계속되는

Tips **어원으로 어휘 확장하기**

pro 앞으로 + long 긴 ▶ 앞으로 길게 늘여 연장하다

➕ **long**evity ⓝ 장수, 수명   **long**itude ⓝ 경도

---

throne · 여왕은 자신의 왕좌에 앉아 그녀의 충직한 신하들을 내려다보았다.
ornament · 대부분의 상점들은 휴가철 동안에 크리스마스 장식을 게시한다.
· Timothy의 집은 다양한 꽃들로 장식되어 있었다.
ingest · 인간은 생리적으로 해로운 음식을 섭취하지 않도록 주의해야 한다.
prolong · 수술 후 몇 주 안에 운동을 시도하는 것은 회복 기간을 연장시킬 것이다.

Daily Quiz

A 알맞은 유의어를 고르세요.

01 foresee
02 afflict
03 epidemic
04 accompany
05 deforestation
06 fortunately
07 ambivalent
08 prolong
09 awkward
10 apparently

ⓐ obviously, clearly, outwardly
ⓑ distress, torment
ⓒ embarrassing, uncomfortable
ⓓ luckily, by good luck
ⓔ the act of cutting down all the trees
ⓕ plague, spread
ⓖ occur with, come with
ⓗ mixed, unsure, conflicting
ⓘ predict, forecast, anticipate
ⓙ lengthen, extend

B 밑줄 친 단어와 가장 뜻이 유사한 단어를 고르세요.

11 More manpower needs to be <u>allocated</u> to provide diverse language services.
   ⓐ neglected   ⓑ assigned   ⓒ noticed   ⓓ resolved

12 Centuries ago, the Duke of Tuscany <u>imposed</u> a tax on salt.
   ⓐ simulated   ⓑ predicted   ⓒ charged   ⓓ assumed

13 For the physicist, the duration of a "second" is <u>precise</u> and unambiguous.
   ⓐ equal   ⓑ embarrassing   ⓒ mixed   ⓓ accurate

14 How do you know when to follow your instincts and when to <u>ignore</u> them?
   ⓐ overcome   ⓑ distress   ⓒ neglect   ⓓ resist

15 Most stores put up Christmas <u>ornaments</u> during the holiday season.
   ⓐ suggestion   ⓑ search   ⓒ decorations   ⓓ stories

C 다음 빈칸에 들어갈 가장 알맞은 것을 박스 안에서 고르세요.

excavate	voluntary	surmount	pretend	address	ingest

16 Humans must be cautious not to _____ foods that are physiologically harmful.

17 In search of ancient ruins, an archaeology team _____(e)d possible sites on the island.

18 Most of the company training workshops are mandatory, but this Saturday's event is _____.

19 I would like to see if there is some way we can _____ your concerns.

20 Randy couldn't find a way to _____ the problems he was facing.

정답

01 ⓘ	02 ⓑ	03 ⓕ	04 ⓖ	05 ⓔ	06 ⓓ	07 ⓗ
08 ⓙ	09 ⓒ	10 ⓐ	11 ⓑ	12 ⓒ	13 ⓓ	14 ⓒ
15 ⓒ	16 ingest	17 excavate	18 voluntary	19 address	20 surmount	

음성 바로 듣기

0631 ☐☐☐ ★★★

improve

ⓥ **enhance, advance, develop**

향상시키다, 개선되다

[imprúːv]

Reducing stress and tension will help you **improve** your memory dramatically. 학평

➕ improvement ⓝ 향상, 개선

0632 ☐☐☐ ★★★

instantly

ⓐⅾ **immediately**

즉시, 즉각

[ínstəntli]

Graffiti reduces property values and **instantly** makes an area look ugly and rundown. 학평

➕ instant ⓐ 즉각적인 ⓝ 순간   instantaneous ⓐ 즉각적인

0633 ☐☐☐ ★★★

instrument

ⓝ **tool, implement**

악기, 기구, 도구

[ínstrəmənt]

Composers choose the sound of different **instruments** to produce their music. 수능

➕ instrumental ⓐ 중요한

0634 ☐☐☐ ★★★

phenomenon

ⓝ **occurrence, happening, event**

현상, 사건

[finάːmənàːn]

Hikikomori is a Japanese term which refers to the **phenomenon** of some people who have chosen to withdraw from social life. 학평

➕ phenomenal ⓐ 놀랄 만한, 경이로운

Tips · **시험에는 이렇게 나온다**

interesting phenomenon 흥미로운 현상   natural phenomenon 자연 현상
cultural phenomenon 문화적 현상

---

improve · 스트레스와 긴장을 줄이는 것은 당신의 기억력을 극적으로 향상시키는 데 도움을 줄 것이다.
instantly · 낙서는 부동산 가치를 떨어뜨리고 즉시 지역을 흉하고 황폐해 보이게 만든다.
instrument · 작곡가들은 그들의 음악을 제작하기 위해 각양 악기의 소리를 선택한다.
phenomenon · 히키코모리는 사회생활에서 물러나기로 선택한 일부 사람들에 대한 현상을 일컫는 일본어 용어이다.

0635 □□□ ★★★

evaluate

[ivǽljuèit]

ⓥ **assess, judge**

평가하다, 감정하다

The teachers' committee will **evaluate** the presentations and decide on a winner. (모평)

➕ evaluation ⓝ 평가   evaluative ⓐ 평가하는, 가치를 감정하는

Tips **어원으로 어휘 확장하기**

> e 밖으로(ex) + **val**(u) 가치 있는 + ate 동·접 ▶ 가치가 밖으로 보이게 가격, 등급 등을 이용해 평가하다
> ➕ **val**id ⓐ 유효한, 타당한

0636 □□□ ★★★

accomplish

[əkɑ́:mpliʃ]

ⓥ **achieve, attain, reach**

완수하다, 성취하다

Focus on one task at a time, and you'll **accomplish** each task better. (학평)

➕ accomplished ⓐ 완성된, 성취된   accomplishment ⓝ 업적, 공적, 재주
➖ fail ⓥ 실패하다

Tips **어원으로 어휘 확장하기**

> ac ~에(ad) + com 모두 + **pli** 채우다 + (i)ish 동·접 ▶ 빈 곳에 모두 채워서 완수하다
> ➕ com**pli**ment ⓥ 칭찬하다

0637 □□□ ★★★

crucial

[krú:ʃəl]

ⓐ **important, vital**

결정적인, 중요한

Emotions are **crucial** for everyday decision making. (학평)

➕ crucially ⓐⓓ 결정적으로
➖ minor ⓐ 하찮은   unimportant ⓐ 중요하지 않은

0638 □□□ ★★★

respondent

[rispándənt]

ⓝ **replier, answerer**

응답자

More than two-thirds of the questionnaires were returned by the female **respondents**. (수능)

➕ respond ⓥ 대답하다, 응답하다   responsive ⓐ 대답의, 즉각 반응하는

---

evaluate · 교원위원회는 발표를 평가하고 우승자를 결정할 것이다.
accomplish · 한 번에 한 가지 일에 집중하라, 그러면 당신은 각각의 일을 더 잘 완수할 것이다.
crucial · 감정은 일상적인 의사 결정에 매우 결정적이다.
respondent · 설문지의 3분의 2 이상이 여성 응답자들에 의해 반납되었다.

0639 ☐☐☐ ★★★

attribute

ⓥ[ətríbjuːt]
ⓝ[ǽtrəbjuːt]

| ⓥ ascribe, credit | ~의 탓(덕)으로 돌리다 |

| ⓝ characteristic, trait, quality | 특성, 속성 |

Not all residents **attribute** environmental damage to tourism. 수능

Attributes and values are passed down from parents to child across the generations. 학평

➕ attribution ⓝ 속성, 귀속   attributable ⓐ ~이 원인인, ~에 기인하는

Tips **어원으로 어휘 확장하기**

at ~에(ad) + tribute 배정하다 ▶ 원인을 다른 대상에 배정하다, 즉 그것의 탓으로 돌리다
➕ distribute ⓥ 나눠주다, 분배하다

0640 ☐☐☐ ★★★

prejudice

[prédʒudis]

| ⓝ bias, preconception | 편견, 선입관 |

It's not good to judge others with **prejudice**. 학평

➕ prejudicial ⓐ 편견을 갖게 하는, 불리한

Tips **어원으로 어휘 확장하기**

pre 앞서 + jud 올바른 + ice 명·접 ▶ 무엇이 올바른지 미리 앞서 가지고 있는 생각, 즉 편견
➕ judge ⓝ 판사, 심판 ⓥ 판결하다, 심사하다

0641 ☐☐☐ ★★★

excess

[iksés]

| ⓝ surplus, redundance | 과잉, 초과, 여분 |

| ⓐ spare, redundant, extra | 여분의, 초과한 |

One of the common problems of sensitive people is an **excess** of delta brainwaves. 학평

When you exercise regularly, you burn off **excess** body fat. 학평

➕ exceed ⓥ 넘다, 초과하다   excessive ⓐ 지나친

---

attribute	· 모든 주민이 환경 훼손을 관광의 탓으로 돌리는 것은 아니다.
	· 특성과 가치는 세대에 걸쳐 부모로부터 자녀에게 전해진다.
prejudice	· 편견을 가지고 다른 사람을 판단하는 것은 좋지 않다.
excess	· 예민한 사람들의 흔한 문제 중 하나는 델타 뇌파의 과잉이다.
	· 당신이 규칙적으로 운동할 때, 당신은 여분의 체지방을 태운다.

0642 ☐☐☐ ★★★

transform

[trænsfɔ́ːrm]

ⓥ convert, change, alter 변화시키다, 완전히 바꿔 놓다

Getting in the habit of asking questions **transforms** you into an active listener. (학평)

➕ transformation ⓝ 변화, 변신

Tips **어원으로 어휘 확장하기**

trans 가로질러 + **form** 형태 ▶ 먼 거리를 가로지른 듯 완전히 다른 형태로 변화시키다

➕ **trans**mit ⓥ 전송하다, 발송하다 **trans**port ⓥ 수송하다

0643 ☐☐☐ ★★★

scarce

[skέərs]

ⓐ limited, rare 부족한, 드문

Fresh sources of water are extremely **scarce** in the desert.

➕ scarcity ⓝ 부족, 결핍 scarcely ⓐⓓ 거의 ~않다, 겨우
➖ abundant ⓐ 풍부한

0644 ☐☐☐ ★★★

admire

[ædmáiər]

ⓥ respect, applaud 존경하다, 감탄하다

ⓥ praise 칭찬하다

Great scientists that we **admire**, are not concerned with results. (수능)

Westerners tend to **admire** someone who is independent and quick-thinking. (모평)

➕ admiration ⓝ 감탄, 존경 admirable ⓐ 감탄스러운, 존경스러운
➖ despise ⓥ 경멸하다

Tips **어원으로 어휘 확장하기**

ad ~에 + **mir**(e) 감탄하다 ▶ ~에 감탄하다

➕ **ad**vent ⓝ 출현, 도래 **mir**acle ⓝ 기적

---

transform · 질문하는 습관을 들이는 것은 당신을 적극적인 청자로 변화시킨다.
scarce · 사막에는 신선한 수원이 매우 부족하다.
admire · 우리가 존경하는 위대한 과학자들은 결과에 관심이 없다.
· 서양인들은 독립적이고 두뇌 회전이 빠른 사람을 칭찬하는 경향이 있다.

1 2 3 4 5 6 7 8 9 10 11 12 13 14 15 16 17 18 19 20 21 22 23 24 25

0645 ☐☐☐ ★★★

paw

[pɔ:]

ⓝ **the foot of an animal** (동물의) 발

Dogs were asked repeatedly to give their **paw**. (학평)

0646 ☐☐☐ ★★★

assemble

[əsémbl]

ⓥ **gather, collect** 모으다, 모이다

ⓥ **put together, join, build** 조립하다

He **assembled** groups of twelve university students. (수능)

You will need a screwdriver to **assemble** this desk.

➕ assembly ⓝ 집회, 조립, 의회

➖ disassemble ⓥ 분해하다, 해체하다

0647 ☐☐☐ ★★★

suppress

[səprés]

ⓥ **hold back, restrain** 참다, 억압하다

If we ignore or **suppress** health symptoms, they will become progressively more extreme. (학평)

➕ suppression ⓝ 억제, 진압

Tips **어원으로 어휘 확장하기**

sup 아래로 + press 누르다 ▶ 아래로 눌러 나오지 못하도록 억제하다

➕ oppress ⓥ 억압하다, 압박하다

0648 ☐☐☐ ★★

interval

[íntərvəl]

ⓝ **space, interlude** 간격, 사이

You can get slim by eating the right foods at the right **intervals** each day. (학평)

Tips **어원으로 어휘 확장하기**

inter 사이에 + val 벽 ▶ 벽과 벽 사이의 빈 간격

➕ inter**mission** ⓝ 휴식 시간, 중단 **inter**personal ⓐ 사람과 사람 사이의, 대인 관계의

---

paw · 개들은 반복적으로 발을 내밀라는 지시를 받았다.
assemble · 그는 12명의 대학생들로 구성된 그룹을 모았다.
· 이 책상을 조립하려면 드라이버가 필요할 것이다.
suppress · 만약 우리가 건강 증상을 무시하거나 참는다면, 그것들은 계속해서 더 심각해질 것이다.
interval · 당신은 매일 적당한 간격으로 적절한 음식을 먹음으로써 날씬해질 수 있다.

0649 ☐☐☐ ★★★

entrepreneur · n businessman
기업가, 사업가

[ὰ:ntrəprənə́:r]

No one is "born" to be an **entrepreneur** and everyone has the potential to become one. (의평)

➕ entrepreneurship n 기업가 정신

0650 ☐☐☐ ★★★

lyric · n the words of a song, poem
가사, 서정시

[lírik]

As a crowd gathered, my mind went blank and I forgot the **lyrics**. (모평)

0651 ☐☐☐ ★★★

fluctuate · v change, vary
변동하다, 오르내리다

[flʌ́ktʃuèit]

Because the temperature **fluctuates** so much in Wisconsin, many people carry warm clothes and umbrellas in their cars.

➕ fluctuation n 변동

0652 ☐☐☐ ★★★

germ · n microscopic organism
세균, 미생물

[dʒə:rm]

It is always best to wash your hands before cooking, in order to remove any **germs** from your hands.

0653 ☐☐☐ ★★★

aggregate · a overall, total
총체적인, 합계의

[ǽgrigət]

At the **aggregate** level, improving the level of energy efficiency has positive effects on macroeconomic issues. (수능)

➕ aggregational a 종합의, 집합의

Tips | **시험에는 이렇게 나온다**

aggregate demand 총수요　　　　　　aggregate income tax 종합소득세

---

entrepreneur · 아무도 기업가로 '태어나지' 않았으며 모든 사람은 기업가가 될 가능성이 있다.
lyric · 인파가 몰리면서 나의 머릿속이 하얘졌고 나는 가사를 까먹었다.
fluctuate · 위스콘신 주의 기온은 매우 크게 변동하기 때문에 많은 사람들은 그들의 차에 따뜻한 옷과 우산을 넣고 다닌다.
germ · 손에서 모든 세균을 제거하기 위해, 요리하기 전에 손을 씻는 것이 항상 가장 좋다.
aggregate · 총체적 수준에서, 에너지 효율 수준을 개선하는 것은 거시 경제 문제에 긍정적인 영향을 미친다.

0654 ☐☐☐ ★★

seize

[siːz]

Ⓥ **capture, catch, trap**　잡다, 장악하다

Humans are deeply sociable creatures, and will **seize** the chance to help others. (학평)

➕ seizure ⓝ 압수, 장악, (병의) 발작

0655 ☐☐☐ ★★

impair

[impέər]

Ⓥ **damage, worsen**　손상시키다, 악화시키다

Constantly listening to loud music will eventually **impair** your hearing. (학평)

➕ impairment ⓝ (신체적·정신적) 장애

0656 ☐☐☐ ★

legacy

[légəsi]

ⓝ **heritage, inheritance**　유산, 재산

Rome left an enduring **legacy** in many areas and multiple ways. (학평)

Tips　**어원으로 어휘 확장하기**

leg 법 + **acy** 명·접 ▶ 법으로 인정받아 물려받게 된 유산

➕ privi**leg**e ⓝ 특권

0657 ☐☐☐ ★★

contempt

[kəntémpt]

ⓝ **disrespect, disregard**　멸시, 경멸

Mary didn't have any respect for people who refuse to learn, and she treated them with **contempt**. (모평)

➕ contemptuous ⓐ 경멸하는　　contemptible ⓐ 경멸할 만한, 한심한

➖ respect ⓝ 존경, 존중

Tips　**시험에는 이렇게 나온다**

self contempt 자기 비하　　　　　　　　throw contempt on ~를 모욕하다
show contempt for ~에 대한 경멸을 드러내다

---

seize　　　　· 인간은 매우 사교적인 동물이므로, 다른 사람들을 도울 기회를 잡을 것이다.
impair　　　 · 계속해서 시끄러운 음악을 듣는 것은 결국 당신의 청력을 손상시킬 것이다.
legacy　　　 · 로마는 많은 지역과 여러 방면에서 불후의 유산을 남겼다.
contempt　 · Mary는 배우기를 거부하는 사람에 대한 존중이 전혀 없었고 그녀는 그들을 멸시하며 대했다.

0658 ☐☐☐ ★★

elusive

[ilúːsiv]

ⓐ **difficult to find**

찾아보기 힘든, 규정하기 힘든

A good apartment at a reasonable price was increasingly **elusive**.

➕ elude ⓥ 교묘히 피하다

0659 ☐☐☐ ★

bribe

[braib]

ⓝ **pay-off, kickback**

뇌물

ⓥ **pay off**

매수하다, 뇌물을 주다

The public official was so honest that he refused to take **bribes** even though he was poor. 한경

The senator was sued for having **bribed** the prime minister.

➕ bribery ⓝ 뇌물 수수

0660 ☐☐☐ ★

conceit

[kənsíːt]

ⓝ **arrogance, egotism**

자만심, 생각

Patty's **conceit** pushed many people away from her.

➕ conceited ⓐ 자만하는
➖ humility ⓝ 겸손

Tips **어원으로 어휘 확장하기**

con 모두 + ceit 잡다 ▶ 가진 것을 모두 손에 잡고 뽐냄, 즉 자만 또는 자부심
➕ concept ⓝ 개념, 관념 conclude ⓥ 결론을 내다, 끝내다

0661 ☐☐☐ ★

deference

[défərəns]

ⓝ **respect, courtesy, reverence**

복종, 경의

We are not the only species to give sometimes wrongheaded **deference** to those in authority positions. 모평

➕ defer ⓥ 미루다, 경의를 표하다

---

elusive · 합리적인 가격의 좋은 아파트는 점점 더 찾아보기 힘들었다.
bribe · 그 공무원은 가난했지만 매우 정직해서 뇌물을 받기를 거부했다.
· 그 의원은 국무총리를 매수해서 고소당했다.
conceit · Patty의 자만심은 많은 사람들을 그녀에게서 밀어냈다.
deference · 권위자의 위치에 있는 사람들에게 때때로 그릇된 복종을 표하는 종족은 우리뿐만이 아니다.

0662 ☐☐☐ ★ ★

exemplify

[igzémpləfài]

Ⓥ **typify, give an example of**

좋은 본보기가 되다, 예를 들다

Gutenberg **exemplifies** what Steve Jobs noted, "Creativity is just connecting things."

➕ example Ⓝ 예, 사례

0663 ☐☐☐ ★

rash

[ræʃ]

Ⓝ **spots, breakout**

발진, 뾰루지

The **rashes** around my neck are very sore.

0664 ☐☐☐ ★

scorn

[skɔːrn]

Ⓥ **ridicule, disdain, despise**

비웃다, 경멸하다

Henry was tired of being **scorned** by his classmates because of his height.

➖ respect Ⓥ 존중하다, 존경하다

0665 ☐☐☐ ★

redundant

[ridʌ́ndənt]

ⓐ **superfluous, unnecessary**

불필요한, 쓸모없는

Calling your pants "blue jeans" almost seems **redundant** because practically all denim is blue. 한영

➕ redundancy Ⓝ 여분, 과잉   redundantly ⓐⓓ 장황하게, 과다하게

---

exemplify　· 구텐베르크는 스티브 잡스가 말했던 "창의력은 단지 사물을 연결하는 것이다"의 좋은 본보기가 된다.
rash　· 내 목 주변의 발진이 무척 아프다.
scorn　· Henry는 키 때문에 반 친구들에게 비웃음을 당하는 것에 지쳤다.
redundant　· 당신의 바지를 '파란 청바지'라고 부르는 것은 거의 불필요한 것처럼 보이는데, 사실상 모든 데님들이 파란 색이기 때문이다.

Daily Quiz

A 알맞은 유의어를 고르세요.

01 entrepreneur		ⓐ superfluous, unnecessary
02 redundant		ⓑ businessman
03 deference		ⓒ pay-off, kickback
04 fluctuate		ⓓ ridicule, disdain, despise
05 scorn		ⓔ tool, implement
06 instrument		ⓕ respect, courtesy, reverence
07 bribe		ⓖ hold back, restrain
08 suppress		ⓗ ascribe, credit
09 attribute		ⓘ change, vary
10 phenomenon		ⓙ occurrence, happening, event

B 밑줄 친 단어와 가장 뜻이 유사한 단어를 고르세요.

11 The teachers' committee will <u>evaluate</u> the presentations and decide on a winner.
 ⓐ enhance   ⓑ attain   ⓒ assess   ⓓ convert

12 One of the common problems of sensitive people is an <u>excess</u> of delta brainwaves.
 ⓐ characteristic   ⓑ surplus   ⓒ bias   ⓓ praise

13 He <u>assembled</u> groups of twelve university students.
 ⓐ reached   ⓑ applauded   ⓒ credited   ⓓ gathered

14 Constantly listening to loud music will eventually <u>impair</u> your hearing.
 ⓐ alter   ⓑ respect   ⓒ damage   ⓓ build

15 Humans are deeply sociable creatures, and will <u>seize</u> the chance to help others.
 ⓐ despise   ⓑ vary   ⓒ restrain   ⓓ capture

C 다음 빈칸에 들어갈 가장 알맞은 것을 박스 안에서 고르세요.

scarce	contempt	scorn	accomplish	elusive	interval

16 Focus on one task at a time, and you'll ＿＿＿＿＿＿ each task better.

17 A good apartment at a reasonable price was increasingly ＿＿＿＿＿＿.

18 Fresh sources of water are extremely ＿＿＿＿＿＿ in the desert.

19 You can get slim by eating the right foods at the right ＿＿＿＿＿＿(e)s each day.

20 Mary didn't have any respect for people who refuse to learn, and she treated them with

＿＿＿＿＿＿.

0666 □□□ ★★★

reduce

[ridjúːs]

ⓥ **diminish, decline, decrease**   줄이다, 감소시키다

Walking for thirty minutes every day **reduces** the risk of developing diabetes considerably. (학평)

➕ reduction ⓝ 감소   reductive ⓐ 감소하는
➖ increase ⓥ 증가시키다

Tips **어원으로 어휘 확장하기**

re 뒤로 + **duc**(e) 끌다 ▶ 일부를 뒤로 끌어내 수량을 줄이다
➕ con**duct** ⓥ 이끌다, 지휘하다   in**duce** ⓥ 유도하다, 유발하다

0667 □□□ ★★★

imagery

[ímidʒəri]

ⓝ **metaphors, symbolism**   이미지, 형상화, 형상

The **imagery** and color used in the movie were breathtaking, inspiring awe in audiences.

➕ image ⓝ 이미지, 그림

0668 □□□ ★★★

spoil

[spɔil]

ⓥ **decay, turn bad**   상하게 하다, 망치다

ⓥ **indulge, harm the character of a child**   버릇없게 만들다

Humidity can cause the coffee to quickly **spoil**. (수능)

Giving a child too high an allowance will only **spoil** him.

➖ improve ⓥ 개선하다

---

reduce · 매일 30분 동안 걷는 것은 당뇨병에 걸릴 위험을 상당히 줄인다.
imagery · 그 영화에 사용된 이미지와 색상들은 관객들에게 경외심을 불러일으키며 숨막히게 했다.
spoil · 습기는 커피를 빨리 상하게 할 수 있다.
· 아이에게 너무 많은 용돈을 주는 것은 그를 버릇없게 만들 뿐이다.

assignment

[əsáinmənt]

Ⓝ **task, job**   과제, 임무

Ⓝ **distribution, allocation**   배정, 배치

On EdAll, students can check out **assignments** you post at any time. (모평)

The **assignment** of on-campus student housing is made on a first-come, first served basis.

➕ assign Ⓥ 배정하다, 맡기다

adjust

[ədʒʌ́st]

Ⓥ **modify, alter**   조절하다, 조정하다

Ⓥ **adapt, accustom**   적응하다

You should **adjust** the helmet so that it fits you. (학평)

Writing is an essential tool that will help you **adjust** to Korean university life. (수능)

➕ adjustment Ⓝ 적응, 조정

Tips **어원으로 어휘 확장하기**

ad ~에 + just 올바른 ▶ 어떤 것에 올바르게 맞추다, 맞게 적응하다

➕ justice Ⓝ 정의, 정당성   justify Ⓥ 정당화하다

equality

[ikwáləti]

Ⓝ **fairness, justness**   평등, 균등

Democracies require more **equality** if they are to grow stronger. (학평)

➕ equal ⓐ 동일한, 동등한   equally ⓐⓓ 똑같이, 균등하게
➖ inequality Ⓝ 불평등, 불균등

Tips **시험에는 이렇게 나온다**

social equality 사회적 평등   gender equality 성 평등
tax equality 조세 평등

---

assignment
· EdAll에서, 학생들은 언제든지 당신이 올린 과제를 확인할 수 있다.
· 캠퍼스 내 학생 숙소의 배정은 선착순으로 이루어진다.

adjust
· 헬멧이 당신에게 맞도록 조절해야 한다.
· 글쓰기는 한국 대학 생활에 적응하는 데 도움이 될 필수 수단이다.

equality
· 민주주의는 더 강력해지기 위해 더 많은 평등을 필요로 한다.

0672 □□□ ★★★

conventional
[kənvénʃənəl]

ⓐ **traditional, customary, typical**　　관습적인, 전통적인

You have to challenge the **conventional** ways of doing things to innovate. (수능)

➕ convention ⓝ 관습, 집회　conventionally ⓐd 인습적으로, 진부하게

0673 □□□ ★★★

mature
[mətjúər]

ⓐ **grown-up, adult**　　다 자란, 성숙한

ⓥ **develop, grow, become adult**　　성숙하다, 다 자라다

A **mature** horse may weigh as much as 1,000 kilograms.

As we **mature**, we learn that we must balance courage with caution. (학평)

➕ maturity ⓝ 성숙함　maturation ⓝ 익음, 성숙
➖ immature ⓐ 미숙한

0674 □□□ ★★★

abstract
[æbstrǽkt]

ⓐ **conceptual, theoretical, unreal**　　추상적인

The finished paintings were more **abstract** than realistic. (학평)

➕ abstraction ⓝ 추상

0675 □□□ ★★★

fatigue
[fətíːg]

ⓝ **tiredness, weariness**　　피로, 피곤

Cheese is not only rich in vitamin A but it also prevents eye **fatigue**. (학평)

0676 □□□ ★★★

criteria
[kraitíəri]

ⓝ **standard, measure, norm**　　기준(criterion의 복수형)

Criteria for graduate school admissions vary greatly depending on the university.

---

conventional	· 혁신하기 위해 일을 하는 관습적인 방식에 도전해야 한다.
mature	· 다 자란 말은 무게가 1,000킬로그램까지 나갈 수 있다.
	· 우리는 성숙해지면서, 용기와 신중함의 균형을 맞춰야 한다는 것을 배운다.
abstract	· 완성된 그림들은 사실적이기보다는 좀 더 추상적이었다.
fatigue	· 치즈는 비타민 A가 풍부할 뿐만 아니라 눈의 피로도 예방해 준다.
criteria	· 대학교에 따라 대학원 입학을 위한 기준이 크게 달라진다.

0677 ☐☐☐ ★★★

paralyze

[pǽrəlàiz]

Ⓥ **immobilize, freeze, incapacitate** 　마비시키다

Kevin had a car accident three years ago, and his legs were **paralyzed.** 수능

➕ paralysis ⓝ 마비 (상태), 정체

Tips **어원으로 어휘 확장하기**

para 반하는 + ly 느슨하게 하다(lax) + (i)ze 동·접 ▶ 의지에 반해 느슨하게 처지게 마비시키다

➕ **para**dox ⓝ 역설, 모순

0678 ☐☐☐ ★★★

intervention

[ìntərvénʃən]

ⓝ **involvement, mediation** 　개입, 중재

Some people claimed that the body has the ability to restore itself from illness without medical **intervention.** 학평

➕ intervene Ⓥ 개입하다, 끼어들다

Tips **시험에는 이렇게 나온다**

appropriate intervention 적절한 개입 　　educational intervention 교육적 개입
legal intervention 법적 중재 　　　　　　minimal intervention 최소한의 개입

0679 ☐☐☐ ★★★

retire

[ritáiər]

Ⓥ **resign, withdraw** 　은퇴하다, 후퇴하다

An elderly carpenter was ready to **retire.** 학평

➕ retirement ⓝ 은퇴, 퇴직

Tips **어원으로 어휘 확장하기**

re 뒤로 + tire 끌다 ▶ 뒤로 끌어 자리에서 물러나 은퇴하다

➕ **re**place Ⓥ 교체하다, 대신하다

0680 ☐☐☐ ★★★

statistic

[stətístik]

ⓝ **a set of numbers which represent facts** 　통계 (자료)

According to **statistics,** there have been boosts in the market demand for digital games. 학평

➕ statistical ⓐ 통계적인 　statistics ⓝ 통계(학), 통계 자료 　statistically ⓐⓓ 통계적으로

---

paralyze · Kevin은 3년 전에 교통사고가 났었고, 그의 다리는 마비되었다.
intervention · 몇몇 사람들은 신체가 의학적 개입 없이 질병으로부터 스스로를 회복할 수 있는 능력을 가지고 있다고 주장했다.
retire · 나이 든 목수는 은퇴할 준비가 되어 있었다.
statistic · 통계에 따르면, 디지털 게임에 대한 시장 수요에 큰 증가가 있었다.

0681 ☐☐☐ ★★

weave

[wiːv]

|v| **intertwine, braid** (실·천 등을) 짜다

Some kinds of spiders **weave** thick white bands of silk across the centers of their webs. 학평

➕ weaving ⓝ 짜기, 엮어서 만든 장식품

0682 ☐☐☐ ★★

deliberate

|a|[dilíbərət]
|v|[dilíbəreit]

|a| **intentional, designed, planned** 고의적인, 의도적인

|v| **consult, consider, contemplate** 심의하다, 심사숙고하다

Investigators said it was a **deliberate** crash, and not an accident.

The United States has a tradition of using town hall meetings to **deliberate** important issues within communities. 학평

➕ deliberately ⓐⓓ 고의로 deliberation ⓝ 숙고, 신중함 deliberative ⓐ 깊이 생각하는
➖ accidental ⓐ 우연한, 돌발적인

Tips **시험에는 이렇게 나온다**

deliberate policy 의도적인 정책   deliberate changes 의도적인 변화

0683 ☐☐☐ ★★

surgeon

[sə́ːrdʒən]

|n| **a doctor who practices surgery** 외과 의사

Dorothy Lavinia Brown is the first black female in the American South to become a **surgeon**. 학평

➕ surgery ⓝ 수술 surgical ⓐ 외과의, 수술의

0684 ☐☐☐ ★★

monetary

[mɑ́ːnətèri]

|a| **concerning money, financial** 금전적인, 화폐의

People accept offers where the **monetary** compensation is near the amount that they were hoping for. 학평

Tips **시험에는 이렇게 나온다**

monetary value 금전적 가치   monetary unit 통화 단위, 화폐 단위

---

weave · 어떤 종류의 거미는 자신들의 거미줄의 중앙을 가로질러 두껍고 하얀 비단 띠를 짠다.
deliberate · 수사관들은 그것은 사고가 아니라 고의적인 충돌이라고 말했다.
· 미국은 지역 사회 내에서 중요한 문제를 심의하기 위해 타운 홀 미팅을 이용하는 전통을 가지고 있다.
surgeon · Dorothy Lavinia Brown은 미국 남부에서 외과 의사가 된 최초의 흑인 여성이다.
monetary · 사람들은 금전적인 보상이 그들이 희망하고 있었던 금액에 가까운 경우 제안을 받아들인다.

0685 ☐☐☐ ★★

scatter

ⓥ disperse, spread

뿌리다, 분산시키다

[skǽtər]

The man **scattered** grass seeds all over the lawn.

➕ scattered ⓐ 흩어진

0686 ☐☐☐ ★★

evaporate

ⓥ disappear, vanish, fade

증발하다, 사라지다

[ivǽpərèit]

During the daytime, clouds continually form and then **evaporate**. 학평

➕ evaporation ⓝ 증발

Tips **어원으로 어휘 확장하기**
e 밖으로 + vapor 증기 + ate 동·접 ▶ 증기가 밖으로 날아가 마르다, 즉 증발하다
➕ emigrate ⓥ 이주하다, 이민 가다

0687 ☐☐☐ ★★

utmost

ⓐ greatest, highest

최고의, 극도의

[ʌ́tmòust]

Darlene always treats everybody with the **utmost** respect.

0688 ☐☐☐ ★★

introspective

ⓐ self-analyzing, self-examining

자기 성찰적인

[ìntrəspéktiv]

David has an **introspective** nature, so he was always evaluating his responses to things and trying to improve.

➕ introspect ⓥ 자기 반성하다   introspection ⓝ 자기 성찰, 내성

0689 ☐☐☐ ★★

plow

ⓥ dig up, cultivate

일구다, 쟁기로 갈다

[plau]

Farmers **plow** more and more fields to produce more food for the increasing population. 학평

➕ plough ⓝ 쟁기

---

scatter · 그 남자는 잔디밭 곳곳에 잔디 씨를 뿌렸다.
evaporate · 낮 동안, 구름은 계속해서 형성되고, 그런 다음 증발한다.
utmost · Darlene은 항상 모든 사람을 최고의 존경심을 가지고 대한다.
introspective · David는 자기 성찰적인 성격을 가지고 있어서 항상 어떤 일들에 대한 자신의 반응을 평가하고 개선하려고 노력했다.
plow · 농부들은 증가하는 인구를 위해 더 많은 식량을 생산하고자 점점 더 많은 밭을 일군다.

0690 ☐☐☐ ★★

expel

[ikspél]

Ⓥ **remove, eject, discharge**　　　퇴학시키다, 추방하다

The principal **expelled** the student from the school because he was constantly getting in fights.

➕ expellant ⓐ 쫓아내는

Tips　**어원으로 어휘 확장하기**

ex 밖으로 + pel 몰다 ▶ 안에 있던 것을 밖으로 몰아서 쫓아내다, 배출하다

➕ propel Ⓥ 나아가게 하다, 추진하다

0691 ☐☐☐ ★★

linear

[líniər]

ⓐ **straight, straightaway**　　　직선 모양의

The grapevines are planted in **linear** rows that are 8-feet apart.

➕ linearly ⓐⓓ 선으로, 연속적으로　　linearity ⓝ 직선성, 선형성

0692 ☐☐☐ ★

submerge

[səbmə́:rdʒ]

Ⓥ **plunge, immerse**　　　(물속에) 잠기다, 잠수하다

The morning after the heavy rainstorm, the path by the river was **submerged** under a foot of muddy water. 학평

Tips　**어원으로 어휘 확장하기**

sub 아래로 + merg(e) 물에 잠기다 ▶ 물 아래로 깊이 잠기다

➕ emerge Ⓥ 드러나다, 부상하다

0693 ☐☐☐ ★

publicize

[pʌ́bləsàiz]

Ⓥ **advertise, promote, make public**　홍보하다, 공표하다

The company worked hard to **publicize** the amount of charitable contributions they were making.

➕ public ⓐ 공공의, 대중의　　publicly ⓐⓓ 공개적으로, 공적으로

---

expel 　　· 교장은 그 학생이 계속 싸움을 일으켰기 때문에 그를 학교에서 퇴학시켰다.
linear 　　· 포도 덩굴은 8피트 간격인 직선 모양의 줄로 심어져 있다.
submerge 　· 폭우가 내린 다음 날 아침, 강가의 오솔길은 흙탕물 1피트 가량 아래에 잠겼다.
publicize 　· 그 회사는 그들이 내고 있었던 자선 기부금의 액수를 홍보하기 위해 열심히 일했다.

0694 ☐☐☐ ★

comprise

[kəmpráiz]

☑ **make up, compose**   구성하다

The museum's Teen Council is **comprised** of 12 students who love the arts. 학평

Tips   어원으로 어휘 확장하기

com 함께 + pris(e) 붙잡다 ▶ 함께 붙잡힌 여럿으로 어떤 것 하나가 구성되다

➕ imprison ☑ 가두다, 감금하다

0695 ☐☐☐ ★

appendix

[əpéndiks]

ⓝ **addition, appendage**   부록, 부가물

ⓝ **a tube at the beginning of the large intestine**   맹장

Readers may refer to the **appendix** for a list of suggested readings.

The **appendix** is an organ which serves as a "safe house" for good bacteria. 학평

➕ append ☑ 덧붙이다, 추가하다

0696 ☐☐☐ ★

verge

[vəːrdʒ]

ⓝ **edge, brink, threshold**   직전, 경계선

Feeling that he is on the **verge** of being fired, Harvey quits. 학평

0697 ☐☐☐ ★★

dread

[dred]

ⓝ **fear, horror, terror**   두려움, 공포, 불안

☑ **be afraid, scare**   무서워하다, 두려워하다

Barry was filled with **dread** as he approached the creepy abandoned barn.

A burnt child **dreads** the fire. 학평

➕ dreadful ⓐ 두려운, 지독한

---

comprise   · 그 박물관의 청소년 위원회는 예술을 사랑하는 12명의 학생들로 구성되어 있다.
appendix   · 독자들은 추천 도서 목록에 관련된 부록을 참조할 수 있다.
           · 맹장은 좋은 박테리아를 위한 '안전한 집'으로서의 역할을 하는 장기이다.
verge   · Harvey는 그가 해고당하기 직전임을 느껴서 그만 둔다.
dread   · Barry가 으스스한 버려진 헛간으로 다가갔을 때 그는 두려움으로 가득 찼다.
        · 불에 덴 아이는 불을 무서워한다.

0698 ☐☐☐ ★

overturn

[oúvərtə̀rn]

v **reverse, flip over, turn over**　　뒤집다, 전복시키다

The courts finally **overturned** the criminal's previous conviction, setting him free.

0699 ☐☐☐ ★

casualty

[kǽʒuəlti]

n **victim, fatality, death**　　피해자, 사상자, 희생자

We see lots of **casualties** every day, worldwide, resulting from the lack of education. (학쌤)

Tips **시험에는 이렇게 나온다**

casualty report 사상자 보고　　　　casualty department 응급 처치실

0700 ☐☐☐ ★

transient

[trǽnʃənt]

a **temporary, momentary**　　일시적인, 순간적인

Outer beauty is **transient**, but inner beauty lasts forever.

➕ transience n 덧없음, 무상

---

overturn　· 법정은 최종적으로 그 범죄자의 이전 유죄 판결을 뒤집고 그를 석방했다.
casualty　· 매일 전세계적으로 우리는 교육의 부족으로 인한 많은 피해자들을 본다.
transient　· 외적인 아름다움은 일시적이지만, 내적인 아름다움은 영원하다.

Daily Quiz

A 알맞은 유의어를 고르세요.

01	monetary	ⓐ	victim, fatality, death
02	intervention	ⓑ	advertise, promote, make public
03	expel	ⓒ	straight, straightaway
04	reduce	ⓓ	remove, eject, discharge
05	casualty	ⓔ	involvement, mediation
06	introspective	ⓕ	concerning money, financial
07	linear	ⓖ	diminish, decline, decrease
08	publicize	ⓗ	self-analyzing, self-examining
09	deliberate	ⓘ	task, job
10	assignment	ⓙ	intentional, designed, planned

B 밑줄 친 단어와 가장 뜻이 유사한 단어를 고르세요.

11 Democracies require more <u>equality</u> if they are to grow stronger.
   ⓐ metaphor   ⓑ distribution   ⓒ tiredness   ⓓ fairness

12 You have to challenge the <u>conventional</u> ways of doing things to innovate.
   ⓐ conceptual   ⓑ intentional   ⓒ traditional   ⓓ significant

13 Kevin had a car accident three years ago, and his legs were <u>paralyzed</u>.
   ⓐ removed   ⓑ promoted   ⓒ immobilized   ⓓ scared

14 The man <u>scattered</u> grass seeds all over the lawn.
   ⓐ reversed   ⓑ dispersed   ⓒ immersed   ⓓ considered

15 Outer beauty is <u>transient</u>, but inner beauty lasts forever.
   ⓐ temporary   ⓑ financial   ⓒ customary   ⓓ unreal

C 다음 빈칸에 들어갈 가장 알맞은 것을 박스 안에서 고르세요.

evaporate	abstract	spoil	comprise	adjust	mature

16 The museum's Teen Council is _____(e)d of 12 students who love the arts.

17 During the daytime, clouds continually form and then _____.

18 As we _____, we learn that we must balance courage with caution.

19 The finished paintings were more _____ than realistic.

20 Giving a child too high an allowance will only _____ him.

정답

01 ⓕ	02 ⓔ	03 ⓓ	04 ⓖ	05 ⓐ	06 ⓗ	07 ⓒ
08 ⓑ	09 ⓘ	10 ⓙ	11 ⓓ	12 ⓒ	13 ⓒ	14 ⓑ
15 ⓐ	16 comprise	17 evaporate	18 mature	19 abstract	20 spoil	

DAY 21

0701 ☐☐☐ ★★★

term

[təːrm]

n	word, expression	용어, 말
n	semester, period	학기, 기간
n	condition, provision	조건, 조항
v	call, name	이름 짓다, 칭하다

The term "multitasking" didn't exist until the 1960s. 수능

The university's fall term begins in September.

According to the terms of the deal, all the stores in the pharmacy chain will be renamed.

Claude Monet founded a new style of painting that was termed "Impressionism".

➕ terminology n 전문 용어

Tips | **시험에는 이렇게 나온다**

medical term 의학 용어	midterm exam 중간고사
short(long)-term 단(장) 기간	in terms of ~이라는 점에서

0702 ☐☐☐ ★★★

tip

[tip]

n	hint, suggestion, piece of advice	(실용적인) 팁, 조언
n	point, end	(뾰족한) 끝

One tip for sound sleep is to drink some warm milk before bed. 수능

The amount of fat you eat should be no larger than the tip of your thumb. 학평

---

term
· '멀티태스킹'이라는 용어는 1960년대까지 존재하지 않았다.
· 대학의 가을 학기는 9월에 시작한다.
· 거래 조건에 따라, 그 약국 체인의 모든 가게가 이름이 바뀔 것이다.
· 클로드 모네는 '인상주의'라고 이름 지어졌던 새로운 화풍을 창시했다.

tip
· 숙면을 위한 한 가지 팁은 잠자리 전에 약간의 따뜻한 우유를 마시는 것이다.
· 당신이 섭취하는 지방의 양은 엄지손가락 끝보다 많지 않아야 한다.

potential

[pəténʃəl]

[a] **possible, prospective, latent**   잠재력이 있는, 가능성 있는

[n] **ability, capability**   잠재력, 가능성

Businesses are always looking for potential new markets.

Most people realize only a small part of their potential. 수능

➕ potentially [ad] 가능성 있게, 잠재적으로   potent [a] 유력한, 영향력 있는

Tips | **시험에는 이렇게 나온다**

potential energy 잠재적 에너지   potential customer 잠재 고객
market potential 시장의 잠재력

delay

[diléi]

[v] **postpone, procrastinate**   늦추다, 지체시키다

[n] **hold-up, suspension**   지연, 지체

Blueberries help protect the brain from stress and delay brain aging by 2.5 years. 학평

Passengers experienced a long delay when the plane couldn't take off because of engine trouble.

ecosystem

[ìːkousístəm]

[n] **ecology**   생태계

Some species seem to have a stronger influence than others on their ecosystem. 모평

Tips | **어원으로 어휘 확장하기**

eco 환경 + system 체계, 시스템 ▶ 자연 환경의 체계, 즉 생태계
➕ economy [n] 경제, 경기, 절약

---

potential   · 기업들은 잠재력이 있는 새로운 시장을 항상 찾고 있다.
       · 대부분의 사람들은 자기 잠재력의 적은 부분만을 인식하고 있다.

delay   · 블루베리는 스트레스로부터 뇌를 보호하고 뇌의 노화를 2.5년 늦추는 데 도움을 준다.
       · 비행기가 엔진 고장으로 이륙하지 못하자 승객들은 오랜 지연을 겪었다.

ecosystem   · 어떤 종들은 다른 종들보다 그들의 생태계에 미치는 더 강한 영향력을 갖고 있다.

0706 ☐☐☐ ★★★

fundamental
[fʌ̀ndəméntl]

ⓐ **essential, basic**　　　　기본적인, 근본적인

Honesty is a fundamental part of every strong relationship. 한평

➕ fundamentally ⓐd 근본적으로

0707 ☐☐☐ ★★★

cognitive
[kά:gnitiv]

ⓐ **relating to the mental process**　　인지의, 인식의

Teens have superb cognitive abilities and high rates of learning and memory. 한평

➕ cognition ⓝ 인지, 지각　cognitively ⓐd 인식적으로

Tips **시험에는 이렇게 나온다**

cognitive process 인지 과정	cognitive ability 인지 능력
cognitive bias 인지 편향	cognitive error 인지적 오류

0708 ☐☐☐ ★★★

laboratory
[lǽbərətɔ̀:ri]

ⓝ **lab, testing room**　　　연구실, 실험실

To be a mathematician you don't need an expensive laboratory. 수능

Tips **어원으로 어휘 확장하기**

labor(at) 일 + ory 명·접(장소) ▶ 이론을 증명하려 실제로 일을 하는 실험실

➕ collaborate ⓥ 협력하다　elaborate ⓐ 정교한, 공들인 ⓥ 자세히 설명하다

0709 ☐☐☐ ★★★

dilemma
[dilémə]

ⓝ **crisis, puzzle, predicament**　　딜레마, 진퇴양난

It was a real dilemma when Gabriel tried to choose between receiving a massive fine or losing her job.

Tips **어원으로 어휘 확장하기**

di 둘 + lemma 전제 ▶ 결과가 나쁜 두 가지 전제밖에 없는 상황, 즉 딜레마

➕ dioxide ⓝ 이산화물　diploma ⓝ 졸업증, 학위, (수료) 증서

---

fundamental · 정직은 모든 견고한 관계의 기본적인 부분이다.
cognitive · 십대들은 뛰어난 인지 능력과 높은 학습률과 기억력을 가지고 있다.
laboratory · 수학자가 되기 위해서 당신은 비싼 연구실이 필요하지 않다.
dilemma · Gabriel이 거액의 벌금형을 받거나 자신의 직장을 잃는 것 중 하나를 선택하려고 했을 때 그것은 정말 딜레마였다.

0710 ☐☐☐ ★★★

reinforce

ⓥ **strengthen, support**

강화하다, 보강하다

[rìːinfɔ́ːrs]

Higher-ability students can reinforce their own knowledge by teaching those with lower ability. 모평

➕ reinforcement ⓝ 강화, 보강

Tips **어원으로 어휘 확장하기**

re 다시 + in 하게 만들다(en) + **force** 강한 ▶ 힘을 다시 한번 더 강하게 만들다, 즉 강화하다

➕ work**force** ⓝ 노동력, 노동자 en**force** ⓥ 강요하다, 집행하다

0711 ☐☐☐ ★★★

aggressive

ⓐ **hostile, combative**

공격적인, 매우 적극적인

[əgrésiv]

If you are looking for a guard dog, you have to choose an aggressive dog. 학평

➕ aggressively ⓐⓓ 공격적으로 aggression ⓝ 공격(성), 적극성

Tips **어원으로 어휘 확장하기**

ag ~에(ad) + **gress** 걸어가다 + ive 형·접 ▶ 상대에게로 걸어가서 먼저 공격하려 하는

➕ pro**gress** ⓝ 발전, 진전 ⓥ 나아가다, 진전을 보이다

re**gress** ⓥ 퇴보하다, 퇴행하다 ⓝ 퇴보, 퇴행, 후퇴

0712 ☐☐☐ ★★★

fade

ⓥ **dwindle, disappear, vanish**

서서히 사라지다, 희미해지다

[feid]

As time passed, his commitment and passion seemed to fade gradually. 모평

0713 ☐☐☐ ★★★

realm

ⓝ **area, field, domain**

영역, 왕국

[relm]

There is often a lot of uncertainty in the realm of science. 학평

Tips **시험에는 이렇게 나온다**

in the realm of + 학문(science/politics/psychology 등) ~의 영역에

---

reinforce · 더 높은 능력을 가진 학생들은 더 낮은 능력을 가진 학생들을 가르침으로써 그들 스스로의 지식을 강화할 수 있다.
aggressive · 만약 당신이 경비견을 찾고 있다면, 당신은 공격적인 개를 선택해야 한다.
fade · 시간이 흐르면서, 그의 헌신과 열정은 서서히 사라지는 것처럼 보였다.
realm · 과학의 영역에는 종종 많은 불확실성이 있다.

0714 ☐☐☐ ★★★

inherit

[inhérit]

ⓥ **receive from a parent or ancestor**   물려받다, 유전하다

Children inherit their genetic traits from their parents.

➕ inheritance ⓝ 상속, 유산
➖ disinherit ⓥ 상속권을 박탈하다

Tips | **어원으로 어휘 확장하기**
in 안에 + herit 상속인 ▶ 상속인이 될 자격 안에 들어와 상속받다
➕ heritage ⓝ 유산, 상속 재산

0715 ☐☐☐ ★★★

liberate

[líbərèit]

ⓥ **free, release, loosen**   해방시키다, 자유롭게 해주다

Financial security can liberate us from having to worry about the next paycheck. 수능

➕ liberation ⓝ 해방, 석방

Tips | **시험에는 이렇게 나온다**
liberate A from B A를 B로부터 해방시켜주다   liberate a slave 노예를 해방시키다

0716 ☐☐☐ ★★★

coherent

[kouhíərənt]

ⓐ **consistent**   일관성 있는

The argument presented by the opposing team in the debate wasn't coherent.

➕ coherence ⓝ 일관성   cohere ⓥ 일관성이 있다
➖ incoherent ⓐ 일관성이 없는

0717 ☐☐☐ ★★★

timber

[tímbər]

ⓝ **trees, wood**   목재, 산림

The house was made of timber cut from the local forest.

---

inherit · 자녀들은 그들의 부모로부터 유전적 특징을 물려받는다.
liberate · 재정적 안정은 다음 급여에 대해 걱정해야 하는 것으로부터 우리를 해방시킬 수 있다.
coherent · 그 토론에서 상대 팀에 의해 제시된 주장은 일관성이 있지 않았다.
timber · 그 집은 지역 산림에서 잘라낸 목재로 만들어졌다.

0718 ☐☐☐ ★★★

intricate

[íntrikət]

ⓐ **complex, complicated**

복잡한, 얽힌

The exterior walls of the Aztec temple are covered with intricate designs.

➕ intricacy ⓝ 복잡함

0719 ☐☐☐ ★★★

retrospect

[rétrəspèkt]

ⓝ **afterthought, hindsight**

회상, 추억

In retrospect, they probably made a poor choice. 수능

➕ retrospective ⓐ 회상하는

Tips | **어원으로 어휘 확장하기**

retro 뒤로 + spect 보다(spec) ▶ 뒤로 돌이켜보며 과거를 추억하다, 회상하다

➕ aspect ⓝ 측면, 방향, 관점 perspective ⓝ 관점

0720 ☐☐☐ ★★★

enrich

[inrítʃ]

ⓥ **enhance, improve, intensify**

풍요롭게 하다, (질을) 높이다

We believe that allowing people to live with their pets enriches their lives. 학평

➕ enrichment ⓝ 풍부하게 함

Tips | **어원으로 어휘 확장하기**

en 하게 만들다 + rich 부유한 ▶ 부유하게 만들다

➕ enlarge ⓥ 확대하다 endanger ⓥ 위험하게 하다

0721 ☐☐☐ ★★★

affair

[əfɛ́ər]

ⓝ **matter, business, issue, occasion**

정세, 일, 문제

The development of nylon had a surprisingly profound effect on world affairs. 학평

Tips | **시험에는 이렇게 나온다**

human affairs 인간사, 인간만사   personal affairs 사사로운 일, 개인사정
public/private affairs 공적인/사적인 일

---

intricate　· 아즈텍 신전의 외벽은 복잡한 문양으로 뒤덮여 있다.
retrospect　· 회상해보면, 그들은 아마도 잘못된 선택을 한 것 같다.
enrich　· 우리는 사람들이 반려동물과 함께 살도록 하는 것이 그들의 삶을 풍요롭게 한다고 생각한다.
affair　· 나일론의 개발은 세계 정세에 놀라울 정도로 깊은 영향을 끼쳤다.

0722 □□□ ★★

disperse

ⓥ scatter, dissipate, spread

흩어지게 하다, 퍼뜨리다

[dispə́:rs]

The smoke from the fire was rapidly dispersed by the strong winds.

➕ dispersal ⓝ 분산, 살포

Tips | **어원으로 어휘 확장하기**

dis 떨어져 + pers 뿌리다 + al 명·접 ▶ 서로 떨어지도록 흩뜨려 뿌림, 즉 분산 또는 살포

➕ discard ⓥ 버리다, 폐기하다   disguise ⓥ 변장하다, 위장하다

0723 □□□ ★★

fertile

ⓐ fruitful, rich

비옥한, 기름진

[fə́:rtl]

ⓐ productive, ready to bear

새끼를 가질 수 있는

Soil can be made fertile without using chemical fertilizers.

The basking shark becomes fertile at the age of four and a pregnancy lasts for about two years. 🏛

➕ fertility ⓝ 비옥함   fertilize ⓥ 비옥하게 하다

Tips | **시험에는 이렇게 나온다**

fetile soil/land 비옥한 흙/땅   become fertile 새끼를 가질 수 있게 되다

0724 □□□ ★★

bankrupt

ⓐ broke, unable to pay debts

파산한, 지불 능력이 없는

[bǽŋkrʌpt]

If a man is unable to repay his debt, he is declared bankrupt. 🏛

➕ bankruptcy ⓝ 파산

Tips | **어원으로 어휘 확장하기**

bank 책상 + rupt 깨다 ▶ 더 이상 돈이 없어 돈을 세던 책상을 깨고 파산한

➕ erupt ⓥ 분출하다, 터지다   disrupt ⓥ 붕괴시키다

---

disperse · 화재로 인한 연기는 강한 바람에 의해 빠르게 흩어졌다.
fertile · 토양은 화학 비료의 사용 없이도 비옥하게 만들 수 있다.
         · 돌묵상어는 4살 때 새끼를 가질 수 있게 되고 임신은 약 2년 동안 지속된다.
bankrupt · 만약 어떤 사람이 자신의 빚을 갚지 못하면, 그는 파산한 것으로 선고가 된다.

0725 ☐☐☐ ★★

prose

[prouz]

ⓝ a form of written language

산문(체)

The author wrote beautiful prose that captivated readers around the world.

0726 ☐☐☐ ★★

mediate

[míːdièit]

ⓥ arbitrate, negotiate

중재하다, 조정하다

Lawyers will be used to mediate between both sides in divorce settlements.

➕ mediation ⓝ 중재, 조정, 매개 mediator ⓝ 중재인, 조정관

0727 ☐☐☐ ★

fad

[fæd]

ⓝ trend, fashion

유행, 일시적 유행

Supermarkets in Japan are struggling to meet consumer demand for bananas as a fad diet sweeps the country. (한평)

0728 ☐☐☐ ★

glide

[glaid]

ⓥ slide

미끄러지다

Mary waxed her skis before using them so they would glide smoothly on the snow.

0729 ☐☐☐ ★★

irrigate

[írəgèit]

ⓥ water, bring water to

물을 대다, 관개하다

Farmers work tirelessly to irrigate the land to provide water to their crops.

➕ irrigation ⓝ 관개

0730 ☐☐☐ ★★

behold

[bihóuld]

ⓥ look at, see, observe

보다, 바라보다

The canyon was truly a magnificent and incredible sight to behold.

---

prose · 저자는 전 세계 독자들을 사로잡은 아름다운 산문을 썼다.
mediate · 이혼 합의에서 양측 사이를 중재하기 위해 변호사가 사용될 것이다.
fad · 일본의 슈퍼마켓들은 유행 식이요법으로 일본을 휩쓴 바나나에 대한 소비자들의 수요를 충족시키기 위해 애쓰고 있다.
glide · 스키를 사용하기 전에 Mary는 그것들이 눈 위에서 부드럽게 미끄러질 수 있도록 왁스를 칠했다.
irrigate · 농부들은 그들의 농작물에 물을 공급하고자 농지에 물을 대기 위해 끊임없이 일한다.
behold · 그 협곡은 보기에 정말 장엄하고 믿을 수 없는 광경이었다.

runaway

[rʌ́nəwèi]

| ⓐ escaped, delinquent | 달아난, 가출한 |
| ⓝ escaper | 가출자, 도망자 |

The runaway horse was finally found wandering alone in a field.

Nearly all runaways come from homes in which there are clear problems. (학평)

deflect

[diflékt]

| ⓥ divert, redirect | 피하다, 방향을 바꾸다 |

When man-made disasters occur, governments try to deflect the blame.

➊ deflection ⓝ 굴절, 꺾임

Tips **어원으로 어휘 확장하기**

de 떨어져 + flect 구부리다 ▶ 본래 진로에서 떨어지도록 구부려 방향을 바꾸다

➊ reflect ⓥ 반사하다, 반영하다

preface

[préfis]

| ⓝ introduction, foreword | 서문, 머리말 |

The preface to the book provided some insight into the author's writing process and inspiration.

knot

[nɑt]

| ⓝ loop, bond | 매듭 |

Chinese priests used to dangle a rope from the temple ceiling with knots representing the hours. (학평)

veterinarian

[vètərənéəriən]

| ⓝ a doctor who treats animals, vet | 수의사 |

Sam took his cat to the veterinarian to treat it. (학평)

---

runaway	· 달아난 말은 마침내 들판에서 혼자 헤매고 있는 것이 발견되었다.
	· 거의 모든 가출자들은 명백한 문제가 있는 가정의 출신이다.
deflect	· 인재가 발생하면, 정부는 비난을 피하려고 노력한다.
preface	· 그 책의 서문은 저자의 글쓰기 과정과 영감에 대한 약간의 이해를 제공했다.
knot	· 중국의 승려들은 절 천장에 시간을 나타내는 매듭이 있는 밧줄을 매달곤 했다.
veterinarian	· Sam은 그의 고양이를 치료하기 위해 수의사에게 데려갔다.

Daily Quiz

A 알맞은 유의어를 고르세요.

01	fad	ⓐ	postpone, procrastinate
02	prose	ⓑ	slide
03	reinforce	ⓒ	lab, testing room
04	preface	ⓓ	introduction, foreword
05	cognitive	ⓔ	strengthen, support
06	laboratory	ⓕ	a form of written language
07	delay	ⓖ	trend, fashion
08	glide	ⓗ	ecology
09	coherent	ⓘ	relating to the mental process
10	ecosystem	ⓙ	consistent

B 밑줄 친 단어와 가장 뜻이 유사한 단어를 고르세요.

11 Honesty is a <u>fundamental</u> part of every strong relationship.

ⓐ possible　　　　ⓑ combative　　　　ⓒ consistent　　　　ⓓ essential

12 When man-made disasters occur, governments try to <u>deflect</u> the blame.

ⓐ scatter　　　　ⓑ divert　　　　ⓒ slide　　　　ⓓ release

13 The exterior walls of the Aztec temple are covered with <u>intricate</u> designs.

ⓐ basic　　　　ⓑ broke　　　　ⓒ complex　　　　ⓓ fruitful

14 If you are looking for a guard dog, you have to choose an <u>aggressive</u> dog.

ⓐ productive　　　　ⓑ delinquent　　　　ⓒ rich　　　　ⓓ hostile

15 As time passed, his commitment and passion seemed to <u>fade</u> gradually.

ⓐ negotiate　　　　ⓑ enhance　　　　ⓒ dwindle　　　　ⓓ postpone

C 다음 빈칸에 들어갈 가장 알맞은 것을 박스 안에서 고르세요.

fertile	mediate	realm	enrich	term	inherit

16 Children _____ their genetic traits from their parents.

17 Soil can be made _____ without using chemical fertilizers.

18 We believe that allowing people to live with their pets _____(e)s their lives.

19 Claude Monet founded a new style of painting that was _____e(d) "Impressionism".

20 Lawyers will be used to _____ between both sides in divorce settlements.

정답

01 ⓖ	02 ⓕ	03 ⓔ	04 ⓓ	05 ⓘ	06 ⓒ	07 ⓐ
08 ⓑ	09 ⓙ	10 ⓗ	11 ⓓ	12 ⓑ	13 ⓒ	14 ⓓ
15 ⓒ	16 inherit	17 fertile	18 enrich	19 term	20 mediate	

0736 ☐☐☐ ★★★

direction

[dirékʃən]

| ⓝ way, course | 방향, 방위 |
| ⓝ guidance, instruction | 지시, 지도 |

We hit a car coming from the other direction. 수능

Just follow our staff members' directions. 수능

➕ direct ⓐ 직접적인, 직행의 ⓥ 길을 알려 주다, 감독하다, 지휘하다

Tips **시험에는 이렇게 나온다**

opposite direction 반대 방향　　　　　　right direction 올바른 방향

0737 ☐☐☐ ★★★

account

[əkáunt]

ⓝ deposit, bank account	계좌
ⓥ explain, justify	설명하다, 밝히다
ⓥ take up, occupy	차지하다, 정하다

I'd like to withdraw money from my account. 모평

The suspect couldn't account for his whereabouts last night.

Women account for over 40% of all doctors. 학평

➕ accountant ⓝ 회계사　accountable ⓐ 설명할 수 있는, 설명할 의무가 있는

Tips **시험에는 이렇게 나온다**

account for 설명하다, 차지하다　　　　　take A into account A를 고려하다

---

direction · 우리는 다른 방향에서 오는 차를 들이받았다.
　　　　　 · 저희 직원의 지시만 따르세요.
account · 나는 내 계좌에서 돈을 인출하고 싶다.
　　　　 · 그 용의자는 어젯밤 자신의 행방을 설명할 수 없었다.
　　　　 · 여성은 전체 의사의 40% 이상을 차지한다.

accord

[əkɔ́ːrd]

ⓥ **correspond, agree**   일치하다, 부합하다

My boss's decision accorded with my own opinions about what we should do.

➕ accordance ⓝ 일치   accordingly ⓐⓓ 그에 따라서

Tips **어원으로 어휘 확장하기**

ac ~쪽으로(ad) + cord 마음 ▶ 같은 쪽으로 마음을 합쳐 뜻이 일치하다

➕ discord ⓥ 일치하지 않다

interaction

[ìntərǽkʃən]

ⓝ **interplay, communication**   상호작용, 소통

Team sports like soccer or basketball can teach you how to have positive interactions with others. ⓐ행

➕ interact ⓥ 상호 작용하다   interactive ⓐ 상호 작용을 하는

stock

[stɑːk]

ⓥ **carry, equip, stockpile**   비축하다, 보관하다

ⓝ **inventory**   재고, 비축물

ⓝ **shares, investments**   주식 (자본), 주

We stock name-brand equipment for any sport you can think of. ⓢ능

Unfortunately, the black skirt is out of stock at the moment. ⓜ평

People believe the stocks they own will perform better than stocks they do not own. ⓢ능

➕ overstock ⓥ 재고 과잉이다

Tips **시험에는 이렇게 나온다**

out of stock 재고가 없는   in stock 재고를 가지고 있는

---

accord · 내 상사의 결정은 우리가 해야 할 것에 대한 내 의견과 일치했다.
interaction · 축구나 농구와 같은 팀 스포츠는 당신에게 다른 사람들과 긍정적인 상호작용을 하는 방법을 가르쳐 줄 수 있다.
stock · 저희는 당신이 생각할 수 있는 모든 운동에 대한 유명 브랜드의 장비를 비축하고 있습니다.
· 안타깝게도, 검은색 치마는 현재 재고가 없다.
· 사람들은 그들이 소유한 주식이 그들이 소유하지 않은 주식보다 더 나은 성과를 낼 것이라고 믿는다.

0741 □□□ ★★★

norm

[nɔːrm]

ⓝ rule, standard

규범, 표준

The **norm** in journalism is for writers to keep their sources confidential.

Tips **어원으로 어휘 확장하기**

norm 규범, 기준 ▶ 따르거나 맞춰야 하는 규범, 기준

➕ **normal** ⓐ 정상적인, 보통의

0742 □□□ ★★★

superior

[səpíəriər]

ⓐ better, surpassing

우수한, 우월한

Just because something costs more doesn't mean it has **superior** quality.

➕ superiority ⓝ 우월함, 우수

➖ inferior ⓐ 열등한, 하급의

Tips **어원으로 어휘 확장하기**

super 위에 + **ior** 더 ~한 ▶ 더 위에 있는, 즉 우월한 또는 우수한

➕ **super**natural ⓐ 초자연적인 **super**stition ⓝ 미신

0743 □□□ ★★★

reliable

[riláiəbl]

ⓐ dependable, trustworthy, credible

신뢰할 수 있는

High safety standards guarantee that all tires will be safe and **reliable**. 학평

➕ reliance ⓝ 의존, 의지

➖ unreliable ⓐ 신뢰할 수 없는

0744 □□□ ★★★

occupy

[á:kjupài]

ⓥ seize, take over

차지하다, 점령하다

Our primary sense is vision, **occupying** up to one-third of our brain.

➕ occupation ⓝ 점령, 직업 occupant ⓝ 사용자, 점유자 occupied ⓐ 사용 중인, 점령된

➖ vacate ⓥ 비우다, 떠나다

---

norm · 언론계의 규범은 기자가 자신의 정보원을 비밀로 하는 것이다.
superior · 무언가가 단지 가격이 더 비싸다고 해서 그것이 우수한 품질이라는 것을 의미하지는 않는다.
reliable · 높은 안전 기준은 모든 타이어가 안전하고 신뢰할 수 있을 것임을 보장한다.
occupy · 우리의 주된 감각은 시각으로 우리의 뇌의 3분의 1까지 차지한다.

0745 ☐☐☐ ★★★

artificial

[ɑ̀ːrtəfíʃəl]

ⓐ man-made, synthetic 인공의, 인위적인

The new artificial skin is flexible enough to wrap around robot fingers and relatively inexpensive to make. 모평

➕ artifact ⓝ 인공물, 인공 유물
➖ natural ⓐ 천연의, 자연 발생적인

Tips **시험에는 이렇게 나온다**

artificial light 인공 광원 artificial intelligence 인공지능
artificial satellite 인공위성

0746 ☐☐☐ ★★★

reserve

[rizə́ːrv]

ⓥ book, prearrange 예약하다, 따로 잡아두다

ⓝ deposit, stock, accumulation 매장량, 비축(물)

You reserved one room for one night at the regular rate of $100. 수능

There are potentially more oil reserves in Alaska than in Saudi Arabia. 학평

➕ reservation ⓝ 예약 reserved ⓐ 남겨둔, 예비의

Tips **어원으로 어휘 확장하기**

re 뒤에 + serv(e) 지키다 ▶ 지켜서 뒤에 따로 남겨두다, 즉 예약하다
➕ preserve ⓥ 지키다, 보호하다 conserve ⓥ 보존하다, 아끼다

0747 ☐☐☐ ★★★

resolve

[rizάːlv]

ⓥ settle, solve, decide 해결하다, 결심하다

In some cases, mediators can help parties resolve legal disputes without going to court.

➕ resolution ⓝ 해결, 결단력 resolute ⓐ 단호한, 확고한

Tips **어원으로 어휘 확장하기**

re 다시 + solv(e) 느슨하게 하다 ▶ 엉킨 것을 다시 느슨하게 풀어 해결하다
➕ solve ⓥ (문제 등을) 풀다, 해결하다, 용해하다 dissolve ⓥ 녹다, (녹아) 없어지다

---

artificial · 새로운 인공 피부는 로봇 손가락을 감쌀 수 있을 만큼 충분히 유연하고, 제작하기에 상대적으로 저렴하다.
reserve · 당신은 100달러의 정상 요금으로 1박의 방을 하나 예약했다.
· 알래스카에는 사우디아라비아보다 잠재적으로 더 많은 석유 매장량이 있다.
resolve · 어떤 경우에, 중재인들은 소송 당사자들이 법원에 가는 것 없이 법적 분쟁을 해결하도록 도와줄 수 있다.

0748 ☐☐☐ ★★★

absolute
ⓐ **complete, utter**　　　완전한, 절대적인

[ǽbsəlùːt]

You'd better try spending twenty-four hours in absolute solitude. 모평

➕ absolutely ⓐⓓ 절대적으로, 틀림없이

Tips **시험에는 이렇게 나온다**

absolute truth 절대적인 진리　　　absolute authority 절대적인 권한

0749 ☐☐☐ ★★★

glacier
ⓝ **ice sheet**　　　빙하

[gléiʃər]

The edge of the sea rises or falls as the glaciers melt or grow. 수능

0750 ☐☐☐ ★★★

dedicate
ⓥ **devote, commit**　　　전념하다, 바치다

[dédikèit]

For almost three decades, Robert dedicated himself to his business. 학평

➕ dedication ⓝ 헌신, 전념　　 dedicated ⓐ 전념하는, 헌신적인

Tips **어원으로 어휘 확장하기**

de 떨어져 + dic 말하다 + ate 동·접 ▶ 다른 유혹에서 떨어져 자신을 바치겠다고 말하다, 즉 헌신하다
➕ dictate ⓥ 지시하다　 contradict ⓥ 반박하다, 모순되다

0751 ☐☐☐ ★★★

suburb
ⓝ **countryside, outskirts**　　　교외

[sʌ́bəːrb]

Cities in Western Europe tend to be economically healthy compared with their suburbs. 수능

➕ suburban ⓐ 교외의

Tips **어원으로 어휘 확장하기**

sub 아래에 + urb 도시 ▶ 도시 아래쪽의 주택지 등이 있는 교외 지역
➕ submerge ⓥ 잠기다, 잠수하다　 urban ⓐ 도시의, 도회지의

---

absolute　· 당신은 24시간을 완전한 고독 속에서 보내도록 노력하는 것이 좋을 것이다.
glacier　· 해안선은 빙하가 녹거나 커짐에 따라 올라가거나 내려간다.
dedicate　· 거의 30년 동안, Robert는 자신의 사업에 전념했다.
suburb　· 서유럽의 도시들은 교외와 비교해서 경제적으로 건강한 경향이 있다.

0752 □□□ ★★★

breed

[briːd]

| ⓥ reproduce, multiply | 번식하다, 새끼를 낳다 |
| ⓝ species, kind | 품종, 유형 |

Stray cats breed rapidly and have to be dealt with by the state. (한평)

The Icelandic horse is a breed of horse developed in Iceland. (학평)

➕ breeder ⓝ 사육사

Tips | **시험에는 이렇게 나온다**

breeding season 번식기   breeding pattern 번식 패턴
breeding ground 서식지

0753 □□□ ★★★

moderate

[máːdərət]

| ⓐ reasonable, appropriate, average | 적당한, 보통의, 중도의 |

This is true to a certain extent, and moderate consumption of cold-energy foods can be beneficial. (모평)

➕ moderately ⓐⓓ 적당히, 알맞게   moderation ⓝ 적당함, 온건

Tips | **시험에는 이렇게 나온다**

moderate amount 적당한 양   moderate climate 온난한 기후
moderate exercise 적당한 운동

0754 □□□ ★★★

anatomy

[ənǽtəmi]

| ⓝ study of animal, plant structure | 해부학 |

A medical student must have expertise in human anatomy before studying surgical techniques. (모평)

➕ anatomic ⓐ 해부(학)의

Tips | **어원으로 어휘 확장하기**

ana 매우 + tom 자르다 + y 명·접 ▶ 어떤 것을 매우 잘게 잘라서 보는 해부
➕ analyze ⓥ 분석하다, 해부하다

---

breed   · 유기묘는 빠르게 번식하므로 국가에 의해 처리되어야 한다.
               · 아이슬란드 말은 아이슬란드에서 개발된 말의 한 품종이다.
moderate   · 이것은 어느 정도 사실이며, 냉에너지 음식의 적당한 섭취는 유익할 수 있다.
anatomy   · 의대생은 수술기법을 공부하기 전에 인체 해부학에 대한 전문지식이 있어야 한다.

0755 ☐☐☐ ★★★

infer

[infə́:r]

Ⓥ deduce, reason

추론하다, 뜻하다

Galileo **inferred** that if the ramp were flat, the ball would roll forever at a steady rate. 학평

➕ inference Ⓝ 추론   inferential Ⓐ 추론의, 추정에 의한

0756 ☐☐☐ ★★★

eclipse

[iklíps]

Ⓝ shadowing of the sun or moon

일식, 월식

In Nepal, **eclipses** are traditionally considered bad luck. 학평

0757 ☐☐☐ ★★★

foretell

[fɔːrtél]

Ⓥ predict, anticipate

예고하다, 예언하다

The clouds **foretold** that a brutal storm was on the horizon.

➕ foreteller Ⓝ 예언자, 예고하는 사람

0758 ☐☐☐ ★★★

magnificent

[mægnífəsnt]

Ⓐ superb, gorgeous, beautiful

웅장한, 장엄한

In 1688, Sir Christopher Wren designed a **magnificent** town hall for the city of Westminster. 학평

➕ magnificently Ⓐⓓ 웅장하게, 장대하게

Tips | **어원으로 어휘 확장하기**

magni 큰 + **fic** 만들다 + ent 형·접 ▶ 크게 만들어 웅장한

➕ **fic**tion Ⓝ 소설, 허구   defi**cit** Ⓝ 적자, 부족액

0759 ☐☐☐ ★★★

sphere

[sfiər]

Ⓝ globe, orb

구, 구체

When told it is round, children often pictured the Earth as a pancake rather than as a **sphere**. 학평

Tips | **어원으로 어휘 확장하기**

sphere 구 ▶ 구, 구 모양의 물체

➕ atmo**sphere** Ⓝ 대기, 공기   bio**sphere** Ⓝ 생물권

- -

infer · 갈릴레오는 만약 경사로가 평평했다면, 공은 일정한 속도로 영원히 굴러갔을 것이라고 추론했다.
eclipse · 네팔에서, 일식은 전통적으로 불운으로 여겨진다.
foretell · 구름은 혹독한 폭풍이 곧 일어날 것임을 예고했다.
magnificent · 1688년에, Christopher Wren경이 웨스트민스터시를 위한 웅장한 시청을 설계했다.
sphere · 지구가 둥글다고 들었을 때, 아이들은 종종 지구를 구처럼보다는 팬케이크처럼 그렸다.

0760 ☐☐☐ ★★★

discourse

[dískɔːrs]

ⓝ dialogue, communication, discussion   담론, 담화

There was a lot of discourse happening regarding the family's future plans.

0761 ☐☐☐ ★★★

durable

[djúərəbl]

ⓐ enduring, lasting   오래가는, 내구성이 있는

Silk was used as writing material in ancient China, as it was durable and more portable than wood. (학평)

➕ durability ⓝ 튼튼함, 내구성

> **Tips**   어원으로 어휘 확장하기
>
> **dur** 지속적인 + able 할 수 있는 ▶ 오래 지속될 수 있는, 튼튼한
> ➕ endure ⓥ 견디다, 참다   duration ⓝ 지속(기간)

0762 ☐☐☐ ★★★

loyal

[lɔ́iəl]

ⓐ faithful, devoted   충실한, 성실한

The captain was discharged from the army after 30 years of loyal service.

➕ loyalty ⓝ 충실, 충성

0763 ☐☐☐ ★★

nonetheless

[nʌ̀nðəlès]

conj nevertheless   그럼에도 불구하고

Non-exercise activities burn calories at a slower rate than intentional exercise, but they burn calories nonetheless. (학평)

0764 ☐☐☐ ★★

dormant

[dɔ́ːrmənt]

ⓐ inactive, torpid   성장 (활동을) 중단한, 휴면 중인

The seeds of many wild plants remain dormant for months until winter is over and rain sets in. (수능)

➕ dormancy ⓝ 휴면 상태, 비활동 상태

---

discourse · 그 가족의 미래 계획에 대해 많은 담론이 이뤄지고 있었다.
durable · 비단은 오래가고 나무보다 휴대성이 더 좋기 때문에 고대 중국에서 필기 재료로 사용되었다.
loyal · 그 지휘관은 30년간의 충실한 복무를 마치고 제대했다.
nonetheless · 운동이 아닌 활동들은 계획적인 운동보다 더 느린 속도로 칼로리를 소모하지만, 그럼에도 불구하고 칼로리를 소모한다.
dormant · 많은 야생 식물의 씨앗은 겨울이 끝나고 비가 올 때까지 몇 달 동안 성장 활동을 중단한 채로 있다.

lease

ⓝ **real estate contract**　　　임대차 (계약)

[li:s]

I have lived in this apartment for the last ten years and the lease has been renewed three times. (수능)

assimilation

ⓝ **absorption, digestion**　　　동화, 흡수

[əsìməléiʃən]

Many immigrants undergo assimilation, adopting many of the practices of their new home.

➕ assimilate ⓥ 동화하다, 흡수하다

supreme

ⓐ **paramount, prime, chief**　　　최고의, 극도의, 최상의

[sə:prí:m]

He was the supreme authority on legal matters, so nobody could dispute his decisions.

➕ supremacy ⓝ 우위, 우월　　supremely ⓐ d 극도로, 지극히

aversion

ⓝ **distaste, dislike, hostility, nausea**　　　혐오, 반감

[əvə́:rʒən]

A young man naturally conceives an aversion to labor when he receives no benefit from it.

➕ averse ⓐ 싫어하는, 꺼리는　　aversive ⓐ 혐오의, 회피적인

flee

ⓥ **escape, evade**　　　도망치다, 피하다

[fli:]

Almost all insects will flee if threatened. (학평)

onset

ⓝ **beginning, start**　　　시작, 개시, 착수

[ɑ́:nsèt]

At the onset of colder weather in October, the animals build a nest and go to sleep until April. (학평)

---

lease	· 나는 이 아파트에 지난 10년 동안 살아왔고 임대차 계약이 세 번 갱신되었다.
assimilation	· 많은 이민자들은 그들의 새로운 고향의 관습들 중 다수를 채택하면서 동화를 경험한다.
supreme	· 그는 법적 문제에 있어서 최고 권위자였기 때문에 아무도 그의 결정에 이의를 제기할 수 없었다.
aversion	· 한 젊은이는 노동으로부터 아무런 보상도 받지 못할 때 자연스럽게 노동에 대한 혐오를 품는다.
flee	· 거의 모든 곤충들은 위협을 받으면 도망칠 것이다.
onset	· 10월에 더 추운 날씨가 시작될 때, 동물들은 둥지를 만들고 4월까지 잠을 잔다.

Daily Quiz

A 알맞은 유의어를 고르세요.

01 artificial		ⓐ real estate contract
02 absolute		ⓑ man-made, synthetic
03 magnificent		ⓒ inactive, torpid
04 anatomy		ⓓ countryside, outskirts
05 suburb		ⓔ complete, utter
06 resolve		ⓕ enduring, lasting
07 moderate		ⓖ study of animal, plant structure
08 durable		ⓗ settle, solve, decide
09 dormant		ⓘ reasonable, appropriate, average
10 lease		ⓙ superb, gorgeous, beautiful

B 밑줄 친 단어와 가장 뜻이 유사한 단어를 고르세요.

11 For almost three decades, Robert <u>dedicated</u> himself to his business.
　　ⓐ explained　　　　ⓑ devoted　　　　ⓒ seized　　　　ⓓ settled

12 My boss's decision <u>accorded</u> with my own opinions about what we should do.
　　ⓐ reproduced　　　　ⓑ anticipate　　　　ⓒ deduced　　　　ⓓ corresponded

13 High safety standards guarantee that all tires will be safe and <u>reliable</u>.
　　ⓐ reasonable　　　　ⓑ dependable　　　　ⓒ inactive　　　　ⓓ prime

14 He was the <u>supreme</u> authority on legal matters, so nobody could dispute his decisions.
　　ⓐ faithful　　　　ⓑ unqualified　　　　ⓒ upper　　　　ⓓ paramount

15 The clouds <u>foretold</u> that a brutal storm was on the horizon.
　　ⓐ equipped　　　　ⓑ decided　　　　ⓒ predicted　　　　ⓓ occupied

C 다음 빈칸에 들어갈 가장 알맞은 것을 박스 안에서 고르세요.

loyal	stock	interaction	account	breed	reserve

16 Team sports like soccer or basketball can teach you how to have positive _____(e)s with others.

17 You _____(e)d one room for one night at the regular rate of $100.

18 Stray cats _____ rapidly and have to be dealt with by the state.

19 The captain was discharged from the army after 30 years of _____ service.

20 Women _____ for over 40% of all doctors.

정답
01 ⓑ	02 ⓔ	03 ⓙ	04 ⓖ	05 ⓓ	06 ⓗ	07 ⓘ
08 ⓕ	09 ⓒ	10 ⓐ	11 ⓑ	12 ⓓ	13 ⓑ	14 ⓓ
15 ⓒ	16 interaction	17 reserve	18 breed	19 loyal	20 account	

DAY 23

0771 ☐☐☐ ★★★

perform

[pərfɔ́ːrm]

| ⓥ carry out, fulfill | (임무 등을) 수행하다, 행하다 |
| ⓥ act, appear on stage | 공연하다, 연기하다 |

Our nervous system determines the complexity of activities that we are able to perform. 수능

The winning class will get to perform at the school festival. 학평

➕ performance ⓝ 공연, 수행   performer ⓝ 연기자, 연주자, 수행자

0772 ☐☐☐ ★★★

reflect

[riflékt]

| ⓥ mirror, show, indicate | 반영하다, 나타내다 |
| ⓥ introspect, consider, ponder | 반성하다, 곰곰이 생각하다 |

The broadcaster's statements do not reflect the views of this station.

We have the ability to reflect on our own past errors. 학평

➕ reflection ⓝ 반영, 숙고, 반사

Tips | **어원으로 어휘 확장하기**

re 뒤로 + flect 구부리다 ▶ 들어온 빛을 뒤로 구부려 반사하다

➕ deflect ⓥ 방향을 바꾸다, 피하다

0773 ☐☐☐ ★★★

extroverted

[ékstrəvə́ːrtid]

| ⓐ outgoing, sociable | 외향적인 |

Sociable children tend to become extroverted adults. 학평

➕ extrovert ⓝ 외향적인 사람
➖ introverted ⓐ 내성적인, 내향적인

---

perform · 우리의 신경계는 우리가 수행할 수 있는 활동의 복잡함을 결정한다.
· 우승한 학급은 학교 축제에서 공연하게 될 것이다.
reflect · 방송 출연자의 성명은 이 방송국의 견해를 반영하지 않는다.
· 우리는 우리 자신의 과거 실수를 반성할 수 있는 능력이 있다.
extroverted · 사교적인 아이들은 외향적인 어른이 되는 경향이 있다.

mass

[mæs]

n	majority, crowd	다수, 대규모
n	bulk, volume	질량, 부피
a	public, general	대중의, 대중을 대상으로 한

Houses high up in the trees protect families against the mass of mosquitoes below. 학평

The shift in Earth's mass has also changed the location of the axis on which Earth rotates. 학평

Accessibility to mass transportation is not as popular as free breakfast for business travelers. 학평

➕ massive ⓐ 거대한   massively ⓐd 크게, 대규모로

Tips   **시험에는 이렇게 나온다**

| mass production 대량 생산 | mass media 대중 매체 |
| mass culture 대중 문화 | mass transportation 대중교통 |

primitive

[prímətiv]

| a | ancient, early, primeval | 원시의, 원시적인 |

Most primitive cave paintings are representations of animals.

➕ primitiveness ⓝ 원시성, 미개한 상태

Tips   **어원으로 어휘 확장하기**

prim(it) 최초의 + ive 형·접 ▶ 역사상 최초인, 즉 원시의
➕ **prim**ary ⓐ 첫 번째의, 최초의   **prim**e ⓐ 주된, 주요한

brief

[bri:f]

| a | short, quick, swift | 간단한, 간결한 |

This special program is designed to offer brief information about three major palaces in Seoul. 학평

➕ briefly ⓐd 잠시, 간결히

---

mass
· 나무 위에 높이 있는 집들은 아래에 있는 다수의 모기로부터 가족들을 보호한다.
· 지구 질량의 변화는 지구가 자전하는 축의 위치도 바꾸었다.
· 비즈니스 여행객들에게 대중 교통의 접근성은 무료 조식만큼 인기 있지는 않다.

primitive
· 대부분의 원시 동물 벽화는 동물에 대한 묘사이다.

brief
· 이 특별 프로그램은 서울에 있는 3개의 주요 궁궐에 대한 간단한 정보를 제공하기 위해 만들어졌다.

0777 ☐☐☐ ★★★

arrange

[əréindʒ]

| ⓥ sort, organize | 정리하다, 배열하다 |
| ⓥ plan, prepare, design | 준비하다, 정하다 |

I need to arrange the bed sheets before check-in time. (학평)

The Department of Economics has arranged for a special lecture by 'Economist of the Year,' Dr. James Lee. (모평)

➕ arrangement ⓝ 정리, 정돈, 준비   rearrange ⓥ 재배열하다

0778 ☐☐☐ ★★★

dominant

[dá:mənənt]

| ⓐ main, primary, prominent | 지배적인, 우세한 |

Severe storms can reduce the population of a dominant competitor. (모평)

➕ dominate ⓥ 지배하다, 우세하다   dominance ⓝ 지배, 우월, 우세

➖ minor ⓐ 하찮은, 작은   recessive ⓐ 열성의

Tips | **시험에는 이렇게 나온다**

dominant species 우세종   dominant culture 지배적 문화
dominant gene 우성 유전자

0779 ☐☐☐ ★★★

grasp

[græsp]

ⓥ grip, seize	(꽉) 쥐다, 붙잡다
ⓥ understand, comprehend	파악하다, 이해하다
ⓝ understanding, comprehension	이해(력)

She grasped the fishing rod tightly as a powerful fish took her line. (수능)

It will take the new employee a while to grasp the work schedule.

A reliance on portable calculators can weaken the children's grasp of mathematical concepts. (학평)

---

arrange   · 나는 체크인 시간 전에 침대 시트를 정리해야 한다.
          · 경제학과는 '올해의 경제학자' James Lee 박사의 특별 강의를 준비했다.
dominant · 극심한 폭풍은 지배적인 경쟁자의 개체수를 감소시킬 수 있다.
grasp   · 힘센 물고기가 그녀의 낚싯줄을 물자 그녀는 낚싯대를 꽉 쥐었다.
          · 신입 사원은 근무 일정을 파악하는 데 시간이 좀 걸릴 것이다.
          · 휴대용 계산기에 의존하는 것이 아이들의 수학적 개념에 대한 이해력을 약화시킬 수 있다.

0780 ☐☐☐ ★★★

trait

[treit]

Ⓝ feature, characteristic

특성, 특징

At a video conference, the speaker discussed the traits that make people good leaders.

Tips **시험에는 이렇게 나온다**

personality traits 성격 특성   human trait 인간의 특성
cultural trait 문화적 특성

0781 ☐☐☐ ★★★

solitary

[sɑ́:lətèri]

Ⓐ isolated, remote, alone, lone

고독한, 혼자의, 외딴

The days of the solitary inventor working on his own are gone. 모의

➕ solitude Ⓝ 고독, 외로움

Tips **어원으로 어휘 확장하기**

sol 혼자 + **it** 가다 + **ary** 형·접 ▶ 혼자 가는, 혼자 가서 고독한
➕ **sole** Ⓐ 유일한, 단독의

0782 ☐☐☐ ★★★

generous

[dʒénərəs]

Ⓐ charitable, hospitable, tolerant

관대한, 너그러운

One of the officers was arrogant and self-absorbed; the other was generous and open-minded. 응용

➕ generosity Ⓝ 너그러움, 관용   generously Ⓐⓓ 관대하게

0783 ☐☐☐ ★★★

lessen

[lésn]

Ⓥ reduce, decrease, diminish

줄이다, 줄다

To lessen the stress on your neck, you need to sit directly in front of your monitor, not to the left or to the right. 수능

⬌ increase Ⓥ 증가시키다

---

trait   · 화상 회의에서, 연사는 사람들을 좋은 지도자가 되게 하는 특성에 대해 토론했다.
solitary   · 혼자 작업하는 고독한 발명가의 시대는 지났다.
generous   · 그 장교들 중 한 명은 오만하고 자기중심적이었고, 다른 한 명은 관대하고 마음이 넓었다.
lessen   · 목에 가해지는 스트레스를 줄이기 위해서, 당신은 왼쪽이나 오른쪽이 아닌 모니터 바로 앞에 앉아야 한다.

0784 □□□ ★★★

instruct

[instrʌ́kt]

ⓥ teach, inform 가르치다

ⓥ order, direct 지시하다, 명령하다

The chef **instructed** his class on how to make a cheese cake.

The store owner **instructed** him to go into the attic of the building. (학평)

⊕ instruction ⓝ 지시, 설명 instructive ⓐ 교육적인, 유익한 instructor ⓝ 강사

Tips

어원으로 어휘 확장하기

in 안에 + **struct** 세우다 ▶ 마음 안에 어떤 원칙이 세워지도록 가르치다

⊕ **struct**ure ⓝ 구조(물), 건축물 ob**struct** ⓥ 막다, 방해하다

0785 □□□ ★★★

blend

[blend]

ⓥ mingle, mix, integrate 뒤섞이다, 섞다

ⓝ combination, mixture 혼합(한 것), 혼합물

Tigers' stripes help them **blend** in with tall grasses. (학평)

A game called Ultimate is a **blend** of the elements of basketball and football. (학평)

⊕ blender ⓝ 믹서기, 분쇄기

0786 □□□ ★★★

classify

[klǽsəfài]

ⓥ categorize, sort, group 분류하다, 구분하다

Classifying things together into groups is something we do all the time. (수능)

⊕ class ⓝ 종류 classification ⓝ 분류

0787 □□□ ★★★

plumber

[plʌ́mər]

ⓝ a person whose job is to repair toilets 배관공

Call a **plumber** to fix the toilet right away. (모평)

---

instruct · 요리사는 그의 학생들에게 치즈 케이크 만드는 법을 가르쳤다.
· 가게 주인은 그에게 건물의 다락방으로 들어가라고 지시했다.

blend · 호랑이의 줄무늬는 그들이 키가 큰 풀과 뒤섞이게 도와준다.
· Ultimate이라고 불리는 게임은 농구와 축구의 요소를 혼합한 것이다.

classify · 물건들을 그룹으로 분류하는 것은 우리가 항상 하는 일이다.

plumber · 당장 변기를 고치기 위해 배관공을 부르세요.

0788 ☐☐☐ ★★★

peculiar

[pikjúːljər]

ⓐ distinctive, particular, characteristic　독특한, 특유의

The fabric had a peculiar texture, unlike anything Travis had ever felt before.

➕ peculiarity ⓝ 이상함, 특이함

0789 ☐☐☐ ★★★

crude

[kruːd]

ⓐ primitive, raw, unrefined　가공하지 않은

ⓐ rough, unpolished　조잡한, 거친

Crude sea salt contains more nutrients than its refined counterparts.

Although Roman wine glasses were the height of technical sophistication, compared to modern glasses they were crude. 한영

➕ crudity ⓝ 조잡함, 미숙

Tips | **시험에는 이렇게 나온다**
crude oil 원유　　　　　　　crude material 원료

0790 ☐☐☐ ★★★

reception

[risépʃən]

ⓝ party, gathering　피로연, 축하 연회

ⓝ reaction, acknowledgement　평판, 반응

After the ceremony, guests moved next door to the dining hall for the wedding reception.

The public reception to the new movie was overwhelmingly positive.

➕ receive ⓥ 받다, 받아들이다　receptive ⓐ 수용적인　receptionist ⓝ 접수 담당자

0791 ☐☐☐ ★★

halt

[hɔːlt]

ⓥ stop, cease, terminate　정지시키다, 그만두게 하다

The traffic guard halted Susan at the crosswalk until the light turned green.

➖ continue ⓥ 계속되다

---

peculiar · 그 천은 Travis가 이전에 느꼈던 그 어떤 것과도 다른 독특한 질감을 가지고 있었다.
crude · 가공하지 않은 바다 소금은 정제된 대응물(소금)보다 더 많은 영양분을 포함한다.
· 로마 시대의 와인 잔은 기술적인 정교함의 극치였지만, 현대의 잔에 비하면 그것들은 조잡했다.
reception · 식이 끝난 후, 하객들은 결혼식 피로연을 위해 옆에 있는 큰 식당으로 이동했다.
· 새 영화에 대한 대중의 평판은 압도적으로 긍정적이었다.
halt · 교통 정리원은 신호등이 초록색으로 바뀔 때까지 Susan을 횡단보도에 정지시켰다.

0792 □□□ ★

dine

[dain]

ⓥ **eat, feast**

식사하다, 정찬을 들다

We'll find out how people around the world traditionally dine during major holidays. 학평

➕ diner ⓝ 식사하는 사람(손님)

0793 □□□ ★★

reassure

[rìːəʃúr]

ⓥ **comfort, relieve**

안심시키다

Wes tried to reassure his little sister and make her feel better when she was scared.

➕ reassurance ⓝ 안심함, 안도

0794 □□□ ★★

maneuver

[mənúːvər]

ⓝ **move, action, tactic**

움직임, 동작

ⓥ **handle, manage, manipulate**

조종하다, 교묘히 다루다

The basketball player was known for tricky maneuvers that prevented the defense from stopping him.

The pilot maneuvered the helicopter carefully between the buildings as she flew.

➕ maneuverable ⓐ 조종할 수 있는

Tips | **어원으로 어휘 확장하기**

man 손 + euver 일(oper) ▶ 일의 경로를 손으로 이리저리 짜보는 작전

➕ **man**ipulate ⓥ 다루다, 조작하다　**man**age ⓥ 관리하다, 경영하다

0795 □□□ ★

nominate

[náːmənèit]

ⓥ **designate, appoint, recommend**

지명하다, 후보에 오르다

Each candidate must be nominated by his or her homeroom teacher. 학평

➕ nomination ⓝ 지명, 추천

---

dine ・우리는 주요 명절 동안 전 세계 사람들이 전통적으로 어떻게 식사하는지 알아볼 것이다.
reassure ・Wes는 어린 여동생이 겁에 질렸을 때 그녀를 안심시키고 그녀의 기분을 나아지게 하려고 노력했다.
maneuver ・그 농구선수는 수비가 그를 저지하는 것을 못하게 하는 까다로운 움직임으로 유명했다.
・조종사는 비행할 때 조심스럽게 건물들 사이로 헬리콥터를 조종했다.
nominate ・각 후보자는 그 또는 그녀의 담임교사로부터 지명되어야 한다.

0796 ☐☐☐ ★★

surveillance

[sərvéiləns]

n observation, watch, supervision　감시, 감사

Electronic surveillance is an effective method used to detect and prevent criminal behavior.

➕ surveil ⓥ 감시하다, 감독하다

Tips　시험에는 이렇게 나온다

under surveillance 감시 하에　　around-the-clock surveillance 24시간 감시

0797 ☐☐☐ ★★

patron

[péitrən]

n supporter, advocate　후원자, 단골 손님, 고객

Ehret's reputation gained him many commissions from wealthy patrons. 수능

➕ patronize ⓥ 후원하다, 애용하다　patronage ⓝ 후원, 지원, 애용

0798 ☐☐☐ ★

refute

[rifjúːt]

ⓥ disprove, contradict, prove false　반박하다, 논박하다

Galileo refuted the theory that the Earth was at the center of the universe.

➕ refutation ⓝ 반박, 반론
➖ confirm ⓥ 확증하다, 사실임을 보여주다

0799 ☐☐☐ ★

fling

[fliŋ]

ⓥ throw, cast　내던지다, 팽개치다

Ross flung the sacks of garbage into the trash can after taking it outside.

0800 ☐☐☐ ★

radioactive

[rèidiouǽktiv]

ⓐ radiological　방사성의, 방사능의

Switzerland had been trying to find a place to store radioactive nuclear waste. 학평

➕ radioactivity ⓝ 방사능

---

surveillance　· 전자 기기를 이용한 감시는 범죄 행위를 감지하고 예방하기 위해 사용되는 효과적인 방법이다.
patron　· Ehret의 명성은 부유한 후원자들로부터 많은 의뢰를 받았다.
refute　· 갈릴레오는 지구가 우주의 중심에 있다는 이론을 반박했다.
fling　· Ross는 쓰레기 봉지를 밖으로 가지고 나간 후 쓰레기통에 내던졌다.
radioactive　· 스위스는 방사성 핵 폐기물을 보관할 장소를 찾기 위해 노력해왔다.

refrain

Ⅴ **avoid, abstain from**

삼가다, 자제하다

[rifréin]

Museum visitors are asked to **refrain** from taking photographs of the exhibits.

presume

Ⅴ **suppose, believe, assume**

추정하다, 가정하다

[prizú:m]

The missing sailors are **presumed** to have died in the shipwreck.

➕ presumably ad 아마, 짐작건대   presumption n 추정

Tips 어원으로 어휘 확장하기

pre 앞서 + sum(e) 취하다 ▶ 미리 앞서 어떤 생각을 취하다, 즉 추정하다

➕ assume Ⅴ 추정하다, 맡다   resume Ⅴ 다시 시작하다, 다시 차지하다

dehydrate

Ⅴ **dry out**

수분을 제거하다, 탈수하다

[di:háidreit]

He **dehydrated** meat in order to make jerky.

➕ dehydration n 탈수, 건조

stride

n **step, pace**

보폭, 큰 걸음

[straid]

The increased flexibility from yoga will lengthen your running **stride**, allowing you to run faster.

malfunction

n **breakdown, failure**

고장, 오작동

[mælfʌ́ŋkʃən]

Because of an equipment **malfunction**, the assembly line had to be stopped.

---

refrain · 박물관 관람객들은 전시물의 사진을 찍는 것을 삼가도록 요청 받는다.
presume · 실종된 선원들은 난파선에서 사망한 것으로 추정된다.
dehydrate · 그는 육포를 만들기 위해 고기의 수분을 제거했다.
stride · 요가로 인해 강화된 유연성은 달리는 보폭을 넓혀서 당신이 더 빠르게 뛸 수 있게 해줄 것이다.
malfunction · 장비 고장 때문에 조립 라인은 중단되어야 했다.

Daily Quiz

A 알맞은 유의어를 고르세요.

01 trait	ⓐ observation, watch, supervision
02 generous	ⓑ main, primary, prominent
03 grasp	ⓒ move, action, tactic
04 maneuver	ⓓ charitable, hospitable, tolerant
05 radioactive	ⓔ grip, seize
06 brief	ⓕ feature, characteristic
07 lessen	ⓖ radiological
08 dominant	ⓗ reduce, decrease, diminish
09 crude	ⓘ primitive, raw, unrefined
10 surveillance	ⓙ short, quick, swift

B 밑줄 친 단어와 가장 뜻이 유사한 단어를 고르세요.

11 Galileo refuted the theory that the Earth was at the center of the universe.

ⓐ comforted   ⓑ disproved   ⓒ designated   ⓓ avoided

12 The missing sailors are presumed to have died in the shipwreck.

ⓐ ceased   ⓑ ordered   ⓒ supposed   ⓓ mixed

13 The fabric had a peculiar texture, unlike anything Travis had ever felt before.

ⓐ ancient   ⓑ short   ⓒ charitable   ⓓ distinctive

14 The days of the solitary inventor working on his own are gone.

ⓐ public   ⓑ outgoing   ⓒ isolated   ⓓ main

15 It will take the new employee a while to grasp the work schedule.

ⓐ act   ⓑ understand   ⓒ mirror   ⓓ plan

C 다음 빈칸에 들어갈 가장 알맞은 것을 박스 안에서 고르세요.

extroverted	nominate	reflect	primitive	blend	arrange

16 The broadcaster's statements do not _____ the views of this station.

17 I need to _____ the bed sheets before check-in time.

18 Tigers' stripes help them _____ in with tall grasses.

19 Each candidate must be _____(e)d by his or her homeroom teacher.

20 Sociable children tend to become _____ adults.

음성 바로 듣기

0806 ☐☐☐ ★★★

state

[steit]

| n | **condition, case** | 상태, 양상 |

| v | **say, describe, explain** | 말하다, 진술하다 |

Leaders with positive **states** of mind are like human magnets. 모평

French law **states** that employees must receive a minimum of five weeks of vacation a year. 모평

➕ statement n 진술, 성명

Tips **시험에는 이렇게 나온다**

emotional state 정서적 상태 　　　　　　natural state 자연적 상태

0807 ☐☐☐ ★★★

consequence

[ká:nsəkwèns]

| n | **outcome, result** | 결과, 영향 |

The failure to detect spoiled or toxic food can have deadly **consequences**. 수능

➕ consequently ad 그 결과, 따라서

Tips **시험에는 이렇게 나온다**

negative consequences 부정적 영향 　　　　serious consequences 심각한 결과
harmful consequences 해로운 결과

0808 ☐☐☐ ★★★

overcome

[òuvərkʌ́m]

| v | **get over, surmount** | 극복하다, 이기다 |

Jasmine can help to **overcome** sadness and depression. 학평

---

state ・긍정적인 심리 상태를 가진 리더는 인간 자석과 같다.
　　　　・프랑스 법은 직원들이 일년에 최소 5주의 휴가를 받아야 한다고 말한다.
consequence ・상했거나 독성이 있는 음식을 발견하지 못하면 치명적인 결과를 초래할 수 있다.
overcome ・자스민은 슬픔과 우울함을 극복하는 데 도움을 줄 수 있다.

inspire

[inspáiər]

| ⓥ encourage, stimulate, motivate | 영감을 주다, 격려하다 |

Whenever an Olympic swimmer sets a new world record, it inspires others to bring out the best within them. 수능

➕ inspiration ⓝ 영감, 고취   inspiring ⓐ 영감을 주는

Tips **어원으로 어휘 확장하기**

in 안에 + spir(e) 숨 쉬다 ▶ 누군가의 안에 숨 쉬듯 영감을 불어 넣어 주다

➕ spirit ⓝ 영혼, 정신

grain

[grein]

| ⓝ seed, corn | 곡물, 곡식류 |
| ⓝ piece, particle | 알갱이, 입자 |

New research has shown that Neanderthals cooked and ate grains and plants. 학평

A grain of corn is better for me than all the jewels in the world. 학평

tempt

[tempt]

| ⓥ lure, entice | 유혹하다, 꾀어내다 |

One day, she was tempted to stop baking extra bread. 학평

➕ temptation ⓝ 유혹   tempting ⓐ 솔깃한, 유혹적인

aesthetic

[esθétik]

| ⓐ artful, beautiful, artistic | 심미적인, 미의 |

The art collector has an aesthetic appreciation for fine paintings.

➕ aesthetics ⓝ 미학   aesthetically ⓐⓓ 미학적으로

Tips **시험에는 이렇게 나온다**

aesthetic sense 미적 감각   aesthetic pleasure 미적 쾌감
aesthetic value 미적 가치

---

inspire · 올림픽 수영 선수가 세계 신기록을 세울 때마다, 그것은 다른 사람들이 그들 안에서 최고를 이끌어내도록 영감을 준다.
grain · 새로운 연구는 네안데르탈인이 곡물과 식물을 요리해서 먹었다는 것을 보여주었다.
· 나에게 옥수수 한 알갱이는 세상의 모든 보석보다 더 낫다.
tempt · 어느 날, 그녀는 여분의 빵을 굽는 것을 멈추고 싶은 유혹을 받았다.
aesthetic · 그 미술품 수집가는 훌륭한 그림에 대한 심미적인 감상을 지니고 있다.

0813 ☐☐☐ ★★★

subscription
[səbskrípʃən]

ⓝ **membership**　　　(정기 간행물의) 구독

Your subscription to Winston Magazine will end soon. 학평

➕ subscribe ⓥ 구독하다, 가입하다　subscriber ⓝ 구독자

0814 ☐☐☐ ★★★

vague
[veig]

ⓐ **unclear, uncertain, ambiguous**　　　애매한, 막연한

In legal documents, it is essential to avoid vague terms and definitions.

➕ vaguely ⓐⓓ 모호하게, 막연히　vagueness ⓝ 모호함, 막연함

0815 ☐☐☐ ★★★

infrastructure
[ìnfrəstrʌ́ktʃər]

ⓝ **foundation, base, framework**　　　기반 시설

Rome's agricultural production could not provide sufficient energy to maintain its infrastructure. 수능

0816 ☐☐☐ ★★★

dictate
[díkteit]

ⓥ **command, give instructions**　　　지시하다

ⓝ **order, command**　　　지시

The head of the department dictates what assignments the teams should work on.

When workers are trained to respond mindlessly to the dictates of the job, they risk developing trained incapacity. 학평

➕ dictation ⓝ 명령, 지령　dictator ⓝ 독재자

Tips **어원으로 어휘 확장하기**

dict 말하다 + ate 동·접 ▶ 말한 것을 하도록 지시하다, 받아 쓰도록 시키다
➕ contradict ⓥ 반박하다, 모순되다　predict ⓥ 예측하다, 전망하다

---

subscription · Winston Magazine에 대한 당신의 구독이 곧 종료될 것이다.
vague · 법률 문서에서는 애매한 용어와 정의를 피하는 것이 필수적이다.
infrastructure · 로마의 농업 생산은 기반 시설을 유지할 수 있는 충분한 에너지를 제공하지 못했다.
dictate · 부서장은 팀들이 어떤 과제를 작업해야 하는지를 지시한다.
· 직원들이 업무 지시에 아무 생각 없이 반응하도록 훈련을 받으면, 그들은 훈련된 무능력을 개발할 위험이 있다.

0817 ☐☐☐ ★★★

monotonous

[mənɑ́:tənəs]

ⓐ unvaried, boring, tedious, dull

단조로운, 지루한

Eric quit his job on the assembly line because his tasks were too monotonous.

➕ monotony ⓝ 단조로움　monotone ⓝ 단조로운 소리/방식

0818 ☐☐☐ ★★★

simulate

[símjulèit]

ⓥ imitate, pretend, mimic

모의실험하다, 흉내 내다

They are made to simulate the behavior of a human body in a motor-vehicle crash. (수능)

➕ simulation ⓝ 모의실험, 흉내 내기

> Tips **어원으로 어휘 확장하기**
>
> simul 비슷한 + ate 동·접 ▶ 어떤 것을 비슷하게 흉내 내다
>
> ➕ simultaneous ⓐ 동시의, 동시에 일어나는

0819 ☐☐☐ ★★★

tolerance

[tɑ́lərəns]

ⓝ patience, open-mindness

관용, 용인, 인내심

Tolerance is the idea that all people should be equally accepted and equally treated. (한영)

➕ tolerate ⓥ 견디다, 참다　tolerant ⓐ 관대한, 내성이 있는

> Tips **시험에는 이렇게 나온다**
>
> have tolerance 인내력이 있다　　　　　　cultural tolerance 문화 포용
>
> the spirit of tolerance 관용의 정신

0820 ☐☐☐ ★★★

individuality

[ìndəvìdʒuǽləti]

ⓝ character, personality

개성, 특성

Bruce tried to teach his children to embrace their individuality and not follow along with the group.

➕ individual ⓐ 개인의, 개인적인

---

monotonous · Eric은 그의 작업이 너무 단조로웠기 때문에 조립 라인에서의 일을 그만두었다.
simulate · 그것들은 자동차 충돌 시 인체의 행동을 모의실험하기 위해 제작되었다.
tolerance · 관용은 모든 사람들이 동등하게 받아들여지고 동등하게 대우받아야 한다는 생각이다.
individuality · Bruce는 자녀들에게 그들의 개성을 받아들이고 집단을 따르지 않도록 가르치려고 노력했다.

0821 ☐☐☐ ★★

clarify

[klǽrəfài]

Ⓥ **explain, make clear, describe**　　명확하게 하다, 정화하다

Putting your plan down on paper will clarify your thoughts. (학평)

➕ clarification Ⓝ 깨끗하게 함, 정화, 해명

Tips　**어원으로 어휘 확장하기**

clar 명백한, 깨끗한 + ify 동·접 ▶ 명백하게 하다, 깨끗하게 정화하다
➕ declare Ⓥ 선언하다, 공표하다

0822 ☐☐☐ ★★

consensus

[kənsénsəs]

Ⓝ **agreement, consent**　　합의, 의견 일치

After a long meeting, the two sides were finally able to reach a consensus.

➕ consensual ⓐ 합의의
➖ disagreement Ⓝ 의견 불일치

Tips　**어원으로 어휘 확장하기**

con 함께(com) + sens(us) 느끼다 ▶ 여럿이 함께 동일하게 느끼는 것, 즉 의견의 일치
➕ sensation Ⓝ 큰 감흥을 주는 사건, 느낌, 감각　sensible ⓐ 분별력 있는, 느낄 수 있는

0823 ☐☐☐ ★★

elegance

[éligəns]

Ⓝ **grace, sophistication**　　우아함, 고상

The party required a certain elegance, so a strict dress code was enforced.

➕ elegant ⓐ 품위 있는, 우아한, 고상한

0824 ☐☐☐ ★★

embed

[imbéd]

Ⓥ **implant, fix, set**　　박다, 끼워 넣다

Memories associated with important emotions tend to be more deeply embedded than other events. (학평)

➕ embedment Ⓝ 꽂아 넣기, 꽂힌 상태

---

clarify · 당신의 계획을 종이에 적는 것은 당신의 생각을 명확하게 할 것이다.
consensus · 오랜 회의 끝에 양측은 마침내 합의에 도달할 수 있었다.
elegance · 그 파티는 어느 정도의 우아함을 요구했고, 그래서 엄격한 복장 규정이 시행되었다.
embed · 중요한 감정과 연관된 기억들은 다른 사건들보다 더 깊이 박혀 있는 경향이 있다.

0825 □□□ ★★

enclose

[inklóuz]

| ☑ wrap, put inside, insert | 동봉하다 |

| ☑ surround, circle | 둘러싸다, 감싸다 |

He mailed the letters, but didn't enclose the checks. (학평)

This is completely enclosed on all sides, except for an opening at each end. (학평)

➕ enclosure ⓝ 둘러쌈, 포위

Tips | 어원으로 어휘 확장하기
en 안에 + clos(e) 닫다 ▶ 어떤 것을 안에 넣고 주변을 모두 닫아 그것을 둘러싸다
➕ disclose ☑ 드러내다, 밝히다   closet ⓝ 벽장

0826 □□□ ★★

align

[əláin]

| ☑ line up, arrange, next to | 일렬로 정렬시키다 |

The interior decorators aligned the coffee table with the couches.

➕ alignment ⓝ 정렬, 제휴, 지지

Tips | 시험에는 이렇게 나온다
align with ~에 맞추어 조정하다

0827 □□□ ★★

incompatible

[ìnkəmpǽtəbl]

| ⓐ contradictory, conflicting | 양립할 수 없는, 공존할 수 없는 |

Zoo life is utterly incompatible with an animal's most deeply-rooted survival instincts. (모평)

➖ compatible ⓐ 호환이 되는, 양립할 수 있는

Tips | 시험에는 이렇게 나온다
incompatible with ~와 맞지 않는   mutually incompatible 서로 상반되는
incompatible colors 부조화한 색깔

---

enclose
· 그는 편지를 부쳤지만 수표를 동봉하지 않았다.
· 이것은 양쪽 끝의 통로를 제외한 모든 면이 완전히 둘러싸여 있다.
align
· 인테리어 디자이너들은 커피 테이블을 소파와 일렬로 정렬시켰다.
incompatible
· 동물원의 삶은 동물의 가장 깊이 뿌리 박혀 있는 생존 본능과 완전히 양립할 수 없다.

1 2 3 4 5 6 7 8 9 10 11 12 13 14 15 16 17 18 19 20 21 22 23 25

0828 ☐☐☐ ★★

startle

ⓥ frighten, surprise, alarm 놀라게 하다

[stá:rtl]

Please turn off the camera flash while taking pictures of the animals because it can startle them. 학평

➕ startling ⓐ 놀라운

0829 ☐☐☐ ★★

temperament

ⓝ nature, character, disposition 기질, 격한 성미

[témpərəmənt]

People have been using birth order to account for personality factors such as a passive temperament. 수능

➕ temperamentally ⓐⓓ 기질적으로

Tips 어원으로 어휘 확장하기

temper(a) 섞다 + ment 명·접 ▶ 여럿이 섞여 한 사람의 성격을 만드는 기질, 성질

➕ temperate ⓐ 온화한, 적당한

0830 ☐☐☐ ★

shortcoming

ⓝ weakness, disadvantage, defect 결점, 단점

[ʃɔ́:rtkʌ̀miŋ]

Keith was unexpectedly producing the performance of a lifetime despite the shortcomings of the piano. 수능

0831 ☐☐☐ ★

incur

ⓥ arouse, induce 발생시키다, (손해를) 입히다

[inkə́:r]

Rhonda incurred fees for returning her books to the library after they were due.

Tips 어원으로 어휘 확장하기

in 안에 + cur 달리다 ▶ 어떤 상황 안으로 달려가 그 상황에 처하다

➕ recur ⓥ 재발하다, 반복되다 excursion ⓝ 소풍, 짧은 여행

---

startle · 카메라 플래시가 동물들을 놀라게 할 수 있으니 사진을 찍는 동안 그것을 꺼주세요.
temperament · 사람들은 수동적인 기질과 같은 성격 요소를 설명하기 위해 출생 순서를 이용해 왔다.
shortcoming · Keith는 그 피아노의 결점에도 불구하고 뜻밖에 일생일대의 연주를 보여주고 있었다.
incur · Rhonda는 반납 기한이 된 후에 책을 도서관에 반납한 것에 대한 연체료를 발생시켰다.

0832 ☐☐☐ ★

bold

[bould]

ⓐ brave, courageous	대담한, 용감한
ⓐ clear, definite, vivid	선명한, 굵은

The dog's bold rescue of their daughter made him a most treasured member of the family.

Most color psychologists think that outgoing and adventurous people like bold colors. (학평)

🔁 timid ⓐ 소심한   shy ⓐ 수줍은

0833 ☐☐☐ ★

mumble

[mʌ́mbl]

ⓥ mutter, whisper, murmur	중얼거리다

It was difficult to understand what the cashier was saying because he kept mumbling.

0834 ☐☐☐ ★

concur

[kənkə́:r]

ⓥ agree, assent, consent	동의하다, 일치하다

The last judge concurred with the judges before him, making the decision unanimous.

➕ concurrent ⓐ 동시에 일어나는
🔁 disagree ⓥ 반대하다

0835 ☐☐☐ ★

predominant

[pridɑ́:mənənt]

ⓐ principal, main, primary	주요한, 주된

Blue is the predominant color in Van Gogh's *Starry Night*.

➕ predominantly ⓐⓓ 주로, 대부분

> **Tips** | **어원으로 어휘 확장하기**
>
> pre 앞서 + domin 다스리다 + ant 형·접 ▶ 분위기 등을 앞에서 다스리는, 즉 두드러지는
> ➕ dominate ⓥ 장악하다, 지배하다

---

bold
· 그 강아지의 그들의 딸에 대한 대담한 구조는 그를 가족에서 가장 소중한 사람으로 만들었다.
· 대부분의 색채 심리학자들은 외향적이고, 모험적인 사람들은 선명한 색을 좋아한다고 생각한다.

mumble
· 계산원이 계속 중얼거려서 그가 무슨 말을 하는지 이해하기 어려웠다.

concur
· 마지막 판사가 그의 이전 판사들의 의견에 동의하여 만장일치로 결정을 내렸다.

predominant
· 파란색은 반 고흐의 '별이 빛나는 밤'의 주요한 색상이다.

dictator

[díkteitər]

ⓝ **absolute ruler**

독재자

A dictator like Zimbabwe's Mugabe could not order the government to produce 100 trillion tons of rice. 핸행

➕ dictate ⓥ 지시하다   dictation ⓝ 받아쓰기

stingy

[stíndʒi]

ⓐ **frugal, greedy**

인색한, 쩨쩨한

Fred is stingy about electronics, only buying devices he wants when they're on sale. 핸행

nutrition

[njuːtríʃən]

ⓝ **nourishment**

영양 섭취, 영양

She saw children living without proper nutrition and education. 핸행

➕ nutrient ⓝ 영양소, 영양분   nutritional ⓐ 영양상의
➖ malnutrition ⓝ 영양실조

terminate

[tə́ːrmənèit]

ⓥ **end, stop, halt**

종료하다, 끝내다

The postal company terminated its express delivery service.

➕ termination ⓝ 종료, 만료, 결말

Tips | **어원으로 어휘 확장하기**
termin 끝, 경계 + ate 동·접 ▶ 경계를 지어 끝내다
➕ terminal ⓝ 종착역, 터미널 ⓐ 끝의, 종점의

versatile

[və́ːrsətl]

ⓐ **adjustable, flexible**

융통성이 있는, 다재 다능한

Because of the ever-changing economy, the need for versatile workers is greater than ever before.

---

dictator · 짐바브웨의 무가베 같은 독재자도 정부에 100조 톤의 쌀을 생산하라고 명령할 수 없었다.
stingy · Fred는 전자제품에 대해 인색해서, 그가 원하는 제품이 할인될 때만 산다.
nutrition · 그녀는 적절한 영양 섭취와 교육 없이 살아가는 아이들을 보았다.
terminate · 그 우편 회사는 빠른 우편 서비스를 종료했다.
versatile · 변화무쌍한 경제 때문에 융통성 있는 직원의 필요성이 그 어느 때보다 크다.

Daily Quiz

A 알맞은 유의어를 고르세요.

01 individuality		ⓐ absolute ruler
02 embed		ⓑ frighten, surprise, alarm
03 shortcoming		ⓒ character, personality
04 startle		ⓓ weakness, disadvantage, defect
05 dictator		ⓔ condition, case
06 state		ⓕ nature, character, disposition
07 incompatible		ⓖ implant, fix, set
08 consensus		ⓗ frugal, greedy
09 temperament		ⓘ contradictory, conflicting
10 stingy		ⓙ agreement, consent

B 밑줄 친 단어와 가장 뜻이 유사한 단어를 고르세요.

11 The postal company <u>terminated</u> its express delivery service.
　ⓐ described　　　ⓑ stimulated　　　ⓒ enticed　　　ⓓ ended

12 This is completely <u>enclosed</u> on all sides, except for an opening at each end.
　ⓐ implanted　　　ⓑ explained　　　ⓒ surrounded　　　ⓓ commanded

13 Eric quit his job on the assembly line because his tasks were too <u>monotonous</u>.
　ⓐ beautiful　　　ⓑ unvaried　　　ⓒ unclear　　　ⓓ contradictory

14 Whenever an Olympic swimmer sets a new world record, it <u>inspires</u> others to bring out the best within them.
　ⓐ whispers　　　ⓑ frightens　　　ⓒ pretends　　　ⓓ encourages

15 The last judge <u>concurred</u> with the judges before him, making the decision unanimous.
　ⓐ surmounted　　　ⓑ muttered　　　ⓒ agreed　　　ⓓ induced

C 다음 빈칸에 들어갈 가장 알맞은 것을 박스 안에서 고르세요.

predominant	align	overcome	clarify	nutrition	tolerance

16 ＿＿＿＿＿＿ is the idea that all people should be equally accepted and equally treated.

17 Putting your plan down on paper will ＿＿＿＿＿＿ your thoughts.

18 Jasmine can help to ＿＿＿＿＿＿ sadness and depression.

19 Blue is the ＿＿＿＿＿＿ color in Van Gogh's *Starry Night*.

20 She saw children living without proper ＿＿＿＿＿＿ and education.

DAY 25

음성 바로 듣기

0841 ☐☐☐ ★★★

subject

[sʌ́bdʒikt]

ⓝ issue, topic	주제
ⓝ course	과목
ⓝ participant, volunteer	(실험) 대상, 소재
ⓐ susceptible, likely to get	(~의 영향)을 받는

The **subject** of the documentary was the collapse of the stock market in the early 1900s.

Math is probably the most difficult **subject** for most students. 학평

Regulations covering scientific experiments on human **subjects** are strict. 수능

Plants are **subject** to many influences, including changes in climate, or soil. 학평

➕ subjective ⓐ 주관의, 주관적인   subjectivity ⓝ 주관성, 주관적임

0842 ☐☐☐ ★★★

attain

[ətéin]

| ⓥ achieve, accomplish | 달성하다, 성취하다 |
| ⓥ reach, arrive at | 도달하다, 이르다 |

The sales department **attained** its goal of selling a million cell phone units.

Cheetahs can **attain** a speed of 100km/h.

➕ attainment ⓝ 성취, 달성   attainable ⓐ 달성할 수 있는

---

subject · 그 다큐멘터리의 주제는 1900년대 초 주식 시장의 붕괴였다.
· 수학은 아마도 대부분의 학생들에게 가장 어려운 과목일 것이다.
· 인간 실험 대상에 대한 과학 실험을 다루는 규정은 엄격하다.
· 식물은 기후나 토양의 변화를 포함하여 많은 영향을 받는다.

attain · 영업 부서는 휴대 전화 백만 대 판매라는 목표를 달성했다.
· 치타는 시속 100km의 속도까지 도달할 수 있다.

annual

[ǽnjuəl]

ⓐ **yearly, once a year**　　　연례의, 매년의

This contest is an annual event which has been held every October since 2004. (학평)

➕ annually [ad] 해마다, 매년

Tips　**어원으로 어휘 확장하기**

ann 해마다 + ual 형·접 ▶ 해마다의, 즉 연례의

anniversary ⓝ 기념일

critical

[krítikəl]

ⓐ **disapproving, judgmental**　　　비판적인, 비난하는

ⓐ **important, crucial**　　　대단히 중요한, 중대한

You can develop critical thinking skills in the group as well. (수능)

Physicians say that early treatment is critical for many diseases. (학평)

➕ criticize [v] 비판하다　　criticism ⓝ 비판, 비평

➖ praise [v] 칭찬하다 ⓝ 칭찬

Tips　**시험에는 이렇게 나온다**

critical thinking 비판적인 사고　　　　　　critical to/for ~에 매우 중요한

play a critical role 중요한 역할을 하다

rare

[rɛər]

ⓐ **uncommon, exceptional, limited**　　　희귀한, 드문

Any contact between humans and rare plants can be disastrous for the plants. (수능)

➕ rarely [ad] 드물게

---

annual　· 이 대회는 2004년부터 매년 10월에 열리는 연례 행사이다.
critical　· 당신은 또한 그룹에서 비판적인 사고력을 기를 수 있다.
　　　　· 의사들은 조기 치료가 많은 질병에 대단히 중요하다고 말한다.
rare　　· 인간과 희귀 식물 사이의 어떤 접촉도 식물에게 재앙이 될 수 있다.

0846 ☐☐☐ ★★★

atmosphere

[ǽtməsfiər]

| n air, aerosphere | 대기, 공기 |
| n mood, feeling | 분위기, 환경 |

As you climb higher and higher, the amount of oxygen in the atmosphere decreases. 〔학평〕

A lamp beside the bed gives the room a nice atmosphere. 〔학평〕

➕ atmospheric ⓐ 대기의

0847 ☐☐☐ ★★★

verbal

[və́:rbəl]

| ⓐ oral, spoken | 언어적, 말의 |

There have been few studies on the relationships between verbal and nonverbal communication. 〔학평〕

➕ verbalize ⓥ 말로 표현하다, 나타내다

🔄 nonverbal ⓐ 비언어적인

Tips | **시험에는 이렇게 나온다**

verbal communication 언어적 의사소통   verbal message 언어적 메시지
verbal skills 언어적 기술

0848 ☐☐☐ ★★★

qualify

[kwά:ləfài]

| ⓥ meet the requirements, certify | 자격을 갖추다, 자격을 주다 |

Students must maintain a C average or better to qualify for graduation.

➕ qualification ⓝ 자격

0849 ☐☐☐ ★★★

tendency

[téndənsi]

| n inclination, disposition | 경향, 추세 |

Most people have a tendency to expect positive behavior from people they like and respect. 〔학평〕

➕ tend ⓥ 경향이 있다, ~하기 쉽다

Tips | **시험에는 이렇게 나온다**

have a tendency to ~하는 경향이 있다   general tendency 일반적 경향

---

atmosphere · 점점 더 높이 올라갈수록, 대기 중의 산소의 양은 줄어든다.
· 침대 옆에 있는 램프는 방에 좋은 분위기를 준다.
verbal · 언어적 의사소통과 비언어적 의사소통 사이의 관계에 대한 연구는 거의 없었다.
qualify · 학생들은 졸업을 위한 자격을 갖추기 위해 평균 C 또는 그 이상을 유지해야만 한다.
tendency · 대부분의 사람들은 그들이 좋아하고 존경하는 사람들로부터 긍정적인 행동을 기대하는 경향이 있다.

0850 ☐☐☐ ★★★

underlie

[ʌ̀ndərlái]

Ⓥ **to be at the basis of** ~의 밑바탕에 깔려 있다

The speech was hilarious, but important ideas underlay the text.

> **Tips** 어원으로 어휘 확장하기
>
> under 아래에 + lie 누워 있다 ▶ 어떤 것의 아래에 누워 그것의 기초가 되다
>
> ➕ undermine Ⓥ 약화시키다 undergo Ⓥ 겪다, 경험하다

0851 ☐☐☐ ★★★

passage

[pǽsidʒ]

Ⓝ **passing, acceptance** 통과, 통행

Ⓝ **paragraph, excerpt from document** 구절, 악절

Getting a driver's license has become the rite of passage to the adult world. (수능)

She will be reading a short passage from her latest book, *Witch with Flowers*. (모평)

➕ passageway Ⓝ 복도, 좁은 길

> **Tips** 시험에는 이렇게 나온다
>
> rite of passage 통과 의례   passage of time 시간의 흐름

0852 ☐☐☐ ★★★

signal

[sígnəl]

Ⓝ **sign, indication, cue** 신호

Ⓥ **cue, indicate, communicate** 신호를 보내다

The natural light of the rising sun will send a signal to your brain that it's time to wake up. (학평)

Stress hormones signal blood to move to the heart and other organs. (학평)

➕ signalize Ⓥ ~에게 신호를 보내다 signally ⓐ𝖽 뚜렷이, 두드러지게

> **Tips** 어원으로 어휘 확장하기
>
> sign 표시 + al 명·접 ▶ 상황을 알리기 위해 보내는 표시, 즉 신호
>
> ➕ designate Ⓥ 지정하다, 지명하다 ⓐ 지정된, 지명된

---

underlie · 그 연설은 재미있었지만, 중요한 생각들이 그 본문의 밑바탕에 깔려 있었다.
passage · 운전면허를 따는 것이 성인 세계로의 통과 의례가 되었다.
· 그녀는 그녀의 최신 책인 '꽃이 있는 마녀'의 짧은 구절을 읽을 것이다.
signal · 떠오르는 태양의 자연광은 당신의 뇌에 일어날 시간이라는 신호를 보낼 것이다.
· 스트레스 호르몬은 혈액이 심장과 다른 장기로 이동하도록 신호를 보낸다.

0853 ☐☐☐ ★★★

irritate

[írətèit]

☑ **bother, disturb, annoy**

짜증나게 하다, 자극하다

My neighbors irritate me by playing music loudly every night.

➕ irritable ⓐ 짜증을 내는   irritated ⓐ 짜증이 난

0854 ☐☐☐ ★★★

garage

[gərá:dʒ]

ⓝ **parking lot, carport**

차고, 주차장

A bus driver went to the bus garage, started his bus, and drove off along the route. 〔학평〕

0855 ☐☐☐ ★★★

substitute

[sʌ́bstətjù:t]

ⓝ **alternative, replacement**

대체물, 대신하는 것

Tofu is an excellent substitute for meat in many vegetarian recipes. 〔학평〕

➕ substitution ⓝ 대리, 대용

Tips   어원으로 어휘 확장하기

sub 아래에 + stit(ute) 서다 ▶ 아래에 있던 사람이 위의 사람 대신 서다, 즉 대신하다

➕ institute ☑ 세우다 ⓝ 협회, 연구소   constitute ☑ 구성하다, 설립하다

0856 ☐☐☐ ★★★

accelerate

[æksélərèit]

☑ **speed up, expedite**

가속화되다, 속도를 높이다

The pace of extinction of bird species has rapidly accelerated since 1850. 〔학평〕

➕ acceleration ⓝ 가속   accelerative ⓐ 가속적인, 촉진시키는

Tips   어원으로 어휘 확장하기

ac ~쪽으로 + celer 빠른 + ate 동·접 ▶ 빨라지는 쪽으로 가속하다

➕ accumulation ⓝ 쌓아 올림, 축적   accord ☑ 일치하다, 조화하다

---

irritate   · 내 이웃들은 매일 밤 음악을 크게 틀어서 나를 짜증나게 한다.
garage   · 한 버스 운전사가 버스 차고로 가서, 그의 버스에 시동을 걸고, 노선을 따라 운전해 갔다.
substitute   · 두부는 많은 채식주의 요리법에서 고기의 아주 좋은 대체물이다.
accelerate   · 조류 종의 멸종 속도는 1850년 이래로 빠르게 가속화되었다.

0857 □□□ ★★★

assure

Ⓥ reassure, affirm, guarantee — 장담하다, 확신시키다

[əʃúər]

The lawyer **assured** Tim that all his rights would be respected.

⊕ assurance ⓝ 보장, 확신　assured ⓐ 보증된, 자신이 있는

Tips

어원으로 어휘 확장하기

as ~에 + **sure** 확신하다 ▶ ~에 대해 확신할 수 있게 보장하다

⊕ en**sure** Ⓥ 확실하게 하다, 반드시 ~하게 하다

0858 □□□ ★★★

physician

ⓝ doctor — (내과) 의사

[fizíʃən]

You should consult a **physician** because it is difficult for selecting a proper diet. (수능)

⊕ physical ⓐ 신체적인　physically ad 신체적으로, 물리적으로

0859 □□□ ★★

arbitrary

ⓐ random, erratic — 제멋대로인, 임의의

[ɑ́:rbətrèri]

Residents felt that some of the landlord's rules were **arbitrary**, and didn't make much sense. (학평)

0860 □□□ ★★

sprint

Ⓥ run, race — 질주하다

[sprint]

The track team **sprinted** across the field in preparation for the next day's meet.

⊕ sprinter ⓝ 단거리 주자

0861 □□□ ★★

compassion

ⓝ sympathy, pity — 동정심, 연민

[kəmpǽʃən]

Like anything else involving effort, **compassion** takes practice. (학평)

assure · 변호사는 Tim에게 그의 모든 권리가 존중될 것이라고 장담했다.
physician · 적절한 식단을 고르는 것은 어렵기 때문에 의사와 상담해야 한다.
arbitrary · 거주자들은 집주인의 규칙 중 일부가 제멋대로라고 느껴서 별로 이해가 되지 않았다.
sprint · 육상팀은 다음 날의 경기에 대한 준비로 경기장을 질주했다.
compassion · 노력을 수반하는 다른 모든 것과 마찬가지로, 동정심도 연습을 필요로 한다.

0862 ☐☐☐ ★★

worship

ⓥ **honor, admire, praise**

숭배하다, 존경하다

[wə́:rʃip]

In most traditional societies, people were taught to worship their ancestors. (학평)

🔁 despise ⓥ 경멸하다   dishonor ⓥ 굴욕을 주다

0863 ☐☐☐ ★★

explicit

ⓐ **clear, specific, obvious**

명확한, 분명한

[iksplísit]

The manager left explicit instructions about what the workers were expected to do. (학평)

➕ explicitly ⓐⓓ 명쾌하게   explicate ⓥ 확실히 하다, 설명하다
🔁 ambiguous ⓐ 애매모호한

Tips | **시험에는 이렇게 나온다**

explicit instruction 분명한 지시   explicit memory 명시적 기억
explicit goal 분명한 목적

0864 ☐☐☐ ★★

vendor

ⓝ **seller, salesperson**

노점상, 행상인

[véndər]

The street vendor sells hot dogs to passing pedestrians. (학평)

0865 ☐☐☐ ★

connotation

ⓝ **implication, meaning**

함축의 의미, 언외의 의미

[kànətéiʃən]

The term "patriot" has positive connotations of honor and sacrifice.

Tips | **시험에는 이렇게 나온다**

negative connotation 부정적 내포, 부정적 의미   stronger connotation 더 강한 의미

---

worship   · 대부분의 전통적인 사회에서, 사람들은 그들의 조상을 숭배하라고 배웠다.
explicit   · 그 관리자는 직원들이 무엇을 하도록 기대되는지에 대해 명확한 지시를 남겼다.
vendor   · 그 노점상은 지나가는 보행자들에게 핫도그를 판다.
connotation   · '애국자'라는 용어는 명예와 희생이라는 긍정적인 함축의 의미를 가진다.

0866 □□□ ★★

vanish

ⓥ **disappear, fade** 사라지다, 없어지다

[vǽniʃ]

Like a ghost, the magician **vanished** at the conclusion of his performance.

0867 □□□ ★★

milestone

ⓝ **milepost, turning point** 획기적인 사건

[máilstòun]

The movie *Toy Story* was a **milestone** for the computer graphics industry.

0868 □□□ ★★

gradual

ⓐ **step-by-step, steady, progressive** 점진적인, 완만한

[grǽdʒuəl]

Aging is a result of the **gradual** failure of the body's cells and organs to replace and repair themselves. 학평

⊕ gradually ad 서서히

↔ sudden ⓐ 갑작스러운 steep ⓐ 가파른, 급격한

Tips

어원으로 어휘 확장하기

grad 단계 + ual 형·접 ▶ 단계적으로 즉, 점진적인

⊕ **grad**uate ⓥ 졸업하다 ⓝ 졸업자 up**grad**e ⓥ 올리다 ⓝ 향상

0869 □□□ ★★

advent

ⓝ **appearance, introduction, arrival** 등장, 출현

[ǽdvent]

Prior to the **advent** of rapid transportation modes, some of the species had never made contact with one another. 학평

0870 □□□ ★

congress

ⓝ **parliament, assembly, council** 의회, 국회

[kɑ́:ŋgres]

Jeannette became the first woman elected to the U.S. **Congress** in 1916. 학평

vanish · 마치 유령처럼, 마술사는 그의 공연 마지막에 사라졌다.
milestone · 영화 '토이스토리'는 컴퓨터 그래픽 산업에 있어서 획기적인 사건이었다.
gradual · 노화는 신체의 세포와 장기가 스스로 대체하고 회복하는 것의 점진적인 실패로 인한 결과물이다.
advent · 빠른 교통수단의 등장 이전에는, 일부 종들은 서로 접촉한 적이 전혀 없었다.
congress · Jeannette는 1916년에 미국 의회에 선출된 최초의 여성이 되었다.

glare

[glɛər]

ⓝ dazzle, glow

섬광, (불쾌하게) 환한 빛

The glare from the sunlight bouncing off the window was blinding.

➕ glaringly ⓐⓓ 확연히, 반짝반짝하게

cumulative

[kjúːmjulətiv]

ⓐ collective, increasing, mounting

누적되는

Students will receive a cumulative grade based on all of their assignments.

➕ cumulatively ⓐⓓ 점증적으로

illiterate

[ilítərət]

ⓐ unable to read or write

문맹의, 글을 모르는

The illiterate man attempted to conceal his secret by pretending to be smart.

➕ illiteracy ⓝ 문맹, 무식
➖ literate ⓐ 글을 읽고 쓸 줄 아는

hygiene

[háidʒiːn]

ⓝ sanitation, cleanliness

위생, 청결

Higher income is likely to bring a higher quality of life by improving your health through better food and hygiene. 한평

➕ hygienic ⓐ 위생적인

polarize

[póuləràiz]

ⓥ divide, part, separate

대립시키다

The controversial issue polarized the people, as everyone took a firm stance on one side or the other.

➕ polaruty ⓝ 양극성

---

glare · 창문에 반사된 햇빛으로부터의 섬광은 눈을 뜰 수 없을 정도였다.
cumulative · 학생들은 그들의 모든 과제를 기반으로 누적되는 성적을 받을 것이다.
illiterate · 문맹인 그 남자는 똑똑한 척하면서 자신의 비밀을 숨기려고 시도했다.
hygiene · 더 높은 소득은 더 나은 음식과 위생으로 당신의 건강을 증진시킴으로써 더 높은 삶의 질을 가져다 줄 것이다.
polarize · 논란이 된 그 문제는 모두가 한쪽이나 다른 한쪽에서 확고한 입장을 취했기 때문에 사람들을 대립시켰다.

A 알맞은 유의어를 고르세요.

01	verbal	ⓐ	random, erratic
02	gradual	ⓑ	bother, disturb, annoy
03	advent	ⓒ	inclination, disposition
04	hygiene	ⓓ	doctor
05	arbitrary	ⓔ	air, aerosphere
06	atmosphere	ⓕ	appearance, introduction, arrival
07	irritate	ⓖ	step-by-step, steady, progressive
08	vanish	ⓗ	sanitation, cleanliness
09	tendency	ⓘ	disappear, fade
10	physician	ⓙ	oral, spoken

B 밑줄 친 단어와 가장 뜻이 유사한 단어를 고르세요.

11 The manager left <u>explicit</u> instructions about what the workers were expected to do.
ⓐ susceptible ⓑ judgmental ⓒ clear ⓓ yearly

12 Tofu is an excellent <u>substitute</u> for meat in many vegetarian recipes.
ⓐ course ⓑ alternative ⓒ indication ⓓ inclination

13 Students will receive a <u>cumulative</u> grade based on all of their assignments.
ⓐ random ⓑ steady ⓒ oral ⓓ collective

14 The sales department <u>attained</u> its goal of selling a million cell phone units.
ⓐ indicated ⓑ guided ⓒ reassured ⓓ achieved

15 Stress hormones <u>signal</u> blood to move to the heart and other organs.
ⓐ bother ⓑ disappear ⓒ cue ⓓ honor

C 다음 빈칸에 들어갈 가장 알맞은 것을 박스 안에서 고르세요.

illiterate	compassion	accelerate	critical	qualify	worship

16 Physicians say that early treatment is _____ for many diseases.

17 The _____ man attempted to conceal his secret by pretending to be smart.

18 In most traditional societies, people were taught to _____ their ancestors.

19 Like anything else involving effort, _____ takes practice.

20 Students must maintain a C average or better to _____ for graduation.

정답

01 ⓙ	02 ⓖ	03 ⓕ	04 ⓗ	05 ⓐ	06 ⓔ	07 ⓑ
08 ⓘ	09 ⓒ	10 ⓓ	11 ⓒ	12 ⓑ	13 ⓓ	14 ⓓ
15 ⓒ	16 critical	17 illiterate	18 worship	19 compassion	20 qualify	

0876 ☐☐☐ ★★★

encourage

[inkə́:ridʒ]

ⓥ **promote, boost, support**　　장려하다, 촉진하다

We **encourage** everyone to participate in the contest by creating posters to show the dangers of smoking. 모평

➕ encouragement ⓝ 장려, 격려
➖ discourage ⓥ 말리다, 좌절시키다

0877 ☐☐☐ ★★★

observe

[əbzə́:rv]

ⓥ **watch, view**　　관찰하다

ⓥ **comply with, obey**　　(규칙 등을) 준수하다

In physics, scientists invent theories to describe and predict the data we **observe** about the universe. 수능

Visitors to the library must **observe** a strict policy of silence.

➕ observation ⓝ 관찰　　observatory ⓝ 관측소, 천문대　　observance ⓝ 준수

0878 ☐☐☐ ★★★

perceptual

[pərséptʃuəl]

ⓐ **sensory, relating to perception**　　지각의, 지각이 있는

Devon had **perceptual** difficulties that inhibited her ability to see and hear clearly.

➕ perceptually ⓐd 지각하여　　perceptible ⓐ 감지할 수 있는, 지각할 수 있는
perception ⓝ 지각, 자각

Tips | **시험에는 이렇게 나온다**

perceptual system 지각 체계　　　　perceptual strategy 지각 처리 방식

---

encourage　· 우리는 흡연의 위험성을 보여주는 포스터를 제작하여 모든 사람들이 대회에 참여하도록 장려한다.
observe　· 물리학에서, 과학자들은 우리가 우주에 대해 관찰하는 데이터를 기술하고 예측하기 위해 이론을 창안한다.
　　　　· 도서관의 방문객들은 엄격한 정숙 방침을 준수해야 한다.
perceptual　· Devon은 명확하게 보고 들을 수 있는 능력을 저해하는 지각 장애를 가지고 있었다.

insight

[ínsàit]

Ⓝ **intuitiveness, understanding**

통찰(력), 이해

History can provide **insights** into current issues and problems. 학평

➕ insightful ⓐ 통찰력 있는   insightfully ⓐⓓ 통찰력 있게

exceed

[iksíːd]

Ⓥ **surpass, outpace**

초과하다, 넘다

Video clips should not **exceed** three minutes, and they need to be in either English or Spanish. 학평

➕ exceedingly ⓐⓓ 극도로, 대단히   excess Ⓝ 초과   excessive ⓐ 지나친

neglect

[niglékt]

Ⓥ **disregard, ignore**

간과하다, 무시하다

American public schools **neglected** their role as moral educators. 수능

➕ negligence Ⓝ 태만, 과실   negligent ⓐ 태만한, 부주의한

Tips **어원으로 어휘 확장하기**

> neg 아닌 + lect 선택하다 ▶ 어떤 것을 선택하지 않고 넘어가다, 즉 무시하다
>
> ➕ negligence Ⓝ 태만, 부주의

devote

[divóut]

Ⓥ **dedicate, sacrifice, commit**

헌신하다, 전념하다

Many mothers **devote** themselves to raising children. 모평

➕ devotion Ⓝ 헌신, 전념   devoted ⓐ 헌신적인

Tips **시험에는 이렇게 나온다**

> be devoted to ~에 헌신하다, 전념하다   devote oneself to ~에 전념하다, ~에 몰두하다

---

insight · 역사는 현재의 쟁점과 문제에 대한 통찰력을 제공할 수 있다.
exceed · 비디오 클립은 3분을 초과해서는 안 되며, 그것들은 영어 또는 스페인어로 되어 있어야 한다.
neglect · 미국의 공립학교들은 도덕 교육자로서의 그들의 역할을 간과했다.
devote · 많은 엄마들이 아이들을 키우는 것에 자신을 헌신한다.

0883 ☐☐☐ ★

arrest

[ərést]

ⓥ **apprehend, capture**

체포하다, 저지하다

Three men were **arrested** for the bank robbery.

■ release ⓥ 풀어주다, 석방하다

0884 ☐☐☐ ★★★

inferior

[infíəriər]

ⓐ **substandard, second-rate**

하위의, 열등한

Justin decided to buy an expensive car rather than the **inferior**, cheaper model.

➕ inferiority ⓝ 열등함
■ superior ⓐ 우수한, 우월한

0885 ☐☐☐ ★★★

accumulate

[əkjú:mjulèit]

ⓥ **gather, build up**

축적하다, 모으다

During the winter, water evaporates from the ocean and **accumulates** as ice and snow on the high mountains. (학평)

➕ accumulation ⓝ 축적(물)
■ disperse ⓥ 흩어지게 하다, 퍼뜨리다

0886 ☐☐☐ ★★★

squeeze

[skwi:z]

ⓥ **crush, mash, press**

(즙을) 짜다, 짜내다

ⓥ **press, cram, stuff**

우겨넣다, 한데 몰아 놓다

You can **squeeze** the lemons by hand, but it's easier to get the juice from them if you use a lemon squeezer. (모평)

We are generally too busy trying to **squeeze** more and more activities into less and less time. (모평)

Tips | **시험에는 이렇게 나온다**

squeeze money 돈을 뜯어내다   credit squeeze 금융 긴축

---

arrest · 세 남자가 은행 강도질로 체포되었다.
inferior · Justin은 더 하위의 저렴한 모델보다는 비싼 차를 사기로 결정했다.
accumulate · 겨울 동안, 물은 바다에서 증발하여 높은 산의 얼음과 눈으로 축적된다.
squeeze · 당신은 레몬을 손으로 짜도 되지만, 만약 레몬 짜는 기구를 사용하면 레몬에서 즙을 얻는 것이 더 쉽다.
· 우리는 일반적으로 점점 더 적은 시간 안에 더 많은 활동들을 욱여넣으려고 노력하느라 너무 바쁘다.

0887 ☐☐☐ ★★★

particle

ⓝ **piece, bit**

입자, 극소량

[páːrtikl]

When we blink, a film of tears covers the eyes and washes all the tiny dust **particles** that may be present. (한평)

Tips 어원으로 어휘 확장하기

part(i) 나누다 + cle 명·접 ▶ 나눠서 생긴 아주 작은 조각 또는 입자

➕ partial ⓐ 부분적인, 편파적인

0888 ☐☐☐ ★★★

disrupt

ⓥ **interrupt, unsettle**

방해하다, 붕괴시키다

[disrʌ́pt]

Lights can **disrupt** a good night's sleep. (한평)

➕ disruption ⓝ 분열, 혼란, 중단   disruptive ⓐ 지장을 주는, 파괴적인

Tips 어원으로 어휘 확장하기

dis 떨어져 + rupt 깨다 ▶ 서로 떨어지도록 사이를 깨뜨려 붕괴 또는 분열시키다

➕ erupt ⓥ 분출하다, 터지다   bankrupt ⓐ 파산한 ⓥ 파산시키다

0889 ☐☐☐ ★★★

integrate

ⓥ **join, unite, combine, incorporate**

통합하다, 융합하다

[íntəgrèit]

Government leaders are working to **integrate** minorities into the mainstream community.

➕ integration ⓝ 통합   integrative ⓐ 통합하는, 완전하게 하는

0890 ☐☐☐ ★

martial

ⓐ **combative, warlike**

무술의, 싸움의

[máːrʃəl]

He wants to learn **martial** arts so he can defend himself. (한평)

---

particle · 우리가 눈을 깜빡일 때, 눈물막이 눈을 덮어서 있을지도 모르는 모든 작은 먼지 입자들을 씻어낸다.
disrupt · 불빛은 숙면을 방해할 수 있다.
integrate · 정부 지도자들은 소수 집단을 주류 사회로 통합하려고 노력하고 있다.
martial · 그는 자신을 방어할 수 있도록 무술을 배우고 싶어 한다.

0891 ☐☐☐ ★★★

refine

[rifáin]

☑ **purify, clarify, improve**

정제하다, 불순물을 제거하다

Each day, nearly a billion gallons of crude oil are **refined** and used in the United States. (수능)

➕ refined ⓐ 정제된, 교양있는   refinement ⓝ 개선, 개량

Tips	어원으로 어휘 확장하기
	re 다시 + fin(e) 끝 ▶ 끝났던 일을 다시 해서 질을 높이다, 즉 정제하다
	➕ infinite ⓐ 무한한, 막대한

0892 ☐☐☐ ★★★

currency

[kə́:rənsi]

ⓝ **money**

통화, 통용

The launch of the euro, Europe's single **currency**, brought about an increase in the cost of living. (모평)

0893 ☐☐☐ ★★★

parallel

[pǽrəlèl]

ⓐ **aligned, side-by-side**

평행의, 평행을 이루는

Conner won the **parallel** bars event at the World Championship. (학평)

0894 ☐☐☐ ★★★

intrigue

[intrí:g]

☑ **interest, fascinate, attract**

흥미를 끌다, 호기심을 돋우다

ⓝ **fascinating quality**

흥미진진함

ⓝ **scheme, plot**

음모

The discovery of a new planet that is similar to the Earth **intrigued** scientists.

The mystery story was full of **intrigue**, making it nearly impossible to guess what would happen.

The newspaper article told of political **intrigue** in the mayor's office.

➕ intriguing ⓐ 아주 흥미로운

---

refine · 매일, 거의 10억 갤런의 원유가 미국에서 정제되고 사용된다.
currency · 유럽의 단일 통화인 유로화의 출범은 생활비의 증가를 초래했다.
parallel · Conner는 세계 선수권의 평행봉 경기에서 우승했다.
intrigue · 지구와 비슷한 새로운 행성의 발견은 과학자들의 흥미를 끌었다.
· 그 신비한 이야기는 흥미진진함으로 가득 차 있어서 무슨 일이 일어날지 추측하는 것이 거의 불가능하게 만들었다.
· 그 신문 기사는 시장의 집무실에서의 정치적 음모를 알렸다.

0895 ☐☐☐ ★★

stationary

[stéiʃənèri]

ⓐ **still, static, motionless**

고정식의, 움직이지 않는

When people ride **stationary** exercise bikes, they feel like they are moving but never go anywhere. (한평)

➕ station ⓝ 정거장 ⓥ 주둔하다

🔁 mobile ⓐ 이동식의

0896 ☐☐☐ ★★

famine

[fǽmin]

ⓝ **starvation, hunger**

기근, 굶주림

The green revolution helped Asia avoid **famine**. (한평)

0897 ☐☐☐ ★★

counterpart

[káuntərpà:rt]

ⓝ **match, complement, equivalent**

상대, 대응 관계에 있는 것

The CEO had a meeting with his **counterpart** from another company.

Tips | **어원으로 어휘 확장하기**

counter 대항하여 + **part** 부분, 구성원 ▶ 양편 중 서로 대항하는 부분 또는 구성원, 즉 상대

➕ counteract ⓥ 대항하다, 거스르다

0898 ☐☐☐ ★★

decent

[dí:snt]

ⓐ **good, proper**

제대로 된, 적당한

ⓐ **honorable, righteous**

훌륭한, 존경할 만한

Homeless shelters are always in need of **decent** clothing. (한평)

Genes, development, and learning all contribute to the process of becoming a **decent** human being. (수능)

➕ decency ⓝ 체면, 품위

🔁 indecent ⓐ 적절하지 못한, 추잡한

----

stationary · 사람들이 고정식 운동용 자전거를 타면, 그들은 움직이는 것처럼 느끼지만 결코 아무 데도 가지 않는다.
famine · 녹색 혁명은 아시아가 기근을 피하도록 도왔다.
counterpart · 그 CEO는 다른 회사의 상대(CEO)와 회의를 했다.
decent · 노숙자 쉼터는 항상 제대로 된 옷을 필요로 한다.
· 유전자, 발달, 그리고 학습은 모두 훌륭한 인간이 되는 과정에 기여한다.

0899 ☐☐☐ ★★

intact

[intǽkt]

ⓐ **undamaged, flawless**

손상되지 않은, 온전한

The machine remained **intact** despite the explosion.

🔁 damaged ⓐ 손상된, 손해를 입은

Tips	시험에는 이렇게 나온다
	remain intact 손상되지 않은 채로 남아 있다 intact ecosystems 온전한 생태계

0900 ☐☐☐ ★★

emulate

[émjulèit]

ⓥ **copy, mirror, imitate**

모방하다, 흉내 내다

The class tried to **emulate** the music played by the renowned guest musician. 모평

➕ emulation ⓝ 경쟁, 본뜸

0901 ☐☐☐ ★★

divert

[divə́:rt]

ⓥ **convert, redirect, deviate**

전환하다, 우회시키다

More land is being **diverted** from local food production to cash crops for export. 학평

➕ diversion ⓝ 전환, 전용

0902 ☐☐☐ ★

lateral

[lǽtərəl]

ⓐ **side, sideward**

측면의, 옆의

The X-rays provided front and **lateral** views of the brain.

➕ laterally ⓐⓓ 측면으로

0903 ☐☐☐ ★

transcribe

[trænskráib]

ⓥ **copy out, write out**

옮겨 적다, 필기하다

This involves writing down the key answers from an interview so that they can be **transcribed** easily afterwards. 학평

➕ transcript ⓝ 사본, 성적 증명서

---

intact	· 그 기계는 폭발에도 불구하고 손상되지 않은 채로 남아있었다.
emulate	· 그 학급은 유명한 객원 음악가에 의해 연주된 음악을 모방하려고 애썼다.
divert	· 더 많은 땅이 지역 식량 생산에서 수출을 위한 '환금 작물'로 전환되고 있다.
lateral	· 엑스레이는 뇌의 정면과 측면 모습을 제공했다.
transcribe	· 이것은 인터뷰의 주요 답변들을 나중에 쉽게 옮겨 적을 수 있도록 그것들을 필기하는 것을 포함한다.

0904 ☐☐☐ ★

prosecute

Ⓥ **accuse, charge with**

기소하다, 고발하다

[prάːsikjùːt]

The man was **prosecuted** for stealing a car and received five years in prison.

➕ prosecutor ⓝ 검사   prosecution ⓝ 기소, 고발

Tips | **어원으로 어휘 확장하기**

pro 앞에 + **secu** 따라가다 + (a)te 동·접 ▶ 앞에 있는 범죄자를 따라가며 죄를 고발하다

➕ **execute** Ⓥ 실행하다, 수행하다

0905 ☐☐☐ ★

stubborn

ⓐ **persistent, obstinate, tenacious**

완고한, 완강한

[stʌ́bərn]

Proud people are often too **stubborn** to admit their own mistakes.

➕ stubbornness ⓝ 완고, 완강

➖ compliant ⓐ 순응하는, 고분고분한

Tips | **시험에는 이렇게 나온다**

stubborn pride 완고한 자존심   stubborn resistance 완강한 저항

0906 ☐☐☐ ★★

outdated

ⓐ **old-fashioned, archaic**

구식의, 시대에 뒤진

[àutdéitid]

Outdated books can give the students wrong information. 〔학평〕

0907 ☐☐☐ ★

eradicate

Ⓥ **remove, root up, eliminate**

근절하다, 박멸하다

[irǽdəkèit]

Major diseases such as smallpox and polio have been **eradicated** by mass vaccination. 〔학평〕

➕ eradication ⓝ 근절, 박멸

Tips | **어원으로 어휘 확장하기**

e 밖으로(ex) + **radic** 뿌리 + ate 동·접 ▶ 뿌리를 밖으로 뽑아 없애다, 즉 근절하다

➕ **radical** ⓐ 근본적인, 기초적인

---

prosecute · 그 남자는 차를 훔친 것으로 기소되었고 징역 5년을 받았다.
stubborn · 자부심이 강한 사람들은 종종 너무 완고해서 그들의 실수를 인정하지 않는다.
outdated · 구식의 책은 학생들에게 잘못된 정보를 줄 수 있다.
eradicate · 천연두와 소아마비 같은 주요 질병들은 집단 예방 접종에 의해 근절되어 왔다.

adorn

[ədɔ́ːrn]

ⓥ **decorate, ornament**

꾸미다, 장식하다

Christine **adorned** herself in her finest jewelry for the party.

➊ adornment ⓝ 장식

amend

[əménd]

ⓥ **correct, revise, alter**

수정하다, 고치다

Congress **amended** the bill to include a more comprehensive tax plan.

➊ amendment ⓝ 개정, (미국 헌법의) 수정 조항

Tips | **시험에는 이렇게 나온다**
| amend a bill 법안을 수정하다 | amend one's way ~의 행실을 고치다 |

deficiency

[difíʃənsi]

ⓝ **shortage, lack**

결핍, 부족

Iron **deficiency** is especially common among people who do not eat meat. 학평

➊ deficient ⓐ 부족한, 결핍된
➖ abundance ⓝ 풍부

---

adorn · Christine은 파티를 위해 가장 멋진 보석으로 자신을 꾸몄다.
amend · 의회는 보다 포괄적인 세금 계획을 포함하도록 법안을 수정했다.
deficiency · 철분 결핍은 특히 고기를 먹지 않는 사람들 사이에서 흔하다.

Daily Quiz

A 알맞은 유의어를 고르세요.

01 exceed		ⓐ interest, fascinate, attract
02 particle		ⓑ piece, bit
03 stationary		ⓒ sensory, relating to perception
04 eradicate		ⓓ surpass, outpace
05 perceptual		ⓔ still, static, motionless
06 encourage		ⓕ promote, boost, support
07 accumulate		ⓖ intuitiveness, understanding
08 refine		ⓗ gather, build up
09 insight		ⓘ remove, root up, eliminate
10 intrigue		ⓙ purify, clarify, improve

B 밑줄 친 단어와 가장 뜻이 유사한 단어를 고르세요.

11 Three men were <u>arrested</u> for the bank robbery.
  ⓐ corrected   ⓑ apprehended   ⓒ redirected   ⓓ accused

12 American public schools <u>neglected</u> their role as moral educators.
  ⓐ removed   ⓑ purified   ⓒ disregarded   ⓓ united

13 Lights can <u>disrupt</u> a good night's sleep.
  ⓐ gather   ⓑ press   ⓒ promote   ⓓ interrupt

14 Proud people are often too <u>stubborn</u> to admit their own mistakes.
  ⓐ proper   ⓑ static   ⓒ persistent   ⓓ righteous

15 Iron <u>deficiency</u> is especially common among people who do not eat meat.
  ⓐ conciseness   ⓑ shortage   ⓒ starvation   ⓓ sense

C 다음 빈칸에 들어갈 가장 알맞은 것을 박스 안에서 고르세요.

inferior   emulate   intact   devote   observe   counterpart

16 Visitors to the library must _____ a strict policy of silence.

17 Justin decided to buy an expensive car rather than the _____, cheaper model.

18 The CEO had a meeting with his _____ from another company.

19 The class tried to _____ the music played by the renowned guest musician.

20 Many mothers _____ themselves to raising children.

0911 ☐☐☐ ★★★

appreciate

[əpríːʃièit]

ⓥ be grateful for, be thankful for	감사하다
ⓥ recognize, acknowledge, understand	인식하다, 이해하다
ⓥ enjoy, admire, honor	감상하다, 음미하다

On behalf of our museum, we **appreciate** your donation. 수능

Recently, we have begun to **appreciate** the importance of emotional intelligence. 모평

Don't miss this wonderful chance to **appreciate** the two masters' works. 학평

➕ appreciative ⓐ 감사하는, 감상하는   appreciation ⓝ 감사, 감상

Tips | **어원으로 어휘 확장하기**

ap ~에(ad) + **preci** 값 + ate 동·접 ▶ 어떤 작품에 값을 매기기 위해 그것을 감상하다

➕ **preci**ous ⓐ 귀중한, 값비싼

0912 ☐☐☐ ★★★

associate

[əsóuʃièit]

| ⓥ connect, link, relate | 관련시키다, 연상하다 |
| ⓝ colleague, coworker | 동료 |

Exposure to blue light can make us feel more awake because our body **associates** it with daytime. 학평

He telephoned some of his **associates**. 학평

➕ association ⓝ 협회, 연관

➡ separate ⓥ 분리하다

---

appreciate · 저희 박물관을 대표하여, 당신의 기부에 감사드립니다.
· 최근에, 우리는 감성적 지능의 중요성을 인식하기 시작했다.
· 두 거장의 작품을 감상할 수 있는 이 멋진 기회를 놓치지 마세요.

associate · 블루 라이트에 대한 노출은 우리가 더 깨어있다고 느끼게 할 수 있는데 왜냐하면 우리 몸이 그것을 낮과 관련시키기 때문이다.
· 그는 그의 동료들 중 몇 명에게 전화를 걸었다.

0913 ☐☐☐ ★★★

symptom

[símptəm]

ⓝ **sign, indication**

증상, 조짐, 징후

Coughing is one of the most common **symptoms** of a cold. (한편)

➕ symptomatic ⓐ 증상을 보이는, 징후의

> Tips **어원으로 어휘 확장하기**
>
> **sym** 함께 + ptom 떨어지다 ▶ 병에 걸릴 때 함께 떨어지는 증상
>
> ➕ **sym**phony ⓝ 교향곡, 교향악단

0914 ☐☐☐ ★★★

resident

[rézədənt]

ⓝ **inhabitant, citizen, dweller**

주민, 거주자

If you are a **resident** of this town, you get an additional five dollars off each course. (한편)

➕ reside ⓥ 살다, 거주하다　residence ⓝ 주택, 거주지

0915 ☐☐☐ ★★★

previous

[prí:viəs]

ⓐ **past, preceding**

이전의, (시간 상) 앞의

It has become habitual to begin reports with careful reviews of **previous** work. (수능)

➕ previously ⓐⓓ 이전에, 미리

➖ subsequent ⓐ 다음의, 차후의

> Tips **시험에는 이렇게 나온다**
>
> previous year 작년 　　　　　previous experience 이전의 경험
>
> previous studies 이전의 연구

0916 ☐☐☐ ★★★

destination

[dèstənéiʃən]

ⓝ **journey's end**

목적지, 도착지

Passenger luggage can be lost or sent to the wrong **destination**. (한편)

➕ destiny ⓝ 운명　destined ⓐ ~로 향하는, ~할 운명인

---

symptom　　· 기침은 감기의 가장 흔한 증상 중 하나이다.
resident　　· 만약 당신이 이 마을의 주민이라면, 각 코스에서 추가적인 5달러씩을 할인 받을 수 있다.
previous　　· 이전의 작업에 대한 신중한 검토로 보고서를 시작하는 것이 습관화됐다.
destination　· 승객 수하물은 분실되거나 잘못된 목적지로 보내질 수 있다.

0917 ☐☐☐ ★★★

reproduce

[rìːprədús]

ⓥ copy, duplicate, imitate	모사하다, 복제하다

ⓥ breed, multiply, propagate	번식하다

The director sometimes **reproduces** others' styles as homage to their work.

Although viruses can **reproduce**, they do not exhibit most of the other characteristics of life. 수능

➕ reproduction ⓝ 복사, 재생, 번식

0918 ☐☐☐ ★★★

restrict

[ristríkt]

ⓥ limit, regulate	제한하다, 통제하다

A government policy **restricting** the use of plastic bags is gradually taking root. 학평

➕ restriction ⓝ 제한, 규제   restrictive ⓐ 제한하는

Tips **어원으로 어휘 확장하기**

re 뒤로 + strict 팽팽히 당기다 ▶ 선을 넘지 못하게 뒤로 팽팽히 당겨 제한하다

➕ strict ⓐ 엄격한, 긴장한

0919 ☐☐☐ ★★★

dependence

[dipéndəns]

ⓝ reliance	의존(성), 의지

Some of us have faith that we shall solve our **dependence** on fossil fuels. 수능

➕ depend ⓥ 의존하다, 의지하다   dependent ⓐ 의존하는, 의지하는

Tips **시험에는 이렇게 나온다**

dependence on ~에 대한 의존   energy dependence 에너지 의존

0920 ☐☐☐ ★★★

patent

[pǽtnt]

ⓝ copyright, license	특허(권), 특허품

When a firm discovers a new drug, **patent** laws give the firm a monopoly on the sale of that drug. 학평

---

reproduce
· 그 감독은 때때로 다른 사람들의 작품에 대한 존경의 표시로 그들의 스타일을 모사한다.
· 비록 바이러스는 번식할 수 있지만, 생명체의 다른 특징의 대부분을 나타내지 않는다.

restrict
· 비닐봉지 사용을 제한하는 정부 정책이 점차 정착되고 있다.

dependence
· 우리 중 일부는 우리가 화석 연료에 대한 우리의 의존을 해결할 것이라는 믿음을 가지고 있다.

patent
· 회사가 신약을 발견하면, 특허법은 그 회사에게 그 약의 판매에 대한 독점권을 준다.

0921 ☐☐☐ ★★★

acknowledge Ⓥ admit, accept, recognize 인정하다

[æknάːlidʒ]

Many fathers are reluctant to **acknowledge** the realities of their kids' psychological health. 〔학평〕

➊ acknowledgment Ⓝ 인정

> Tips **시험에는 이렇게 나온다**
>
> acknowledge the need 필요성을 인정하다   acknowledge the truth 사실을 인정하다
> acknowledge one's strength ~의 장점을 인정하다

0922 ☐☐☐ ★★★

sweep Ⓥ brush, clean 쓸다

[swiːp]

I'll **sweep** and wipe my room until it's shiny. 〔학평〕

➊ sweeping Ⓐ 휩쓰는, 광범위한

0923 ☐☐☐ ★★★

dimension Ⓝ size, magnitude, aspect 크기, 규모, 차원

[diménʃən]

Lucy should accurately measure the **dimensions** of her office before ordering a desk.

➊ dimensional Ⓐ 차원의, 치수의

> Tips **어원으로 어휘 확장하기**
>
> di 떨어져(dis) + mens 재다 + ion 명·접 ▶ 한 점에서 떨어진 다른 점을 연결하는 선의 개수를 잰 치수
> ➊ immense Ⓐ 거대한, 엄청난

0924 ☐☐☐ ★★★

intensive Ⓐ extreme, severe 집중의, 치열한

[inténsiv]

Two final astronaut candidates are going through **intensive** training. 〔학평〕

➊ intense Ⓐ 격렬한, 강렬한   intensively Ⓐⓓ 격렬하게   intensify Ⓥ 강화하다, 심해지다

> Tips **시험에는 이렇게 나온다**
>
> intensive course 심화 과정   intensive training 집중 훈련

---

acknowledge · 많은 아버지들은 자기 자녀의 정신적 건강의 실태를 인정하는 것을 꺼린다.
sweep · 나는 내 방이 반짝거릴 때까지 쓸고 닦을 것이다.
dimension · Lucy는 책상을 주문하기 전에 그녀 사무실의 크기를 정확하게 측정해야 한다.
intensive · 두 명의 최종 우주 비행사 후보자가 집중 훈련을 통과하고 있다.

0925 ☐☐☐ ★★★

tribe

[traib]

ⓝ ethnic group　　부족, 집단

A **tribe** of people in Africa had to use axes to harvest their crops. 학평

➕ tribal ⓐ 부족의, 종족의

Tips　**어원으로 어휘 확장하기**

tri 셋 + be 있다 ▶ 고대 로마를 이루고 있었던 세 개의 부족

➕ tricycle ⓝ 세발자전거　triple ⓐ 세배의

0926 ☐☐☐ ★★

conform

[kənfɔ́ːrm]

ⓥ adjust, comply　　순응하다, 따르다

Larger groups put more pressure on their members to **conform**. 수능

➕ conformity ⓝ 따름, 순응　conformance ⓝ 일치, 부합

Tips　**어원으로 어휘 확장하기**

con 함께(com) + form 형태 ▶ 여럿이 함께 형태를 똑같이 하다

➕ formula ⓝ 공식　reform ⓥ 개정하다, 개혁하다

0927 ☐☐☐ ★★

subsequent

[sʌ́bsikwənt]

ⓐ succeeding, following　　그 다음의, 그 후의

The first earthquake was strong, but luckily the **subsequent** ones were weak.

➕ subsequently ⓐⓓ 이후에　subsequence ⓝ 연속, 이어서 일어나는 것

0928 ☐☐☐ ★★

obligation

[àbləgéiʃən]

ⓝ responsibility, accountability　　의무, 책임

Humans have the moral **obligation** to protect all other forms of life. 모평

➕ oblige ⓥ 의무를 지우다, 강요하다

---

tribe　　　· 아프리카의 한 부족의 사람들은 그들의 농작물을 수확하기 위해 도끼를 사용해야 했다.
conform　　· 더 큰 그룹들은 그들의 구성원들에게 순응하도록 더 많은 압력을 가한다.
subsequent　· 첫 번째 지진은 강력했지만, 다행히도 그 다음의 것들은 약했다.
obligation　· 인간은 모든 다른 형태의 생명을 보호해야 할 도덕적 의무가 있다.

0929 □□□ ★★

congestion

ⓝ overcrowding, jam, clogging

혼잡, 밀집

[kəndʒéstʃən]

Unless we take action now, traffic **congestion** will get worse and worse. 수능

➕ congest ⓥ 혼잡하게 하다

Tips | **시험에는 이렇게 나온다**

traffic congestion 교통 혼잡　　　　　　congestion of population 인구 밀도

0930 □□□ ★★

fraction

ⓝ part, portion, percentage, ratio

부분, 일부, 분수

[frǽkʃən]

All bats are very inefficient in the sense that only a small **fraction** of the energy in the arms is given to the ball. 학평

➕ fractional ⓐ 단편적인, 아주 적은, 분수의

Tips | **어원으로 어휘 확장하기**

fract 부수다 + ion 명·접 ▶ 작게 부순 부분, 숫자를 작게 부순 분수

➕ fracture ⓝ 골절, 균열

0931 □□□ ★★

medieval

ⓐ of the middle ages

중세의, 고풍의

[mìdiíːvəl]

Medieval artists were little more than wage-earning artisans who didn't have a chance to show their artistic originality. 학평

Tips | **어원으로 어휘 확장하기**

medi 중간 + ev 시대 + al 형·접 ▶ 역사적으로 중간 시대인 중세의

➕ intermediate ⓐ 중간의　mediation ⓝ 중재, 조정

0932 □□□ ★★

tease

ⓥ bother, mock, make fun of

놀리다, 장난하다

[tiːz]

The other kids **teased** Bill every day because he wore glasses.

➕ teasing ⓐ 놀리는, 괴롭히는

---

congestion　· 우리가 지금 조치를 취하지 않는다면, 교통 혼잡은 점점 더 심해질 것이다.
fraction　· 팔의 에너지 중 아주 적은 부분만이 공에 전달된다는 점에서, 모든 야구 방망이는 매우 비효율적이다.
medieval　· 중세 예술가들은 그들의 예술적 독창성을 보여줄 기회가 없는 돈벌이하는 장인에 지나지 않았다.
tease　· 다른 아이들은 Bill을 매일 놀렸는데, 그가 안경을 썼기 때문이었다.

0933 ☐☐☐ ★★

cling
[kliŋ]

Ⓥ **adhere, stick, cleave**　　달라붙다, 꼭 붙잡다

Particularly dangerous for teeth are sticky foods that **cling** to the teeth. 〔학평〕

Tips　**시험에는 이렇게 나온다**

cling to ~에 매달리다, ~을 고수하다　　　cling tightly 꽉 달라붙다

0934 ☐☐☐ ★★

reclaim
[rikléim]

Ⓥ **regain, restore**　　되찾다, 개선하다

The athlete underwent intense training to **reclaim** his competitive level. 〔학평〕

➕ reclaimable ⓐ 되찾을 수 있는

0935 ☐☐☐ ★

rally
[ræli]

ⓝ **assembly, convention, meeting**　　집회

She continued to participate in antiwar movements actively by attending **rallies**. 〔학평〕

0936 ☐☐☐ ★

stagger
[stǽgər]

Ⓥ **shake, wobble, falter**　　비틀거리다, 휘청거리다

Ⓥ **spread over a period of time**　　시차를 두다

After receiving a brutal punch to her jaw, the champion **staggered** and dropped to the mat. 〔학평〕

The bank **staggered** break times in order to keep staffing levels steady. 〔학평〕

➕ staggering ⓐ 충격적인, 믿기 어려운

---

cling	· 특히 치아에 위험한 것은 치아에 달라붙는 끈적끈적한 음식이다.
reclaim	· 그 선수는 자신의 경쟁력 있는 위치를 되찾기 위해 강도 높은 훈련을 받았다.
rally	· 그녀는 집회에 참석함으로써 적극적으로 전쟁 반대 운동에 참여하는 것을 계속했다.
stagger	· 그녀의 턱에 인정사정없는 펀치를 당한 후, 챔피언은 비틀거리며 매트로 쓰러졌다.
	· 은행은 직원의 배정 정도를 일정하게 유지하기 위해 휴식 시간에 시차를 두었다.

0937 ☐☐☐ ★

cynical

[sínikəl]

ⓐ **skeptical, pessimistic**　　냉소적인, 부정적인

Nathan had a particularly **cynical** attitude, and he always believed that people had the worst intentions.

➕ cynically ⓐⓓ 냉소적으로

0938 ☐☐☐ ★

intermission

[ìntərmíʃən]

ⓝ **break, recess, interval**　　(공연 중간의) 휴식 시간

Latecomers will be admitted only during **intermission.** ⓒ능

Tips 어원으로 어휘 확장하기

inter 사이에 + mission 임무 ▶ 임무와 임무 사이의 휴식 시간

➕ **inter**val ⓝ 간격, 중간 휴식 시간　**inter**fere ⓥ 방해하다

0939 ☐☐☐ ★

outrun

[autrʌ́n]

ⓥ **surpass, exceed, excel**　　넘어서다, 웃돌다

Derek trained for years, but he was still too slow to **outrun** his brother.

0940 ☐☐☐ ★

aggravate

[ǽɡrəvèit]

ⓥ **worsen, exacerbate**　　악화시키다, 심화시키다

Consuming alcohol and spicy food can **aggravate** stomach conditions.

➕ aggravation ⓝ 악화

Tips 어원으로 어휘 확장하기

ag ~쪽으로(ad) + grav 무거운 + ate 동·접 ▶ 더 무거운, 즉 더 나쁜 쪽으로 악화시키다

➕ **grav**ity ⓝ 중력, 엄숙함, 중대함

---

cynical · Nathan은 특히 냉소적인 태도를 가졌고, 그는 사람들이 가장 나쁜 의도를 가지고 있다고 항상 생각했다.
intermission · 늦게 온 사람들은 휴식 시간에만 입장이 허락될 것이다.
outrun · Derek은 몇 년 동안 훈련했지만, 그의 형을 넘어서기엔 여전히 너무 느렸다.
aggravate · 술과 매운 음식을 먹는 것은 위장 상태를 악화시킬 수 있다.

proclaim

[proukléim]

Ⓥ **declare, affirm**

선포하다, 선언하다

The US **proclaimed** war on Japan after the attack on Pearl Harbor.

➕ proclamation Ⓝ 선언(서)

sober

[sóubər]

Ⓐ **clearheaded, straight**

맑은 정신의, 냉철한

After eight hours without any alcohol to drink, Frank was finally **sober**.

custody

[kʌ́stədi]

Ⓝ **guardianship, confinement**

관리, 양육권, 구금

The chain of **custody** on the evidence was called into question by the defense team, and the evidence was thrown out.

➕ custodial Ⓐ 관리의, 구금의, 양육권이 있는

counterproductive

[kàuntərprədʌ́ktiv]

Ⓐ **causing reverse effect**

역효과를 낳는

The strategy was **counterproductive**, so it would wind up working against the end goal.

outrage

[áutreidʒ]

Ⓥ **offend, aggrieve**

격분시키다

The newest law **outraged** a large portion of the population.

➕ outrageous Ⓐ 난폭한, 포악한

---

proclaim · 미국은 진주만 공격 이후 일본에 전쟁을 선포했다.
sober · 8시간 동안 어떤 술도 마시지 않은 후, Frank는 마침내 맑은 정신이 됐다.
custody · 증거에 대한 관리 연속성이 변호인단에 의해 문제시되었고, 증거는 기각됐다.
counterproductive · 그 전략은 역효과를 낳아서 결국 최종 목표에 불리하게 작용할 것이었다.
outrage · 그 최신 법률은 상당 부분의 사람들을 격분시켰다.

Daily Quiz

A 알맞은 유의어를 고르세요.

01 custody		ⓐ of the middle ages
02 medieval		ⓑ ethnic group
03 associate		ⓒ inhabitant, citizen, dweller
04 dependence		ⓓ connect, link, relate
05 counterproductive		ⓔ part, portion, percentage, ratio
06 cynical		ⓕ shake, wobble, falter
07 fraction		ⓖ reliance
08 resident		ⓗ skeptical, pessimistic
09 tribe		ⓘ guardianship, confinement
10 stagger		ⓙ causing reverse effect

B 밑줄 친 단어와 가장 뜻이 유사한 단어를 고르세요.

11 The newest law underlined outraged a large portion of the population.
ⓐ recognized ⓑ connected ⓒ offended ⓓ limited

12 The US proclaimed war on Japan after the attack on Pearl Harbor.
ⓐ adjusted ⓑ declared ⓒ bothered ⓓ regained

13 Humans have the moral obligation to protect all other forms of life.
ⓐ assembly ⓑ break ⓒ confinement ⓓ responsibility

14 Two final astronaut candidates are going through intensive training.
ⓐ skeptical ⓑ extreme ⓒ following ⓓ preceding

15 Don't miss this wonderful chance to appreciate the two masters' works.
ⓐ relate ⓑ surpass ⓒ enjoy ⓓ adhere

C 다음 빈칸에 들어갈 가장 알맞은 것을 박스 안에서 고르세요.

aggravate	congestion	tease	acknowledge	symptom	previous

16 The other kids _____(e)d Bill every day because he wore glasses.

17 Consuming alcohol and spicy food can _____ stomach conditions.

18 Unless we take action now, traffic _____ will get worse and worse.

19 Many fathers are reluctant to _____ the realities of their kids' psychological health.

20 Coughing is one of the most common _____(e)s of a cold.

정답

01 ⓘ	**02** ⓐ	**03** ⓓ	**04** ⓖ	**05** ⓙ	**06** ⓗ	**07** ⓔ
08 ⓒ	**09** ⓑ	**10** ⓕ	**11** ⓒ	**12** ⓑ	**13** ⓓ	**14** ⓑ
15 ⓒ	**16** tease	**17** aggravate	**18** congestion	**19** acknowledge	**20** symptom	

음성 바로 듣기

0946 □□□ ★★★

project

ⓝ[práːdʒekt]
ⓥ[prədʒékt]

ⓝ task, plan, assignment	(연구) 과제, 사업
ⓥ forecast, estimate	예상하다, 계획하다
ⓥ reflect, mirror	투영하다, 비추다

I stayed up all night finishing the science **project**. 학평

The shares of the global middle class in Europe and North America are both **projected** to decrease. 수능

The view the wearer sees is **projected** on the screen behind him. 모평

➕ projection ⓝ 투사, 투영

Tips **어원으로 어휘 확장하기**

pro 앞에 + ject 던지다 ▶ 누군가의 앞에 해결하라고 던져진 과제
➕ reject ⓥ 거절하다, 거부하다, 부인하다   inject ⓥ 주사하다, 주입하다

0947 □□□ ★★★

supply

[səplái]

| ⓥ provide, furnish | 공급하다, 주다 |
| ⓝ provision | 공급(품) |

The US President agreed to **supply** tons of food to the starving Polish people. 학평

The water **supply** affects the lives of the people. 수능

➕ supplier ⓝ 공급자
➖ demand ⓥ 요구하다 ⓝ 수요, 요구

Tips **어원으로 어휘 확장하기**

sup 아래에(sub) + ply 채우다 ▶ 아래에서부터 채워 필요한 것을 공급하다
➕ comply ⓥ 따르다, 준수하다

---

project · 나는 과학 과제를 끝내기 위해 밤을 꼬박 새웠다.
· 유럽과 북미에서의 세계 중산층에 대한 점유율은 모두 하락할 것으로 예상된다.
· 착용자가 보는 시야가 그의 뒤에 있는 스크린에 투영된다.
supply · 미국 대통령은 굶주리는 폴란드 국민에게 엄청난 양의 식량을 공급하기로 동의했다.
· 물 공급은 사람들의 삶에 영향을 미친다.

equipment

[ikwípmənt]

ⓝ **gear, apparatus, machinery**　　　장비, 설비

Before you go out fishing, you need to check if safety **equipment** is on the boat. (수능)

➕ equip ⓥ (장비·능력을) 갖추다

continuous

[kəntínjuəs]

ⓐ **uninterrupted, constant**　　　지속적인, 계속되는

A **continuous** lack of sleep increases the risk for developing serious diseases. (학평)

➕ continue ⓥ 계속되다　　continuously ⓐⓓ 연달아　　continuity ⓝ 지속성

contrary

[kάːntreri]

ⓐⓓ **in opposition, oppositely**　　　반대로, 반하여

ⓐ **reversed, opposite**　　　반대의

Contrary to popular belief, reading books in poor light does not ruin your eyes. (학평)

The defense attorneys presented **contrary** arguments to the prosecution's case.

Tips　**시험에는 이렇게 나온다**

contrary to ~에 반해　　　　　　　　　　on the contrary 이에 반하여, ~과는 반대로

absorb

[æbsɔ́ːrb]

ⓥ **soak up, receive**　　　흡수하다, 빨아들이다

ⓥ **engross, engage, involve**　　　열중시키다, (주의를) 빼앗다

Greenhouse gases have been known to **absorb** heat and hold this heat in the atmosphere. (수능)

Absorbed in their own thoughts, people do not see someone trying to greet them. (수능)

➕ absorption ⓝ 흡수　　absorptive ⓐ 흡수하는, 흡수성의

---

equipment	· 낚시하러 나가기 전에, 당신은 배에 안전 장비가 있는지 확인할 필요가 있다.
continuous	· 지속적인 수면 부족은 심각한 질병에 걸릴 위험을 증가시킨다.
contrary	· 일반적인 믿음과는 반대로, 어두운 곳에서 책을 읽는 것은 당신의 눈을 손상시키지 않는다.
	· 피고측 변호인들은 검찰 측 사건에 대해 반대의 주장을 나타냈다.
absorb	· 온실 가스는 열을 흡수하고 이 열을 대기에서 유지하는 것으로 알려져 있다.
	· 자신의 생각에 열중하여, 사람들은 자신에게 인사하려는 누군가를 보지 못한다.

0952 ☐☐☐ ★★★

myth

[miθ]

Ⓝ legend, fiction

신화, 미신

It is difficult to determine when any story becomes a **myth**. (모평)

➕ mythical ⓐ 신화의, 신화적인   mythology Ⓝ 신화

0953 ☐☐☐ ★★★

curriculum

[kəríkjuləm]

Ⓝ syllabus, educational program

교과 과정, 교육 과정

During the orientation, you will have the chance to learn about our school **curriculum**. (학평)

➕ curricular ⓐ 교육 과정의

0954 ☐☐☐ ★★★

symbolize

[símbəlàiz]

Ⓥ represent, stand for

상징하다

The color white traditionally **symbolizes** innocence. (수능)

➕ symbol Ⓝ 상징   symbolic ⓐ 상징적인

0955 ☐☐☐ ★★★

derive

[diráiv]

Ⓥ extract, obtain

이끌어내다, 얻다

Investors are betting big on alternative fuels **derived** from sugar and other crops. (모평)

➕ derivation Ⓝ 파생, 기원, 유도

Tips | **시험에는 이렇게 나온다**
derive from ~에서 얻다, 유래하다

0956 ☐☐☐ ★★★

storage

[stɔ́:ridʒ]

Ⓝ keeping, warehouse, depository

보관, 저장(소)

A closet is probably your best bet for the **storage** of your medications. (학평)

➕ store Ⓥ 저장하다, 보관하다

---

myth · 어떤 이야기가 언제 신화가 되는지 판단하기는 어렵다.
curriculum · 오리엔테이션 동안 당신은 우리 학교 교과 과정에 대해 알게 될 기회를 가질 것이다.
symbolize · 흰색은 전통적으로 순수함을 상징한다.
derive · 투자자들은 설탕과 다른 작물들에서 이끌어내진 대체 연료에 큰 돈을 걸고 있다.
storage · 옷장이 아마도 의약품을 보관하기 위한 당신의 최선책일 것이다.

0957 □□□ ★★★

transmit

[trænsmít]

☑ **transfer, convey**　　　전송하다, 발송하다

Technological advances have led to a dramatic reduction in the cost of processing and **transmitting** information. ⓢⓝ

➕ transmission ⓝ 전송, 전염

Tips　**어원으로 어휘 확장하기**

trans 가로질러 + **mit** 보내다 ▶ 먼 장소로 가로질러 보내다, 즉 전송하다
➕ **trans**port ☑ 수송하다, 운송하다　**trans**form ☑ 변화시키다, 변형하다

0958 □□□ ★★★

radical

[rǽdikəl]

ⓐ **essential, fundamental**　　근본적인, 기초적인

ⓐ **extreme, revolutionary**　　급진적인

The president promised to make **radical** changes to the country's health care system.

The more **radical** people in the political party were determined to start a revolution.

➕ radically ⓐⓓ 근본적으로, 급진적으로

Tips　**시험에는 이렇게 나온다**

radical difference 근본적인 차이　　　radical ideas 급진적인 사상

0959 □□□ ★★★

nerve

[nəːrv]

ⓝ **tissue and cells that carry signals**　　신경, 불안

When the **nerves** of the tongue are damaged, people become extra sensitive to the texture of fatty foods, such as butter. ⓗⓦ

➕ nervous ⓐ 불안한　nervously ⓐⓓ 불안하게

Tips　**시험에는 이렇게 나온다**

nerve cells 신경 세포　　　nerves and muscles 신경과 근육

---

transmit　· 기술의 발전은 정보를 처리하고 전송하는 비용의 극적인 감소를 야기했다.
radical　· 대통령은 국가의 의료 제도에 근본적인 변화를 주겠다고 약속했다.
　　　　· 그 정당의 보다 급진적인 사람들은 혁명을 일으키기로 결심했다.
nerve　· 혀의 신경이 손상되면, 사람들은 버터와 같은 기름진 음식의 질감에 특별히 민감해진다.

0960 ☐☐☐ ★★★

defect

[dí:fekt]

n **flaw, fault, deficiency**   결함, 부족

Too little light may cause product **defects** to go unnoticed. 학평

➕ defective ⓐ 결함이 있는

0961 ☐☐☐ ★★

utilize

[jú:təlàiz]

v **use, employ**   이용하다, 활용하다

Horses were frequently **utilized** in the delivery of letters. 수능

➕ utilization ⓝ 이용, 활용   utility ⓝ 유용성

0962 ☐☐☐ ★★

flock

[flɑ:k]

n **herd, group**   떼, 무리

v **congregate, crowd, huddle**   몰리다, 떼를 지어 오다

These **flocks** of birds often move very quickly in a highly synchronized fashion.

There are risks of collision if many students **flock** to the narrow school road.

0963 ☐☐☐ ★★

factual

[fǽktʃuəl]

ⓐ **true, real, authentic**   사실에 입각한, 실제의

The statement was entirely **factual**, with no opinions or subjective evaluations included.

➕ fact ⓝ 사실, 실제

0964 ☐☐☐ ★★★

flattery

[flǽtəri]

n **compliment, praise**   아첨, 아부

It is not good to listen to **flattery**. 학평

➕ flatter ⓥ 아첨하다

---

defect · 너무 적은 조명은 제품 결함이 눈에 띄지 않고 지나치게 할지도 모른다.
utilize · 말은 서신 전달에 자주 이용되었다.
flock · 이 새떼들은 종종 매우 동시에 움직이는 방식으로 상당히 빠르게 움직인다.
· 좁은 통학로에 많은 학생들이 몰리면 충돌의 위험이 있다.
factual · 그 진술은 의견이나 주관적인 평가가 포함되지 않은, 전적으로 사실에 입각했다.
flattery · 아첨에 귀를 기울이는 것은 좋지 않다.

0965 ☐☐☐ ★★

disgust

ⓥ **sicken, loathe**

혐오감을 유발하다

[disgÁst]

Melanie was **disgusted** by the rude behavior of the people sitting at the next table.

➕ disgusting ⓐ 혐오스러운, 역겨운

Tips 어원으로 어휘 확장하기

dis 반대의 + gust 맛 ▶ 맛있어하는 것의 반대인 혐오, 역겨움

➕ **dis**ability ⓝ 무능(력), 장애   **dis**appear ⓥ 사라지다, (눈앞에서) 없어지다

0966 ☐☐☐ ★★

oriented

ⓐ **focused**

~ 중심의, ~을 지향하는

[ɔ́:rièntid]

The policies of an organization should be employee-**oriented**. (학평)

➕ orient ⓥ 지향하다   orientation ⓝ 성향, 경향

Tips 시험에는 이렇게 나온다

future-oriented 미래 지향의   goal-oriented 목표 지향의

market-oriented 시장 지향의   family-oriented 가족 지향의

0967 ☐☐☐ ★★

horizontal

ⓐ **flat, parallel**

수평의, 가로의

[hɔ̀:rəzá:ntl]

Whenever you see a graph, you should check the units on the vertical and **horizontal** axes.

➕ horizontally ⓐⓓ 수평으로, 가로로

0968 ☐☐☐ ★★

recite

ⓥ **declaim, read out loud**

암송하다, 낭독하다

[risáit]

Participants should memorize and **recite** one of the poems posted on our school website. (학평)

➕ recitation ⓝ 암송   recital ⓝ 낭독, 연주회

---

disgust · Melanie는 옆 테이블에 앉은 사람들의 무례한 행동에 혐오감을 느꼈다.
orient · 조직의 정책은 직원 중심이어야 한다.
horizontal · 당신이 그래프를 볼 때마다 수직축과 수평축의 단위를 확인해야 한다.
recite · 참가자들은 우리 학교 웹사이트에 게시된 시들 중 하나를 외우고 암송해야 한다.

0969 ☐☐☐ ★★

ecology

[ikάːlədʒi]

ⓝ **ecosystem**

생태학, 생태

Projects like road building may destroy Mount Everest's extremely fragile **ecology**. 학평

➕ ecological ⓐ 생태계의   ecologist ⓝ 생태학자

0970 ☐☐☐ ★★

indulge

[indʌ́ldʒ]

ⓥ **become involved in, revel in**

~을 마음껏 하다, ~에 빠지다

The tourists **indulged** in overeating throughout their vacation.

➕ indulgence ⓝ 빠짐, 탐닉   indulgent ⓐ 멋대로 하게 하는

0971 ☐☐☐ ★★

orbit

[ɔ́ːrbit]

ⓝ **track**

궤도

ⓥ **circle, revolve**

~의 주위를 궤도를 그리며 돌다

An English scientist understood what keeps the planets in their **orbit**. 학평

Some of Jupiter's moons **orbit** the planet in less than 12 hours.

➕ orbital ⓐ 궤도의

0972 ☐☐☐ ★★

affluent

[ǽfluənt]

ⓐ **plentiful, abundant**

풍부한, 풍족한

ⓐ **wealthy, opulent**

부유한

Ancient Rome received an **affluent** supply of grain from Egypt.

Hank had grown up in an **affluent** family and always had his material needs met.

➕ affluence ⓝ 풍부함, 풍부

---

ecology · 도로 건설과 같은 프로젝트는 에베레스트의 극도로 취약한 생태계를 파괴할지도 모른다.
indulge · 관광객들은 휴가 내내 과식을 마음껏 했다.
orbit · 영국의 한 과학자는 무엇이 행성들을 그들의 궤도에 머무르게 하는지 이해했다.
· 목성의 몇몇 위성들은 12시간 이내에 그 행성(목성)의 주위를 궤도를 그리며 돈다.
affluent · 고대 로마는 이집트로부터 풍부한 곡식의 공급을 받았다.
· Hank는 부유한 가정에서 자라 그의 물질적인 욕구가 항상 충족되었다.

0973 ☐☐☐ ★★

optical

[ɑ́:ptikəl]

ⓐ relating to sight, visual

시각적인, 눈의

Berendt points out that there are many **optical** illusions. (수능)

➕ optic ⓐ 눈의   optics ⓝ 광학

Tips | **시험에는 이렇게 나온다**

optical illusion 착시   an optical defect 시력의 결함

0974 ☐☐☐ ★★

gross

[grous]

ⓐ total, whole

총체의, 모두 합친

Housing expenses should not be more than 28 percent of your **gross** income. (학평)

Tips | **시험에는 이렇게 나온다**

gross domestic product(GDP) 국내총생산   gross income 총수입

0975 ☐☐☐ ★

drastic

[drǽstik]

ⓐ extreme, harsh, dramatic

과감한, 급격한

I firmly believe **drastic** measures should be taken before it's too late. (수능)

➕ drastically ⓐⓓ 강렬히, 과감히

0976 ☐☐☐ ★

bulk

[bʌlk]

ⓝ mass, large quantity

대량, 큰 규모

Buying its supplies in **bulk**, the department store chain was able to sell for less than its competitors.

➕ bulky ⓐ 부피가 큰

0977 ☐☐☐ ★

embryo

[émbriòu]

ⓝ fetus, unborn child

배아, 태아

Embryos of the red-eyed tree frog turn over to get a breath of fresh air. (학평)

---

optical   · Berendt는 시각적 환상(착시현상)이 많다고 지적한다.
gross   · 주거비는 당신의 총수입의 28퍼센트를 초과해서는 안 된다.
drastic   · 나는 너무 늦기 전에 과감한 조치가 취해져야 한다고 굳게 믿는다.
bulk   · 물품을 대량으로 구매함으로써 그 백화점 체인점은 경쟁 업체들보다 더 싸게 판매할 수 있었다.
embryo   · 붉은 눈 청개구리의 배아는 신선한 공기를 마시기 위해 몸을 뒤집는다.

complement

ⓝ[kάːmpləmənt]
ⓥ[kάmpləmènt]

| ⓝ supplement, counterpart | 보완물, 보충물 |
| ⓥ integrate, complete | 보완하다, 보충하다 |

Wine experts recommend white wine as the perfect **complement** to salmon.

We are looking for a diversified team where members **complement** one another. (학평)

➕ complementary ⓐ 상호 보완적인

Tips **어원으로 어휘 확장하기**

com 모두 + **ple** 채우다 + ment 명·접 ▶ 부족한 부분을 모두 채워 주는 보완물

➕ de**ple**te ⓥ 고갈시키다, 크게 감소시키다

premature

[prìːmətʃúər]

| ⓐ early, untimely | 조기의, 조숙한 |

Subjects who watched television for more than four hours daily had a 46 percent higher risk of **premature** death. (학평)

➕ prematurity ⓝ 시기상조, 조숙   prematurely ⓐⓓ 너무 이르게, 조급하게

Tips **어원으로 어휘 확장하기**

pre 앞서 + mature 성숙한 ▶ 적절한 시기보다 앞서 성숙한, 즉 시기상조의

➕ **pre**caution ⓝ 예방책, 예방 조치

overthrow

[òuvərθróu]

| ⓥ defeat, conquer, overpower | 타도하다, 전복하다 |

The angry population **overthrew** their king, creating a democracy where they could elect their leaders.

---

complement · 와인 전문가들은 연어의 완벽한 보완물로 화이트 와인을 추천한다.
· 우리는 구성원들이 서로를 보완하는 다원화된 팀을 찾고 있다.
premature · 매일 4시간 이상 텔레비전을 시청한 피실험자들은 조기 사망의 위험이 46% 더 높았다.
overthrow · 분노한 국민들은 왕을 타도했고, 그들이 지도자를 선출할 수 있는 민주주의를 만들었다.

Daily Quiz

A 알맞은 유의어를 고르세요.

01	nerve	ⓐ	tissue and cells that carry signals
02	flock	ⓑ	relating to sight, visual
03	bulk	ⓒ	focused
04	premature	ⓓ	transfer, convey
05	equipment	ⓔ	gear, apparatus, machinery
06	recite	ⓕ	declaim, read out loud
07	oriented	ⓖ	herd, group
08	drastic	ⓗ	early, untimely
09	transmit	ⓘ	mass, large quantity
10	optical	ⓙ	extreme, harsh, dramatic

B 밑줄 친 단어와 가장 뜻이 유사한 단어를 고르세요.

11 Too little light may cause product <u>defects</u> to go unnoticed.
  ⓐ counterparts　　ⓑ herds　　ⓒ compliments　　ⓓ flaws

12 Investors are betting big on alternative fuels <u>derived</u> from sugar and other crops.
  ⓐ estimated　　ⓑ extracted　　ⓒ furnished　　ⓓ represented

13 The statement was entirely <u>factual</u>, with no opinions or subjective evaluations included.
  ⓐ essential　　ⓑ flat　　ⓒ true　　ⓓ extreme

14 Ancient Rome received an <u>affluent</u> supply of grain from Egypt.
  ⓐ total　　ⓑ provision　　ⓒ task　　ⓓ compliment

15 Wine experts recommend white wine as the perfect <u>complement</u> to salmon.
  ⓐ supplement　　ⓑ provision　　ⓒ task　　ⓓ compliment

C 다음 빈칸에 들어갈 가장 알맞은 것을 박스 안에서 고르세요.

symbolize	disgust	absorb	indulge	radical	overthrow

16 Greenhouse gases have been known to _____ heat and hold this heat in the atmosphere.

17 The tourists _____(e)d in overeating throughout their vacation.

18 The color white traditionally _____(e)s innocence.

19 Melanie was _____(e)d by the rude behavior of the people sitting at the next table.

20 The more _____ people in the political party were determined to start a revolution.

정답

01 ⓐ	02 ⓖ	03 ⓘ	04 ⓗ	05 ⓔ	06 ⓕ	07 ⓒ
08 ⓙ	09 ⓓ	10 ⓑ	11 ⓓ	12 ⓑ	13 ⓒ	14 ⓑ
15 ⓐ	16 absorb	17 indulge	18 symbolize	19 disgust	20 radical	

0981 ☐☐☐ ★★★

exercise

[éksərsàiz]

| ⓝ workout, training | 운동 |
| ⓥ exert, wield | (권력 등을) 행사하다 |

You probably know that healthy eating and intentional **exercise** are good ways to lose weight. (학평)

Government leaders **exercised** their authority to dispatch police to stop the riot.

Tips | **시험에는 이렇게 나온다**

regular exercise 규칙적인 운동　　　　　　excessive exercise 과도한 운동

0982 ☐☐☐ ★★★

traditionally

[trədíʃənəli]

| ⓐⓓ conventionally, customarily | 전통적으로 |

Black Friday is **traditionally** one of the busiest shopping days of the year. (모평)

➕ tradition ⓝ 전통　traditional ⓐ 전통의

0983 ☐☐☐ ★★★

interpret

[intə́:rprit]

| ⓥ construe, understand | 해석하다, 이해하다 |

Human reactions are so complex that they can be difficult to **interpret** objectively. (학평)

➕ interpretation ⓝ 해석, 이해　interpreter ⓝ 통역사

Tips | **어원으로 어휘 확장하기**

inter 서로 + pret 거래하다 ▶ 거래하는 사이에서 서로 말이 통하도록 해석하다

➕ interchange ⓥ 서로 교환하다　interact ⓥ 상호 작용하다

---

exercise　· 당신은 아마도 건강한 식사와 계획적인 운동이 살을 빼는 좋은 방법이라는 것을 알고 있을 것이다.
　　　　　· 정부 지도자들은 폭동을 막기 위해 경찰을 파견하려고 그들의 권력을 행사했다.
traditionally　· 블랙 프라이데이는 전통적으로 일년 중 가장 바쁜 쇼핑일 중 하나이다.
interpret　· 인간의 반응은 너무 복잡해서 객관적으로 해석하기 어려울 수 있다.

0984 ☐☐☐ ★★★

surface

n face, top, exterior
표면, 수면

[sə́:rfis]

Dolphins need to reach the **surface** of the water to breathe. (학평)

Tips | **어원으로 어휘 확장하기**

sur 위에 + face 겉면, 표면 ▶ 가장 위에 보이는 겉면, 표면

➕ surround v 에워싸다, 둘러싸다

0985 ☐☐☐ ★★★

outward

a exterior, external, outer, outside
겉으로 보이는, 표면상의

[áutwərd]

Habits are the **outward** expressions of our character. (학평)

➕ outwardly ad 겉으로는, 표면상으로

➖ inward a 마음속의, 내부로 향한

0986 ☐☐☐ ★★★

literature

n written matter, fiction
문학, 문헌

[lítərətʃər]

It's my great honor to introduce a Nobel Prize winner in **literature**, Mrs. Adrian Walson. (수능)

➕ literary a 문학의, 문학적인

Tips | **시험에는 이렇게 나온다**

English literature 영문학	children's literature 아동 문학
classical literature 고전 문학	foreign literature 외국 문학

0987 ☐☐☐ ★★★

convince

v persuade, assure
설득하다, 납득시키다

[kənvíns]

When writers want to **convince** people of something, they rely on appealing to the reader's emotions. (학평)

➕ convincible a 설득할 수 있는

---

surface · 돌고래는 숨 쉬기 위해 물의 표면에 도달해야 한다.
outward · 습관은 우리 성격의 겉으로 보이는 표현이다.
literature · 문학 분야의 노벨상 수상자인 Mrs. Adrian Walson을 소개하게 되어 영광입니다.
convince · 작가들이 어떤 것에 대해 사람들을 설득하고 싶을 때, 그들은 독자의 감정에 호소하는 것에 의존한다.

0988 ☐☐☐ ★★★

considerable

[kənsídərəbl]

| ⓐ substantial, large | 상당한 |

| ⓐ meaningful, significant | 중요한 |

Our shopping habits can have **considerable** effects on the environment. 모평

For Pavlov, winning the Nobel Prize was a **considerable** achievement.

➕ considerably ⓐ 상당히, 많이   consideration ⓝ 고려 사항, 숙고

Tips **시험에는 이렇게 나온다**

considerable amount of 상당한 정도의   a considerable gap 상당한 차이

0989 ☐☐☐ ★★★

prohibit

[prouhíbit]

| ⓥ forbid, ban, disallow, block | 금지하다, 막다 |

Pets are **prohibited** in the garden. 학평

➕ prohibition ⓝ 금지, 금지법

Tips **어원으로 어휘 확장하기**

pro 앞에 + hib(it) 잡다 ▶ 앞에서 잡아 더 진행하지 못하게 막다, 즉 금지하다

➕ inhibit ⓥ 억제하다, 제지하다, 금하다

0990 ☐☐☐ ★★★

entertainment

[èntərtéinmənt]

| ⓝ amusement, pleasure | 오락, 여흥 |

Children at the amusement park watch the clowns for **entertainment**.

➕ entertain ⓥ 즐겁게 하다, 대접하다   entertaining ⓐ 재미있는

0991 ☐☐☐ ★★★

appliance

[əpláiəns]

| ⓝ machine, apparatus | 가전제품, 기구 |

The washing machine is one of the most technologically advanced examples of a large household **appliance**. 학평

---

considerable · 우리의 쇼핑 습관은 환경에 상당한 영향을 미칠 수 있다.
· 파블로프에게 있어서, 노벨상을 탄 것은 중요한 업적이었다.
prohibit · 정원에서 반려동물은 금지되어 있다.
entertainment · 놀이 공원에 있는 아이들은 오락 삼아 광대를 구경한다.
appliance · 세탁기는 가장 기술적으로 진보된 대형 가전제품의 예시 중 하나이다.

0992 ☐☐☐ ★★★

retail

ⓝ sale of goods in small quantities 소매, 소매상

[rí:teil]

Many companies without **retail** stores have set up shops on the Web. (학평)

➕ retailer ⓝ 소매업자

➖ wholesale ⓝ 도매

Tips | **어원으로 어휘 확장하기**

re 다시 + tail 자르다 ▶ 도매로 산 것을 다시 작게 잘라서 소비자에게 파는 소매

➕ tailor ⓝ 재단사   detail ⓝ 세부 목록

0993 ☐☐☐ ★★★

alert

ⓐ warning, vigilant, watchful 경계하는, 기민한

[ələ́:rt]

ⓝ alarm, signal 경계 경보

If new sensory information is around us, our brains are continuously **alert** and attentive. (학평)

He received an **alert** informing him that $1,500 had been taken out of his bank account.

Tips | **시험에는 이렇게 나온다**

on (the) alert 경계하여   red alert 적색 경보

air alert 공습 경계

0994 ☐☐☐ ★★★

assess

ⓥ estimate, calculate 평가하다, 산정하다

[əsés]

It is our policy at Northstar to **assess** employee performance and award raises annually. (학평)

➕ assessment ⓝ 평가

Tips | **어원으로 어휘 확장하기**

as ~쪽으로(ad) + sess 앉다 ▶ 어떤 것 쪽으로 앉아 자세히 보고 그것을 평가하다

➕ obsess ⓥ (마음을) 사로잡다

---

retail · 소매 상점이 없는 많은 회사들은 웹사이트에 가게를 차렸다.

alert · 만약 새로운 감각 정보가 우리 주위에 있다면, 우리의 뇌는 계속해서 경계하며 주의를 기울인다.

· 그는 그의 은행 계좌에서 1500달러가 인출되었다고 그에게 알려주는 경계 경보를 받았다.

assess · 1년에 한 번씩 직원 성과와 연봉 인상을 평가하는 것이 Northstar에서 우리의 방침이다.

0995 ☐☐☐ ★★★

linguistic

ⓐ **lingual**

어학의, 언어의

[liŋgwístik]

Linguistic knowledge does not guarantee that you can produce socially appropriate speech. (학평)

➕ linguist ⓝ 언어학자, 언어에 능통한 사람   linguistically ⓐⓓ 언어상, 언어학적으로

0996 ☐☐☐ ★★★

primary

ⓐ **principal, main, fundamental**

주요한, 근본적인

[práimeri]

For several years now, blogs have been a **primary** source of information for me. (학평)

➕ prime ⓐ 주된, 최고의   primarily ⓐⓓ 주로

Tips | **어원으로 어휘 확장하기**

prim 첫 번째의 + ary 형·접 ▶ 첫 번째로 중요한

➕ **prim**itive ⓐ 원시의, 원시적인

0997 ☐☐☐ ★★★

plea

ⓝ **appeal, petition**

호소, 애원, 탄원

[pli:]

The climate activist made an emotional **plea** to world leaders to support clean energy.

➕ plead ⓥ 애원하다, 변호하다

Tips | **시험에는 이렇게 나온다**

a passionate plea 열렬한 호소   make a plea for mercy 자비를 빌다

0998 ☐☐☐ ★★

embody

ⓥ **manifest, represent**

구체적으로 나타내다

[imbá:di]

ⓥ **include, contain, incorporate**

포함하다, 수록하다

Literature often **embodies** the social ideals of either the author or the author's culture.

The composition **embodied** several musical styles, including jazz, funk, and reggae.

➕ embodiment ⓝ 구체화, 구현

---

linguistic
primary
plea
embody

· 어학 지식은 당신이 사회적으로 적절한 연설을 만들어 낼 수 있다는 것을 보장하지는 않는다.
· 지금 몇 년 동안, 블로그는 나에게 정보의 주요한 원천이 되어왔다.
· 기후 운동가는 세계 지도자들에게 청정 에너지를 지원해 달라고 감정적인 호소를 하였다.
· 문학은 종종 작가나 그 작가의 문화의 사회적 이상을 구체적으로 나타낸다.
· 그 작품은 재즈, 펑크, 그리고 레게를 포함한 여러 가지 음악 스타일을 포함했다.

0999 ☐☐☐ ★★

improvise

ⓥ **ad-lib, busk**

즉흥적으로 (연주)하다

[ímprəvàiz]

In jazz, the performers often **improvise** their own melodies. 수능

➕ improvisation ⓝ 즉흥적으로 하기, 즉석에서 만든 것 improvisational ⓐ 즉흥적인

Tips **어원으로 어휘 확장하기**

im 아닌(in) + pro 앞에 + **vis**(e) 보다 ▶ 앞에 정해둔 것을 보지 않고 즉흥적으로 하다

➕ super**vise** ⓥ 감독하다, 관리하다 re**vise** ⓥ 수정하다, 변경하다

1000 ☐☐☐ ★★

correspond

ⓥ **match, coincide, accord**

일치하다, 해당하다

[kɔ̀:rəspá:nd]

The cursor's movement on the computer screen **corresponds** to the movement of the mouse.

➕ corresponding ⓐ 상응하는 correspondence ⓝ 일치, 상응

Tips **어원으로 어휘 확장하기**

cor 함께(com) + respond 반응하다 ▶ 함께 같은 반응을 하다, 즉 일치하다

➕ cor**relation** ⓝ 연관성, 상호 관련

1001 ☐☐☐ ★★

equilibrium

ⓝ **balance, symmetry**

평정, 평형

[ìːkwəlíbriəm]

A physical balance is needed for mental **equilibrium**. 수능

➕ equilibrate ⓥ 균형 잡히게 하다, 평형을 유지하다

Tips **시험에는 이렇게 나온다**

keep equilibrium 평정을 유지하다   market equilibrium 시장 균형

in equilibrium 평형 상태에서

1002 ☐☐☐ ★★

underestimate

ⓥ **underrate, undervalue**

너무 적게 잡다, 과소평가하다

[ʌ̀ndəréstəmèit]

When we eat out, we tend to **underestimate** the number of calories we consume. 모평

---

improvise   · 재즈에서 연주자들은 종종 그들 자신의 멜로디를 즉흥적으로 연주한다.
correspond   · 컴퓨터 화면에서 커서의 움직임은 마우스의 움직임과 일치한다.
equilibrium · 마음의 평정을 위해서는 신체적 균형이 필요하다.
underestimate · 우리가 외식을 할 때, 우리는 우리가 소비하는 칼로리의 수치를 너무 적게 잡는 경향이 있다.

1003 ☐☐☐ ★

accustomed

ⓐ **used to, habituated, familiar**　　익숙해진, 익숙한

[əkʌ́stəmd]

People are **accustomed** to using blankets to make themselves warm. (수능)

➊ accustom ⓥ 익숙하게 하다

➖ unaccustomed ⓐ 익숙하지 않은

Tips **시험에는 이렇게 나온다**

accustomed to ~에 익숙한　　　　　　in the accustomed way 익숙한 방법대로

1004 ☐☐☐ ★★

illuminate

ⓥ **light, brighten, clarify**　　밝히다, 명확하게 하다

[ilúːmənèit]

During the expedition deep into the forest, the explorers used lanterns to **illuminate** the way.

➊ illumination ⓝ 빛, 조명, 깨달음

1005 ☐☐☐ ★★

brutality

ⓝ **savagery, cruelty**　　잔혹성, 잔혹 행위

[bruːtǽləti]

The **brutality** and violence displayed in the Colosseum in Ancient Rome must have been shocking to witness.

➊ brutal ⓐ 잔혹한

1006 ☐☐☐ ★★★

exotic

ⓐ **foreign, unusual**　　외래의, 색다른

[igzάːtik]

The **exotic** breed of panda was the most popular attraction at the zoo.

➊ exotically ⓐⓓ 이국적으로, 외국산으로

Tips **어원으로 어휘 확장하기**

exo 밖으로 + tic 형·접 ▶ 나라 밖으로부터 온 듯 이국적인

➊ explore ⓥ 탐험하다, 탐구하다

---

accustomed　· 사람들은 자신을 따뜻하게 하기 위해서 담요를 사용하는 것에 익숙해져 있다.
illuminate　· 숲속을 깊이 탐험하는 동안, 탐험가들은 길을 밝히기 위해 손전등을 사용했다.
brutality　· 고대 로마의 콜로세움에서 보여진 잔혹성과 폭력성은 보기에 충격적이었을 것이다.
exotic　· 외래 품종의 판다는 동물원에서 가장 인기 있는 볼거리였다.

1007 ☐☐☐ ★★

longevity
[lɑːndʒévəti]

🄝 **long life, lastingness** 　장수, 오래 지속됨

Exercise and diet are important, but they are not the only keys to **longevity**. 학평

> Tips **어원으로 어휘 확장하기**
>
> **long** 긴 + **ev** 생애 + **ity** 명·접 ▶ 생애가 길게 이어짐, 즉 장수
> ➕ **prolong** 🅥 연장하다, 늘이다

1008 ☐☐☐ ★★

momentum
[mouméntəm]

🄝 **energy, push, thrust** 　기세, 추진력

A timeout can break the other team's **momentum** and allows the coach to adjust the game plan. 모평

1009 ☐☐☐ ★

discrete
[diskríːt]

🄐 **separate, distinct, detached** 　별개의, 분리된

There are three **discrete** reasons that this plan isn't a good idea.

➕ **discreteness** 🄝 분리됨, 불연속적임　**discretely** 🄰🄳 분리되어, 따로따로

1010 ☐☐☐ ★

undo
[ʌndúː]

🅥 **reverse, cancel, invalidate** 　원상태로 돌리다, 취소하다

🅥 **loosen, unlock, disentangle** 　풀다, 열다

Catch-up sleep may **undo** some but not all of the damage that sleep deprivation causes. 학평

Dog owners may **undo** the leash on their dogs when inside the park.

1011 ☐☐☐ ★

slaughter
[slɔ́ːtər]

🅥 **butcher, kill, massacre** 　도살하다, 학살하다

The Masai depend on their cattle for many parts of their life, so they don't **slaughter** them for food. 학평

---

longevity	· 운동과 식이요법도 중요하지만, 그것들이 장수의 유일한 비결은 아니다.
momentum	· 타임아웃은 상대 팀의 기세를 꺾을 수 있고 코치가 경기의 전략을 조정할 수 있게 한다.
discrete	· 이 계획이 좋은 생각이 아니라는 세 가지 별개의 이유가 있다.
undo	· 보충수면은 수면부족이 초래하는 손상의 일부를 원상태로 돌릴 수 있지만 전부는 아니다.
	· 견주들은 공원 안에 있을 때는 개의 목줄을 풀 수도 있다.
slaughter	· 마사이족은 삶의 많은 부분을 그들의 소에게 의지해서, 그들은 식용으로 그것들을 도살하지 않는다.

dismay

[disméi]

| ⓝ disappointment, frustration | 낙담, 실망 |
| ⓥ dishearten, upset | 크게 실망시키다 |

Tara was filled with **dismay** after her favorite team lost any hope of making it to the championship.

He was most **dismayed** when he heard the book would not be issued until January. 학평

righteous

[ráitʃəs]

| ⓐ honest, ethical, conscientious | (도덕적으로) 올바른, 당연한 |

Hector prides himself on his **righteous** and proper character.

➕ righteously 〔ad〕 옳게, 정의롭게

> **Tips** 어원으로 어휘 확장하기
>
> **rig**(hte) 바르게 이끌다 + **ous** 형·접 ▶ 바르게 이끌어져 정의로운
>
> ➕ **rig**id 〔a〕 엄격한, 뻣뻣한, 융통성 없는

lethal

[líːθəl]

| ⓐ deadly, dangerous, fatal | 치명적인 |

The black mamba is one of the world's most **lethal** snakes.

➕ lethally 〔ad〕 치명적으로

susceptible

[səséptəbl]

| ⓐ sensitive, likely to get | 쉽게 걸리는, 영향 받기 쉬운 |

Thanks to her healthy immune system, Mrs. Ferguson was not **susceptible** to the flu.

➕ susceptibility 〔n〕 민감성

> **Tips** 어원으로 어휘 확장하기
>
> **sus** 아래에(sub) + **cept** 잡다 + **ible** 할 수 있는
>
> ▶ 잡아서 어떤 것의 영향 아래에 쉽게 둘 수 있도록 영향에 민감한
>
> ➕ **sus**pend 〔v〕 중단하다, 연기하다   **except** 〔v〕 제외하다

---

dismay
· Tara는 그녀가 가장 좋아하는 팀이 챔피언십까지 갈 희망을 완전히 잃은 후 낙담으로 가득 찼다.
· 그는 그 책이 1월까지 발행되지 않을 것이라고 들었을 때 가장 크게 실망했다.

righteous · Hector는 도덕적으로 올바르고 예의 바른 자신의 성품에 자부심을 갖고 있다.

lethal · 블랙 맘바는 세상에서 가장 치명적인 뱀 중 하나이다.

susceptible · 그녀의 건강한 면역 체계 덕분에, Mrs. Ferguson은 독감에 쉽게 걸리지 않았다.

Daily Quiz

A 알맞은 유의어를 고르세요.

01 slaughter ⓐ energy, push, thrust
02 brutality ⓑ balance, symmetry
03 retail ⓒ machine, apparatus
04 improvise ⓓ ad-lib, busk
05 momentum ⓔ lingual
06 appliance ⓕ savagery, cruelty
07 dismay ⓖ butcher, kill, massacre
08 linguistic ⓗ used to, habituated, familiar
09 equilibrium ⓘ dishearten, upset
10 accustomed ⓙ sale of goods in small quantities

B 밑줄 친 단어와 가장 뜻이 유사한 단어를 고르세요.

11 Our shopping habits can have considerable effects on the environment.
ⓐ honest   ⓑ sensitive   ⓒ substantial   ⓓ familiar

12 It is our policy at Northstar to assess employee performance and award raises annually.
ⓐ forbid   ⓑ estimate   ⓒ persuade   ⓓ construe

13 The composition embodied several musical styles, including jazz, funk, and reggae.
ⓐ detached   ⓑ underrated   ⓒ matched   ⓓ included

14 There are three discrete reasons that this plan isn't a good idea.
ⓐ large   ⓑ meaningful   ⓒ separate   ⓓ principal

15 The black mamba is one of the world's most lethal snakes.
ⓐ warning   ⓑ vigilant   ⓒ fundamental   ⓓ deadly

C 다음 빈칸에 들어갈 가장 알맞은 것을 박스 안에서 고르세요.

| correspond | alert | exotic | longevity | prohibit | susceptible |

16 Thanks to her healthy immune system, Mrs. Ferguson was not _____ to the flu.

17 The cursor's movement on the computer screen _____(e)s to the movement of the mouse.

18 If new sensory information is around us, our brains are continuously _____ and attentive.

19 Exercise and diet are important, but they are not the only keys to _____.

20 The _____ breed of panda was the most popular attraction at the zoo.

정답
01 ⓖ   02 ⓕ   03 ⓙ   04 ⓓ   05 ⓐ   06 ⓒ   07 ⓘ
08 ⓔ   09 ⓑ   10 ⓗ   11 ⓒ   12 ⓑ   13 ⓓ   14 ⓒ
15 ⓓ   16 susceptible   17 correspond   18 alert   19 longevity   20 exotic

음성 바로 듣기

1016 ☐☐☐ ★★★

frequently

[fríːkwəntli]

ad commonly, repeatedly, often

자주, 흔히

Baseball is one of the most popular sports **frequently** broadcast on TV. 모평

➕ frequent ⓐ 잦은, 빈번한   frequency ⓝ 빈도, 빈발

1017 ☐☐☐ ★★★

attitude

[ǽtitjùːd]

ⓝ stance, perspective

태도, 자세

I tried to keep a positive **attitude** about my situation. 학평

➕ attitudinal ⓐ 태도의, 사고방식의

Tips **시험에는 이렇게 나온다**

positive attitude 긍정적인 태도   critical attitude 비판적인 태도
cooperative attitude 협력적인 태도

1018 ☐☐☐ ★★★

reject

[ridʒékt]

ⓥ disclaim, decline, refuse

거부하다, 거절하다

In a society that **rejects** the consumption of insects, there are some individuals who overcome this rejection. 학평

➕ rejection ⓝ 거부, 거절

➖ accept ⓥ 받아들이다   approve ⓥ 찬성하다

Tips **어원으로 어휘 확장하기**

re 다시 + ject 던지다 ▶ 온 것을 받아들이지 않고 다시 던져서 돌려보내다, 즉 거절하다
➕ project ⓝ 연구, 과제 ⓥ 계획하다   object ⓝ 물건 ⓥ 반대하다

---

frequently   · 야구는 TV에서 자주 방송되는 가장 인기 있는 스포츠 중 하나이다.
attitude   · 나는 내 상황에 대해 긍정적인 태도를 유지하려고 노력했다.
reject   · 곤충의 섭취를 거부하는 사회에서는 이러한 거부감을 극복하는 어떤 사람들이 있다.

reveal

[riví:l]

ⓥ **disclose, unveil**　　　드러내다, 밝히다

Bottles can **reveal** their contents without being opened. 수능

➕ revelation ⓝ 폭로
➖ conceal ⓥ 숨기다, 감추다

pursue

[pərsú:]

ⓥ **seek, quest, follow**　　　추구하다, 밀고 나가다

ⓥ **go after, follow, track**　　　뒤쫓다, 추적하다

He expected his son to **pursue** a career in the field of law. 학평

He **pursued** the thief and struggled with him. 학평

➕ pursuit ⓝ 추구, 추적

Tips | **시험에는 이렇게 나온다**
| --- |

pursue a career 경력을 쌓다　　　　pursue a goal 목표를 추구하다
pursue pleasure 쾌락을 추구하다　　pursue a dream 꿈을 좇다
pursue desire 욕망을 추구하다

employ

[implɔ́i]

ⓥ **hire, engage**　　　고용하다, 채용하다

ⓥ **use, utilize, make use of**　　　사용하다, 쓰다

We should insist that the fashion industry not **employ** very skinny models. 학평

The user continued to **employ** outdated educational techniques. 수능

➕ employer ⓝ 고용주, 사용자　　employee ⓝ 종업원, 피고용인
employment ⓝ 고용, 취업

---

reveal　　· 병은 뚜껑을 따지 않고도 내용물을 드러낼 수 있다.
pursue　　· 그는 아들이 법률 분야의 직업을 추구할 것으로 기대했다.
　　　　　· 그는 도둑을 뒤쫓아서 그와 싸웠다.
employ　· 우리는 패션 산업이 매우 마른 모델들을 고용하지 말아야 한다고 주장해야 한다.
　　　　　· 그 사용자는 시대에 뒤떨어진 교육 기법을 계속해서 사용했다.

1022 ☐☐☐ ★★★

relief

[rilíːf]

Ⓝ relaxation, comfort

안도, 안심

She posted 50 greeting cards the next morning, and gave a sigh of **relief**. (수능)

➕ relieve Ⓥ 없애다, 완화하다   relieved Ⓐ 안도하는

1023 ☐☐☐ ★★★

subtle

[sʌ́tl]

Ⓐ delicate, faint

미묘한, 감지하기 힘든

Our voice is a very **subtle** instrument and can convey every shade and nuance. (학평)

➕ subtly Ⓐⓓ 미묘하게

Tips | **어원으로 어휘 확장하기**
> **sub** 아래에 + **tle** 짜여진 ▶ 다른 것 아래에 무늬가 짜여 있어 알아보기 힘든, 미묘한
> ➕ **sub**ordinate Ⓐ 종속된, 하급의

1024 ☐☐☐ ★★★

geography

[dʒiɑ́ːgrəfi]

Ⓝ topography, landscape, terrain

지형, 지리(학)

To explain why the ancient Egyptians developed a successful civilization, you must look at the **geography** of Egypt. (수능)

➕ geographic Ⓐ 지리학의

Tips | **어원으로 어휘 확장하기**
> **geo** 땅 + **graph** 쓰다, 그리다 + **y** 명·접 ▶ 땅의 모양에 대해 쓰거나 그리는 지리학
> ➕ **geo**logy Ⓝ 지질(학), 암석 분포   **geo**thermal Ⓐ 지열의, 지열에 관한

1025 ☐☐☐ ★★★

swell

[swel]

Ⓥ expand, increase

(손발 등이) 붓다, 팽창하다

Look! Your ankle is already starting to **swell**. (수능)

➕ swollen Ⓐ 팽창한, 부어오른
➖ shrink Ⓥ 수축하다, 줄어들다

---

relief · 그녀는 다음날 아침 50장의 연하장을 붙이고, 안도의 한숨을 내쉬었다.
subtle · 우리의 목소리는 매우 미묘한 도구이고 모든 사소한 차이와 뉘앙스를 전달할 수 있다.
geography · 고대 이집트인들이 왜 성공적인 문명을 발전시켰는지 설명하기 위해서, 당신은 이집트의 지형을 보아야 한다.
swell · 봐! 네 발목이 벌써 붓기 시작했어.

1026 ☐☐☐ ★★★

hesitate

[hézətèit]

ⓥ **be reluctant, pause, delay**　　주저하다, 망설이다

Do not **hesitate** to ask people to speak slowly or to repeat what has been said. (학평)

➕ hesitant ⓐ 주저하는, 망설이는　　hesitation ⓝ 주저, 망설임

> Tips **시험에는 이렇게 나온다**
>
> hesitate to ~하는 것을 주저하다/망설이다　　Don't hesitate 주저하지 마세요.

1027 ☐☐☐ ★★★

ruin

[rúːin]

ⓥ **spoil, destroy**　　망치다, 못쓰게 만들다

ⓝ **devastation, collapse**　　폐허, 파멸

Seasickness can occur anytime you board a sea vessel, and it can **ruin** your entire cruise trip. (학평)

From the **ruins** of Byzantium to the streets of New York, every building tells a story. (학평)

➖ improve ⓥ 개선하다

1028 ☐☐☐ ★★

drift

[drift]

ⓝ **flow, trend**　　이동, 추이

ⓥ **wander, roam**　　떠내려가다, 방랑하다

Overcrowded cities have been mainly caused by the **drift** of large numbers of people from the rural areas. (수능)

When the bread **drifted** away from the spot, the bird picked it up. (학평)

> Tips **시험에는 이렇게 나온다**
>
> drift away 흩어지다　　drift apart 사이가 멀어지다

---

hesitate · 사람들에게 천천히 말하거나 말했던 것을 반복해 달라고 요구하는 것을 주저하지 마세요.

ruin · 뱃멀미는 여러분이 선박에 탑승했을 때 어느 때나 발생할 수 있고, 그것은 당신의 유람선 여행 전부를 망칠 수 있다.
· 비잔티움의 폐허에서부터 뉴욕의 거리까지, 모든 건물들이 이야기를 들려준다.

drift · 인구 과잉 도시는 주로 시골 지역에서 온 많은 사람들의 이동에 의해 야기되어 왔다.
· 빵이 그 자리에서 떠내려가자 새는 그것을 주웠다.

1029 ☐☐☐ ★★

uncover

[ʌnkʌ́vər]

ⓥ **reveal, expose**   발견하다, 폭로하다

To make progress in science, we need to dig beneath the raw data and **uncover** the hidden order. 〔모평〕

Tips **어원으로 어휘 확장하기**

un 아닌 + cover 덮다 ▶ 덮어서 가려져 있던 것을 아닌 상태로 만들다, 즉 발견하다

➕ recover ⓥ 회복하다, 되찾다

1030 ☐☐☐ ★★★

prospect

[prɑ́:spekt]

ⓝ **expectation, anticipation**   전망, 가능성

We borrow environmental capital from future generations with no **prospect** of repaying. 〔수능〕

➕ prospective ⓐ 장래의, 유망한

Tips **어원으로 어휘 확장하기**

pro 앞에 + spect 보다(spec) ▶ 앞을 내다봄, 즉 전망

➕ propose ⓥ 제시하다, 제안하다, 청혼하다

1031 ☐☐☐ ★★

mobility

[moubíləti]

ⓝ **movability, portability**   이동성, 유동성

Wheelchairs can improve the **mobility** of people who cannot walk. 〔학평〕

➕ mobile ⓐ 이동식의, 이동하는, 움직이기 쉬운

➖ immobility ⓝ 부동, 정지

1032 ☐☐☐ ★★

wholesaler

[hoùlséilər]

ⓝ **a dealer that sells things to businesses**   도매업자

The price that the farmer gets from the **wholesaler** is flexible from day to day. 〔모평〕

➕ wholesale ⓐ 도매의, 대규모의   wholesaling ⓝ 도매업

---

uncover · 과학에서의 진전을 이루기 위해 우리는 가공되지 않은 데이터의 밑을 파고 들어가 숨겨진 이치를 발견할 필요가 있다.
prospect · 우리는 상환할 전망 없이 미래 세대로부터 환경 자본을 빌린다.
mobility · 휠체어는 걸을 수 없는 사람들의 이동성을 향상시킬 수 있다.
wholesaler · 농부가 도매업자로부터 받는 가격은 그날그날 유동적이다.

1033 ☐☐☐ ★★

acquaintance   ⓝ a person whom one knows informally   아는 사람, 지인

[əkwéintəns]

The man has few friends but many **acquaintances**.

➕ acquaint ⓥ 알리다, 소개하다   acquainted ⓐ 안면이 있는

> **Tips** | **시험에는 이렇게 나온다**
>
> make one's acquaintance ~를 알게 되다   on first acquaintance 첫눈에

1034 ☐☐☐ ★★

rage   ⓝ fury, temper, anger   분노, 격노

[reidʒ]

Headaches often follow the buildup of **rage**. (학평)

➕ enrage ⓥ 격분하게 만들다

1035 ☐☐☐ ★★

assert   ⓥ argue, insist   (강하게) 주장하다

[əsə́ːrt]

Many medieval scholars in Europe mistakenly **asserted** that the world was flat.

➕ assertive ⓐ 자기주장이 강한, 단정적인   assertion ⓝ 주장, 단언
➖ deny ⓥ 부인하다, 부정하다

> **Tips** | **어원으로 어휘 확장하기**
>
> as ~에(ad) + **sert** 결합하다 ▶ 어떤 의견에 강하게 결합하여 그것을 주장하다
> ➕ insert ⓥ 끼워 넣다, 꽂다

1036 ☐☐☐ ★★★

coexist   ⓥ coincide, exist together   공존하다

[kòuigzíst]

The two plant types are able to **coexist** because they are not in fact competitors. (모평)

➕ coexistence ⓝ 공존   coexistent ⓐ 공존하는

---

acquaintance · 그 남자는 친구는 거의 없지만 아는 사람은 많다.
rage · 두통은 종종 분노의 축적의 뒤에 온다.
assert · 유럽의 많은 중세 학자들은 세상이 평평하다고 잘못 주장했다.
coexist · 그 두 가지 식물 종류는 실제로 경쟁자가 아니기 때문에 공존할 수 있다.

1037 □□□ ★★

differentiate

[dìfərénʃièit]

ⓥ **distinguish, discriminate** 구분 짓다, 구별하다

Several researchers have examined what **differentiates** the best musicians from lesser ones. (학평)

⊕ differentiation ⓝ 구별, 차별

1038 □□□ ★★

cargo

[ká:rgou]

ⓝ **load, freight** 화물, 짐

In 1992, a ship traveling through rough seas lost 12 **cargo** containers. (수능)

Tips **시험에는 이렇게 나온다**

cargo container 화물 컨테이너 cargo capacity 화물 적재량

1039 □□□ ★★

curse

[kə:rs]

ⓝ **swear word, hateful remark** 욕, 저주

ⓥ **condemn, swear** 저주를 내리다, 욕하다

She let out many **curses** when she dropped the plate.

A witch had **cursed** the princess to sleep for 30 years.

1040 □□□ ★

parliament

[pá:rləmənt]

ⓝ **congress, assembly, council** 국회, 의회

Through the glass floor, visitors can see the main hall of the **parliament** inside the building. (학평)

⊕ parliamentary ⓐ 의회의, 의회가 있는

Tips **시험에는 이렇게 나온다**

Houses of Parliament 의회, 의사당 an Act of Parliament 의회 조례

---

differentiate · 몇몇 연구자들은 최고의 음악가들과 덜 훌륭한 음악가들을 구분 짓는 것이 무엇인지를 조사했다.
cargo · 1992년에, 거친 바다를 항해하던 배 한 척이 12개의 화물 컨테이너를 잃어버렸다.
curse · 그녀가 그 접시를 떨어뜨렸을 때 많은 욕을 퍼부었다.
· 마녀는 공주에게 30년 동안 잠을 자게하는 저주를 내렸다.
parliament · 유리 바닥을 통해, 방문객들은 건물 안에 있는 국회의 본당을 볼 수 있다.

1041 ☐☐☐ ★

lament
[ləmént]

ⓥ **mourn, grieve**

슬퍼하다, 비탄하다

The entire town **lamented** the death of its popular mayor.

➕ lamentation ⓝ 애통, 한탄　lamentable ⓐ 한탄스러운, 통탄할

1042 ☐☐☐ ★★

imprison
[imprízn]

ⓥ **jail, confine, incarcerate**

가두다, 감금하다

In isolation, you can no longer see a life beyond the invisible walls that **imprison** you. 수능

➕ imprisonment ⓝ 투옥, 감금
➖ free ⓥ 석방하다, 자유롭게 하다

1043 ☐☐☐ ★

infuse
[infjúːz]

ⓥ **soak, instill**

스며들게 하다, 주입하다

The chef fried garlic and peppers to **infuse** the oil with their flavors.

➕ infusion ⓝ 주입, 투입

1044 ☐☐☐ ★

brag
[bræg]

ⓥ **boast, show off**

자랑하다, 떠벌리다

Steven was his sister's hero, and he had **bragged** to her that he would win the contest. 모평

➕ bragger ⓝ 허풍선이

1045 ☐☐☐ ★

inflict
[inflíkt]

ⓥ **impose, wreak**

(피해 등을) 가하다, 괴롭히다

The act of **inflicting** harm on another person is morally wrong.

Tips | **어원으로 어휘 확장하기**

in 안에 + flict 때리다 ▶ 때려서 안에 피해를 입히다
➕ afflict ⓥ 괴롭히다, 들볶다　conflict ⓝ 갈등, 충돌　ⓥ 충돌하다, 다투다

---

lament　· 그 도시 전체는 인기 있던 시장의 죽음을 슬퍼했다.
imprison　· 고립된 상태에서는, 당신을 가두는 보이지 않는 벽 너머의 삶을 더 이상 볼 수 없다.
infuse　· 요리사는 기름에 마늘과 후추의 향미가 스며들게 하기 위해 그것들을 튀겼다.
brag　· Steven은 그의 여동생의 영웅이었고, 그는 그녀에게 그가 대회에서 우승할 것이라고 자랑했었다.
inflict　· 다른 사람에게 해를 가하는 행위는 도덕적으로 옳지 않다.

meticulous

[mətíkjuləs]

ⓐ **thorough, precise**　　　꼼꼼한, 세심한

My mother is **meticulous** about house cleaning. (모평)

➕ meticulously ⓐⓓ 세심하게, 꼼꼼하게

embark

[imbá:rk]

ⓥ **undertake, commence, begin**　　　시작하다, 나서다

After two months of preparation, Bernie **embarked** on his backpacking trip across Europe.

Tips　**시험에는 이렇게 나온다**

embark on 진출하다, 착수하다, 종사하다

tangle

[tǽŋgl]

ⓥ **twist, knot, ravel**　　　엉키게 하다, 얽히게 하다

My attempt at untying the knot only **tangled** it further.

county

[káunti]

ⓝ **province, district**　　　자치주, 자치군

He was assigned to a small school in a poor rural **county** in North Carolina. (수능)

patrol

[pətróul]

ⓥ **guard, inspect**　　　순찰하다, 순회하다

Since our qualified staff will **patrol** the park, you don't have to worry about your dog's safety. (진원)

Tips　**시험에는 이렇게 나온다**

patrol car 순찰차　　　police patrol unit 지구대
on patrol 순찰 근무 중

---

meticulous · 어머니는 집안 청소에 꼼꼼하다.
embark · 두 달간의 준비 후, Bernie는 유럽을 횡단하는 배낭여행을 시작했다.
tangle · 매듭을 풀려는 나의 시도는 매듭을 더 엉키게 할 뿐이었다.
county · 그는 North Carolina 주의 가난한 시골 자치주에 있는 작은 학교에 배정되었다.
patrol · 자격을 갖춘 직원이 공원을 순찰할 것이기 때문에, 당신은 강아지의 안전을 걱정하지 않아도 된다.

Daily Quiz

A 알맞은 유의어를 고르세요.

01	uncover	ⓐ	reveal, expose
02	parliament	ⓑ	a person whom one knows informally
03	embark	ⓒ	coincide, exist together
04	acquaintance	ⓓ	congress, assembly, council
05	wholesaler	ⓔ	topography, landscape, terrain
06	geography	ⓕ	boast, show off
07	drift	ⓖ	a dealer that sells things to businesses
08	brag	ⓗ	undertake, commence, begin
09	patrol	ⓘ	wander, roam
10	coexist	ⓙ	guard, inspect

B 밑줄 친 단어와 가장 뜻이 유사한 단어를 고르세요.

11 Several researchers have examined what <u>differentiates</u> the best musicians from lesser ones.

ⓐ expands   ⓑ pauses   ⓒ reveals   ⓓ distinguishes

12 The act of <u>inflicting</u> harm on another person is morally wrong.

ⓐ soaking   ⓑ inspecting   ⓒ imposing   ⓓ wandering

13 She posted 50 greeting cards the next morning, and gave a sigh of <u>relief</u>.

ⓐ trend   ⓑ temper   ⓒ devastation   ⓓ relaxation

14 Seasickness can occur anytime you board a sea vessel, and it can <u>ruin</u> your entire cruise trip.

ⓐ disclaim   ⓑ spoil   ⓒ state   ⓓ incarcerate

15 We borrow environmental capital from future generations with no <u>prospect</u> of repaying.

ⓐ freight   ⓑ expectation   ⓒ district   ⓓ congress

C 다음 빈칸에 들어갈 가장 알맞은 것을 박스 안에서 고르세요.

assert	pursue	mobility	employ	subtle	hesitate

16 Wheelchairs can improve the ＿＿＿＿＿＿ of people who cannot walk.

17 We should insist that the fashion industry not ＿＿＿＿＿＿ very skinny models.

18 Our voice is a very ＿＿＿＿＿＿ instrument and can convey every shade and nuance.

19 Many medieval scholars in Europe mistakenly ＿＿＿＿＿＿(e)d that the world was flat.

20 He expected his son to ＿＿＿＿＿＿ a career in the field of law.

정답

01 ⓐ	02 ⓓ	03 ⓗ	04 ⓑ	05 ⓖ	06 ⓔ	07 ⓘ
08 ⓕ	09 ⓙ	10 ⓒ	11 ⓓ	12 ⓒ	13 ⓓ	14 ⓑ
15 ⓑ	16 mobility	17 employ	18 subtle	19 assert	20 pursue	

DAY 31

음성 바로 듣기

1051 ☐☐☐ ★★★

concern

[kənsə́:rn]

n	anxiety, worry, unease	우려, 걱정
v	worry, bother, disturb	걱정하게 하다
v	have to do with, relate to	~에 관한 것이다

Growing concern with health has affected the way we eat. 〔학평〕

She was concerned about her math exam next week. 〔수능〕

This graph concerns race relations over the next five years. 〔수능〕

⊕ concerned ⓐ 걱정하는, 관심이 있는   concerning 〔prep〕 ~에 관한

Tips | **시험에는 이렇게 나온다**
be concerned about ~에 대해 걱정하는   be concerned with ~에 대해 관심있는

1052 ☐☐☐ ★★★

relative

[rélətiv]

| a | comparative | 상대적인 |
| n | kin, relation | 친척, 동족 |

The church offered relative peace and quiet in the chaotic city.

Orphaned when his parents died during World War II, he was raised by his relatives. 〔수능〕

⊕ relatively 〔ad〕 비교적으로, 상대적으로   relativity ⓝ 상대성 (이론)
relativism ⓝ 상대주의

Tips | **시험에는 이렇게 나온다**
relative importance 상대적 중요성   relative advantage 상대적 이점
close relatives 가까운 친척

---

concern · 건강에 대해 커져가는 우려는 우리가 먹는 방식에 영향을 미쳤다.
· 그녀는 다음 주의 수학 시험에 대해 걱정했다.
· 이 그래프는 향후 5년간의 인종 관계에 관한 것이다.

relative · 그 교회는 혼란스러운 도시에 상대적 평온과 안정을 주었다.
· 제2차 세계 대전 중 부모님이 돌아가셨을 때 고아가 된 그는 그의 친척들에 의해 길러졌다.

settle
[sétl]

ⓥ live, colonize, establish 　정착하다

ⓥ resolve, work out 　(논쟁 등을) 해결하다, 끝내다

The people who first settled in the rainforest of the Amazon River lived by hunting and gathering. 학평

I hope you can help me settle the conflict. 학평

➊ settlement ⓝ 해결, 정착　settler ⓝ 정착민

innovation
[ìnəvéiʃən]

ⓝ revolution, transformation 　혁신

People's creations often spark inspiration that leads to new ideas and innovation. 수능

➊ innovate ⓥ 혁신하다　innovative ⓐ 획기적인

obtain
[əbtéin]

ⓥ gain, acquire 　얻다, 획득하다, 달성하다

You may obtain information from an advertisement, a friend, a salesperson, the Internet, or several other sources. 학평

➊ obtainable ⓐ 얻을 수 있는

Tips | **어원으로 어휘 확장하기**
> ob 향하여 + **tain** 잡다 ▶ 어떤 것을 향하여 가서 잡다, 즉 그것을 얻다
> ➊ contain ⓥ 포함하다, 담고 있다

facility
[fəsíləti]

ⓝ establishment, installation 　시설, 설비, 편의

Construction of a bicycle parking facility next to the library is now complete. 학평

➊ facilitate ⓥ 가능하게 하다, 촉진하다　facilitator ⓝ 촉진자, 조력자

---

settle 　· 아마존강의 열대 우림에 처음 정착했던 사람들은 사냥과 채집을 하며 살았다.
　　　　· 나는 당신이 내가 이 갈등을 해결하는 것을 도와줄 수 있기를 바란다.
innovation · 사람들의 창작물은 종종 새로운 아이디어와 혁신으로 이어지는 영감을 불러일으킨다.
obtain 　· 당신은 광고, 친구, 판매원, 인터넷 또는 몇 가지 다른 원천으로부터 정보를 얻을 수 있다.
facility 　· 도서관 옆에 자전거 주차 시설의 건설이 이제 완료되었다.

1057 □□□ ★★★

sufficient

ⓐ **ample, enough** 　　　　충분한

[səfíʃənt]

If you are getting sufficient sleep, you should not have trouble getting out of bed in the morning. (학평)

➕ sufficiently ⓐᵈ 충분히　suffice ⓥ 충분하다

➖ insufficient ⓐ 불충분한, 부족한

Tips　**어원으로 어휘 확장하기**

suf 아래로(sub) + fic(i) 만들다 + ent 형·접 ▶ 아래로 흘러넘칠 정도로 만들어서 충분한

➕ efficient ⓐ 효율이 좋은, 효과 있는　deficit ⓝ 적자, 부족액, 결손

1058 □□□ ★★★

ultimately

ⓐᵈ **eventually, finally** 　　　　마침내, 궁극적으로

[ʌ́ltəmətli]

After submitting his book to numerous publishers, the author ultimately succeeded in getting it published.

➕ ultimate ⓐ 궁극적인, 최후의

1059 □□□ ★★★

subordinate

ⓐ **inferior, lower** 　　　　종속된, 하급의, 부수적인

ⓝ **assistant, junior** 　　　　부하 (직원), 하급자

[səbɔ́ːrdənət]

Top-ranking five-star generals are nevertheless subordinate to a civilian president.

Around the boss, you will always find people who seem cheerful and act like good subordinates. (학평)

➕ subordination ⓝ 종속시키기, 복종

➖ insubordinate ⓐ 순종하지 않는, 반항하는

Tips　**어원으로 어휘 확장하기**

sub 아래로 + ordin 순서 + ate 형·접 ▶ 순서상 다른 것의 아래에 속하는, 즉 종속된 또는 하급의

➕ coordinate ⓥ 조정하다, 조직하다

---

sufficient　· 만약 당신이 충분한 수면을 취하고 있다면, 당신은 아침에 침대에서 나오는 데 어려움이 없어야 한다.

ultimately　· 자신의 책을 수많은 출판사에 제출한 후에 그 작가는 마침내 그 책을 출판되게 하는 데 성공했다.

subordinate　· 최고위급인 5성 장군일지라도 민간인인 대통령에 종속된다.

　　　　　　· 그 상사 주변에서는, 당신은 명랑해 보이고 좋은 부하처럼 행동하는 사람들을 항상 볼 수 있을 것이다.

1060 ☐☐☐ ★★★

proportion

[prəpɔ́ːrʃən]

n percentage, fraction   비(율), 비례, 부분

Using the golden ratio, great painters created masterpieces that display accurate proportions. (수능)

➕ proportionate ⓐ 비례하는

1061 ☐☐☐ ★★★

stroke

[strouk]

n hit, knock, blow   일격, 타격

n a style of swimming   (수)영법

n seizure, collapse   뇌졸중, 발작

v rub, pat, brush   쓰다듬다, 어루만지다

The stroke of the sword forced the fencer to dodge to avoid getting hit.

I can take pictures of you doing the butterfly stroke. (학평)

Snoring can cause major health problems such as heart disease and stroke. (학평)

Show the children how to stroke the cat, and how to pick him up and carry him. (모평)

Tips | **시험에는 이렇게 나온다**

heat stroke 열사병   butterfly stroke 버터플라이 영법(접영)

1062 ☐☐☐ ★★★

analogy

[ənǽlədʒi]

n metaphor, similarity   비유, 유사(함), 유추

The teacher made an analogy comparing the topic of the day's lesson to a real-world example.

➕ analogous ⓐ 유사한

---

proportion · 황금비율을 사용하여, 위대한 화가들은 정확한 비율을 나타내는 걸작을 만들었다.
stroke · 검의 일격은 펜싱 선수가 맞는 것을 피하기 위해 피하게 했다.
· 나는 네가 버터플라이 영법(접영)을 하는 사진을 찍어줄 수 있다.
· 코골이는 심장병과 뇌졸중 같은 주요한 건강 문제를 일으킬 수 있다.
· 아이들에게 고양이를 쓰다듬는 법과 고양이를 안아 올려서 옮기는 법을 보여주어라.
analogy · 선생님은 그날 수업의 주제를 실제 사례와 비교하며 비유를 들었다.

1063 ☐☐☐ ★★★

resume

[rizúːm]

Ⓥ **restart, begin again**

다시 시작하다

The conference will resume after a short break for lunch.

➕ resumption Ⓝ 재개
➖ discontinue Ⓥ 중단하다

1064 ☐☐☐ ★★★

undermine

[ʌ̀ndərmáin]

Ⓥ **weaken, disable, impair**

약화시키다

Income reductions have undermined the foundation of the middle class.

➖ reinforce Ⓥ 강화하다, 보강하다

Tips | **어원으로 어휘 확장하기**

under 아래에 + mine 땅굴을 파다 ▶ 아래에 땅굴을 파서 약화시키다

➕ underlie Ⓥ ~의 기초가 되다, ~의 밑바닥에 잠재하다

1065 ☐☐☐ ★★

indigenous

[indídʒənəs]

ⓐ **native, aboriginal**

토착의, 원산의

In most places, tourists are welcome and indigenous people see tourism as a path to economic development. 모평

1066 ☐☐☐ ★★

sentiment

[séntəmənt]

Ⓝ **feeling, emotion**

감성, 정서

Even though she didn't like the gift, Kim thought the sentiment behind it was very moving.

➕ sentimental ⓐ 정서적인, 감정적인

Tips | **어원으로 어휘 확장하기**

sent(i) 느끼다 + ment 명·접 ▶ 느끼는 것, 즉 감정 또는 감상

➕ resent Ⓥ 분개하다

---

resume · 학회는 점심 식사를 위한 짧은 휴식 후에 다시 시작할 것이다.
undermine · 수입의 감소는 중산층의 기반을 약화시켰다.
indigenous · 대부분의 지역에서, 관광객들은 환영 받고 토착민들은 관광을 경제 발전의 길로 여긴다.
sentiment · 비록 Kim은 선물이 마음에 들진 않았지만, 그녀는 그 선물 뒤에 숨겨진 감성이 매우 감동적이라고 생각했다.

1067 ☐☐☐ ★★

constraint

[kənstréint]

n restriction, limitation, curb   제한, 제약

There are no legal constraints on the number of phone calls a citizen can make to public officials. (한평)

➕ constrain ⓥ 제한하다, 억누르다

1068 ☐☐☐ ★★

ambiguity

[æmbigjúːəti]

n vagueness, obscurity   애매함, 모호함

The only way to avoid ambiguity is to spell things out as explicitly as possible. (한평)

➕ ambiguous ⓐ 모호한, 애매한

1069 ☐☐☐ ★★

exaggerate

[igzǽdʒərèit]

ⓥ amplify, overstate, inflate   과장하다, 지나치게 강조하다

People usually exaggerate about the time they waited. (한평)

➕ exaggeration ⓝ 과장   exaggerated ⓐ 과장된, 부풀린

1070 ☐☐☐ ★★

tackle

[tǽkl]

ⓥ deal with, take on   (문제 등을) 다루다, 착수하다

If the task you face demands creativity, it's best to tackle it at your worst time of day! (한평)

1071 ☐☐☐ ★★

altruism

[ǽltruːìzm]

n selflessness, benevolence   이타주의

Groups of early humans who practiced mutual altruism were in a better position to prosper and multiply. (모평)

➕ altruistic ⓐ 이타적인

➖ egoism ⓝ 이기주의

Tips | **시험에는 이렇게 나온다**
reciprocal altruism 상호 이타주의   empathy altruism 공감 이타주의

---

constraint · 시민이 공무원에게 걸 수 있는 전화 횟수에 대한 법적 제한은 없다.
ambiguity · 애매함을 피하는 유일한 방법은 상황을 가능한 한 명확하게 설명하는 것이다.
exaggerate · 사람들은 보통 그들이 기다렸던 시간에 대해 과장한다.
tackle · 만약 당신이 직면하는 일이 창의력을 요구한다면, 하루 중 최악의 시간에 그것을 다루는 것이 가장 좋다!
altruism · 상호 이타주의를 실천했던 초기 인류 집단은 번영하고 크게 증가할 수 있는 더 유리한 위치에 있었다.

1072 □□□ ★

feminine

[fémənin]

ⓐ **womanly, womanlike**　　여성의, 여성스러운

In the Arapesh tribe, both men and women were taught to play what we would regard as a feminine role. (학평)

➕ femininity ⓝ 여성성, 여성다움

➖ masculine ⓐ 남성의, 사내다운

1073 □□□ ★★

recess

[risés]

ⓝ **break, rest**　　쉬는 시간, 휴식 시간

The classroom teachers realized that recess is an important part of the school day. (학평)

➕ recession ⓝ 침체, 후퇴　　recede ⓥ (물이) 빠지다, 물러가다, 약해지다

Tips **어원으로 어휘 확장하기**

re 뒤로 + cess 가다 ▶ 뒤로 물러가서 쉬는 휴식

➕ access ⓥ 접근하다, 이용하다

1074 □□□ ★★

extracurricular

[èkstrəkəríkjulər]

ⓐ **after school**　　과외의, 정식 과목 이외의

The university prefers applicants who were involved in extracurricular activities like volunteer work.

Tips **시험에는 이렇게 나온다**

extracurricular activity 과외 활동

1075 □□□ ★

mindful

[máindfəl]

ⓐ **aware, conscious, careful**　　염두에 두는, 유념하는

Rick tried to remain mindful of others' feelings, so he was careful not to offend anyone.

➕ mindfulness ⓝ 명상, 주의 깊음

---

feminine 　· 아라페시 부족에서는 남성과 여성 모두 우리가 여성의 역할로 여기는 것을 하도록 교육받았다.
recess 　· 담임 교사들은 쉬는 시간이 학교 생활의 중요한 부분이라는 것을 깨달았다.
extracurricular 　· 대학은 봉사활동과 같은 과외 활동에 참여했던 지원자들을 선호한다.
mindful 　· Rick은 다른 사람들의 감정을 염두에 두려고 노력했고, 그래서 그는 누구의 기분도 상하게 하지 않도록 조심했다.

1076 □□□ ★★

sniff

Ⓥ smell, snuff

냄새를 맡다

[snif]

Many dogs are trained to sniff and detect explosive materials in passengers' luggage. (학평)

➕ sniffle Ⓥ 훌쩍거리다 ⓝ 훌쩍거림

1077 □□□ ★★

provoke

Ⓥ evoke, stimulate, arouse

(반응을) 유발하다

[prəvóuk]

At some point during their argument, Betty's rude attitude provoked Sam's anger.

➕ provocative ⓐ 도발적인　provocation ⓝ 도발, 자극

Tips **어원으로 어휘 확장하기**

pro 앞으로 + vok(e) 부르다 ▶ 어떤 반응이 앞으로 나오게 불러서 유발하다

➕ evoke Ⓥ 일깨우다, 환기시키다　invoke Ⓥ 빌다, 기원하다

1078 □□□ ★

stroll

Ⓥ walk, ramble

산책하다, 한가로이 거닐다

[stroul]

Ⓝ walk, excursion

산책, 거닐기

I'm usually with my dog when I take a walk because he loves strolling outside. (학평)

I don't want to take a stroll. (학평)

➕ stroller ⓝ 산책하는 사람, 유모차

1079 □□□ ★

resign

Ⓥ quit, vacate, step back

물러나다, 사임하다

[rizáin]

The CEO resigned from the company because of the huge scandal he was involved in.

➕ resignation ⓝ 사임, 사직

Tips **어원으로 어휘 확장하기**

re 뒤로 + sign 표시 ▶ 직책 표시에서 뒤로 물러나 그 직책을 사임하다

➕ designate Ⓥ 지정하다, 지명하다　assign Ⓥ 배정하다

---

sniff	· 많은 개들은 승객들의 짐에서 폭발물의 냄새를 맡고 탐지하도록 훈련 받는다.
provoke	· 그들이 논쟁하던 중 어느 순간에, Betty의 무례한 태도가 Sam의 분노를 유발했다.
stroll	· 내 강아지가 밖에서 산책하는 것을 좋아하기 때문에 걸을 때 나는 보통 강아지와 함께 있다.
	· 나는 산책하기 원치 않는다.
resign	· 그 CEO는 자신이 연루된 엄청난 스캔들로 인해 회사에서 물러났다.

squash

[skwɑʃ]

ⓥ **crush, compress**

으깨다, 짓누르다

When making guacamole, I like to **squash** the avocado with a fork.

fortify

[fɔ́:rtəfài]

ⓥ **strengthen, reinforce**

강화하다, 요새화하다

To prepare for war, the general had his men **fortify** the walls of the fort.

➕ fort ⓝ 요새, 보루

pessimism

[pésəmìzm]

ⓝ **defeatism, negative thinking**

비관적인 생각

Evan was full of **pessimism**, and he brought that negative attitude to everything he did.

➕ pessimistic ⓐ 비관적인   pessimist ⓝ 비관주의자
➖ optimism ⓝ 낙관주의

instill

[instíl]

ⓥ **inculcate, implant, impart**

서서히 가르치다, 주입하다

Traveling **instills** an appreciation and tolerance for other cultures.

corridor

[kɔ́:ridər]

ⓝ **passage, hallway**

통로, 복도

San Francisco opened a pedestrian-only **corridor** in its downtown area. (의형)

swear

[swɛər]

ⓥ **vow, promise**

맹세하다, 엄숙히 선언하다

The detective **swore** that he would one day catch the vicious murderer that had taken his family.

---

squash	· 과카몰리를 만들 때, 나는 아보카도를 포크로 으깨는 것을 좋아한다.
fortify	· 전쟁에 대비하기 위해, 그 장군은 그의 병사들에게 요새의 장벽을 강화하도록 했다.
pessimism	· Evan은 비관적인 생각으로 가득했고, 그가 했던 모든 일에 부정적인 태도를 보였다.
instill	· 여행은 다른 문화에 대한 이해와 관용을 서서히 가르쳐준다.
corridor	· 샌프란시스코는 도심 지역에 보행자 전용 통로를 개설했다.
swear	· 그 형사는 언젠가 그의 가족을 앗아간 그 흉악한 살인범을 잡을 것이라고 맹세했다.

Daily Quiz

A 알맞은 유의어를 고르세요.

01 innovation		ⓐ after school
02 constraint		ⓑ womanly, womanlike
03 ultimately		ⓒ revolution, transformation
04 altruism		ⓓ restriction, limitation, curb
05 feminine		ⓔ defeatism, negative thinking
06 obtain		ⓕ selflessness, benevolence
07 sufficient		ⓖ native, aboriginal
08 indigenous		ⓗ ample, enough
09 extracurricular		ⓘ gain, acquire
10 pessimism		ⓙ eventually, finally

B 밑줄 친 단어와 가장 뜻이 유사한 단어를 고르세요.

11 Rick tried to remain <u>mindful</u> of others' feelings, so he was careful not to offend anyone.
ⓐ dramatic　　　　ⓑ aware　　　　ⓒ plentiful　　　　ⓓ thorough

12 The classroom teachers realized that <u>recess</u> is an important part of the school day.
ⓐ similarity　　　　ⓑ assistant　　　　ⓒ break　　　　ⓓ seizure

13 The only way to avoid <u>ambiguity</u> is to spell things out as explicitly as possible.
ⓐ anxiety　　　　ⓑ establishment　　　　ⓒ benevolence　　　　ⓓ vagueness

14 Top-ranking five-star generals are nevertheless <u>subordinate</u> to a civilian president.
ⓐ dangerous　　　　ⓑ faint　　　　ⓒ inferior　　　　ⓓ precise

15 The church offered <u>relative</u> peace and quiet in the chaotic city.
ⓐ native　　　　ⓑ comparative　　　　ⓒ womanlike　　　　ⓓ enough

C 다음 빈칸에 들어갈 가장 알맞은 것을 박스 안에서 고르세요.

proportion	stroke	facility	resign	provoke	exaggerate

16 Construction of a bicycle parking _____ next to the library is now complete.

17 Using the golden ratio, great painters created masterpieces that display accurate _____(e)s.

18 Snoring can cause major health problems such as heart disease and _____.

19 People usually _____ about the time they waited.

20 The CEO _____(e)d from the company because of the huge scandal he was involved in.

음성 바로 듣기

1086 ☐☐☐ ★★★

approach

[əpróutʃ]

| n | **method, access** | 접근법, 접근 |

| v | **move toward, reach** | 접근하다, 다가오다 |

There are some kinds of questions that a scientific approach cannot solve. 학평

Risk often arises from uncertainty about how to approach a problem or situation. 학평

➕ approachable ⓐ 가까이하기 쉬운, 접근 가능한

Tips **시험에는 이렇게 나온다**

approach to ~에 대한 접근법   best approach 최적의 접근법

1087 ☐☐☐ ★★

comprehend

[kà:mprihénd]

| v | **understand, grasp, catch** | 이해하다, 파악하다 |

The human brain cannot completely comprehend all that it encounters in its lifespan. 학평

➕ comprehensive ⓐ 이해하는, 포괄적인   comprehension ⓝ 이해

comprehensible ⓐ 이해할 수 있는, 알기 쉬운

1088 ☐☐☐ ★★★

represent

[rèprizént]

| v | **symbolize, stand for, express** | 상징하다, 나타내다 |

| v | **act on behalf of** | 대표하다 |

Driving represents freedom and independence for the elderly. 학평

I'm very proud to represent this amazing club, which has 43 years of history. 수능

➕ representative ⓝ 대표자 ⓐ 대표하는   representation ⓝ 표현, 묘사

---

approach
· 과학적인 접근법으로는 풀 수 없는 몇몇 종류의 문제들이 있다.
· 위기는 종종 문제나 상황에 접근하는 방법에 대한 불확실성에서 발생한다.

comprehend
represent
· 인간의 뇌는 그것이 일생 동안 마주치는 모든 것을 완전히 이해할 수는 없다.
· 운전은 노인들에게 자유와 독립을 상징한다.
· 저는 43년의 역사를 가진 이 놀라운 클럽을 대표하게 되어 매우 자랑스럽습니다.

---

preference

[préfərəns]

🄝 favor, inclination

선호(도)

Newborn infants show a strong preference for sweet liquids. 수능

➕ preferable ⓐ 선호하는, 바람직한 　preferential ⓐ 우선의, 선취의

---

numerous

[núːmərəs]

ⓐ plenty of, abundant

수많은, 다수의

Numerous animal and plant species may become extinct soon because of luxury tourism. 학평

➕ numerously ⓐⓓ 수없이, 무수히

Tips **어원으로 어휘 확장하기**

numer 숫자 + ous 형·접 ▶ 숫자가 많은, 다수의

➕ numeral 🄝 숫자

---

blow

[blou]

ⓥ move

불다, 바람에 날리다

The wind is blowing hard, and there's yellow dust in the air. 학평

---

steady

[stédi]

ⓐ stable, constant, continuous

꾸준한, 안정된, 변함없는

Since the mid-1990s, teaching Korean to foreigners has made steady progress. 수능

➕ steadily ⓐⓓ 꾸준히, 지속적으로

➖ unsteady ⓐ 불안정한, 동요하는

Tips **어원으로 어휘 확장하기**

st(ead) 서다 + y 형·접 ▶ 한 자리에 변함없이 서서 꾸준한, 안정된

➕ stationary ⓐ 움직이지 않는, 고정된

---

preference	· 신생아는 달콤한 액체에 대한 강한 선호도를 보인다.
numerous	· 수많은 동식물 종들이 호화로운 관광으로 인해 곧 멸종하게 될지도 모른다.
blow	· 바람이 강하게 불고 있고, 공기 중에 황사가 있다.
steady	· 1990년대 중반 이후, 외국인들에게 한국어를 가르치는 것은 꾸준한 발전을 이루었다.

1093 ☐☐☐ ★★★

peer

[piər]

ⓝ colleague, fellow

또래, 동료

For children, the influence of peers is much stronger than that of parents. (학평)

1094 ☐☐☐ ★★★

reverse

[rivə́:rs]

ⓥ turn over, flip over, overturn

되돌리다, 뒤집다, 바꾸다

ⓝ opposite, converse

반대, 반전

You can reverse the process simply by putting metal in a fire. (학평)

The reverse of what the newspaper reported about the story is true.

➕ reversely ⓐd 반대로, 거꾸로   reversal ⓝ 반전, 전환

Tips | **시험에는 이렇게 나온다**

reverse order 역순   reverse effect 반대 효과
reverse discrimination 역차별

1095 ☐☐☐ ★★★

flexible

[fléksəbl]

ⓐ elastic, bendable, adaptable

유연한, 융통성이 있는

Stretching is a natural way to keep your muscles and joints flexible. (학평)

➕ flexibility ⓝ 유연성, 융통성
➖ inflexible ⓐ 완강한, 융통성 없는   rigid ⓐ 엄격한, 단단한

1096 ☐☐☐ ★★★

density

[dénsəti]

ⓝ denseness, thickness, bulk

밀도, 농도

Lake trout stop breeding when the population density increases too dramatically. (모평)

➕ dense ⓐ 빽빽한, 밀도가 높은

---

peer · 아이들에게 있어, 또래의 영향력은 부모의 영향력보다 훨씬 더 강력하다.
reverse · 당신은 금속을 불에 넣는 것만으로 그 과정을 되돌릴 수 있다.
· 그 신문이 그 이야기에 대해 보도한 것의 반대가 사실이다.
flexible · 스트레칭은 당신의 근육과 관절을 유연하게 유지하는 자연스러운 방법이다.
density · 호수 송어는 개체 밀도가 너무 급격하게 증가하면 번식을 멈춘다.

1097 ☐☐☐ ★★★

breakthrough

ⓝ (sudden) advance, progress

획기적인 발전, 돌파구

[bréikθrù:]

The discovery of a cure for AIDS would be a breakthrough for modern medicine.

1098 ☐☐☐ ★★★

vertical

ⓐ upright, erect, perpendicular

세로의, 수직의

[və́:rtikəl]

This shirt with yellow vertical stripes seems to suit me. (학평)

➊ vertically ⓐⓓ 수직으로
❏ horizontal ⓐ 수평의, 가로의

Tips | **어원으로 어휘 확장하기**

vert 돌리다 + ical 형·접 ▶ 수평선을 돌려서 수직의 모양이 된
➊ convert ⓥ 바꾸다, 변화하다

1099 ☐☐☐ ★★★

moral

ⓐ ethical, virtuous, righteous

도덕의, 도덕적인

[mɔ́:rəl]

Schools should stick to academics, leaving moral education to the parents and the community. (수능)

➊ morally ⓐⓓ 도덕적으로, 정신적으로   morality ⓝ 도덕성
❏ immoral ⓐ 부도덕한, 비도덕적

Tips | **시험에는 이렇게 나온다**

moral agent 도덕적 행위자, 인간   moral development 도덕성 발달
moral principles 도덕적 원칙

1100 ☐☐☐ ★★

persist

ⓥ persevere, carry on, go on

집요하게 계속하다, 고집하다

[pərsíst]

ⓥ continue, last, remain

지속되다, 살아남다

You can do anything you want if you just persist long enough. (학평)
Bird flu persists in Indonesia. (학평)

➊ persistent ⓐ 끈질긴, 지속적인   persistence ⓝ 고집, 지속(성)

---

breakthrough · 에이즈 치료법의 발견은 현대 의학에 있어서 획기적인 발전이 될 것이다.
vertical · 노란색 세로 줄무늬가 있는 이 셔츠가 나에게 어울리는 것 같다.
moral · 학교는 도덕 교육을 학부모와 지역사회에 남겨두고, 학업에 충실해야 한다.
persist · 만약 당신이 충분히 오래 집요하게 계속한다면, 당신은 원하는 무엇이든지 할 수 있다.
· 조류독감은 인도네시아에서 지속된다.

1101 □□□ ★★★

dismiss
[dismís]

Ⓥ discharge, dispel, fire 해고하다, 해산시키다

Ⓥ ignore, disregard 무시하다, 묵살하다

You will be dismissed from the company on October 14. 수능

We often dismiss new ideas simply because they do not fit within the general framework of our self-concepts. 모평

➕ dismissal Ⓝ 해고, 묵살   dismissive Ⓐ 면직의, 멸시하는

1102 □□□ ★★

remedy
[rémədi]

Ⓝ cure, treatment, medicine 치료 (약), 해결(책)

Tea is considered to be a good remedy for a cough or sore throat.

➕ remediable Ⓐ 치료될 수 있는   remedial Ⓐ 교정의, 치료하는

Tips | **시험에는 이렇게 나온다**
good remedy 좋은 치료 (약) | temporary remedy 일시적인 치료 (약)
herbal remedy 한방 치료

1103 □□□ ★★

feast
[fiːst]

Ⓝ banquet, festival 잔치, 연회

The family prepared an extraordinary feast for everyone to enjoy during the holiday.

Tips | **시험에는 이렇게 나온다**
feast day 축제일, 잔칫날 | a wedding feast 결혼 피로연

1104 □□□ ★★

quarrel
[kwɔ́ːrəl]

Ⓝ disagreement, argument 말다툼, 논쟁

The children got into a noisy quarrel over whose turn it was to play with a toy. 학평

➕ quarrelsome Ⓐ 다투기 좋아하는

---

dismiss · 당신은 10월 14일로 회사에서 해고될 것이다.
· 우리는 종종 새로운 개념들이 단지 자신의 자아 개념의 일반적인 틀 안에 들어맞지 않는다는 이유로 무시한다.
remedy · 차는 기침이나 인후염에 좋은 치료 약으로 여겨진다.
feast · 가족들은 명절 동안 모두가 즐길 수 있는 색다른 잔치를 준비했다.
quarrel · 아이들은 장난감을 가지고 노는 것이 누구의 차례인지에 대해 시끄러운 말다툼을 했다.

1105 ☐☐☐ ★★

anchor

[ǽŋkər]

🄝 hook
닻, 고정 장치

🅅 hold in place, secure, fasten
정박시키다, 닻을 내리다

The boat was unable to move very far because its anchor was still down, fixing it in place.

Bryan anchored the ship as far off shore as possible.

➕ anchored ⓐ 고착된, 닻을 내린 anchorage 🄝 정박지, 닻을 내림

Tips | 어원으로 어휘 확장하기

anc 앞에 + hor 뻗은 ▶ 배의 앞쪽에 뻗어 있는 닻

➕ ancestor 🄝 조상, 선조

1106 ☐☐☐ ★★

superstition

[sùːpərstíʃən]

🄝 myth, unfounded belief
미신

There are countless superstitions among native African people regarding the powers of the tree. (학평)

➕ superstitious ⓐ 미신적인

Tips | 어원으로 어휘 확장하기

super 넘어서 + stit 서다(sta) + ion 명·접 ▶ 상식 선을 넘어서 서 있는 믿음, 즉 미신

➕ supernatural ⓐ 초자연적인, 불가사의한

1107 ☐☐☐ ★★

spectrum

[spéktrəm]

🄝 range, scope
범위, 영역, 스펙트럼

Our eyes receive light across the spectrum of visible wavelengths. (학평)

1108 ☐☐☐ ★★

erupt

[irʌ́pt]

🅅 explode, blow up
폭발하다, 분출하다

When the volcano in Iceland erupted for the first time in over 200 years, many people were surprised. (학평)

➕ eruption 🄝 분출, 폭발

---

anchor · 그 보트는 아직 닻이 내려져 있어 그 자리에 고정되었기 때문에 아주 멀리 움직일 수는 없었다.
· Bryan은 가능한 한 해안에서 멀리 떨어져 배를 정박시켰다.
superstition · 아프리카 원주민들 사이에는 나무의 힘에 관한 수많은 미신이 있다.
spectrum · 우리의 눈은 가시 파장의 범위를 가로질러 빛을 받아들인다.
erupt · 아이슬란드의 화산이 200년 만에 처음으로 폭발했을 때, 많은 사람들이 놀랐다.

1109 ☐☐☐ ★★

degrade

[digréid]

| ⓥ break down | 분해되다 |

| ⓥ devalue, demean, discredit | 품위를 떨어뜨리다 |

Plastic is slow to degrade and tends to float, which allows it to travel in ocean currents. (학평)

His poor behavior degraded the organization in the eyes of the public.

➕ degradation ⓝ 저하, 비하   degrading ⓐ 모멸하는, 모욕적인

1110 ☐☐☐ ★

intersect

[ìntərsékt]

| ⓥ cross, criss-cross, cut across | 교차하다, 가로지르다 |

A ride costs two dollars and it includes free transfers at stations where subway lines intersect. (학평)

➕ intersection ⓝ 교차로, 교차점

Tips   **어원으로 어휘 확장하기**

inter 사이에 + sect 자르다 ▶ 하나의 길이 다른 길을 자르고 들어가다, 즉 교차하다

➕ section ⓝ 부분, 구역 ⓥ 구분하다

1111 ☐☐☐ ★★

blast

[blæst]

| ⓥ blow up, burst, break apart | 폭파시키다, 폭발시키다 |

| ⓝ explosion, eruption | 강한 바람(공기), 폭발 |

The miners blasted a hole in the side of the mountain as they began building the mine.

I was hit with a blast of hot air when I opened the side door. (학평)

Tips   **시험에는 이렇게 나온다**

bomb blast 폭탄 폭발   cold blast 찬바람, 냉풍

blast wave 폭풍

---

degrade · 플라스틱은 느리게 분해되고 물에 뜨는 경향이 있는데, 이는 플라스틱이 해류로 이동할 수 있게 한다.
· 그의 형편없는 행동은 대중의 눈에 그 조직의 품위를 떨어뜨렸다.

intersect · 승차 요금은 2달러이며 지하철 노선이 교차하는 역에서의 무료 환승을 포함한다.

blast · 광부들은 광산을 세우기 시작할 때 산 측면에 구멍을 폭파시킨다.
· 나는 옆 문을 열었을 때 뜨거운 공기의 강한 바람을 맞았다.

1112 ☐☐☐ ★★

implement

[ìmpləmənt]

Ⓥ carry out, put into action, start 시행하다, 이행하다

Ⓝ tool, appliance 도구, 기구, 수단

We can try the same strategy again or implement a new one until we are ready to make a rational judgment. (학평)

For carpenters, his hand becomes an implement for pounding and pulling nails. (학평)

⊕ implementation Ⓝ 집행, 이행

Tips | 어원으로 어휘 확장하기

im 안에(in) + ple 채우다 + ment 명·접 ▶ 계획대로 안을 채우는 일을 이행하기 위한 도구, 수단

⊕ complement Ⓝ 보충물 Ⓥ 보충하다 supplement Ⓝ 추가(물), 보충(제) Ⓥ 보충하다, 추가하다

1113 ☐☐☐ ★

punctuate

[pʌ́ŋktʃuèit]

Ⓥ suspend, interrupt, break (말 등을) 중단시키다

Even for the best companies and most accomplished professionals, success could be punctuated by slips. (수능)

⊕ punctuative ⓐ 구두점의

1114 ☐☐☐ ★

revolve

[rivɑ́ːlv]

Ⓥ rotate, whirl, go round, circle 돌다, 회전하다

The Greeks proposed that the Earth might revolve around the sun. (학평)

⊕ revolvable ⓐ 회전할 수 있는, 순환할 수 있는

1115 ☐☐☐ ★

proactive

[pròuǽktiv]

ⓐ aggressive, enterprising, reactive 주도적인, 예방의

If you want to get a job, being proactive will get you results faster than relying only on browsing online job boards. (학평)

⊕ proactively ⓐⓓ 적극적으로, 사전에

---

implement · 우리는 이성적인 판단을 내릴 준비가 될 때까지 같은 전략을 다시 시도하거나 새로운 전략을 시행할 수 있다.
· 목수들에게, 그의 손은 못을 두드리거나 빼기 위한 도구가 된다.
punctuate · 최고의 기업과 가장 뛰어난 전문가에게도 성공은 실수에 의해 중단될 수 있다.
revolve · 그리스인들은 지구가 태양 주위를 돌 것이라고 말했다.
proactive · 당신이 취업을 하고 싶으면, 주도적이 되는 것이 온라인 구인 게시판을 검색하는 것에만 의존하는 것보다 당신에게 결과를 더 빨리 가져다 줄 것이다.

correlation

ⓝ connection, association

연관성, 상관관계

[kɔ̀ːrəléiʃən]

Walter found that the typical correlation between personality traits and behavior was quite modest. 학평

➕ correlate ⓥ 연관성이 있다, 서로 관련시키다   correlative ⓐ 상호 관계가 있는

Tips | **시험에는 이렇게 나온다**

correlation between ~ 사이의 상관관계   inverse correlation 역상관
positive correlation 긍정적인 상관관계

extraordinary

ⓐ unusual, exceptional

비범한, 보통이 아닌

[ikstrɔ́ːrdənèri]

Heroes are selfless people who perform extraordinary acts. 수능

➕ extraordinarily ⓐⓓ 이례적으로, 유별나게
➖ ordinary ⓐ 보통의, 평범한

triumphantly

ⓐⓓ admirably, attractively

의기양양하게, 기세 등등해서

[traiʌ́mfəntli]

Usually, the likable main characters triumphantly overcome a bad guy at the end of the story.

➕ triumphant ⓐ 승리를 거둔, 의기양양한

horn

ⓝ siren

경적

[hɔːrn]

If you do have to wait for a rescue boat, you'll need a horn or whistle. 수능

hedge

ⓝ fence, boundary, shrubbery

산울타리

[hedʒ]

The hedges served as a boundary between the two estates.

---

correlation · Walter는 성격 특성과 행동 사이의 전형적인 연관성이 그다지 크지 않다는 것을 알아냈다.
extraordinary · 영웅은 비범한 행동을 하는 이타적인 사람들이다.
triumphantly · 보통 호감이 가는 주인공들은 이야기의 마지막에 의기양양하게 악당을 이겨낸다.
horn · 만약 당신이 구조선을 기다려야 한다면, 경적이나 호루라기가 필요할 것이다.
hedge · 산울타리는 두 사유지 사이의 경계로서의 역할을 했다.

Daily Quiz

A 알맞은 유의어를 고르세요.

01 moral	ⓐ cross, criss-cross, cut across
02 intersect	ⓑ connection, association
03 proactive	ⓒ ethical, virtuous, righteous
04 erupt	ⓓ myth, unfounded belief
05 implement	ⓔ aggressive, enterprising, reactive
06 steady	ⓕ explode, blow up
07 dismiss	ⓖ discharge, dispel, fire
08 superstition	ⓗ stable, constant, continuous
09 punctuate	ⓘ suspend, interrupt, break
10 correlation	ⓙ carry out, put into action, start

B 밑줄 친 단어와 가장 뜻이 유사한 단어를 고르세요.

11 The Greeks proposed that the Earth might <u>revolve</u> around the sun.
  ⓐ understand   ⓑ express   ⓒ flutter   ⓓ rotate

12 The children got into a noisy <u>quarrel</u> over whose turn it was to play with a toy.
  ⓐ treatment   ⓑ banquet   ⓒ disagreement   ⓓ explosion

13 The <u>reverse</u> of what the newspaper reported about the story is true.
  ⓐ range   ⓑ opposite   ⓒ appliance   ⓓ argument

14 Stretching is a natural way to keep your muscles and joints <u>flexible</u>.
  ⓐ abundant   ⓑ ethical   ⓒ elastic   ⓓ aggressive

15 The human brain cannot completely <u>comprehend</u> all that it encounters in its lifespan.
  ⓐ express   ⓑ suspend   ⓒ understand   ⓓ ignore

C 다음 빈칸에 들어갈 가장 알맞은 것을 박스 안에서 고르세요.

degrade	approach	persist	preference	remedy	numerous

16 You can do anything you want if you just _____ long enough.

17 His poor behavior _____(e)d the organization in the eyes of the public.

18 Tea is considered to be a good _____ for a cough or sore throat.

19 There are some kinds of questions that a scientific _____ cannot solve.

20 Newborn infants show a strong _____ for sweet liquids.

정답

01 ⓒ	**02** ⓐ	**03** ⓔ	**04** ⓕ	**05** ⓙ	**06** ⓗ	**07** ⓖ
08 ⓓ	**09** ⓘ	**10** ⓑ	**11** ⓓ	**12** ⓒ	**13** ⓑ	**14** ⓒ
15 ⓒ	**16** persist	**17** degrade	**18** remedy	**19** approach	**20** preference	

DAY 33

음성 바로 듣기

1121 ☐☐☐ ★★★

access

[ǽkses]

| ⓥ approach, come nearer | 접근하다, 이용하다 |
| ⓝ approach, admission, entry | 접근 기회, 접근(권) |

Hikers take more risks when they think a rescuer can access the trails easily. 수능

Today the Internet has given people around the world immediate access to the cultural artifacts of other societies. 학평

➕ accessible ⓐ 접근 가능한   accessibility ⓝ 접근 가능성

Tips | 시험에는 이렇게 나온다
> access to ~에의 접근
> public access 일반인 접근권
>
> have /get access to ~에 접근하다
> internet access 인터넷 접속

1122 ☐☐☐ ★★★

alternative

[ɔːltə́ːrnətiv]

| ⓐ substitutive, different | 대체의, 대안의 |
| ⓝ substitute, choice, option | 대안 |

Solar energy can be a practical alternative energy source for us in the foreseeable future. 수능

I think there should be more efforts to find alternatives to animal testing. 학평

➕ alternate ⓥ 번갈아 하다, 교대시키다   alternately ⓐⓓ 번갈아, 교대로
    alternatively ⓐⓓ 그 대신에, 그렇지 않으면

Tips | 시험에는 이렇게 나온다
> alternative energy 대체 에너지
> alternative fuels 대체 연료
>
> alternative resource 대체 자원
> alternative material 보조 공학

---

access · 등산객들은 구조대원이 산길에 쉽게 접근할 수 있다고 생각할 때 더 많은 위험을 감수한다.
        · 오늘날 인터넷은 전 세계 사람들에게 다른 사회의 문화 유물에 대한 즉각적인 접근 기회를 제공해왔다.
alternative · 태양 에너지는 가까운 미래에 우리에게 실용적인 대체 에너지원이 될 수 있다.
        · 나는 동물 실험의 대안을 찾기 위한 더 많은 노력이 있어야 한다고 생각한다.

1123 ☐☐☐ ★★★

note

[nout]

ⓥ **notice, see, perceive, observe**　　유의하다, 주의하다

Please note that there are no rental skates available. (학평)

1124 ☐☐☐ ★★★

adopt

[ədáːpt]

ⓥ **accept, choose, embrace**　　채택하다

ⓥ **foster, raise**　　입양하다

In an effort to save the planet, we have adopted a new policy. (학평)
I heard my friend Jenny is looking for people to adopt her newborn kittens. (학평)

➕ adoption ⓝ 채택, 입양

Tips　**어원으로 어휘 확장하기**

　ad ~쪽으로 + opt 선택하다 ▶ 선택해서 내 쪽으로 가져오다, 즉 채택 또는 입양하다
　➕ option ⓝ 선택권, 옵션

1125 ☐☐☐ ★★★

confuse

[kənfjúːz]

ⓥ **embarrass, bewilder, puzzle**　　혼란스럽게 하다, 혼동하다

The wildly moving jagged stripes of the whole herd of zebras confuse the predator. (학평)

➕ confused ⓐ 혼란스러워하는　confusing ⓐ 혼란스럽게 하는　confusion ⓝ 혼란, 혼동

Tips　**어원으로 어휘 확장하기**

　con 함께(com) + fus(e) 붓다 ▶ 여러 가지를 함께 부어 혼동하다
　➕ fuse ⓥ 융합되다, 녹이다　refuse ⓥ 거절하다

1126 ☐☐☐ ★★★

severe

[sivíər]

ⓐ **serious, grave**　　심각한, 극심한

Severe illness will create a crisis not only for the individual concerned but also for his family. (수능)

➕ severely ⓐⓓ 심하게, 엄격하게　severity ⓝ 격렬, 엄격

---

note　・이용가능한 대여용 스케이트가 없다는 점에 유의하세요.
adopt　・지구를 구하기 위한 노력으로, 우리는 새로운 정책을 채택했다.
　　　・나는 내 친구 Jenny가 갓 태어난 아기 고양이들을 입양할 사람들을 찾고 있다고 들었다.
confuse　・얼룩말 전체 무리의 격렬하게 움직이는 들쭉날쭉한 줄무늬는 포식자를 혼란스럽게 한다.
severe　・심각한 질병은 관련된 개인뿐만 아니라 그의 가족에게도 위기를 초래할 것이다.

1127 ☐☐☐ ★★★

expense

[ikspéns]

Ⓝ charge, cost

비용, 돈

National galleries in Washington are maintained at public expense. (수능)

➕ expenditure Ⓝ 지출, 소비　expend Ⓥ 소비하다

Tips　시험에는 이렇게 나온다

at the expense of ~을 희생하면서
medical expense 의료비

housing expense 주거비
travel expense 여행 경비

1128 ☐☐☐ ★★★

procedure

[prəsí:dʒər]

Ⓝ process, step

절차, 순서

Ⓝ operation, surgery

수술

After the evaluation procedure, selected candidates will be contacted individually for an interview. (모평)

Medical procedures may sound scarier when presented in terms of the risk of dying. (학평)

➕ procedural ⓐ 절차의

Tips　시험에는 이렇게 나온다

experimental procedure 실험 과정
industrial procedure 산업적 절차

standard procedure 표준 절차

1129 ☐☐☐ ★★★

initial

[iníʃəl]

ⓐ first, original, earliest

처음의, 초기의

Many predators direct their initial attack at the head of their prey. (학평)

➕ initially ⓐⓓ 처음에　initiate Ⓥ 시작하다, 가입시키다

Tips　어원으로 어휘 확장하기

in 안에 + it 가다 + ial 형·접 ▶ 어떤 것 안에 들어가서 가장 먼저인, 즉, 처음의
➕ exit Ⓝ 출구 Ⓥ 나가다　hesitate Ⓥ 주저하다, 망설이다

---

expense　· 워싱턴에 있는 국립 미술관들은 공공 비용으로 유지된다.
procedure　· 평가 절차 후에, 선정된 지원자들은 면접을 위해 개별적으로 연락을 받을 것이다.
　　　　　· 의료 수술은 사망의 위험성 측면에서 설명될 때 더 무섭게 들릴 수 있다.
initial　· 많은 포식자들은 그들의 처음 공격으로 먹이의 머리를 겨냥한다.

1130 ☐☐☐ ★★★

urge

[əːrdʒ]

ⓥ demand, push for, call on   촉구하다, 재촉하다

ⓝ impulse, very short desire   충동, 욕구

City officials urged the public to use water sparingly until the drought passed.

I managed to overcome my urge to burst into tears. (학평)

➊ urgent ⓐ 긴급한, 다급한   urgency ⓝ 긴급, 시급

1131 ☐☐☐ ★★★

anticipate

[æntísəpèit]

ⓥ expect, predict   예상하다, 기대하다

To teach others, you must anticipate any potential questions and explore the topic from all angles. (학평)

➊ anticipation ⓝ 기대, 예상   anticipatory ⓐ 예상한, 선구적인

Tips   **어원으로 어휘 확장하기**

anti 전에 + cip 잡다(cap) + ate 동·접 ▶ 일이 일어나기 전에 미리 감을 잡다, 즉 예상하다
➊ antique ⓐ 과거의, 오래된   municipal ⓐ 자치 도시의, 시(립)의

1132 ☐☐☐ ★★★

abundant

[əbʌ́ndənt]

ⓐ plentiful, ample, sufficient   많은, 풍부한

The garden produced an abundant amount of vegetables this year.

➊ abundance ⓝ 풍부   abundantly ⓐ 풍부하게

Tips   **어원으로 어휘 확장하기**

ab ~로부터 + und 물결치다 + ant 형·접 ▶ 무언가로부터 물결쳐 흘러나올 정도로 풍부한
➊ absord ⓥ 빨아들이다, 흡수하다   absurd ⓐ 터무니없는, 불합리한 ⓝ 부조리, 불합리

1133 ☐☐☐ ★★

corporation

[kɔ̀ːrpəréiʃən]

ⓝ business, company, enterprise   기업, 법인

Boycotts make corporations realize that the most profitable choice is to fulfill their responsibilities to society. (학평)

➊ corporate ⓐ 기업의, 법인의

---

urge   · 시 공무원들은 가뭄이 지나갈 때까지 물을 아껴서 쓸 것을 대중들에게 촉구했다.
         · 나는 울음이 터지려는 충동을 가까스로 이겨냈다.

anticipate   · 다른 사람을 가르치기 위해서, 당신은 가능성이 있는 모든 질문을 예상하고 모든 각도에서 주제를 탐구해야 한다.

abundant   · 그 정원은 올해 많은 양의 채소를 생산했다.

corporation · 불매운동은 기업들이 사회에 대한 그들의 책임을 다하는 것이 가장 수익성이 높은 선택임을 깨닫게 한다.

1134 ☐☐☐ ★★★

drain

[drein]

| ⓥ remove water, strain | 물을 빼다, 배수하다 |

To start with, you need soil that is drained well in order to make the vine's roots dig deep into the soil. (수능)

➕ drainage ⓝ 배수 시설

1135 ☐☐☐ ★★★

stir

[stəːr]

| ⓥ mix, blend, whip | 휘젓다, 섞다 |
| ⓥ incite, stimulate | 흥분시키다, 마음을 흔들다 |

The woman stirred the soup and scooped up lots of meat for me. (모평)

The thought of conquering the mountain stirs me with anticipation. (모평)

1136 ☐☐☐ ★★

bully

[búli]

| ⓥ intimidate, threaten | 괴롭히다, 협박하다 |
| ⓝ someone who threatens weaker people | 괴롭히는 사람 |

Bullying is any behavior that seeks to harm someone because they are relatively weak. (학평)

Some of the new employees felt that the senior staff were acting as bullies.

1137 ☐☐☐ ★★

deplete

[diplíːt]

| ⓥ exhaust, use up, decrease | 고갈시키다, 크게 감소시키다 |

Our supply of water was depleted quickly as we hiked in the hot desert sun.

➕ depletion ⓝ 고갈, 소모

---

drain	· 우선, 여러분은 덩굴의 뿌리가 흙 속으로 깊이 파고들게 하기 위해 물이 잘 빠지는 흙이 필요합니다.
stir	· 그 여자는 수프를 휘젓고 나를 위해 많은 고기를 퍼올렸다.
	· 산을 정복하는 것에 대한 생각이 나를 기대감으로 흥분시켰다.
bully	· 괴롭히는 것은 누군가가 상대적으로 약하기 때문에 그들을 해치려고 하는 모든 행동이다.
	· 신입사원들 중 일부는 선배 직원들이 괴롭히는 사람들처럼 행동하고 있다고 느꼈다.
deplete	· 우리가 뜨거운 사막의 태양 아래 하이킹했을 때, 우리의 물 저장량은 빠르게 고갈되었다.

1138 □□□ ★★★

elaborate

@[ilǽbərət]
ⓥ[ilǽbərèit]

ⓐ **detailed, sophisticated, precise**　정교한, 공들인

ⓥ **develop, embellish**　자세히 설명하다

Some study guides advocate filling out elaborate calendars so you will know what you are supposed to be doing. (학평)

The spokesperson provided only a short statement at the press conference and did not elaborate.

➕ elaboration ⓝ 정교, 공들임　elaborately ⓐⓓ 정교하게

Tips **어원으로 어휘 확장하기**

e 밖으로(ex) + **labor** 일 + ate 형·접 ▶ 공들여 일한 결과 밖으로 내놓을 만큼 정교한

➕ **labor**atory ⓝ 실험실, 연구실　collaborate ⓥ 협력하다, 공동 작업하다

1139 □□□ ★★★

probe

[proub]

ⓥ **investigate, search, examine**　조사하다, (진상을) 규명하다

Engineers probed the reason for the bridge's collapse, but they did not reach a clear conclusion.

Tips **어원으로 어휘 확장하기**

prob(e) 시험하다 ▶ 어떤 것을 이리저리 시험해 보는 것, 즉 조사 또는 탐사

➕ **prob**able ⓐ 그럴듯한, (어떤 일이) 있음 직한

1140 □□□ ★★

stack

[stæk]

ⓥ **pile up, load**　쌓다, 포개지다

ⓝ **pile, bundle**　쌓아 놓은 더미, 무더기

I'm afraid you can't stack those boxes in front of the office. (학평)

There was a stack of towels on a table near the door.

---

elaborate　· 어떤 학습 지침은 당신이 무엇을 해야 하는지 알 수 있도록 정교한 일정표를 작성하는 것을 지지한다.
　　　　　· 대변인은 기자회견에서 짧은 성명만 발표했을 뿐 자세히 설명하지 않았다.
probe　　· 기술자들은 다리 붕괴의 원인에 대해 조사했지만 명확한 결론에 도달하지 못했다.
stack　　· 죄송하지만 당신은 그 상자들은 사무실 앞에 쌓아 둘 수 없습니다.
　　　　　· 문 근처 테이블 위에 수건을 쌓아 놓은 더미가 있었다.

1141 ☐☐☐ ★★

invade

[invéid]

Ⓥ **attack, raid, trespass, intrude**　　침략하다, 침입하다

In 480 B.C. Xerxes, the son of the King of Persia, prepared to invade Greece. (학평)

➕ invasion Ⓝ 침략, 침입　　invader Ⓝ 침략군(국)

1142 ☐☐☐ ★★

drawback

[drɔ́ːbæk]

Ⓝ **disadvantage, problem, defect**　　단점, 결점, 장애

One obvious drawback is the danger involved. (수능)

➖ advantage Ⓝ 이점, 장점

1143 ☐☐☐ ★★

sacred

[séikrid]

Ⓐ **holy, divine**　　신성한, 종교적인

The Thais consider the king sacred, so stepping on his image is a serious crime. (학평)

Tips　**어원으로 어휘 확장하기**

sacr(ed) 신성한 ▶ 신성한, 성스러운
➕ sacrifice Ⓥ 희생하다

1144 ☐☐☐ ★★

propel

[prəpél]

Ⓥ **push, drive**　　추진하다, 나아가게 하다

Some ancient vessels were propelled by sails. (학평)

➕ propeller Ⓝ 추진기, 프로펠러　　propulsion Ⓝ 추진

1145 ☐☐☐ ★★

scope

[skoup]

Ⓝ **extent, range, reach**　　범위

The issues brought up by the board members were outside the scope of the meeting agenda.

---

invade · 기원전 480년, 페르시아 왕의 아들인 크세르크세스가 그리스를 침략할 준비를 했다.
drawback · 한가지 분명한 단점은 수반되는 위험이다.
sacred · 태국인들은 왕을 신성하다고 여기기 때문에, 그의 이미지를 밟는 것은 심각한 범죄이다.
propel · 몇몇 고대 선박들은 돛에 의해 추진되었다.
scope · 이사진에 의해 제기된 안건은 회의 안건의 범위를 벗어났다.

1146 □□□ ★★

medicinal

[mədísənəl]

ⓐ curative

약효가 있는

Many weeds are edible and medicinal. (모평)

➕ medicinally ad 의약으로, 약으로써

Tips	**시험에는 이렇게 나온다**
	a medicinal herb 약초 medicinal purposes 의약용
	medicinal value 의학적 가치

1147 □□□ ★★

mobilize

[móubəlàiz]

ⓥ assemble, put into action

(사람들을) 동원하다, 결집하다

To prepare for any possible hostilities to come, the military was mobilized.

➕ mobile ⓐ 이동식의   mobility ⓝ 이동성, 유동성
➖ immobilize ⓥ 움직이지 못하게 하다

1148 □□□ ★★

simultaneously

[sàiməltéiniəsli]

ad concurrently, at the same time

동시에

Rawlings worked as a journalist while simultaneously trying to establish herself as a fiction writer. (수능)

➕ simultaneous ⓐ 동시다발적인, 동시의

1149 □□□ ★

reckless

[réklis]

ⓐ careless, mindless, negligent

무모한, 신중하지 못한

People should be brave, but if someone is too brave, they become reckless. (학평)

➖ prudent ⓐ 신중한

1150 □□□ ★

amplify

[ǽmpləfài]

ⓥ intensify, increase

증폭시키다, 확대하다

The shape of the room amplified the sound, making everything seem louder and more intense.

➕ ample ⓐ 충분한, 풍부한   amplification ⓝ 증폭, 확대

---

medicinal	· 많은 잡초들은 먹을 수 있고 약효가 있다.
mobilize	· 앞으로 일어날 수 있는 어떤 전투에도 대비하기 위해 군대가 동원되었다.
simultaneously	· Rawlings는 신문기자로 일하면서 동시에 소설 작가로서의 그녀 자신의 입지를 다지기 위해 노력했다.
reckless	· 사람들은 용감해야 하지만, 어떤 사람들이 너무 용감하면 그들은 무모해진다.
amplify	· 방의 모양이 소리를 증폭시켜 모든 것이 더 크고 더 강렬한 것처럼 만들었다.

1151 ☐☐☐ ★

chronic

ⓐ **persistent, constant, incessant** | 만성적인, 장기간에 걸친

[krá:nik]

Sitting with poor posture can lead to chronic back pain. (학평)

➕ chronically ad 만성적으로

➖ acute ⓐ 급성의, 극심한

Tips 어원으로 어휘 확장하기

chron(o) 시간 + ic 형·접 ▶ 시간적으로 오래 가는, 즉 만성적인

➕ chronological ⓐ 연대순의, 시간 순으로 된

1152 ☐☐☐ ★

swamp

ⓝ **marsh, bog** | 늪, 습지

[swɑ:mp]

Geologists explore mountains, swamps, deserts, and even the bottom of the ocean. (학평)

1153 ☐☐☐ ★

compliance

ⓝ **obedience, accordance, conformity** | 준수, 순종

[kəmpláiəns]

Compliance with the new policy was mandatory, so students were punished if they refused to follow it.

➕ comply ⓥ 준수하다, 따르다   compliant ⓐ 순응하는, 준수하는

➖ violation ⓝ 위반, 침해

1154 ☐☐☐ ★

brevity

ⓝ **conciseness, briefness** | 간결함, 짧음

[brévəti]

The essence of writing is in its brevity. (모평)

1155 ☐☐☐ ★

telegraph

ⓝ **telegram** | 전보, 전신

[téligræf]

We don't send telegraphs to communicate anymore. (수능)

---

chronic · 나쁜 자세로 앉아 있는 것은 만성적인 허리 통증으로 이어질 수 있다.
swamp · 지질학자들은 산, 늪, 사막, 그리고 심지어 바다의 밑바닥까지 탐험한다.
compliance · 새로운 정책에 대한 준수는 의무적이었기 때문에 학생들이 그것을 따르기를 거부하면 처벌을 받았다.
brevity · 글쓰기의 본질은 그것의 간결함에 있다.
telegraph · 우리는 더 이상 연락을 주고 받기 위해 전보를 보내지 않는다.

Daily Quiz

A 알맞은 유의어를 고르세요.

01 severe   ⓐ expect, predict

02 probe   ⓑ serious, grave

03 simultaneously   ⓒ detailed, sophisticated, precise

04 bully   ⓓ business, company, enterprise

05 mobilize   ⓔ investigate, search, examine

06 elaborate   ⓕ extent, range, reach

07 corporation   ⓖ assemble, put into action

08 scope   ⓗ concurrently, at the same time

09 stir   ⓘ intimidate, threaten

10 anticipate   ⓙ mix, blend, whip

B 밑줄 친 단어와 가장 뜻이 유사한 단어를 고르세요.

11 Our supply of water was <u>depleted</u> quickly as we hiked in the hot desert sun.
   ⓐ embarrassed   ⓑ expected   ⓒ exhausted   ⓓ developed

12 One obvious <u>drawback</u> is the danger involved.
   ⓐ admission   ⓑ disadvantage   ⓒ substitute   ⓓ charge

13 Many predators direct their <u>initial</u> attack at the head of their prey.
   ⓐ ample   ⓑ substitute   ⓒ first   ⓓ detailed

14 I managed to overcome my <u>urge</u> to burst into tears.
   ⓐ business   ⓑ impulse   ⓒ problem   ⓓ process

15 In 480 B.C. Xerxes, the son of the King of Persia, prepared to <u>invade</u> Greece.
   ⓐ intensify   ⓑ intimidate   ⓒ investigate   ⓓ attack

C 다음 빈칸에 들어갈 가장 알맞은 것을 박스 안에서 고르세요.

expense	brevity	procedure	chronic	reckless	abundant

16 The essence of writing is in its _____.

17 National galleries in Washington are maintained at public _____.

18 The garden produced a(n) _____ amount of vegetables this year.

19 After the evaluation _____, selected candidates will be contacted individually for an interview.

20 Sitting with poor posture can lead to _____ back pain.

정답

01 ⓑ	02 ⓔ	03 ⓗ	04 ⓘ	05 ⓖ	06 ⓒ	07 ⓓ
08 ⓕ	09 ⓙ	10 ⓐ	11 ⓒ	12 ⓑ	13 ⓒ	14 ⓑ
15 ⓓ	16 brevity	17 expense	18 abundant	19 procedure	20 chronic	

1156 □□□ ★★★

cover

[kʌ́vər]

ⓥ include, contain, comprise	포함하다, 다루다
ⓥ wrap, hide	덮다, 가리다, 씌우다
ⓝ front, binding	표지, 덮개

Your membership fees **cover** the expenses for the concert and gifts for the children. 학평

Cover the top of the jar with fabric and secure it tightly with a rubber band so the ants can't escape. 학평

We need someone to design the new book **cover**. 학평

➕ coverage ⓝ (적용·보장) 범위, 보도 (방송)

1157 □□□ ★★★

preserve

[prizə́:rv]

| ⓥ maintain, protect | 지키다, 보존하다 |

Tribes like the Masai still try to **preserve** a traditional way of life in an increasingly modern world. 학평

➕ preservation ⓝ 보존, 보호   preservative ⓐ 보존의, 예방하는 ⓝ 방부제

Tips **어원으로 어휘 확장하기**

pre 전에 + serv(e) 지키다 ▶ 어떤 것이 손상되기 전에 지키다
➕ conserve ⓥ 보존하다, 아끼다 reserve ⓥ 예약하다

1158 □□□ ★★★

phrase

[freiz]

| ⓝ group of words | 구절, 구 |

Many words and **phrases** are used both literally and metaphorically.

➕ phrasal ⓐ 구의, 구로 된

---

cover
· 당신의 멤버십 요금은 콘서트 비용과 아이들을 위한 선물을 포함한다.
· 항아리 윗부분을 천으로 덮고 개미가 도망가지 못하도록 고무줄로 그것을 단단히 고정시켜라.
· 우리는 새 책 표지를 디자인할 누군가가 필요하다.

preserve
· 마사이와 같은 부족들은 점점 더 현대적인 세계에서 전통적인 삶의 방식을 지키려고 여전히 노력한다.

phrase
· 많은 단어와 구절은 글자 뜻대로 뿐만 아니라 은유적으로도 사용된다.

grateful

[gréitfəl]

ⓐ **appreciative, thankful**　　　고마워하는, 감사하는

I would be grateful if you could resolve this matter quickly. (학평)

➕ gratefully ⓐⓓ 감사하여, 기꺼이

Tips　**어원으로 어휘 확장하기**

grat(e) 감사하는 + ful 형·접 ▶ 감사하는, 고마워하는

➕ gratitude ⓝ 감사, 고마움

---

constant

[ká:nstənt]

ⓐ **consistent, steady**　　　끊임없는, 일정한, 지속적인

The constant wind and smell of the sea can make seasickness worse. (학평)

➕ constantly ⓐⓓ 끊임없이, 계속

➖ occasional ⓐ 가끔의　changing ⓐ 변화하는

Tips　**시험에는 이렇게 나온다**

at constant temperature 일정한 온도로　　　make constant efforts 부단한 노력을 하다

constant interruptions 계속되는 방해

---

compete

[kəmpí:t]

ⓥ **fight, challenge**　　　경쟁하다, 겨루다

Every four years, athletes from all over the world meet to compete in many sports. (수능)

➕ competition ⓝ 경쟁, 대회　competitive ⓐ 경쟁하는, 경쟁력 있는

Tips　**시험에는 이렇게 나온다**

compete for ~을 위해 경쟁하다　　　compete in ~에 출전하다

compete against/with ~와 경쟁하다

---

grateful 　· 당신이 이 문제를 빨리 해결해줄 수 있다면 고맙겠습니다.
constant 　· 끊임없는 바람과 바다의 냄새는 뱃멀미를 더 악화시킬 수 있다.
compete 　· 4년마다, 전세계의 운동선수들은 많은 스포츠에서 경쟁하기 위해 만난다.

1162 ☐☐☐ ★★★

identical

ⓐ same, indistinguishable, equal　　동일한

[aidéntikəl]

These two laptops are identical in size and weight, but they have different processing power.

➕ identity ⓝ 신원, 신분

➖ diverse ⓐ 다양한, 다른

> Tips　**시험에는 이렇게 나온다**
>
> identical twins 일란성 쌍둥이　　　　　　　identical to ~과 동일한

1163 ☐☐☐ ★★★

imply

ⓥ suggest, indicate, connote　　함축하다, 암시하다

[implái]

The mayor's statement implied that she agreed with the protester, though she did not say so directly.

➕ implication ⓝ 함축, 암시　　implicit ⓐ 함축적인, 암시된, 맹목적인

> Tips　**어원으로 어휘 확장하기**
>
> im 안에(in) + ply 접다 ▶ 하고픈 말을 접어서 몰래 안에 싣다, 즉 암시하다
>
> ➕ reply ⓥ 답장하다

1164 ☐☐☐ ★★★

agriculture

ⓝ farming, cultivation　　농업

[ǽgrəkʌ̀ltʃər]

Agriculture and manufacturing once dominated the economy.

➕ agricultural ⓐ 농업의, 농사의　　agriculturalist ⓝ 농업 전문가

> Tips　**어원으로 어휘 확장하기**
>
> agri 밭 + cult 경작하다 + ure 명·접 ▶ 밭을 경작하는 일, 즉 농업
>
> ➕ cultivate ⓥ 경작하다, 재배하다

---

identical　· 이 두 노트북은 크기와 무게는 동일하지만 그것들은 다른 처리 능력을 갖고 있다.
imply　　· 그 시장의 진술은 비록 그녀가 직접적으로 그렇게 말하지 않았지만, 그녀가 시위자와 동의한다는 것을 함축했다.
agriculture　· 농업과 제조업은 한때 경제를 지배했다.

1165 ☐☐☐ ★★★

virtual

[və́ːrtʃuəl]

ⓐ simulated, computer-generated 가상의

Many virtual reality games now allow players to feel sensations of motion and touch. (모평)

➕ virtually [ad] 가상으로

> Tips **시험에는 이렇게 나온다**
>
> virtual reality 가상현실   virtual image 허상
> virtual office 가상 사무실   virtual world 가상 세계

1166 ☐☐☐ ★★★

mammal

[mǽməl]

ⓝ animal, beast, creature 포유류, 포유동물

Most land mammals have fur, and those that live in the water, like whales and seals, have a layer of fat under the skin. (학평)

1167 ☐☐☐ ★★★

withdraw

[wiðdrɔ́ː]

ⓥ revoke, retract, void 취소하다, 철회하다

ⓥ draw out, take out money 인출하다

The applicant can withdraw the order within seven days of the signing of the order form. (학평)

I inserted my credit card to withdraw some money, but the screen says service is not available. (학평)

➕ withdrawal [n] 철회, 철수, 인출

➖ deposit [v] 예금하다, 예치하다

> Tips **어원으로 어휘 확장하기**
>
> with 뒤로 + draw 끌다 ▶ 뒤로 끌어 물러나게 하다, 뒤로 물러나 계획을 취소하다
> ➕ withhold [v] 억제하다, 주지 않다   withstand [v] 견뎌내다, 버티다

---

virtual   · 오늘날 많은 가상 현실 게임들은 플레이어가 움직임과 촉감을 느낄 수 있게 한다.
mammal   · 대부분의 육상 포유류들은 털이 있고, 고래나 바다표범처럼 물 속에 사는 포유류는 피부 아래에 지방층을 가지고 있다.
withdraw · 신청자는 주문서 서명 후 7일 이내에 주문을 취소할 수 있다.
            · 나는 약간의 돈을 인출하려고 내 신용카드를 넣었는데, 화면에 서비스를 이용할 수 없다고 나온다.

1168 □□□ ★★★

athletic

ⓐ relating to sports 운동의, (몸이) 탄탄한

[æθlétik]

During outdoor **athletic** competitions, wind speed can have a major effect on the speed of athletes. 학평

⊕ athlete ⓝ 운동선수

1169 □□□ ★★★

hostile

ⓐ adversarial, unfriendly 적대적인, 강력히 반대하는

[hɑ́:stl]

Psychologists have noted that some social groups are **hostile** to strangers.

⊕ hostility ⓝ 적대감

↔ friendly ⓐ 우호적인

1170 □□□ ★★★

niche

ⓝ corner 틈새

[nitʃ]

Organic farming can supply food for **niche** markets of wealthy consumers. 모평

Tips

시험에는 이렇게 나온다

target a niche market 틈새 시장을 공략하다 niche industry 틈새 산업

1171 □□□ ★★★

reluctant

ⓐ unwilling, disinclined 주저하는, 꺼리는

[rilʌ́ktənt]

The archaeologists were **reluctant** to disturb the fragile pottery at the ancient site.

⊕ reluctantly ad 마지못해 reluctance ⓝ 주저함

↔ willing ⓐ 기꺼이 하는, 자발적인

1172 □□□ ★★

cuisine

ⓝ food, dish 요리, 요리법

[kwizí:n]

The most widespread of the ethnic **cuisines** are probably Chinese, Italian, and Mexican. 학평

athletic · 야외 운동 경기 동안, 풍속은 선수들의 속도에 큰 영향을 미칠 수 있다.
hostile · 심리학자들은 일부 사회 집단이 낯선 사람에게 적대적이라고 지적했다.
niche · 유기 농법은 부유한 소비자들이라는 틈새시장에 식량을 공급할 수 있다.
reluctant · 고고학자들은 고대 유적지에서 깨지기 쉬운 도자기를 건드리는 것을 주저했다.
cuisine · 가장 널리 보급된 민족 특유의 요리는 아마도 중국, 이탈리아, 멕시코의 요리일 것이다.

1173 ☐☐☐ ★★

commodity

ⓝ goods, product

상품, 물품, 유용한 것

[kəmάːdəti]

We usually buy food as a commodity at the grocery store. 학평

Tips 어원으로 어휘 확장하기

com 함께 + mod 기준 + ity 명·접 ▶ 서로 다른 여럿을 기준에 함께 맞춰 규격화한 상품

➕ modify ⓥ 변경하다, 변형하다

1174 ☐☐☐ ★★

meditation

ⓝ contemplation, introspection

명상, 심사숙고

[mèdətéiʃən]

You can relieve your stress by meditation. 학평

➕ meditate ⓥ 명상하다   meditative ⓐ 명상적인, 깊은 생각에 잠긴

Tips 어원으로 어휘 확장하기

medi 중간 + (i)t 가다 + ation 명·접 ▶ 깊은 생각의 중간으로 들어가는 것, 즉 명상

➕ medieval ⓐ 중세의, 중세풍의

1175 ☐☐☐ ★★

starve

ⓥ suffer severely or die from hunger

굶어 죽다, 굶주리다

[stɑːrv]

If the plants in its environment were destroyed, the moose would starve to death. 학평

➕ starvation ⓝ 굶주림, 기아   starved ⓐ 굶주린

1176 ☐☐☐ ★★

invariable

ⓐ unchanging, constant, consistent

변함없는, 변치 않는

[invέəriəbl]

Despite trying the sociology experiment in dozens of different contexts, the result was invariable.

➕ invariably ⓐ 변함없이   invariability ⓝ 불변(성)

➖ variable ⓐ 변동이 심한 ⓝ 변수

Tips 어원으로 어휘 확장하기

in 아닌 + vari 달라지다(vary) + able 할 수 있는 ▶ 달라질 수 있는 것이 아닌, 즉 불변의

➕ inability ⓝ 무능, 불능   variety ⓝ 여러 가지

---

commodity · 우리는 보통 식료품점에서 상품으로서의 음식을 산다.
meditation · 당신은 명상을 통해 스트레스를 완화시킬 수 있다.
starve · 그것의 주변에 있는 식물이 파괴되면 무스는 굶어 죽을 것이다.
invariable · 수십 가지의 다른 맥락에서 사회학 실험을 시도했지만, 결과는 변함없었다.

1177 □□□ ★★

homogeneous ⓐ unvarying, akin

동질적인, 동종의

[hòumədʒíːniəs]

One of the common mistakes that employers make is looking at a team of employees as a **homogeneous** group. 모평

➕ homogeneity ⓝ 동종성

1178 □□□ ★★

virtue ⓝ goodness

미덕, 선, 선행

[vɔ́ːrtʃuː]

Though efficiency is a great **virtue**, it is not the only economic goal of interest to the society. 학평

➕ virtuous ⓐ 도덕적인, 고결한

➖ vice ⓝ 악덕 행위 ⓐ 대리의

1179 □□□ ★★

rotate ⓥ revolve, spin

회전시키다, 회전하다

[róuteit]

He **rotated** the monitor so his colleague could see the screen.

➕ rotation ⓝ 회전, 교대, 순환

1180 □□□ ★★

zeal ⓝ enthusiasm, devotion

열의, 열성

[ziːl]

Bryan contributed much **zeal** and enthusiasm to the project.

➕ zealous ⓐ 열성적인, 열심인

1181 □□□ ★★

unintentional ⓐ inadvertent, involuntary, accidental

의도하지 않은, 고의가 아닌

[əninténʃənəl]

The Chameleon Effect is the **unintentional** physical and verbal mirroring between people who are getting along well. 학평

➖ intentional ⓐ 의도적인

---

homogeneous · 고용주가 저지르는 흔한 실수 중 하나는 한 팀의 직원들을 동질적 집단으로 보는 것이다.
virtue · 효율성은 중요한 미덕이지만, 그것이 사회의 관심을 불러일으키는 유일한 경제적 목표는 아니다.
rotate · 그는 그의 동료가 화면을 볼 수 있도록 모니터를 회전시켰다.
zeal · Bryan은 그 프로젝트에 많은 열의와 열정을 바쳤다.
unintentional · 카멜레온 효과는 잘 지내는 사람들 사이의 의도하지 않은 신체적, 언어적 동조이다.

1182 ☐☐☐ ★★

jury

[dʒúəri]

Ⓝ **people selected to judge legal matters**   배심원

Everyone who was summoned for jury duty must arrive at the courthouse by nine o'clock in the morning. 〈학평〉

➕ juror Ⓝ 배심원

1183 ☐☐☐ ★★★

wicked

[wíkid]

ⓐ **bad, evil, vicious**   사악한, 못된, 심술궂은

The wicked stepmother treated her stepchildren terribly.

Tips | 시험에는 이렇게 나온다

jealous and wicked 질투가 많고 못된   wicked liar 못된 거짓말쟁이

1184 ☐☐☐ ★

germinate

[dʒə́ːrmənèit]

Ⓥ **sprout, grow**   싹트다, 발아하다

The gardener was careful with the seeds as he attempted to get them to germinate.

➕ germination Ⓝ 발아

1185 ☐☐☐ ★

anecdote

[ǽnikdòut]

Ⓝ **story, tale**   일화, 개인적인 이야기

Matthew always has great anecdotes to share about amazing things that happened to him on his travels.

➕ anecdotal ⓐ 일화적인, 입증되지 않은

Tips | 어원으로 어휘 확장하기

an 아닌 + ec 밖으로(ex) + dot(e) 주다 ▶ 밖으로 알려주지 않았던 개인적 이야기, 일화

➕ antidote Ⓝ 해독제, 해소 수단

---

jury   · 배심원의 의무로 소환된 모든 사람들은 아침 9시까지 법원에 도착해야 한다.
wicked   · 그 사악한 계모는 의붓자식들을 끔찍하게 대했다.
germinate   · 정원사는 씨앗을 싹 트게 하려고 할 때 그것들을 조심성 있게 다루었다.
anecdote   · Matthew는 항상 여행 중에 그에게 일어났던 놀라운 일들에 대해 공유할 많은 일화가 있다.

1186 □□□ ★

rigorous

[rígərəs]

ⓐ **harsh, extreme, strict**   엄격한, 철저한

Athletes must follow a rigorous training schedule to be competitive.

➕ rigorously ⓐⓓ 엄밀히, 엄격히   rigor ⓝ 철저함, 엄함

1187 □□□ ★

anarchy

[ǽnərki]

ⓝ **disorder, chaos, disorganization**   무질서, 무정부 상태

During the protests, anarchy filled the city's streets.

1188 □□□ ★

evacuation

[ivækjuéiʃən]

ⓝ **withdrawal, clearing**   대피, 피난

Cities will be quick to begin an evacuation in the face of an earthquake or other disaster.

➕ evacuate ⓥ 피난시키다, 대피하다

Tips **시험에는 이렇게 나온다**

emergency evacuation 긴급 대피   an evacuation drill 대피 훈련
evacuation zone 대피 구역

1189 □□□ ★

heredity

[hərédəti]

ⓝ **biological inheritance**   유전(적 특징)

Heredity and environment are two great influences that make humans what they are. 한양

➕ hereditary ⓐ 유전적인, 세습되는

1190 □□□ ★

ordeal

[ɔːrdíːəl]

ⓝ **hardship, difficulty**   시련, 고난

Charles survived the ordeal for six years in a Vietnamese prison and in 1973 he returned to his hometown. 한양

---

rigorous · 선수들은 경쟁력을 갖추기 위해 엄격한 훈련 일정을 따라야 한다.
anarchy · 시위 동안, 무질서가 도시의 거리를 가득 메웠다.
evacuation · 도시들은 지진 혹은 다른 재해에 직면하여 신속하게 대피를 시작할 것이다.
heredity · 유전과 환경은 사람들을 그들의 모습대로 만드는 큰 영향을 끼치는 두 가지 요소이다.
ordeal · Charles는 베트남 감옥에서 6년 동안 시련을 견뎌냈고 1973년에 그는 그의 고향으로 돌아왔다.

Daily Quiz

A 알맞은 유의어를 고르세요.

01	mammal	ⓐ relating to sports
02	identical	ⓑ people selected to judge legal matters
03	invariable	ⓒ unchanging, constant, consistent
04	jury	ⓓ suggest, indicate, connote
05	starve	ⓔ same, indistinguishable, equal
06	imply	ⓕ story, tale
07	athletic	ⓖ animal, beast, creature
08	homogeneous	ⓗ unvarying, akin
09	unintentional	ⓘ suffer severely or die from hunger
10	anecdote	ⓙ inadvertent, involuntary, accidental

B 밑줄 친 단어와 가장 뜻이 유사한 단어를 고르세요.

11 Tribes like the Masai still try to <u>preserve</u> a traditional way of life in an increasingly modern world.

 ⓐ sprout   ⓑ maintain   ⓒ revolve   ⓓ revoke

12 The archaeologists were <u>reluctant</u> to disturb the fragile pottery at the ancient site.

 ⓐ same   ⓑ simulated   ⓒ unwilling   ⓓ akin

13 Athletes must follow a <u>rigorous</u> training schedule to be competitive.

 ⓐ appreciative   ⓑ vicious   ⓒ inadvertent   ⓓ harsh

14 Psychologists have noted that some social groups are <u>hostile</u> to strangers.

 ⓐ steady   ⓑ equal   ⓒ adversarial   ⓓ disinclined

15 Your membership fees <u>cover</u> the expenses for the concert and gifts for the children.

 ⓐ indicate   ⓑ retract   ⓒ include   ⓓ challenge

C 다음 빈칸에 들어갈 가장 알맞은 것을 박스 안에서 고르세요.

meditation	germinate	withdraw	constant	evacuation	wicked

16 The _____ wind and smell of the sea can make seasickness worse.

17 The applicant can _____ the order within seven days of the signing of the order form.

18 You can relieve your stress by _____.

19 Cities will be quick to begin a(n) _____ in the face of an earthquake or other disaster.

20 The gardener was careful with the seeds as he attempted to get them to _____.

1191 ☐☐☐ ★★★

suppose

ⓥ **presume, assume** 가정하다, 상상하다

[səpóuz]

Let's suppose you set a goal to get better grades in school this year. (학평)

➕ supposed ⓐ 추정되는, 여겨지는 supposedly ⓪ 추정상, 아마

Tips **시험에는 이렇게 나온다**

be supposed to ~하기로 되어 있다

1192 ☐☐☐ ★★★

resource

ⓝ **source, wealth** 자원, 원천

[rí:sɔːrs]

ⓝ **means, method, measure** 수단, 방편

Relying on rich natural resources without varying economic activities can be a barrier to economic growth. (학평)

Technology and the Internet are familiar resources for young people. (모평)

➕ resourceful ⓐ 지략 있는, 자원이 풍부한

Tips **시험에는 이렇게 나온다**

natural resource 천연 자원   high-quality human resources 고급 인력

limited resource 한정된 자원   Human Resources 인사부

1193 ☐☐☐ ★★★

disturb

ⓥ **interrupt, distract, bother** 방해하다

[distə́ːrb]

Make sure you won't be disturbed by anything while you're studying. (학평)

➕ disturbed ⓐ 어지러운, 불안해하는 disturbance ⓝ 방해, 소란

---

suppose · 당신이 올해 학교에서 더 좋은 성적을 받기 위한 목표를 세웠다고 가정해보자.

resource · 다양한 경제 활동 없이 풍부한 천연 자원에 의존하는 것은 경제 성장의 장애물이 될 수 있다.

· 기술과 인터넷은 젊은 사람들에게 친숙한 수단이다.

disturb · 당신이 공부하는 동안에는 어떤 것에도 방해받지 않도록 확실히 하세요.

contribute

[kəntríbju:t]

ⓥ **assist, serve, donate, commit**　　기여하다, 공헌하다

She plans on finding volunteer work to contribute to the community. (수능)

➕ contribution ⓝ 기여, 기부

> Tips │ **어원으로 어휘 확장하기**
>
> con 함께(com) + **tribute** 나눠주다 ▶ 함께 가질 수 있도록 대가 없이 나눠주다, 즉 기부하다
>
> ➕ di**stribute** ⓥ 나눠주다, 분배하다

release

[rilí:s]

ⓥ **emit, give off**　　방출하다

ⓥ **free, liberate**　　풀어주다, 놓아주다

ⓥ **issue, publish**　　개봉하다, 공개하다

The stress hormone controls blood pressure and is released by the body when people are stressed. (학평)

We should release animals into the wild. (학평)

When to release your movie is very important. (학평)

➖ imprison ⓥ 감금하다

internal

[intə́:rnl]

ⓐ **within, inner, interior**　　내부의, 내면의

Homeostasis is the word to describe the ability of an organism to maintain internal equilibrium. (수능)

➕ internalize ⓥ 내면화하다

➖ external ⓐ 외부의, 외면의

---

contribute　· 그녀는 지역사회에 기여할 수 있는 봉사활동을 찾을 계획이다.
release　　· 스트레스 호르몬은 혈압을 조절하며 사람들이 스트레스를 받을 때 신체에서 방출된다.
　　　　　· 우리는 동물들을 야생에 풀어주어야 한다.
　　　　　· 언제 당신의 영화를 개봉하느냐가 매우 중요하다.
internal　· 항상성은 유기체가 내부의 평형을 유지하는 능력을 설명하는 단어이다.

1197 ☐☐☐ ★★★

possess

☑ own, occupy

소유하다, 보유하다

[pəzés]

The creativity that children possess needs to be cultivated throughout their development. (수능)

➊ possession ⓝ 소유(물)　possessive ⓐ 소유의, 소유욕이 강한

Tips　어원으로 어휘 확장하기

pos 힘 + sess 앉다 ▶ 왕좌에 앉을 힘이 있어서 그것을 소유하다

➊ possible ⓐ 가능한, 있을 수 있는　session ⓝ 기간/시간, 수업

1198 ☐☐☐ ★★★

illusion

ⓝ fantasy, confusion

환상, 착각, 환각

[ilúːʒən]

Snow is made by machines to create the illusion of winter in Hollywood. (학평)

➊ illusionary ⓐ 환상의, 착각의　illusionist ⓝ 마술사

1199 ☐☐☐ ★★★

scent

ⓝ smell, odor

향기, 냄새

[sent]

The scent of the candle may help people not overeat. (학평)

1200 ☐☐☐ ★★★

pedestrian

ⓝ walker, passerby

보행자

[pədéstriən]

Traffic lights help drivers avoid accidents and pedestrians cross the street safely. (학평)

Tips　어원으로 어휘 확장하기

ped(estr) 발 + ian 명·접(사람) ▶ 발로 걷는 사람, 즉 보행자

➊ pedal ⓝ 페달 ⓥ 페달을 밟다　expedition ⓝ 탐험(대), 원정(대)

---

possess　· 아이들이 소유하는 창의력은 그들의 발달 전반에 걸쳐 길러질 필요가 있다.
illusion　· 눈은 할리우드에서 겨울의 환상을 만들기 위해 기계로 만들어진다.
scent　· 향초의 향기는 사람들이 과식하지 않도록 도울 수 있다.
pedestrian　· 신호등은 운전자들이 사고를 피하고 보행자들은 안전하게 길을 건너도록 도와준다.

1201 ☐☐☐ ★★★

spare
[spɛər]

| ⓥ grant, afford | (시간·돈 등을) 할애하다 |
| ⓐ extra, leftover | 여분의, 예비의 |

I had to prepare for a really big presentation, so I couldn't spare extra time for anything else. 학평

You will need a helmet and a good flashlight with spare batteries to explore caves. 학평

➕ sparing ⓐ ~에 인색한, ~을 아끼는

Tips | **시험에는 이렇게 나온다**
spare time 여가 시간
spare tire 스페어 타이어(비상용 타이어)
spare battery 여분의 배터리
spare key 스페어 키(여분의 열쇠)

1202 ☐☐☐ ★★★

adversity
[ædvə́ːrsəti]

| ⓝ hardship, difficulty | 역경, 고난 |

Studies show that the majority of respondents report they derived benefits from facing adversity. 모평

➕ adverse ⓐ 부정적인, 불리한   adversely ⓐⓓ 불리하게, 반대로

Tips | **시험에는 이렇게 나온다**
high levels of adversity 고난도의 어려움
lifetime adversity 일생 동안의 어려움

1203 ☐☐☐ ★★★

spill
[spil]

| ⓥ drop, pour | 쏟다, 흐르다 |
| ⓥ reveal, blow, disclose | 누설하다, 유출하다 |

Somebody spilled juice all over the bench. 수능

We have to trust that he will not spill our secrets. 학평

Tips | **시험에는 이렇게 나온다**
oil spill 석유 유출
spill out 넘쳐 흐르다
spill into ~에 쏟아져 들어가다
spill a secret 비밀을 누설하다

---

spare · 나는 정말 큰 발표를 준비해야 했기 때문에, 다른 일에 추가적인 시간을 할애할 수 없었다.
· 당신이 동굴을 탐험하려면 헬멧과 여분의 배터리가 있는 좋은 손전등이 필요할 것이다.
adversity · 연구는 응답자들의 대다수가 역경을 마주하는 것으로부터 이득을 얻었다고 말함을 보여준다.
spill · 누군가가 벤치 전체에 주스를 쏟았다.
· 우리는 그가 우리의 비밀을 누설하지 않을 것이라고 믿어야 한다.

1204 ☐☐☐ ★★★

coordinate

Ⓥ **organize, match**　　협력하다, 조정하다

[kouɔ́ːrdənèit]

Aid agencies may coordinate with local authorities to distribute relief goods.

➕ coordination Ⓝ 조직, 조화, 동등　coordinator Ⓝ 조정자, 진행자

Tips　**어원으로 어휘 확장하기**

co 함께(com) + ordin 순서 + ate 동·접 ▶ 여럿의 순서를 함께 조정하다

➕ subordinate ⓐ 종속된, 하급의

1205 ☐☐☐ ★★★

originate

Ⓥ **derive, stem, start, begin**　　유래하다, 시작하다

[ərídʒənèit]

The conception of democracy is believed to have originated in Greece.

➕ original ⓐ 원래의, 독창적인　origin Ⓝ 기원, 유래, 출신

Tips　**시험에는 이렇게 나온다**

originate in/from　~에서 비롯하다

1206 ☐☐☐ ★★★

contour

Ⓝ **the outline of a figure or body**　　등고선, 윤곽

[káːntuər]

A contour line connects all points that lie at the same elevation. 수능

1207 ☐☐☐ ★★★

delicate

ⓐ **careful, gentle, fine**　　섬세한, 연약한

[délikət]

An egg requires a more delicate touch than a rock. 모평

➕ delicacy Ⓝ 섬세함

➖ sturdy ⓐ 튼튼한, 견고한

Tips　**어원으로 어휘 확장하기**

de 아래로 + lic 빛 + ate 형·접 ▶ 빛 아래로 가서 봐야 할 정도로 섬세한

➕ devour Ⓥ 게걸스럽게 먹다, 집어삼키다　depict Ⓥ 그리다, 묘사하다

---

coordinate　· 구호 기관은 구호 물품을 배포하기 위해 지역 당국과 협력할 수 있다.
originate　· 민주주의의 개념은 그리스에서 유래된 것으로 여겨진다.
contour　· 등고선은 같은 고도에 있는 모든 점을 연결한다.
delicate　· 달걀은 바위보다 더 섬세한 손길을 필요로 한다.

1208 ☐☐☐ ★★★

personnel

[pə̀:rsənél]

ⓝ human resources, staff, employees　인사과, 직원들

Send your résumé and salary requirements to the director of personnel. 수능

1209 ☐☐☐ ★★★

communal

[kəmjúːnəl]

ⓐ public, shared　공동의, 자치 단체의

There is a communal well where the villagers retrieve their water.

➕ communally ㏓ 공동으로, 공유하여

> **Tips**　어원으로 어휘 확장하기
>
> com 함께 + mun 의무 + al 형·접 ▶ 함께 의무를 지는, 즉 공동의
>
> ➕ community ⓝ 지역사회, 공동체

1210 ☐☐☐ ★★★

leisurely

[líːʒərli]

㏓ casually, unhurriedly　여유롭게, 한가하게

I don't have time to drink coffee leisurely. 학평

➕ leisure ⓝ 여가, 한가함

1211 ☐☐☐ ★★★

shiver

[ʃívər]

ⓥ tremble, shake　(몸을) 떨다

Shivering with cold, Mike wrapped his body in the blankets that were on the chair.

➕ shivering ⓝ 몸의 떨림, 전율　shivery ⓐ (몸을) 떠는

1212 ☐☐☐ ★★

geometry

[dʒiáːmətri]

ⓝ the branch of mathematics　기하학, 기하학적 구조

The Greeks figured out mathematics, geometry, and calculus long before calculators were available. 학평

➕ geometric ⓐ 기하학의, 기하학적인

---

personnel	· 이력서와 급여 요구 사항을 인사과의 부서장에게 보내세요.
communal	· 마을 사람들이 물을 길어 올리는 공동 우물이 있다.
leisurely	· 나는 여유롭게 커피를 마실 시간이 없다.
shiver	· 추위에 떨면서, Mike는 의자 위에 있던 담요로 그의 몸을 감쌌다.
geometry	· 그리스인들은 계산기가 이용 가능했기 훨씬 전에 수학, 기하학, 미적분을 알아냈다.

1213 ☐☐☐ ★★

litter

[lítər]

| n | rubbish, waste, trash | 쓰레기 |

| v | make a mess, mess up | (쓰레기 등을) 버리다, 어지럽히다 |

Plogging comes from Swedish and is a combination of jogging and picking up litter.

My friends and I are going to campaign next week, asking people not to litter in the mountains. (학평)

➕ littery ⓐ 난잡한, 어질러진

1214 ☐☐☐ ★★

exclusive

[iksklú:siv]

| a | unshared, restricted, privileged | 독점적인, 배타적인 |

The retail store is the exclusive distributor of our perfume brand.

➕ exclusively ⓐⓓ 배타적으로, 독점적으로   exclude ⓥ 제외하다, 배제하다

➖ inclusive ⓐ 포함된, 포괄적인

Tips | **시험에는 이렇게 나온다**

| exclusive club 상류 클럽 | exclusive contract 독점판매 계약 |
| exclusive rights 독점권 | exclusive domain 배타적 영역 |

1215 ☐☐☐ ★★

abolish

[əbá:liʃ]

| v | abrogate, eliminate | 폐지하다, 없애다 |

King George III signed a law that abolished slavery in the British Empire in 1807.

➕ abolishment ⓝ 폐지

1216 ☐☐☐ ★★

arrogance

[ǽrəgəns]

| n | conceit, overbearing pride | 오만, 거만 |

All success with no failure often leads a person to arrogance and carelessness.

➕ arrogant ⓝ 거만함, 건방짐

➖ humility ⓝ 겸손함

---

litter · '플로깅'은 스웨덴에서 유래했고 조깅과 쓰레기 줍기의 합성어이다.
· 내 친구들과 나는 다음 주에 사람들에게 산에 쓰레기를 버리지 말 것을 부탁하는 캠페인을 할 것이다.
exclusive · 그 소매점은 우리 향수 브랜드의 독점적인 판매 대리점이다.
abolish · 국왕 George 3세는 1807년 대영 제국에서 노예제도를 폐지하는 법에 서명했다.
arrogance · 실패가 없는 모든 성공은 한 사람을 종종 오만과 부주의로 이끈다.

1217 ☐☐☐ ★★

temperate

[témpərət]

ⓐ **mild, moderate, gentle**

온난한, 온화한

The angel shark lives in warm, temperate oceans. 학평

➕ temperance ⓝ 절제, 자제

➖ intemperate ⓐ 난폭한, 무절제한

Tips | 어원으로 어휘 확장하기

temper 조화시키다 + ate 형·접 ▶ 잘 조화가 되어 적당한, 온화한

➕ temperament ⓝ 기질, 성미, 격한 성미

1218 ☐☐☐ ★★

stitch

[stitʃ]

ⓥ **sew**

~에 수를 놓다, 바느질하다

He was wearing his usual work clothes, a dark green shirt with his name stitched on it in red letters.

1219 ☐☐☐ ★★

portable

[pɔ́ːrtəbl]

ⓐ **mobile, movable**

휴대용의, 들고 다닐 수 있는

I recommend a portable speaker if you want to listen to music while barbecuing. 학평

➕ portability ⓝ 이동성

Tips | 어원으로 어휘 확장하기

port 운반하다 + able 할 수 있는 ▶ 가지고 운반할 수 있는, 즉 휴대용의

➕ import ⓥ 수입하다 export ⓥ 수출하다

1220 ☐☐☐ ★★

spouse

[spaus]

ⓝ **one of a married couple**

배우자

Migrants often arrive with a spouse, as well as children or other relatives. 학평

➕ spousal ⓐ 배우자의, 결혼의

---

temperate · 전자리상어는 따뜻하고 온난한 바다에 산다.
stitch · 그는 자신의 이름이 빨간 글씨로 수놓아져 있는 평소 작업복인 짙은 녹색 셔츠를 입고 있었다.
portable · 당신이 바비큐를 하면서 음악을 듣고 싶다면 나는 휴대용 스피커를 추천한다.
spouse · 이민자들은 종종 자녀나 다른 친척들뿐만 아니라 배우자도 함께 도착한다.

1221 □□□ ★★

whereas

[hwɛərǽz]

[conj] while, on the contrary 반면에, ~에 반하여

A raw egg is fluid inside, whereas a hard-boiled egg is solid. (학평)

1222 □□□ ★

archive

[ɑ́ːrkaiv]

[v] file, log, record, store (문서·기록 등을) 보관하다

[n] official document, record 기록 보관소

Brendan archived all of his medical records, organizing them chronologically in a filing cabinet.

Computer-based digital archives are more efficient in terms of storage space. (학평)

1223 □□□ ★

impending

[impéndiŋ]

[a] approaching, imminent 임박한

You should get a lot of rest to prepare for an impending surgery.

➕ impend [v] 임박하다

1224 □□□ ★

hook

[huk]

[v] attach, fix, hitch (갈고리로) 걸다

[n] peg, holder, fastener 고리, 갈고리

Before she left, Lisa double-checked to make sure she had hooked the trailer securely to the truck.

Mike hung his coat on a hook on the wall next to the door.

1225 □□□ ★

rot

[rɑːt]

[v] decay, decompose, disintegrate 썩다, 부식하다

Wood is likely to rot in wet weather, so it's not good for public park trails. (학평)

---

whereas	· 날달걀은 내부는 유동체인 반면에, 완숙된 달걀은 고체이다.
archive	· Brendan은 자신의 의료 기록 전부를 서류 보관함에 연대순으로 정리해서 보관했다.
	· 컴퓨터 기반의 디지털 기록 보관소는 저장 공간 측면에서 더 효율적이다.
impending	· 당신은 임박한 수술에 대비하기 위해 많은 휴식을 취해야 한다.
hook	· 출발하기 전에, Lisa는 트레일러를 트럭에 단단히 걸었는지 다시 한번 확인했다.
	· Mike는 그의 코트를 문 옆쪽 벽에 있는 고리에 걸었다.
rot	· 나무는 습한 날씨에 썩기 쉬워서 공원 산책로 용도로는 좋지 않다.

Daily Quiz

A 알맞은 유의어를 고르세요.

01	litter	ⓐ	one of a married couple
02	geometry	ⓑ	attach, fix, hitch
03	adversity	ⓒ	the branch of mathematics
04	archive	ⓓ	source, wealth
05	spouse	ⓔ	the outline of a figure or body
06	hook	ⓕ	while, on the contrary
07	resource	ⓖ	hardship, difficulty
08	spare	ⓗ	file, log, record, store
09	contour	ⓘ	rubbish, waste, trash
10	whereas	ⓙ	grant, afford

B 밑줄 친 단어와 가장 뜻이 유사한 단어를 고르세요.

11 You should get a lot of rest to prepare for an <u>impending</u> surgery.
   ⓐ organizing   ⓑ trembling   ⓒ approaching   ⓓ emitting

12 The angel shark lives in warm, <u>temperate</u> oceans.
   ⓐ careful   ⓑ mild   ⓒ mobile   ⓓ imminent

13 Make sure you won't be <u>disturbed</u> by anything while you're studying.
   ⓐ trembled   ⓑ granted   ⓒ interrupted   ⓓ liberated

14 She plans on finding volunteer work to <u>contribute</u> to the community.
   ⓐ derive   ⓑ blame   ⓒ record   ⓓ assist

15 An egg requires a more delicate <u>touch</u> than a rock.
   ⓐ within   ⓑ careful   ⓒ public   ⓓ shared

C 다음 빈칸에 들어갈 가장 알맞은 것을 박스 안에서 고르세요.

originate	abolish	coordinate	arrogance	personnel	exclusive

16 King George III signed a law that _____(e)d slavery in the British Empire in 1807.

17 The conception of democracy is believed to have _____(e)d in Greece.

18 The retail store is the _____ distributor of our perfume brand.

19 All success with no failure often leads a person to _____ and carelessness.

20 Aid agencies may _____ with local authorities to distribute relief goods.

1226 ☐☐☐ ★★★

demand

[dimǽnd]

| ⓝ request, call | 수요, 요구 |
| ⓥ ask, require | 요구하다, 청구하다 |

Nowadays the **demand** for sun-blocking items are increasing rapidly around the world. 〔학평〕

Television viewing does not **demand** complex mental activity. 〔수능〕

➕ demanding ⓐ 요구가 많은, 부담이 큰

Tips **어원으로 어휘 확장하기**

de 아래로 + mand 명령하다 ▶ 어떤 것을 자신의 아래로 가져오라는 명령, 즉 요구 또는 수요
➕ command ⓥ 명령하다, 지시하다 mandate ⓥ 명령하다 ⓝ (선거로 정부에 위임한) 권한

1227 ☐☐☐ ★★★

complex

[kəmpléks]

| ⓐ complicated, intricate | 복잡한, 복합의 |
| ⓝ a group of similar buildings | 복합 건물, 단지 |

The world has become more **complex** and increasingly specialized. 〔수능〕

I'm happy to announce that the new sports **complex** is due to be completed this August. 〔학평〕

➕ complexity ⓝ 복잡성

Tips **어원으로 어휘 확장하기**

com 함께 + plex 꼬다 ▶ 여럿이 함께 꼬여 복잡한, 여러 공간이 함께 꼬인 복합 건물
➕ perplex ⓥ 당황하게 하다, 혼란케 하다

---

demand · 요즘 세계적으로 자외선 차단 용품에 대한 수요가 급격히 증가하고 있다.
· 텔레비전 시청은 복잡한 정신적인 활동을 요구하지 않는다.

complex · 세상은 더 복잡해지고 점점 더 전문화되었다.
· 저는 새로운 종합 스포츠 복합 건물이 올해 8월에 완공될 예정임을 발표하게 되어 기쁩니다.

fashion

[fǽʃən]

| ⓝ trend, fad | 유행 |
| ⓝ way, manner | 방식 |

Home remedies have fallen out of fashion, but some medical experts say they may actually work. (학평)

Shoppers are asked to line up in an orderly fashion at the checkout counter.

➕ fashionable ⓐ 유행하는

Tips **시험에는 이렇게 나온다**

old-fashioned 옛날식의, 구식의   out of fashion 유행이 지난

status

[stéitəs]

| ⓝ position, prestige | 지위, 위치 |
| ⓝ condition, state | 상태 |

In Greek society, slaves' status was dependent on how much labor they contributed to the society. (학평)

The baby's health status is extremely bad. (학평)

Tips **시험에는 이렇게 나온다**

status quo 현재 상태, 현 상황   social status 사회적 위치, 지위
employment status 근무 상태   financial status 재정 상태

isolation

[àisəléiʃən]

| ⓝ seclusion, segregation, remoteness | 고립, 분리, 격리 |

Isolation feels like being in a room with no way out. (수능)

➕ isolate ⓥ 고립시키다, 격리하다

---

fashion · 민간 요법은 유행이 지났지만, 일부 의학 전문가들은 그것들이 실제로 효과가 있을지도 모른다고 말한다.
· 쇼핑객들은 계산대에서 질서 있는 방식으로 줄을 서도록 요청받는다.

status · 그리스 사회에서, 노예들의 지위는 그들이 얼마나 많은 노동력을 사회에 기여했는지에 달려 있었다.
· 그 아기의 건강 상태는 매우 나쁘다.

isolation · 고립은 빠져나갈 길이 없는 방에 있는 느낌이다.

1231 □□□ ★★★

principal

[prínsəpəl]

[a] **major, main** — 주된, 주요한

[n] **head, dean, headmaster** — 교장, 학장

Photography is the **principal** way of exploring a mysterious deep-sea world. (학평)

I have to go to the **principal's** office by 4 o'clock to get an award. (학평)

. Tips | 어원으로 어휘 확장하기

prin 첫 번째의 + cip 취하다(cap) + al 형·접 ▶ 첫 번째 자리를 취하는, 즉 가장 주된

➕ **prin**ciple [n] 원리, 원칙, 신조

1232 □□□ ★★★

inherent

[inhíərənt]

[a] **innate, intrinsic** — 고유의, 내재된, 타고난

Language is an ability **inherent** in humans. (학평)

➕ **inherent**ly [ad] 내재적으로, 선천적으로

Tips | **시험에는 이렇게 나온다**

inherent in ~에 고유한   inherent character 내재된 성격

inherent talent 천부적 재능   inherent value 내재적 가치

1233 □□□ ★★★

convey

[kənvéi]

[v] **impart, communicate, transfer** — 전달하다, 실어 나르다

Comic books use pictures to **convey** information. (학평)

➕ **convey**or [n] 전달자, 운반하는 것   **convey**ance [n] 수송, 운송

1234 □□□ ★★★

diminish

[dimíniʃ]

[v] **reduce, lessen, lower** — 감소시키다, 줄이다

Clichés in writing ultimately **diminish** the strength and effectiveness of one's message. (학평)

➖ increase [v] 늘다, 증가하다

---

principal · 사진은 신비한 심해 세계를 탐험하는 주된 방법이다.
· 나는 상을 받기 위해 4시까지 교장실에 가야 한다.
inherent · 언어는 인간 고유의 능력이다.
convey · 만화책은 정보를 전달하기 위해 그림을 사용한다.
diminish · 글쓰기에서의 진부한 표현은 궁극적으로 메시지의 힘과 효과를 감소시킨다.

1235 ☐☐☐ ★★★

component

[kəmpóunənt]

ⁿ part, element

부품, (구성) 요소, 성분

No one person invented all of the **components** of the automobile. (학평)

Tips 　어원으로 어휘 확장하기

com 함께 + pon 놓다 + ent 명·접 ▶ 어떤 것을 이루기 위해 함께 놓여진 구성 요소

➌ post**pone** ⓥ 뒤로 미루다, 연기하다

1236 ☐☐☐ ★★★

combine

[kəmbáin]

ⓥ unite, integrate

결합하다, 겸비하다

To solve a problem, you must **combine** information that you already know with new observations. (수능)

➌ **combination** ⓝ 조합, 결합

➖ separate ⓥ 나누다

Tips 　시험에는 이렇게 나온다

combine A with B　A와 B를 결합하다　　　　combine into　~으로 결합하다
combined amount　총계액

1237 ☐☐☐ ★★

combat

ⁿ[kɑ́:mbæt]
ⓥ[kəmbǽt]

ⁿ battle, war

전투, 싸움

ⓥ fight, resist

방지하다, 싸우다

Going through **combat** is a highly stressful, dangerous, and terrifying experience. (학평)

If you massage your hair with coconut oil every day, it may help you to **combat** the appearance of gray hair. (학평)

➌ **combative** ⓐ 전투적인, 금방이라도 싸울 듯한

Tips 　어원으로 어휘 확장하기

com 함께 + bat 치다 ▶ 상대와 함께 치고받는 싸움, 전투

➌ de**bate** ⓥ 토론하다, 논쟁하다　**batter** ⓥ 강타하다 ⓝ 타자

---

component ・그 누구도 자동차의 모든 부품을 발명하지는 않았다.
combine 　・문제를 해결하려면, 당신은 당신이 이미 알고 있는 정보를 새로운 관찰과 결합해야 한다.
combat 　　・전투를 겪는 것은 매우 스트레스를 많이 받고, 위험하며, 무서운 경험이다.
　　　　　　・만약 당신이 매일 코코넛 오일로 머리를 마사지한다면 흰머리의 나타남을 방지하는 데 도움이 될 수 있다.

1238 ☐☐☐ ★★★

artifact

[ɑ́:rtəfækt]

🄽 **object, antique, craft**

(역사적 의미가 있는) 유물

Treasure hunters accumulate valuable historical **artifacts**. (수능)

➕ artificial ⓐ 인공의, 인조의, 인위적인

1239 ☐☐☐ ★★★

disorder

[disɔ́:rdər]

🄽 **illness, disease**

장애

People who suffer abuse when they are children often develop eating **disorders**. (학평)

➕ disorderly ⓐ 무질서한

Tips | **시험에는 이렇게 나온다**

eating disorder 식이 장애	sleep disorder 수면 장애
mental disorder 정신 장애	anxiety disorder 불안 장애
genetic disorder 유전 질환	behavioral disorder 행동 장애

1240 ☐☐☐ ★★★

credibility

[krèdəbíləti]

🄽 **reliability, trustworthiness**

신뢰, 신뢰성

A mediator who 'takes sides' is likely to lose all **credibility**. (수능)

➕ credible ⓐ 신뢰할 수 있는
➖ unreliability 🄽 신뢰할 수 없음

1241 ☐☐☐ ★★★

resemble

[rizémbl]

🅥 **look like**

닮다, 비슷하다

The human heart **resembles** a fist in terms of shape and size. (학평)

➕ resemblance 🄽 닮음, 비슷함

1242 ☐☐☐ ★★★

vegetation

[vèdʒətéiʃən]

🄽 **plant life**

초목, 식물

A roof that is completely or partially covered with **vegetation** and soil is known as a green roof. (학평)

---

artifact	· 보물 사냥꾼들은 귀중한 역사적 유물들을 모은다.
disorder	· 아이였을 때 학대를 당한 사람들은 종종 섭식 장애가 생긴다.
credibility	· '편드는' 중재자는 모든 신뢰를 잃을 가능성이 있다.
resemble	· 사람의 심장은 모양과 크기 면에서 주먹과 닮았다.
vegetation	· 완전히 또는 부분적으로 초목과 흙으로 덮인 지붕은 옥상 녹화라고 알려져 있다.

1243 ☐☐☐ ★★

fatal

ⓐ **mortal, deadly**　　　치명적인, 죽음을 초래하는

[féitl]

Malaria is a **fatal** disease but can be treated with drugs. 〔학평〕

➊ fatality ⓝ 사망자, 치사율

Tips | **시험에는 이렇게 나온다**

fatal disease 불치병　　　　　　　　prove fatal 치명상이 되다
fatal consequences 치명적인 결과

1244 ☐☐☐ ★★★

forecast

ⓝ **prediction**　　　예보, 예측

[fɔ́ːrkæ̀st]

The weather **forecast** says that a huge storm is coming. 〔학평〕

➊ forecaster ⓝ 예측하는 사람, 기상 요원

Tips | **어원으로 어휘 확장하기**

fore 미리 + cast 던지다 ▶ 날씨 등 미래의 정보를 미리 던지다, 즉 예측하다 또는 예보하다
➊ foretell ⓥ 예언하다　forefather ⓝ (남자) 조상, 선조

1245 ☐☐☐ ★★

inhibit

ⓥ **restrict, prevent, limit, restrain**　　금지하다, 저해하다

[inhíbit]

Most parents **inhibit** their children from staying up late at night.

➊ inhibition ⓝ 억제, 금지

1246 ☐☐☐ ★★

outweigh

ⓥ **override, dominate**　　　더 크다, 더 중대하다

[àutwéi]

Jared felt that the benefits of buying the expensive car
outweighed its costs.

Tips | **어원으로 어휘 확장하기**

out 더 ~한 + weigh 무게가 나가다 ▶ 무게가 더 나가다, 즉 다른 것보다 무겁다
➊ outperform ⓥ 더 잘하다　outpace ⓥ 능가하다, 앞지르다

---

fatal　　　· 말라리아는 치명적인 질병이지만 약으로 치료될 수 있다.
forecast　· 일기예보는 거대한 폭풍이 오고 있다고 말한다.
inhibit　　· 대부분의 부모들은 자녀들이 밤에 늦게까지 깨어 있는 것을 금지한다.
outweigh　· Jared는 그 비싼 차를 사는 것의 이득이 그것의 비용보다 더 크다고 느꼈다.

1247 ☐☐☐ ★★

intimate

[íntəmət]

ⓐ **familiar, friendly, close**　　　친밀한, 친한

Humans have a genuine need to form **intimate** relationships with friends and loved ones. (학평)

➕ intimacy ⓝ 친밀함　intimately ⓐⓓ 친밀히, 상세하게

1248 ☐☐☐ ★★

superficial

[sùːpərfíʃəl]

ⓐ **exterior, shallow, apparent**　　　겉의, 피상적인

The phone's **superficial** appearance is impressive, but it is unpleasant to actually use.

➕ superficially ⓐⓓ 피상적으로

1249 ☐☐☐ ★★

cite

[sait]

ⓥ **quote, refer to**　　　인용하다, 예를 들다

Many advertisements **cite** statistical surveys. (학평)

➕ citation ⓝ 인용(구)

1250 ☐☐☐ ★★

sneak

[sniːk]

ⓥ **crawl, creep**　　　몰래 들어오다, 살금살금 가다

The robber **sneaked** in, but video surveillance caught his movements.

➕ sneaky ⓐ 교활한, 엉큼한

> Tips　**시험에는 이렇게 나온다**
>
> sneak in/out 살짝 들어가다/나가다　　　sneak about 살금살금 돌아다니다
> sneak away 슬그머니 도망가다

1251 ☐☐☐ ★★

flourish

[fláːriʃ]

ⓥ **thrive, prosper, grow**　　　잘 자라다, 번성하다

The flower **flourished** in the new pot next to the big window. (학평)

➕ flourishing ⓐ 무성한, 번영하는

---

intimate · 인간은 친구와 사랑하는 사람들과 친밀한 관계를 형성해야 할 진정한 필요가 있다.
superficial · 그 전화기의 겉모습은 인상적이지만, 실제로 사용하는 것은 불편하다.
cite · 많은 광고들이 통계 조사를 인용한다.
sneak · 강도가 몰래 들어왔지만, 비디오 감시 시스템이 그의 움직임을 포착했다.
flourish · 꽃은 큰 창문 옆의 새 화분에서 잘 자랐다.

1252 ☐☐☐ ★★

surplus

[sə́:rplʌs]

Ⓝ **excess, redundance**

잉여(분), 과잉, 흑자

The price of food fell nearly 72 percent due to a huge **surplus**.

🔁 shortage Ⓝ 부족　deficit Ⓝ 결손, 적자

1253 ☐☐☐ ★★

adhere

[ədhíər]

Ⓥ **stick, cleave, cling**

고수하다, 집착하다

Muslims **adhere** to the teachings of the Koran.

➕ adhesive Ⓐ 들러붙는 Ⓝ 접착제　adherent Ⓝ 지지자

Tips　**시험에는 이렇게 나온다**

adhere to the principle 원칙을 고수하다　　adhere to the belief 입장을 고수하다

1254 ☐☐☐ ★★

junction

[dʒʌ́ŋkʃən]

Ⓝ **intersection, terminal, connection**

교차로, 나들목, 연결 지점

The **junction** between the two highways was one of the busiest areas for traffic.

1255 ☐☐☐ ★

withhold

[wiðhóuld]

Ⓥ **reserve, put off, hold back**

주지 않다, 억제하다

The police **withheld** information about the ongoing case from the media.

➕ withholder Ⓝ 억제하는 사람

Tips　**어원으로 어휘 확장하기**

with 뒤에 + hold 잡고 있다 ▶ 나가지 못하도록 뒤에서 잡아 억제하다

➕ withstand Ⓥ 견뎌내다, 버티다

1256 ☐☐☐ ★

thread

[θred]

Ⓝ **a long, thin strand of fibers**

실

If you keep pulling on that loose **thread**, you'll ruin your shirt.

---

surplus · 막대한 잉여분으로 인해 식료품 가격이 72% 가까이 하락했다.
adhere · 이슬람교도들은 코란의 가르침을 고수한다.
junction · 두 고속도로의 교차로는 교통량이 가장 많은 지역 중 하나였다.
withhold · 경찰은 진행 중인 사건에 대한 정보를 언론에 주지 않았다.
thread · 만약 네가 그 느슨한 실을 계속 잡아당기면, 너는 너의 셔츠를 망가뜨릴 것이다.

symmetry

[símətri]

n balance, evenness, equilibrium 대칭, 균형

The two towers show perfect **symmetry**, as if they were reflections of one another.

➕ symmetrical ⓐ 대칭적인
➖ asymmetry ⓝ 비대칭, 불균형

ideology

[àidiá:lədʒi]

n belief, creed 사상, 이념, 관념

The idea that markets always create the best solutions is a key part of capitalist **ideology**.

➕ ideological ⓐ 사상적인, 이념적인 ideologically ⓐⓓ 사상적으로, 이념적으로

warehouse

[wérhaus]

n storage place, stock room 창고, 저장소

Steve's boss offered him a new job supervising the company's whole **warehouse** operation. ㈜능

volatile

[válətil]

ⓐ changeable, fluctuating, unstable 끊임없이 변동하는

ⓐ ready to evaporate easily 휘발성의, 휘발하는

The stock market becomes **volatile** in times of uncertainty.

When plants are damaged by plant-eating insects, they release **volatile** chemicals. ㈜화학

Tips | **시험에는 이렇게 나온다**

a volatile personality 변덕스러운 성격   volatile substances 휘발성 물질

---

symmetry · 그 두 탑은 마치 서로의 반사된 그림자처럼 완벽한 대칭을 보여준다.
ideology · 시장이 항상 최고의 해결책을 만들어 낸다는 생각은 자본주의적 사상의 핵심적인 부분이다.
warehouse · Steve의 상사는 그에게 회사의 전체 창고 운영을 감독하는 새로운 업무를 제안했다.
volatile · 주식 시장은 불안정한 시기에는 끊임없이 변동하게 된다.
· 식물이 초식 곤충에 의해 해를 입으면, 그들은 휘발성 화학물질을 방출한다.

Daily Quiz

A 알맞은 유의어를 고르세요.

01 credibility		ⓐ seclusion, segregation, remoteness
02 vegetation		ⓑ crawl, creep
03 isolation		ⓒ reliability, trustworthiness
04 symmetry		ⓓ belief, creed
05 outweigh		ⓔ battle, war
06 complex		ⓕ plant life
07 combat		ⓖ storage place, stock room
08 sneak		ⓗ complicated, intricate
09 ideology		ⓘ override, dominate
10 warehouse		ⓙ balance, evenness, equilibrium

B 밑줄 친 단어와 가장 뜻이 유사한 단어를 고르세요.

11 Humans have a genuine need to form <u>intimate</u> relationships with friends and loved ones.
ⓐ innate ⓑ major ⓒ familiar ⓓ deadly

12 Malaria is a <u>fatal</u> disease but can be treated with drugs.
ⓐ friendly ⓑ mortal ⓒ exterior ⓓ intricate

13 The weather <u>forecast</u> says that a huge storm is coming.
ⓐ head ⓑ element ⓒ reliability ⓓ prediction

14 To solve a problem, you must <u>combine</u> information that you already know with new observations.
ⓐ reduce ⓑ resist ⓒ unite ⓓ impart

15 Most parents <u>inhibit</u> their children from staying up late at night.
ⓐ stick ⓑ thrive ⓒ dominate ⓓ restrict

C 다음 빈칸에 들어갈 가장 알맞은 것을 박스 안에서 고르세요.

superficial	diminish	adhere	surplus	disorder	artifact

16 Clichés in writing ultimately _____ the strength and effectiveness of one's message.

17 The phone's _____ appearance is impressive, but it is unpleasant to actually use.

18 Muslims _____ to the teachings of the Koran.

19 People who suffer abuse when they are children often develop eating _____(e)s.

20 The price of food fell nearly 72 percent due to a huge _____.

1261 ☐☐☐ ★★★

figure

[fígjər]

ⓝ character, famous person	인물
ⓝ digit, number	수치, 숫자
ⓝ shape, form	그림, 모습
ⓥ clarify, understand	알아내다, 이해하다

Many political **figures** have developed different ideas about the goals that politics should achieve. 모평

The scoreboard shows playing time and other relevant facts and **figures**. 학평

There's an extra charge for adding a **figure** of a mascot. 모평

I tried to **figure** it out, but I couldn't find what was wrong. 학평

➕ figuration ⓝ 형상, 비유적 표현

1262 ☐☐☐ ★★★

contemporary

[kəntémpərèri]

| ⓐ modern, current, present | 현대의 |
| ⓐ concurrent, simultaneous | 동시대의 |

The Internet is an essential tool for doing business in **contemporary** society.

Van Gogh and Gauguin were **contemporary** artists and good friends.

➕ contemporarily ⓐⓓ 동시대에, 당대에

Tips **어원으로 어휘 확장하기**

con 함께(com) + tempo(r) 시대+ ary 형·접 ▶ 지금 시대에 함께하는, 즉 동시대의 또는 현대의

➕ temporary ⓐ 일시적인, 임시의

---

figure
· 많은 정치적 인물들은 정치가 달성해야 할 목표에 대해 다양한 의견을 발전시켰다.
· 점수판은 경기 시간과 기타 관련된 사실과 수치를 보여준다.
· 마스코트 그림을 추가하시면 추가 요금이 있다.
· 나는 그것을 알아내려고 노력했지만, 무엇이 잘못되었는지 찾을 수 없었다.

contemporary
· 인터넷은 현대 사회에서 사업을 하기 위한 필수적인 도구이다.
· 반 고흐와 고갱은 동시대의 예술가이자 좋은 친구였다.

recommend

[rèkəménd]

☑ advise, suggest
추천하다, 권고하다

I **recommend** a shower booth instead of a bathtub to provide more space in the bathroom. (학평)

➕ recommendation ⓝ 추천, 권고

diversity

[divə́:rsəti]

ⓝ variety, difference
다양성

Habitat **diversity** refers to the variety of places where life exists. (수능)

➕ diverse ⓐ 다양한   diversion ⓝ 전환, (방향) 바꿈

Tips **시험에는 이렇게 나온다**

cultural diversity 문화 다양성   ethnic diversity 인종 다양성
biological diversity 생물의 다양성

progress

☑[prəgrés]
ⓝ[prá:gres]

☑ proceed, advance
진전을 보이다, 나아가다

ⓝ improvement, development
발전, 진행

I found I wasn't **progressing** as I thought I should. (수능)

Despite the real **progress**, there are still more hungry people in world than ever before. (수능)

➕ progressive ⓐ 진보적인   progression ⓝ 진보, 진행

Tips **시험에는 이렇게 나온다**

progress in ~에 있어서의 진보   progress to ~으로 발전되다
make progress 진전을 보이다   in progress 진행 중인

fake

[feik]

ⓐ false, counterfeit
가짜의, 모조의

Many people are concerned about what is real and what is **fake** on the web. (학평)

➖ authentic ⓐ 진정한

---

recommend
diversity
progress

fake

· 욕실에 더 넓은 공간을 마련하기 위해 나는 욕조 대신 샤워 부스를 추천한다.
· 서식지 다양성은 생명체가 존재하는 다양한 장소를 의미한다.
· 나는 내가 해야 한다고 생각했던 대로 진전을 보이지 않고 있다는 것을 알게 되었다.
· 실질적인 발전에도 불구하고, 세계에는 여전히 그 어느 때보다 배고픈 사람들이 더 많이 있다.
· 많은 사람들은 웹사이트에서 무엇이 진짜이고 무엇이 가짜인지에 대해 걱정한다.

1267 ☐☐☐ ★★★

authority

[əθɔ́ːrəti]

ⓝ **power, control** 권위, 권한

My father's commanding voice was so full of **authority** it made me stand up straight like a soldier. 학평

➕ authoritarian ⓐ 권위주의적인 ⓝ 권위주의자 authoritative ⓐ 권위적인, 권위 있는

1268 ☐☐☐ ★★★

legal

[líːɡəl]

ⓐ **judicial, lawful, legislative** 법률의, 합법적인

The law firm offers **legal** advice to some of the world's largest corporations.

➕ legalize ⓥ 합법화하다 legally ⓐ 법적으로, 법률상
➖ illegal ⓐ 불법적인, 위법의

Tips **시험에는 이렇게 나온다**

legal advice 법률 상담	legal authority 법적 권한
legal action 소송	legal duty 법적 의무

1269 ☐☐☐ ★★★

stem

[stem]

ⓝ **stalk of plant, branch** 줄기, 대

ⓥ **derive, originate, arise** 생기다, 유래하다

This clover has four leaves on its **stem** instead of three. 학평

Our interests **stem** from what we see everyday. 학평

Tips **시험에는 이렇게 나온다**

stem cell 줄기 세포	stem from ~에서 생겨나다, 유래하다

1270 ☐☐☐ ★★★

priority

[praiɔ́ːrəti]

ⓝ **preference, first concern** 우선 순위

Your interests should be the **priority** in your job search. 모평

➕ prior ⓐ 이전의 prioritize ⓥ 우선순위를 매기다

---

authority	· 우리 아버지의 위풍당당한 목소리는 권위가 넘쳐서, 그것은 나를 군인처럼 꼿꼿이 서 있게 했다.
legal	· 그 법률 회사는 세계 대기업들 중 일부에 법률 자문을 제공한다.
stem	· 이 클로버는 줄기에 세 개 대신 네 개의 잎이 있다.
	· 우리의 관심사는 우리가 매일 보는 것에서 생긴다.
priority	· 당신의 관심사가 당신의 구직 활동에서 우선 순위가 되어야 한다.

1271 ☐☐☐ ★★★

forbid

[fərbíd]

ⓥ **ban, prohibit**   금지하다, 못하게 하다

We've decided to **forbid** any food containing peanuts beginning next Monday. 〔학평〕

➕ forbidden ⓐ 금지된

➖ permit ⓥ 허용하다, 허락하다

> Tips **어원으로 어휘 확장하기**
>
> for 떨어져 + bid 명령하다 ▶ 떨어져 있도록 명령하여 접근을 금지하다
>
> ➕ foreign ⓐ 외국의, 타지역의

1272 ☐☐☐ ★★★

utility

[juːtíləti]

ⓝ **practicality, usefulness**   실용(성), 유용(성)

ⓝ **a public service**   공공시설

The vehicle was designed for **utility** rather than aesthetics.

I have **utility** bills to pay by the end of this month. 〔학평〕

➕ utilize ⓥ 이용하다, 활용하다   utilization ⓝ 이용, 활용

> Tips **어원으로 어휘 확장하기**
>
> ut 사용하다 + il 형·접 + ity 명·접 ▶ 사용할 수 있는 설비, 사용할 수 있게 실용적인
>
> ➕ utensil ⓝ 도구, 기구

1273 ☐☐☐ ★★★

tuition

[tjuːíʃən]

ⓝ **education costs**   수업(료)

College **tuition** fees for full-time students went up steadily. 〔학평〕

1274 ☐☐☐ ★★★

activate

[ǽktəvèit]

ⓥ **spark, initiate, start**   활성화하다, 작동시키다

When we listen to words conveying painful thoughts, our brains immediately **activate** to feel that pain. 〔학평〕

➕ activation ⓝ 활성화

➖ deactivate ⓥ 비활성화하다, 정지시키다

---

forbid · 우리는 다음 주 월요일부터 땅콩이 함유된 어떤 음식도 금지하기로 결정했다.
utility · 그 자동차는 미적인 것보다는 실용성을 위해 설계되었다.
· 나는 이번 달 말까지 내야 할 공공시설 고지서가 있다.
tuition · 정규 학생들의 대학 수업료는 꾸준히 올랐다.
activate · 우리가 고통스러운 생각을 전달하는 말을 들으면, 우리의 뇌는 즉시 그 고통을 느끼도록 활성화한다.

1275 □□□ ★★★

overestimate
[òuvəréstəmèit]

Ⓥ exaggerate, amplify

과대평가하다

People who watch a lot of news on television **overestimate** the threats to their well-being. 수능

1276 □□□ ★★★

attentive
[əténtiv]

Ⓐ alert, aware, thoughtful

신경을 쓰는, 경청하는

Your store is always clean and well-stocked, and your workers are always **attentive** to customers. 모평

➕ attention Ⓝ 주의, 관심 attentively Ⓐⓓ 조심스럽게

Tips **시험에는 이렇게 나온다**

attentive to ~에 경청하는
attentive audience 경청하는 청중
attentive hearing 경청

1277 □□□ ★★

legitimate
[lidʒítəmət]

Ⓐ legal, proper, lawful

합법적인, 정당한

The lawyer assured investors that the business was **legitimate**.

➕ legitimately Ⓐⓓ 합법적으로, 정당하게

1278 □□□ ★★

overtake
[òuvərtéik]

Ⓥ pass, surpass

추월하다, 앞지르다

Ⓥ come upon, hit, strike

덮치다, 엄습하다

The USA, **overtaken** by China, will no longer be the strongest economic leader. 학평

Sleepiness **overtook** me even though I was trying my best to stay alert. 학평

Tips **어원으로 어휘 확장하기**

over 넘어서 + take 잡다 ▶ 앞의 것을 잡고 넘어가다, 즉 따라잡다

➕ overcome Ⓥ 극복하다, 이기다 overlook Ⓥ 못 보고 넘어가다, 간과하다

---

overestimate · 텔레비전에서 뉴스를 많이 보는 사람들은 그들의 행복에 대한 위협을 과대평가한다.
attentive · 당신의 가게는 항상 깨끗하고 물건들이 잘 갖춰져 있으며, 당신의 직원들은 항상 손님들에게 신경을 쓴다.
legitimate · 변호사는 그 사업이 합법적이라고 투자자들에게 장담했다.
overtake · 중국에 추월 당한 미국은 더 이상 가장 강력한 경제 주도국이 될 수 없을 것이다.
· 정신을 바짝 차리려고 최선을 다하고 있었는데도 졸음이 나를 덮쳤다.

1279 ☐☐☐ ★★

sensible

[sénsəbl]

ⓐ **practical, rational**

실용적인, 합리적인

Bike riding is a **sensible** way to get in shape. 학평

➕ sense ⓝ 감각, 느낌 ⓥ 감지하다, 느끼다 sensibility ⓝ 감성, 감수성

Tips **어원으로 어휘 확장하기**

sens 느끼다 + ible 할 수 있는 ▶ 옳고 그름을 느낄 수 있는, 즉 분별력 있는

➕ sensation ⓝ 큰 감흥을 주는 사건 nonsense ⓝ 터무니없는 생각

1280 ☐☐☐ ★★

misplace

[mìspléis]

ⓥ **lose, disarrange, mislay**

(잘못 두어) 잃어 버리다

In his rush to get to the hotel, he had **misplaced** his wallet. 학평

Tips **어원으로 어휘 확장하기**

mis 잘못된 + place 놓다 ▶ 어떤 것을 잘못된 장소에 놓다

➕ misguide ⓥ 잘못 지도하다, 그릇되게 이끌다 misunderstand ⓥ 오해하다, 잘못 해석하다

1281 ☐☐☐ ★

finalize

[fáinəlàiz]

ⓥ **finish, conclude**

마무리 짓다, 완결하다

The executives are scheduled to meet next week to **finalize** the terms of the merger.

➕ final ⓐ 마지막의, 최종적인 finally ⓐⓓ 마침내

1282 ☐☐☐ ★★

omit

[oumít]

ⓥ **leave out, skip**

생략하다, 누락하다

Individuals admitted to hospitals were **omitted** from the list of missing people.

➕ omission ⓝ 누락, 생략 omitted ⓐ 생략한

1283 ☐☐☐ ★★

ubiquitous

[juːbíkwətəs]

ⓐ **omnipresent, universal**

어디에나 존재하는

Troubles are **ubiquitous**, so that's why the ability to recover quickly is so important. 수능

---

sensible	· 자전거 타기는 좋은 몸매를 유지하는 실용적인 방법이다.
misplace	· 그는 서둘러 호텔에 도착하려다가, 지갑을 잘못 두어 잃어버렸다.
finalize	· 경영진은 합병의 조건을 마무리 짓기 위해 다음 주에 만나기로 예정되어 있다.
omit	· 병원에 입원한 사람들은 실종자 명단에서 생략되었다.
ubiquitous	· 문제는 어디에나 존재하는데, 그래서 빨리 회복하는 능력이 매우 중요한 것이다.

1284 ☐☐☐ ★★

strain

[strein]

ⓝ pressure, tension	부담, 중압감
ⓝ injury, sprain, twist	염좌, 접질림
ⓥ stretch, injure	무리를 주다, 긴장시키다

Medical bills put a considerable **strain** on the finances of many families in America.

His back **strain** was caused by lifting weights with improper form. (학평)

Eric doesn't want to see a French movie because he doesn't want to **strain** his eyes reading subtitles. (학평)

➕ strained ⓐ 긴장한, 팽팽한, 억지의

➖ ease ⓝ 편안함 ⓥ 완화하다

Tips　**어원으로 어휘 확장하기**

strain 팽팽히 당기다 ▶ 팽팽히 당겨져 생긴 긴장감, 근육이 당겨져서 접질림

➕ re**strain** ⓥ 억누르다, 참다　con**strain** ⓥ 억누르다, 제약하다

1285 ☐☐☐ ★★

sincerity

[sinsérəti]

| ⓝ honesty, genuineness, truthfulness | 진심, 정직 |

If you have ever hurt another person, get in touch with the person and ask for forgiveness in all **sincerity**. (수능)

➕ sincere ⓐ 진실된, 진정한　sincerely ⓐⓓ 진심으로

1286 ☐☐☐ ★★

tenant

[ténənt]

| ⓝ resident, occupant | 세입자 |

The **tenant** signed a contract to rent the studio apartment for one year.

➕ tenancy ⓝ 임차, 차용

➖ landlord ⓝ 집주인, 임대주

Tips　**시험에는 이렇게 나온다**

the right of tenant 임차권　　　　　　　　　tenant farmer 소작인, 소작농

---

strain　· 의료비는 미국에서 많은 가정의 재정에 상당한 부담을 준다.
　　　　· 그의 허리 염좌는 부적절한 자세로 무게를 들어올리면서 발생되었다.
　　　　· Eric은 자막을 읽으면서 눈에 무리를 주고 싶지 않기 때문에 프랑스 영화를 보고 싶어하지 않는다.

sincerity　· 만약 당신이 다른 사람에게 상처를 준 적이 한 번이라도 있다면, 그 사람에게 연락해서 완전히 진심으로 용서를 구하라.

tenant　· 세입자는 원룸을 1년 동안 임차하기 위해 계약에 서명했다.

1287 ☐☐☐ ★★

immigrate
ⓥ migrate

이주해 오다, 이민을 오다

[ímə grèit]

Marie Curie was born in Poland and immigrated to France in 1891.

➕ immigrant ⓝ 이민자

➖ emigrate ⓥ 이주하다, 이민을 가다

Tips **어원으로 어휘 확장하기**

im 안으로(in) + migr 이동하다 + ate 동·접 ▶ 나라 안으로 이동해서 들어와 살다, 즉 이주해 오다

➕ emigrate ⓥ (타국으로) 이주하다, 이민 가다

1288 ☐☐☐ ★

blunt
ⓐ dull, edgeless

무딘, 뭉툭한

[blʌnt]

If you ever tried to cut wood with a blunt, dull axe, you know how much effort it takes to succeed. 학평

➖ sharp ⓐ 날카로운, 예리한

1289 ☐☐☐ ★

transcend
ⓥ surpass, exceed

초월하다

[trænsénd]

The desire to protect Earth from further damage transcends borders.

➕ transcendent ⓐ 초월적인, 탁월한

1290 ☐☐☐ ★

defy
ⓥ resist, confront, challenge

저항하다, 반항하다

[difái]

Striking workers defied the government's demand that they return to work.

➕ defiance ⓝ 저항, 반항   defiant ⓐ 저항하는, 반항하는

Tips **어원으로 어휘 확장하기**

de 떨어져 + fy 믿다 ▶ 누군가를 믿지 못해 그에게서 떨어져 저항하다

➕ deterrent ⓐ 제지시키는, 방해하는   despair ⓝ 절망

---

immigrate · 마리 퀴리는 폴란드에서 태어났고 1891년에 프랑스로 이주해 왔다.
blunt · 만약 당신이 무디고 둔한 도끼로 나무를 자르려고 시도해본 적이 있다면, 당신은 성공하기 위해 얼마나 많은 노력이 드는지 안다.
transcend · 더 이상의 피해로부터 지구를 보호하려는 염원은 국경을 초월한다.
defy · 파업 중인 노동자들은 업무로 복귀하라는 정부의 요구에 저항했다.

excerpt

[éksə:rpt]

Ⓝ citation, extract, passage

발췌(문), 개요

Heather read a brief **excerpt** of her novel during the radio interview.

yearn

[jə:rn]

Ⓥ desire, long

갈망하다, 열망하다

Remember that most people do **yearn** for friendship, just as you do. 모평

➕ yearning Ⓝ 갈망, 동경

blaze

[bleiz]

Ⓝ fire, flame

화재, 불

The firefighters fought bravely to put out the **blaze**, despite the intense heat of the flames.

convergence

[kənvə́:rdʒəns]

Ⓝ confluence, conjunction

융합, 수렴

The new invention came from a **convergence** of other established technologies.

➕ converge Ⓥ 모이다, 집중하다   convergent ⓐ 한 점으로 향하는, 한 점으로 모이는

frail

[freil]

ⓐ weak, feeble

허약한, 빈약한

Elderly people are often more **frail** and fragile than they were in their youth.

➕ frailty Ⓝ 노쇠함, 허약함

---

excerpt · Heather는 라디오 인터뷰에서 그녀의 소설의 짧은 발췌문을 읽었다.
yearn · 당신이 그런 것과 마찬가지로, 대부분의 사람들이 우정을 갈망한다는 것을 기억해라.
blaze · 불길의 맹렬한 열기에도 불구하고 소방관들은 화재를 진압하기 위해 용감하게 싸웠다.
convergence · 그 새로운 발명은 다른 확립된 기술들의 융합에서 비롯되었다.
frail · 노인들은 그들이 젊었을 때보다 종종 더 허약하고 연약하다.

Daily Quiz

A 알맞은 유의어를 고르세요.

01 overestimate		ⓐ alert, aware, thoughtful
02 sincerity		ⓑ modern, current, present
03 blunt		ⓒ leave out, skip
04 overtake		ⓓ dull, edgeless
05 omit		ⓔ advise, suggest
06 authority		ⓕ honesty, genuineness, truthfulness
07 contemporary		ⓖ pass, surpass
08 activate		ⓗ power, control
09 recommend		ⓘ spark, initiate, start
10 attentive		ⓙ exaggerate, amplify

B 밑줄 친 단어와 가장 뜻이 유사한 단어를 고르세요.

11 Habitat <u>diversity</u> refers to the variety of places where life exists.

    ⓐ citation   ⓑ pressure   ⓒ occupant   ⓓ variety

12 Despite the real <u>progress</u>, there are still more hungry people in world than ever before.

    ⓐ occupant   ⓑ sprain   ⓒ improvement   ⓓ usefulness

13 We've decided to <u>forbid</u> any food containing peanuts beginning next Monday.

    ⓐ clarify   ⓑ ban   ⓒ advise   ⓓ proceed

14 The lawyer assured investors that the business was <u>legitimate</u>.

    ⓐ practical   ⓑ alert   ⓒ legal   ⓓ false

15 Striking workers <u>defied</u> the government's demand that they return to work.

    ⓐ exaggerated   ⓑ surpassed   ⓒ finished   ⓓ resisted

C 다음 빈칸에 들어갈 가장 알맞은 것을 박스 안에서 고르세요.

transcend	sensible	strain	ubiquitous	stem	utility

16 His back _____ was caused by lifting weights with improper form.

17 Troubles are _____, so that's why the ability to recover quickly is so important.

18 The desire to protect Earth from further damage _____(e)s borders.

19 Bike riding is a(n) _____ way to get in shape.

20 Our interests _____ from what we see everyday.

1296 □□□ ★★★

charge

[tʃɑːrdʒ]

n	obligation, duty, responsibility	책임, 의무
n	price, fee	요금
v	demand, claim	(요금을) 청구하다
v	recharge	충전하다

I'm hoping you could take **charge** of the food for my party. 학평

You can try on traditional clothes with no extra **charge**. 학평

Room service will be **charged** to your card at checkout. 학평

Once the device is fully **charged**, you can print up to 30 photos in a row. 학평

➕ chargeable ⓐ 청구되는   recharge ⓥ (재)충전하다

Tips **시험에는 이렇게 나온다**

in charge of ~에 책임이 있는   service charge 서비스 요금
additional charge 추가 요금   delivery charge 배달 요금

1297 □□□ ★★★

concentrate

[ká:nsəntrèit]

| v | pay attention, focus | 집중하다 |

Children need to be able to **concentrate** on the task at hand. 학평

➕ concentration ⓝ 집중, 농축   concentrated ⓐ 집중적인, 농축된

Tips **어원으로 어휘 확장하기**

oon 모두 + **oontr** 중심 + ato 동·점 ▶ 중심에서 모두의 관심을 집중시키다
➕ **central** ⓐ 중앙의, 중심적인   ego**centric** ⓐ 자기중심적인, 이기적인

---

charge   · 저는 당신이 제 파티의 음식을 책임저 주시길 바랍니다.
            · 당신은 추가 요금 없이 전통 의상을 입어볼 수 있다.
            · 룸서비스는 체크아웃 시 당신의 카드로 청구될 것이다.
            · 장치가 완전히 충전되면 최대 30장의 사진을 연속으로 인쇄할 수 있다.
concentrate · 아이들은 당면한 과제에 집중할 수 있어야 한다.

1298 ☐☐☐ ★★★

determine

[ditə́:rmin]

ⓥ decide, resolve, conclude　　결정하다, 확정하다

ⓥ figure out, discover　　알아내다

A home's value is **determined** by the supply and demand for the home. (학평)

It was difficult to **determine** exactly where the accident had taken place. (수능)

➕ determination ⓝ 결정, 결심　　determinant ⓝ 결정 요인

1299 ☐☐☐ ★★★

count

[kaunt]

ⓥ calculate, compute　　세다, 계산하다

ⓝ the action or process of counting　　집계, 계산

Don't **count** your chickens before they're hatched. (학평)

An official **count** of the population will be conducted for the census.

➕ countable ⓐ 셀 수 있는, 가산의

1300 ☐☐☐ ★★★

construct

[kənstrʌ́kt]

ⓥ build, erect, raise, set up　　건설하다, 세우다, 구성하다

The restaurant took more than two years to **construct**, and it finally opened in 2014. (모평)

➕ construction ⓝ 건설　　constructive ⓐ 건설적인
➖ destroy ⓥ 파괴하다

1301 ☐☐☐ ★

disapprove

[dìsəprú:v]

ⓥ condemn, oppose　　반대하다, 못마땅해하다

Nearly 60 percent of the building's residents **disapprove** of the plan to close the playground.

➕ disapproval ⓝ 반감, 불승인
➖ approve ⓥ 찬성하다, 승인하다

---

determine　· 집의 가치는 집에 대한 공급과 수요에 의해 결정된다.
　　　　　· 사고가 어디에서 발생했었는지 정확하게 알아내는 것은 어려웠다.
count　· 닭이 부화되기도 전에 그것들을 세어보지 마라. (김칫국부터 마시지 마라.)
　　　· 인구 조사를 위해 공식적인 인구 집계가 실시될 것이다.
construct　· 그 식당은 건설하는 데 2년보다 더 많이 걸렸고, 마침내 2014년에 문을 열었다.
disapprove　· 건물 거주자의 거의 60%가 놀이터를 폐쇄하는 계획에 반대한다.

1302 ☐☐☐ ★★★

instinct

[ínstiŋkt]

Ⓝ **gut feeling, intuition**   본능, 본성

Everyone has **instincts**, and listening to your inner voice is always a good idea. (수능)

➕ instinctive ⓐ 본능적인, 직관적인

Tips **어원으로 어휘 확장하기**

in 안에 + stinct 찌르다 ▶ 머리나 마음 안에 쿡 찌르고 들어오는 본능, 직감

➕ distinct ⓐ 뚜렷한, 구별되는, 별개의

1303 ☐☐☐ ★★★

permanent

[pə́ːrmənənt]

ⓐ **eternal, perpetual, everlasting**   영구적인, 영원한

Jobs may not be **permanent**, and you may lose your job for countless reasons. (수능)

➕ permanently ⓐⓓ 영구적으로

➖ temporary ⓐ 일시적인, 임시의

Tips **어원으로 어휘 확장하기**

per 완전히 + mane 남다 + (e)nt 형·접 ▶ 없어지거나 변하지 않고 완전히 남아 있는, 즉 영구적인

➕ perpetual ⓐ 끊임없이 계속되는   persist ⓥ 고집하다, 주장하다

1304 ☐☐☐ ★★★

acceptable

[ækséptəbl]

ⓐ **satisfactory, agreeable**   용인되는, 받아들여지는

Religion sets guidelines for **acceptable** behavior. (학평)

➕ accept ⓥ 받아들이다, 수락하다   acceptance ⓝ 수락, 승인

1305 ☐☐☐ ★★★

mutual

[mjúːtʃuəl]

ⓐ **shared, common**   상호 간의, 공통의

Mutual eye contact is dangerous because, in monkey language, staring is a threat. (학평)

➕ mutually ⓐⓓ 서로, 상호 간에

Tips **시험에는 이렇게 나온다**

mutual agreement 상호 합의   mutual eye contact 상호 간의 눈 마주침
mutual respect 상호 존중

---

instinct · 모든 사람은 본능을 가지고 있고, 당신의 내면의 목소리를 듣는 것은 항상 좋은 생각이다.
permanent · 직업은 영구적이지 않을 수도 있고, 당신은 셀 수 없이 많은 이유로 직장을 잃을 수 있다.
acceptable · 종교는 용인되는 행동에 대한 지침을 정한다.
mutual · 원숭이 언어에서, 응시하는 것은 위협이기 때문에 상호 간의 눈 맞춤은 위험하다.

1306 ☐☐☐ ★★★

companion

[kəmpǽnjən]

n mate, partner, colleague, fellow

동반자, 친구, 동료

The website allows registered users to search for travel **companions**.

➕ companionship n 동료애, 우정

Tips **어원으로 어휘 확장하기**

com 함께 + **pan** 빵 + ion 명·접 ▶ 빵을 함께 나누는 사이, 즉 친구

➕ company n 회사, 일행 accompany v 동반하다, 동행하다

1307 ☐☐☐ ★★★

auditory

[ɔ́ːditɔ̀ːri]

a audible

청각의, 귀의

The patient did not respond well to **auditory** stimuli and may need a hearing aid.

Tips **어원으로 어휘 확장하기**

audi(t) 듣다 + ory 형·접 ▶ 듣는 귀의, 청각의

➕ auditorium n 강당, 관객석 audition n 오디션

1308 ☐☐☐ ★★★

disguise

[disgáiz]

v camouflage, hide, conceal

변장하다, 위장하다

n camouflage

변장, 거짓 행동

The thief could not be identified because he **disguised** himself with a used military uniform.

The undercover officer frequently wears a **disguise**.

➕ disguised a 변장한, 속임수의

➖ reveal v 드러내다, 폭로하다

Tips **시험에는 이렇게 나온다**

in disguise 변장하여   disguise oneself 본색을 숨기다
a blessing in disguise 뜻밖의 좋은 결과

---

companion
auditory
disguise

· 이 웹사이트는 등록된 사용자들이 여행 동반자를 찾을 수 있게 해준다.
· 환자는 청각 자극에 잘 반응하지 않아서 보청기가 필요할 수도 있다.
· 도둑은 헌 군복으로 자신을 변장했기 때문에 신원이 확인될 수 없었다.
· 잠복 경찰관은 자주 변장을 한다.

1309 □□□ ★★★

endure
[indjúər]

bear, withstand

견디다, 참다

It's hard to **endure** the loss of a cherished puppy. 수능

➕ endurance ⓝ 인내, 참을성   endurable ⓐ 견딜 수 있는

Tips   **어원으로 어휘 확장하기**

en 안에 + dur(e) 지속적인 ▶ 어려운 상황 안에서도 일을 지속하다, 즉 견디다

➕ durable ⓐ 오래가는, 튼튼한   duration ⓝ 지속(기간)

1310 □□□ ★★★

exclude
[iksklú:d]

keep out, leave out

제외하다, 배제하다

When you photograph people, remember to get closer to them to **exclude** unwanted objects. 수능

➕ exclusion ⓝ 배제, 제외   exclusive ⓐ 독점적인, 배타적인
➖ include ⓥ 포함하다

Tips   **어원으로 어휘 확장하기**

ex 밖에+ clud(e) 닫다 ▶ 밖에 두고 문을 닫아 못 들어오게 제외하다

➕ conclude ⓥ 결론을 내다, 끝내다   include ⓥ 포함하다

1311 □□□ ★★★

interfere
[ìntərfíər]

interrupt, disturb

방해하다, 간섭하다

Not getting enough sleep can **interfere** with growth, memory, and health. 학평

➕ interference ⓝ 방해, 간섭

Tips   **시험에는 이렇게 나온다**

interfere with ~을 방해하다   interfere in ~에 개입하다

1312 □□□ ★★★

graze
[greiz]

browse, pasture

풀을 뜯다, 방목하다

A single sheep **grazed** peacefully in the picture. 학평

---

endure   · 애지중지하던 강아지의 죽음은 견디기 힘들다.
exclude   · 사람들을 촬영할 때, 원하지 않는 물체를 제외하려면 그들에게 더 가까이 가는 것을 기억해라.
interfere   · 충분한 수면을 취하지 않는 것은 성장, 기억력, 그리고 건강을 방해할 수 있다.
graze   · 그림 속에서 한 마리의 양이 평화롭게 풀을 뜯고 있었다.

1313 ☐☐☐ ★★★

wreck
[rek]

ⓥ demolish, destroy — 파괴하다, 난파시키다

ⓝ crash, debris — 난파(선), 잔해

The crew had to wreck the building before constructing a new one in its place. (학평)

Several items were collected from the wreck and taken by the police as evidence.

1314 ☐☐☐ ★★

incline
ⓥ[inkláin]
ⓝ[ínklain]

ⓥ tend, be likely — ~하는 경향이 있다, 내키게 하다

ⓝ slope — 경사(면)

Grateful people are inclined to make healthy decisions. (학평)

Brown bears can climb up and down nearly vertical inclines. (학평)

➕ inclination ⓝ 경향, 의향, 경사　inclined ⓐ ~을 하고 싶은, 내키는

Tips | **시험에는 이렇게 나온다**
be inclined to ~할 의향이 있다　　　incline to ~으로 향하게 하다

1315 ☐☐☐ ★★

resentment
[rizéntmənt]

ⓝ anger, rage, fury — 분노, 분함

There is growing resentment toward the government as a result of recent policy changes.

➕ resent ⓥ 분개하다, 억울하게 여기다　resentful ⓐ 분개한

1316 ☐☐☐ ★★★

thrive
[θraiv]

ⓥ prosper, flourish — 번영하다, 번창하다

Citizens of Ancient Rome believed the city would never fall and would thrive forever. (학평)

➖ decline ⓥ 쇠퇴하다

---

wreck　· 그 팀은 그 자리에 새 건물을 짓기 전에 그 건물을 파괴해야 했다.
　　　· 난파선에서 몇 가지 물품이 수거되어 경찰이 증거로 가져갔다.
incline　· 고맙게 여기는 사람들은 건전한 결정을 내리는 경향이 있다.
　　　· 불곰은 거의 수직인 경사를 오르내릴 수 있다.
resentment · 최근의 정책 변화의 결과로 정부를 향한 분노가 커지고 있다.
thrive　· 고대 로마 시민들은 그 도시가 결코 몰락하지 않고 영원히 번영할 것이라고 믿었다.

1317 ☐☐☐ ★★★

reservoir

[rézərvwàːr]

n repository, accumulation

저수지, 저장

Currently, 88 huge **reservoirs** hold some 10 trillion tons of water. (학평)

➕ reserve ⓥ 예약하다, 남겨두다 ⓝ 비축(물)

1318 ☐☐☐ ★★★

indecision

[ìndisíʤən]

n hesitation, tentativeness

망설임, 우유부단함

Having too many options can lead to **indecision** and procrastination.

➕ indecisive ⓐ 우유부단한

1319 ☐☐☐ ★★

petition

[pətíʃən]

n appeal, plea

탄원서, 진정서

A salesperson requested that customers sign a **petition** to prevent cruelty against animals. (학평)

Tips | **어원으로 어휘 확장하기**
pet(it) 추구하다 + ion 명·접 ▶ 추구하는 것을 얻기 위해 간절히 비는 행위, 즉 탄원
➕ ap**pet**ite ⓝ 식욕

1320 ☐☐☐ ★

verify

[vérəfài]

v confirm, prove

입증하다, 증명하다

The Hubble Space Telescope helped scientists **verify** the existence of black holes.

➕ **ver**ification ⓝ 증명, 확인

Tips | **어원으로 어휘 확장하기**
ver 진실한 + ify 동·접 ▶ 증거를 들어 진실함을 밝히다, 즉 증명하다
➕ **ver**dict ⓝ 판결

---

reservoir · 현재, 88개의 거대한 저수지는 약 10조 톤의 물을 저장하고 있다.
indecision · 너무 많은 선택지가 있는 것은 망설임과 미루는 버릇을 야기할 수 있다.
petition · 판매원은 고객들에게 동물 학대를 막기 위한 탄원서에 서명할 것을 요청했다.
verify · 허블 우주 망원경은 과학자들이 블랙홀의 존재를 입증하는 것을 도와주었다.

1321 ☐☐☐ ★★

renovate

[rénəvèit]

ⓥ remodel, fix up

개조하다, 보수하다

My neighbor **renovated** his old house before selling it.

➕ renovation ⓝ 수리, 쇄신

Tips	어원으로 어휘 확장하기
	re 다시 + nov 새로운 + ate 동·접 ▶ 낡아진 것을 다시 새롭게 개조하다
	➕ innovate ⓥ 혁신하다　novel ⓝ 소설 ⓐ 새로운, 신기한

1322 ☐☐☐ ★

notorious

[noutɔ́:riəs]

ⓐ infamous

악명 높은

The organization was **notorious** for corruption and inefficiency.

1323 ☐☐☐ ★★

span

[spæn]

ⓝ duration, period

기간, 시간

The average life **span** of an impala is between 13 and 15 years in the wild. (학평)

1324 ☐☐☐ ★

intimidate

[intímədèit]

ⓥ threaten, frighten, bully

위협하다

You can't **intimidate** me with your childish threats!

➕ intimidation ⓝ 위협, 협박

1325 ☐☐☐ ★

index

[índeks]

ⓝ list, concordance

색인, 목록

ⓝ indicator, ratio

지수, 수치

The reader checked the **index** to find the parts of the biography that mentioned his favorite poem.

When the UV **index** is 2 or lower, you can enjoy outdoor activities safely. (학평)

---

renovate	· 내 이웃은 그의 오래된 집을 팔기 전에 그것을 개조했다.
notorious	· 그 조직은 부패와 비효율로 악명 높았다.
span	· 야생에서 임팔라의 삶의 기간(수명)은 13년에서 15년 사이이다.
intimidate	· 당신은 유치한 협박으로 날 위협할 수 없다!
index	· 독자는 그가 가장 좋아하는 시를 언급한 전기의 그 부분을 찾기 위해 색인을 확인했다.
	· 자외선 지수가 2 또는 더 낮을 때, 당신은 안전하게 야외 활동을 즐길 수 있다.

1326 ☐☐☐ ★

wander

Ⓥ **drift, roam**

거닐다, 돌아다니다

[wɑ́:ndər]

Jerry enjoys **wandering** along the beach collecting seashells.

➕ wanderer ⓝ 방랑자

1327 ☐☐☐ ★

eloquent

ⓐ **articulate, expressive**

유창한, 표현을 잘하는

[éləkwənt]

The audience was inspired by the politician's **eloquent** speech.

➕ eloquence ⓝ 웅변, 능변

Tips **시험에는 이렇게 나온다**

eloquent gesture 유창한 몸짓 　　　　　　　　　eloquent writer 유창한 작가

1328 ☐☐☐ ★

quota

ⓝ **allocation, share, portion**

할당량, 몫

[kwóutə]

The manager's basic goal was to meet the **quota** in the easiest possible way. (학평)

1329 ☐☐☐ ★

amoral

ⓐ **neither moral or immoral**

도덕관념이 없는

[eimɔ́:rəl]

Knowledge is **amoral**—not immoral but morally neutral. (수능)

1330 ☐☐☐ ★★★

caption

ⓝ **subtitle**

자막

[kǽpʃən]

Many programs show **captions** which describe the situations. (학평)

---

wander · Jerry는 조개껍데기를 수집하며 해변을 따라 거니는 것을 즐긴다.
eloquent · 청중은 그 정치인의 유창한 연설에 영감을 받았다.
quota · 관리자의 기본 목표는 가능한 한 가장 쉬운 방법으로 할당량을 맞추는 것이었다.
amoral · 지식은 도덕관념이 없는데, 이는 부도덕한 것이 아니라 도덕적으로 중립이라는 것이다.
caption · 많은 프로그램들은 상황을 설명하는 자막을 보여준다.

Daily Quiz

A 알맞은 유의어를 고르세요.

01	permanent	ⓐ	tend, be likely
02	exclude	ⓑ	gut feeling, intuition
03	verify	ⓒ	browse, pasture
04	reservoir	ⓓ	eternal, perpetual, everlasting
05	incline	ⓔ	list, concordance
06	instinct	ⓕ	camouflage, hide, conceal
07	index	ⓖ	confirm, prove
08	disguise	ⓗ	appeal, plea
09	petition	ⓘ	repository, accumulation
10	graze	ⓙ	keep out, leave out

B 밑줄 친 단어와 가장 뜻이 유사한 단어를 고르세요.

11 It's hard to <u>endure</u> the loss of a cherished puppy.
　ⓐ impose　　　ⓑ prosper　　　ⓒ browse　　　ⓓ bear

12 You can't <u>intimidate</u> me with your childish threats!
　ⓐ interrupt　　　ⓑ demolish　　　ⓒ threaten　　　ⓓ confirm

13 The restaurant took more than two years to <u>construct</u>, and it finally opened in 2014.
　ⓐ resolve　　　ⓑ build　　　ⓒ compute　　　ⓓ oppose

14 I'm hoping you could take <u>charge</u> of the food for my party.
　ⓐ intuition　　　ⓑ partner　　　ⓒ obligation　　　ⓓ camouflage

15 The organization was <u>notorious</u> for corruption and inefficiency.
　ⓐ agreeable　　　ⓑ perpetual　　　ⓒ audible　　　ⓓ infamous

C 다음 빈칸에 들어갈 가장 알맞은 것을 박스 안에서 고르세요.

exclude	eloquent	thrive	span	wander	acceptable

16 The audience was inspired by the politician's _____ speech.

17 Religion sets guidelines for _____ behavior.

18 When you photograph people, remember to get closer to them to _____ unwanted objects.

19 Citizens of Ancient Rome believed the city would never fall and would _____ forever.

20 The average life _____ of an impala is between 13 and 15 years in the wild.

정답

01 ⓓ	02 ⓙ	03 ⓖ	04 ⓘ	05 ⓐ	06 ⓑ	07 ⓔ
08 ⓕ	09 ⓗ	10 ⓒ	11 ⓓ	12 ⓒ	13 ⓑ	14 ⓒ
15 ⓓ	16 eloquent	17 acceptable	18 exclude	19 thrive	20 span	

1331 ☐☐☐ ★★★

prove

[pru:v]

| ⓥ verify, confirm, demonstrate | 증명하다, 입증하다 |

| ⓥ turn out, show | ~임이 드러나다, 판명되다 |

It is unknown how long it will take to **prove** the safety of the vaccine. 학평

Sarah's venture **proved** to be successful because her company is worth over 450 million dollars today. 학평

➕ proven ⓐ 증명된, 입증된   proof ⓝ 증명, 증거

Tips   **어원으로 어휘 확장하기**

prov(e) 시험하다, 증명하다 ▶ 어떤 사실을 시험을 통해 증명하다

➕ ap**prove** ⓥ 찬성하다, 승인하다   disap**proval** ⓝ 반감, 불승인

1332 ☐☐☐ ★★★

aware

[əwέər]

| ⓐ conscious, attentive | 의식하고 있는, 깨달은 |

When you are traveling in Thailand, you should be **aware** how deeply the people respect the royal family. 학평

➕ awareness ⓝ 의식, 관심

➖ unaware ⓐ 알지 못하는

Tips   **어원으로 어휘 확장하기**

(a)**war**(e) 지켜보다 ▶ 계속 지켜보며 상대를 의식하고 있는

➕ be**ware** ⓥ 조심하다, 주의하다

---

prove · 백신의 안전성을 증명하는 데 얼마나 걸릴지 알 수 없다.
· 사라의 회사가 오늘날 4억 5천만 달러 이상의 가치가 있기 때문에 그녀의 모험적 사업은 성공적임이 드러났다.
aware · 당신이 태국을 여행하고 있을 때, 당신은 사람들이 왕실을 얼마나 깊이 존경하는지 의식하고 있어야 한다.

foundation

n basis, established institution 토대, 재단

[faundéiʃən]

We believe that public libraries are the foundation for lifelong learning in our communities. (학평)

➕ found ⓥ 설립하다, 세우다

deny

ⓥ refute, contradict 부정하다, 부인하다

[dinái]

Someone who just heard a piece of bad news tends initially to deny what happened. (수능)

➕ denial ⓝ 부정, 부인
➖ accept ⓥ 받아들이다

discipline

n restraint, regulation 규율, 훈육

[dísəplin]

n study, subject 학문 분야

ⓥ train, drill, teach 훈육하다, 훈련하다

Military recruits learn discipline during basic training.

Philosophy is a discipline dating back to ancient times.

He had to be disciplined severely. (수능)

➕ disciplined ⓐ 훈련받은   disciplinary ⓐ 훈육의

infectious

ⓐ contagious, transmissible 전염성의, 옮기 쉬운

[infékʃəs]

It's important to avoid infectious diseases such as malaria. (학평)

➕ infection ⓝ 감염, 전염병   infect ⓥ 감염시키다

---

foundation	· 우리는 공공 도서관이 우리 지역사회 내 평생 학습을 위한 토대라고 생각한다.
deny	· 방금 나쁜 소식을 들은 사람들은 무슨 일이 일어났는지 처음에는 부정하는 경향이 있다.
discipline	· 군 신병들은 기초 훈련 동안 규율을 배운다.
	· 철학은 고대까지 거슬러 올라가는 학문 분야이다.
	· 그는 혹독하게 훈육을 당해야만 했다.
infectious	· 말라리아와 같은 전염성의 질병을 피하는 것이 중요하다.

1337 ☐☐☐ ★★★

odd

[ɑːd]

| ⓐ **strange, peculiar** | 이상한, 특이한 |
| ⓐ **uneven** | 홀수의 |

People should report any **odd** behavior they see on the subway platform.

Groups with an even number of members differ from groups with an **odd** number of members. (수능)

Tips **시험에는 이렇게 나온다**

odd number 홀수
odd behavior 이상한 행동

odd duck 미운 오리 새끼
against all odds 모든 역경을 물리치고

1338 ☐☐☐ ★★★

declare

[diklέər]

| ⓥ **announce, proclaim** | 선언하다, 선고하다 |
| ⓥ **report, register** | (세관 등에) 신고하다 |

The United Nations has **declared** this year to be "The Year of the Teen." (학평)

Please **declare** all agricultural products on arrival in the country.

➕ declaration ⓝ 선언(문), 공표

Tips **어원으로 어휘 확장하기**

de 아래로 + clar(e) 명백한 ▶ 위에 올라서서 아래로 명백하게 선언하다
➕ clarify ⓥ 명확하게 하다, 정화하다

1339 ☐☐☐ ★★

aptitude

[ǽptətjùːd]

| ⓝ **talent, gift** | 적성, 소질 |

Parents should test their children's **aptitudes** in various subject areas during their last year of elementary school. (수능)

➕ apt ⓐ 적합한

---

odd · 사람들은 지하철 승강장에서 그들이 보는 어떤 이상한 행동도 신고해야 한다.
· 짝수의 구성원으로 된 그룹은 홀수의 구성원으로 된 그룹과 다르다.

declare · UN은 올해를 '10대의 해'로 선언했다.
· 모든 농산물은 입국하실 때 신고해 주시기 바랍니다.

aptitude · 부모들은 초등학교 마지막 학년 동안 다양한 교과 분야에서 그들의 아이들의 적성을 시험해야 한다.

1340 ☐☐☐ ★★★

cope

ⓥ **manage, handle**

대처하다, 대응하다

[koup]

A lifeguard needs to be mentally and physically prepared to cope with harsh sea conditions. 〔인용〕

1341 ☐☐☐ ★★★

constitute

ⓥ **compose, comprise, make up**

구성하다, 설립하다

[kάːnstətjùːt]

Ethnic Malays constitute about half of Malaysia's population.

➊ constitution ⓝ 구조, 설립, 헌법

> Tips **어원으로 어휘 확장하기**
>
> con 함께(com) + stit(ute) 서다 ▶ 여럿이 함께 서서 기관, 단체 등을 구성하다
>
> ➊ institute ⓥ 세우다, 도입하다   substitute ⓥ 대신하다

1342 ☐☐☐ ★★

availability

ⓝ **opening, effectiveness**

이용 가능성, 유효성

[əvèiləbíləti]

The availability of transportation infrastructure is a precondition for tourism. 〔모평〕

➊ available ⓐ 이용할 수 있는

1343 ☐☐☐ ★★★

pressure

ⓝ **strain, force, weight, burden**

압력, 압박

[préʃər]

Try to keep your knees at a right angle to reduce the pressure on your back. 〔수능〕

➊ press ⓥ 누르다, 압축시키다

> Tips **시험에는 이렇게 나온다**
>
> put pressure on ~에게 압박을 가하다   pressure from ~으로 부터의 압력
> blood pressure 혈압   peer pressure 또래 집단이 주는 압박감

---

cope   · 구조대원은 혹독한 바다 환경에 대처하기 위해 정신적, 육체적으로 준비가 되어야 한다.
constitute   · 말레이 민족은 말레이시아 인구의 약 절반을 구성한다.
availability · 교통 인프라의 이용 가능성은 관광의 필수 조건이다.
pressure   · 당신의 허리에 가해지는 압력을 줄이기 위해 무릎을 직각으로 유지해라.

1344 ☐☐☐ ★★★

sympathy

ⓝ compassion, pity

동정(심), 연민, 동조

[símpəθi]

Minsu knows she's been putting a lot of effort into writing the paper and feels **sympathy** for her. (모평)

➕ sympathetic ⓐ 동정심 있는, 동조하는   sympathize ⓥ 동정하다

Tips **어원으로 어휘 확장하기**

sym 함께 + **path** 고통을 겪다 + y 명·접 ▶ 상대의 고통을 함께 겪으며 불쌍히 여기는 동정, 연민

➕ empathy ⓝ 공감, 감정이입   **path**etic ⓐ 불쌍한

1345 ☐☐☐ ★★★

temporary

ⓐ momentary, transitory

일시적인, 임시의

[témpərèri]

Bandaging your ankle is just a **temporary** fix. (수능)

➕ temporarily ⓐⓓ 일시적으로, 임시로

➖ eternal ⓐ 영원한, 끊임없는   permanent ⓐ 영구적인

Tips **어원으로 어휘 확장하기**

tempo(r) 시간 + ary 형·접 ▶ 잠시의 시간 동안의, 즉 일시적인

➕ contemporary ⓐ 동시대의, 현대의, 당대의

1346 ☐☐☐ ★★

priest

ⓝ someone who performs religious rituals

성직자, 사제

[priːst]

The **priest** delivered an inspirational sermon.

1347 ☐☐☐ ★★★

fabric

ⓝ textile, cloth

천, 직물

[fǽbrik]

Our carry-on suitcases come in two types, **fabric** and plastic. (학평)

---

sympathy   · 민수는 그녀가 논문을 쓰는 데 많은 노력을 기울였다는 것을 알고 그녀에게 동정심을 느낀다.
temporary   · 발목에 붕대를 감는 것은 일시적인 고정일 뿐이다.
priest   · 그 성직자는 영감을 주는 설교를 했다.
fabric   · 우리의 휴대용 여행 가방은 천과 플라스틱의 두 가지 종류로 나온다.

1348 □□□ ★★

conscience

[kɑ́:nʃəns]

ⓝ **moral sense**   양심

Zach's conscience whispered that a true victory comes from fair competition. ⓘ

➕ conscientious ⓐ 양심적인

1349 □□□ ★★

rust

[rʌst]

ⓥ **corrode**   녹슬다

Using salt to melt the ice from the roads in the winter causes cars to rust more quickly. ⓘ

➕ rusty ⓐ 녹슨

1350 □□□ ★★★

fright

[frait]

ⓝ **fear, terror, alarm**   공포증, 경악

Stage fright is the fear of public performance. ⓘ

Tips | **시험에는 이렇게 나온다**
stage fright 무대 공포증   take fright 놀라다, 겁을 먹다

1351 □□□ ★★

faculty

[fǽkəlti]

ⓝ **staffs or teachers**   교직원, 교수단

ⓝ **capacity, ability, skill**   능력

The candidates have the opportunity to talk with faculty and current students. ⓘ

Exposure to loud noises can affect a person's auditory faculties.

Tips | **어원으로 어휘 확장하기**
fac(ul) 행하기 쉬운(facile) + ty 명·접 ▶ 일을 쉽게 행할 수 있는 능력, 그런 능력을 가진 교수진
➕ facility ⓝ 시설, 설비, 편의 factual ⓐ 사실의, 사실에 근거한

---

conscience · Zach의 양심이 진정한 승리는 공정한 경쟁으로부터 나온다고 속삭였다.
rust · 겨울에 도로의 얼음을 녹이기 위해 소금을 사용하는 것은 자동차가 더 빨리 녹슬게 한다.
fright · 무대 공포증은 대중 공연에 대한 공포이다.
faculty · 지원자들은 교직원 및 재학생들과 대화할 기회를 갖는다.
· 큰 소음에 노출되는 것은 사람의 청각 능력에 영향을 미칠 수 있다.

1352 ☐☐☐ ★★

barter

[báːrtər]

ⓥ trade, exchange

물물 교환하다

Without money, people could only **barter**. 〔학평〕

1353 ☐☐☐ ★★

shallow

[ʃǽlou]

ⓐ superficial, hollow

얕은, 피상적인

If our knowledge is broad but **shallow**, we really know nothing. 〔학평〕

1354 ☐☐☐ ★★

devastate

[dévəstèit]

ⓥ destroy, demolish, ravage, ruin

황폐화시키다

ⓥ shock, stun

망연자실하게 하다

The quake **devastated** 24,000 square miles of wilderness. 〔모평〕

Rob was **devastated** when he didn't get the toy truck he wanted.

➕ devastating ⓐ 대단히 파괴적인

1355 ☐☐☐ ★

regress

[rigrés]

ⓥ deteriorate, decline

퇴보하다, 퇴행하다

Dementia and other age-related cognitive disorders can cause patients to **regress** mentally.

➕ regression ⓝ 퇴보, 퇴행 regressive ⓐ 퇴보하는, 퇴행하는

Tips | **어원으로 어휘 확장하기**

re 뒤로 + **gress** 걸어가다 ▶ 뒤로 걸어가 상태가 퇴보하다

➕ **progress** ⓝ 발전, 진전 ⓥ 나아가다 **aggress**ive ⓐ 공격적인

---

barter · 돈이 없으면, 사람들은 물물교환만 할 수 있다.
shallow · 우리의 지식이 넓지만 얕다면, 우리는 정말 아무것도 모르는 것이다.
devastate · 그 지진은 24,000 평방 마일의 황무지를 황폐화시켰다.
· Rob은 그가 원했던 장난감 트럭을 받지 못하자 망연자실했다.
regress · 치매와 그 밖의 노화 관련 인지 장애는 환자들이 정신적으로 퇴보하게 할 수 있다.

1356 ☐☐☐ ★★

affirm

[əfə́:rm]

Ⓥ **assert, declare, insist**

단언하다, 주장하다

Biologists have **affirmed** that a living thing cannot come from something lifeless.

➕ **affirmative** ⓐ 확언적인, 긍정의 **affirmation** ⓝ 단언, 확언

1357 ☐☐☐ ★

deceit

[disí:t]

ⓝ **fraud, deception, trickery**

사기, 속임수

The suspect's **deceit** was clear to the police officers who questioned him. (모평)

➕ **deceitful** ⓐ 기만적인

1358 ☐☐☐ ★

blunder

[blʌ́ndər]

ⓝ **mistake, fault**

실책, 실수

A neighbor witnessed the **blunders** of the new driver.

1359 ☐☐☐ ★

tedious

[tí:diəs]

ⓐ **boring, monotonous, dull**

지루한, 싫증 나는

Editing papers is a long and **tedious** process.

➕ **tediously** ⓐⓓ 지루하게

1360 ☐☐☐ ★★★

gravity

[grǽvəti]

ⓝ **force of attraction, weight**

중력

Gravity is the invisible force that pulls things toward the ground. (학평)

Tips **어원으로 어휘 확장하기**

grav 무거운+ **ity** 명·접 ▶ 무거운 만큼 잡아당기는 힘, 즉 중력

➕ **grave** ⓝ 무덤, 묘 **aggravate** Ⓥ 악화시키다, 화나게 하다

---

affirm · 생물학자들은 생명체는 생명이 없는 무언가에서 생겨날 수 없다고 단언했다.
deceit · 그를 심문했던 경찰관에게 그 용의자의 사기는 분명했다.
blunder · 이웃이 새로 온 운전자의 실수를 목격했다.
tedious · 논문을 편집하는 것은 길고 지루한 과정이다.
gravity · 중력은 물체를 땅으로 끌어당기는 보이지 않는 힘이다.

overcharge

ⓥ **charge to excess**

과잉 청구하다

[óuvərtʃàrdʒ]

The customer claimed that he was **overcharged** for the service.

innumerable

ⓐ **countless, numerous**

셀 수 없이 많은, 무수한

[injúːmərəbl]

Jim Henson produced **innumerable** films and TV shows.

➕ innumerably ⓐⓓ 수없이

furious

ⓐ **angry, enraged, infuriated**

몹시 화가 난, 맹렬한

[fjúəriəs]

Henry glanced at his coach, who looked **furious** as he screamed at him. ⓜ퍙

➕ fury ⓝ 분노, 격분 furiously ⓐⓓ 극도로, 세차게

invisible

ⓐ **hidden, unseen**

보이지 않는, 무형의

[invízəbl]

Black ice is often practically **invisible** to drivers or persons stepping on it. ⓗ퍙

➖ visible ⓐ 보이는, 가시적인

wagon

ⓝ **cart, carriage**

마차, 화물 기차

[wǽgən]

Two oxen were drawing a heavy **wagon** along a muddy country road. ⓗ퍙

---

overcharge · 그 고객은 자신의 서비스비가 과잉 청구되었다고 주장했다.
innumerable · Jim Henson은 셀 수 없이 많은 영화와 텔레비전 프로그램을 제작했다.
furious · Henry는 그의 코치를 힐끗 쳐다보았는데, 코치는 그에게 소리를 질렀으며 몹시 화가 나 보였다.
invisible · 살얼음은 종종 그것을 밟는 운전자나 사람에게 사실상 보이지 않는다.
wagon · 두 마리의 소가 진흙투성이의 시골길을 따라 무거운 마차를 끌고 있었다.

Daily Quiz

A 알맞은 유의어를 고르세요.

01	aware	ⓐ force of attraction, weight
02	odd	ⓑ talent, gift
03	sympathy	ⓒ corrode
04	regress	ⓓ strange, peculiar
05	gravity	ⓔ momentary, transitory
06	foundation	ⓕ compassion, pity
07	temporary	ⓖ basis, established institution
08	aptitude	ⓗ deteriorate, decline
09	rust	ⓘ staffs or teachers
10	faculty	ⓙ conscious, attentive

B 밑줄 친 단어와 가장 뜻이 유사한 단어를 고르세요.

11 If our knowledge is broad but <u>shallow</u>, we really know nothing.
  ⓐ angry   ⓑ hidden   ⓒ superficial   ⓓ boring

12 Ethnic Malays <u>constitute</u> about half of Malaysia's population.
  ⓐ verify   ⓑ refute   ⓒ deteriorate   ⓓ compose

13 It's important to avoid <u>infectious</u> diseases such as malaria.
  ⓐ peculiar   ⓑ momentary   ⓒ contagious   ⓓ conscious

14 Biologists have <u>affirmed</u> that a living thing cannot come from something lifeless.
  ⓐ stated   ⓑ asserted   ⓒ managed   ⓓ exchanged

15 Jim Henson produced <u>innumerable</u> films and TV shows.
  ⓐ uneven   ⓑ dull   ⓒ countless   ⓓ hollow

C 다음 빈칸에 들어갈 가장 알맞은 것을 박스 안에서 고르세요.

invisible	fright	devastate	deceit	prove	declare

16 The suspect's _____ was clear to the police officers who questioned him.

17 Black ice is often practically _____ to drivers or persons stepping on it.

18 Rob was _____(e)d when he didn't get the toy truck he wanted.

19 Stage _____ is the fear of public performance.

20 It is unknown how long it will take to _____ the safety of the vaccine.

정답

01 ⓙ	02 ⓓ	03 ⓕ	04 ⓗ	05 ⓐ	06 ⓖ	07 ⓔ
08 ⓑ	09 ⓒ	10 ⓘ	11 ⓒ	12 ⓓ	13 ⓒ	14 ⓑ
15 ⓒ	16 deceit	17 invisible	18 devastate	19 fright	20 prove	

DAY 40

음성 바로 듣기

1366 ☐☐☐ ★★★

involve

[inváːlv]

| ⓥ include, entail | 포함하다, 수반하다 |
| ⓥ concern, engage | 관련(연루)시키다 |

They stress that scientific work **involves** more than visual observation. 학평

Several countries were **involved** in a conflict over disputed territory.

➕ involvement ⓝ 포함, 관련

1367 ☐☐☐ ★★★

responsibility

[rispànsəbíləti]

| ⓝ obligation, duty, liability | 책임, 의무 |

People should take **responsibility** for their dogs. 학평

➕ responsible ⓐ 책임이 있는

1368 ☐☐☐ ★★★

conduct

ⓥ[kəndʌ́kt]
ⓝ[káːndʌkt]

| ⓥ perform, do | 하다, 수행하다 |
| ⓝ behavior | 행동, 행위 |

The student council will **conduct** a campaign to reduce food waste in our school cafeteria. 학평

Competition implies a set of rules that govern the **conduct** of the opposed parties. 수능

➕ conductor ⓝ 지휘자

Tips 어원으로 어휘 확장하기

con 함께(com) + **duc**(t) 이끌다 ▶ 여럿을 함께 이끌거나 지휘하다, 이끌어져 어떤 일을 실시하다

➕ induce ⓥ 유도하다, 유발하다   deduce ⓥ 추론하다

---

involve · 그들은 과학적 작업이 시각적 관찰 이상의 것을 포함한다고 강조한다.
· 몇몇 국가들은 분쟁 영토에 대한 갈등과 관련되어 있다.
responsibility · 사람들은 그들의 개에 대해 책임을 져야 한다.
conduct · 학생회는 우리 학교 구내식당의 음식물 쓰레기를 줄이기 위한 캠페인을 할 것이다.
· 경쟁은 반대편의 행동을 다스리는 일련의 법칙을 암시한다.

1369 □□□ ★★★

specialized

[spéʃəlàizd]

ⓐ **specific, technical**

전문적인, 전문화된

A person in uniform has some **specialized** function in society, such as police officer, nurse, or soldier. (모평)

➕ specialize ⓥ 특수화하다, 전문으로 하다 specialization ⓝ 특수화, 전문화

Tips **시험에는 이렇게 나온다**

specialized skills 전문인 기술 specialized equipment 전문화된 장비
specialized training 전문교육

1370 □□□ ★★★

predator

[prédətər]

ⓝ **hunter, killer**

포식자, 포식 동물

Tigers are one of the world's most dangerous **predators**.

➕ predatory ⓐ 포식성의

1371 □□□ ★★★

fiction

[fíkʃən]

ⓝ **novel**

소설, 허구

I feel like reading **fiction** makes me more creative. (학평)

➕ fictionalize ⓥ 소설화하다
➖ nonfiction ⓝ 논픽션, 소설 이외의 이야기

Tips **어원으로 어휘 확장하기**

fic 만들다 + tion 명·접 ▶ 사실이 아니라 만들어진 이야기인 소설
➕ deficit ⓝ 적자, 부족액, 결손 specific ⓐ 구체적인, 분명한

1372 □□□ ★★★

launch

[lɔ:ntʃ]

ⓥ **introduce, release**

출시하다, 개시하다

ⓥ **send off, dispatch, fire**

발사하다

The fashion designer **launched** a new line of clothing for autumn.

A crowd flocked to witness NASA **launch** a rocket.

---

specialized · 제복을 입은 사람은 경찰, 간호사, 또는 군인과 같이 사회에서 어떤 전문적인 역할을 한다.
predator · 호랑이는 세계에서 가장 위험한 포식자들 중 하나이다.
fiction · 소설을 읽는 것이 나를 더 창의적으로 만드는 것 같다.
launch · 그 패션 디자이너는 가을을 위한 새로운 의류 라인을 출시했다.
 · 군중들은 NASA가 로켓을 발사하는 것을 보기 위해 모여들었다.

1373 □□□ ★★★

incredible

[inkrédəbl]

ⓐ **unbelievable, amazing, stunning**　믿기 어려운 정도의, 놀라운

Mammals are able to live in an **incredible** variety of habitats. (학평)

➊ incredibly ⓐⓓ 믿을 수 없을 정도로

Tips　**어원으로 어휘 확장하기**

in 아닌+ **cred** 믿다 + ible 할 수 있는 ▶ 믿을 수 없을 정도로 놀라운

➊ **cred**ible ⓐ 믿을 수 있는, 신용할 만한　**cred**it ⓝ 신뢰, 신용 (거래) ⓥ 믿다, 신용하다

1374 □□□ ★★★

mechanical

[məkǽnikəl]

ⓐ **automatic, done by machine**　기계적인, 기계의

Keeping your motorbike oiled will reduce the number of **mechanical** problems you encounter.

➊ mechanically ⓐⓓ 기계적으로

Tips　**시험에는 이렇게 나온다**

mechanical engineering　기계 공학　　　　mechanical trouble　기계상의 문제
mechanical breakdown　기계 파손

1375 □□□ ★★★

optimistic

[àːptəmístik]

ⓐ **positive**　낙천적인, 낙관적인

The artist's work represents his **optimistic** views on life.

➊ optimism ⓝ 낙관주의, 낙관론　optimist ⓝ 낙천주의자, 낙관론자
➖ pessimistic ⓐ 비관적인

1376 □□□ ★★★

imaginary

[imǽdʒənèri]

ⓐ **fictitious, fantastic, fictional**　상상에만 존재하는

Children may develop **imaginary** friends around three or four years of age. (학평)

➊ imagine ⓥ 상상하나　imaginative ⓐ 상상력이 풍부한

---

incredible　· 포유류는 믿기 어려운 정도의 다양한 서식지에서 살 수 있다.
mechanical　· 오토바이에 기름칠해두는 것은 당신이 직면할 기계적인 문제의 수를 줄일 것이다.
optimistic　· 그 예술가의 작품은 인생관에 대한 그의 낙천적인 관점을 대변한다.
imaginary　· 아이들은 서너 살쯤의 나이에 상상에만 존재하는 친구가 생길 수 있다.

1377 ☐☐☐ ★★★

stain

[stein]

ⓝ mark, spot of dirt

얼룩

Stubborn **stains** on a shirt can be removed with this soap.

1378 ☐☐☐ ★★★

conserve

[kənsə́ːrv]

ⓥ maintain, protect, save

보존하다, 절약하다

Many kinds of superior coffee beans are decaffeinated in ways that **conserve** strong flavor. (수능)

➕ conservation ⓝ 보존   conservative ⓐ 보수적인, 조심스러운

Tips

> **시험에는 이렇게 나온다**
>
> conserve the environment 환경을 보존하다   conserve energy 에너지를 절약하다
> conserve endangered animal 멸종 위기 동물을 보호하다

1379 ☐☐☐ ★★★

exploit

[iksplɔ́it]

ⓥ utilize, misuse

이용하다, 착취하다

Humans tend to **exploit** natural resources to benefit themselves. (모평)

➕ exploitation ⓝ 착취, 개발, 이용

1380 ☐☐☐ ★★★

chronological

[krànəládʒikəl]

ⓐ sequential, consecutive

연대기의, 발생순서로 된

The historian compiled a **chronological** list of the nation's rulers.

➕ chronologically ⓐⓓ 연대순으로

1381 ☐☐☐ ★★★

shrink

[ʃriŋk]

ⓥ decrease, diminish

수축하다, 줄어들다

When the pine cone gets wet, the shell **shrinks**. (학평)

➕ shrinkage ⓝ 줄어듦

---

stain   · 셔츠의 잘 안 지워지는 얼룩은 이 비누로 제거할 수 있다.
conserve   · 많은 종류의 고급 커피 원두가 강한 맛을 보존하는 방법으로 카페인이 제거된다.
exploit   · 인간은 그 자신들이 혜택을 보기 위해 천연자원을 이용하는 경향이 있다.
chronological · 그 역사학자는 그 나라의 통치자들의 연대기 목록을 편집했다.
shrink   · 솔방울이 젖게 되면, 껍질이 수축한다.

1382 ☐☐☐ ★★

legislation

[lèdʒisléiʃən]

Ⓝ **law, law-making**　　　법률, 법률 제정

Congress passed a piece of **legislation** that will restrict the sale of soft drinks in school cafeterias.

➕ legislate Ⓥ 법률을 개정하다　legislative ⓐ 입법의, 입법부의

Tips　어원으로 어휘 확장하기

leg(is) 법 + lat 제안하다 + ion 명·접 ▶ 제안되어 만들어진 법률, 법을 만드는 입법 행위
➕ legal ⓐ 법의　legitimate ⓐ 정당한, 타당한

1383 ☐☐☐ ★★

contaminate

[kəntǽmənèit]

Ⓥ **pollute**　　　오염시키다

Industrial waste from factories may **contaminate** rivers.

➕ contamination Ⓝ 오염

1384 ☐☐☐ ★★

ally

Ⓥ[ǽlai]
Ⓝ[əlái]

Ⓥ **associate, unite**　　　동맹을 맺다, 연합하다

Ⓝ **partner, friend**　　　협력자, 동맹(국)

Britain **allied** with France during the Second World War.

The mayor has many **allies** on the city council who will vote for the new bill.

➕ alliance Ⓝ 동맹

Tips　어원으로 어휘 확장하기

al ~에(ad) + ly 묶다 ▶ 다른 상대에 묶어 한 팀으로 연합하다
➕ rely Ⓥ 의지하다, 신뢰하다　rally Ⓝ 집회 Ⓥ 다시 불러 모으다

---

legislation　· 의회는 학교 식당에서 탄산음료의 판매를 제한할 것이라는 하나의 법률을 통과시켰다.
contaminate　· 공장으로부터의 산업 폐기물은 강을 오염시킬 수 있다.
ally　　　　　· 영국은 제2차 세계 대전 동안 프랑스와 동맹을 맺었다.
　　　　　　· 시장은 새로운 법안에 찬성표를 던질 협력자들이 시의회에 많다.

1385 ☐☐☐ ★★

anthropology

[æ̀nθrəpáːlədʒi]

ⓝ **study of humans and their culture**　　인류학

In the **anthropology** course, Lina learned about cultures from around the world.

➕ anthropologist ⓝ 인류학자　anthropological ⓐ 인류학의

1386 ☐☐☐ ★★

blueprint

[blúːprìnt]

ⓝ **plan, draft**　　청사진, 계획

Our self-image is the **blueprint** which determines how we see the world. (수능)

1387 ☐☐☐ ★★

solemn

[sáːləm]

ⓐ **serious, earnest**　　엄숙한, 침통한, 근엄한

The man's **solemn** face conveyed the importance of the responsibilities given to him.

➕ solemnity ⓝ 침통함, 근엄함

1388 ☐☐☐ ★★

contagious

[kəntéidʒəs]

ⓐ **infectious, poisonous, spreading**　　전염성의, 전염되는

Many **contagious** diseases spread through carriers such as birds and mosquitoes. (학평)

➕ contagion ⓝ 전염, 전염병

Tips	시험에는 이렇게 나온다
	contagious disease 전염병　　　　contagious laughter 전염되는 웃음

1389 ☐☐☐ ★★

endow

[indáu]

ⓥ **donate, contribute**　　기부하다

The wealthy businessman promised to **endow** the orphanage with funds.

➕ endowment ⓝ 기부, 자질

---

anthropology　· 인류학 수업에서, Lina는 전 세계의 문화에 대해 배웠다.
blueprint　　· 우리의 자아상은 우리가 세상을 어떻게 보는지를 판단하는 청사진이다.
solemn　　　· 그 남자의 엄숙한 얼굴은 그에게 주어진 책임의 중요성을 전달해 주었다.
contagious　· 많은 전염성 질병은 새나 모기와 같은 매개체를 통해 퍼진다.
endow　　　· 그 부유한 사업가는 고아원에 자금을 기부하기로 약속했다.

1390 ☐☐☐ ★★

enforce

[infɔ́:rs]

Ⓥ **execute, carry out**　　시행하다, 집행하다

Traffic rules are strictly **enforced** by the police department in the city.

➕ enforcement ⓝ 시행, 집행

1391 ☐☐☐ ★

indispensable

[ìndispénsəbl]

ⓐ **essential, necessary, vital**　　필수적인, 없어서는 안 되는

Science is an **indispensable** source of information for the contemporary writer. (모평)

➖ dispensable ⓐ 없어도 되는, 불필요한

Tips　**시험에는 이렇게 나온다**

indispensable requisites 필수요건　　　　an indispensable obligation 피할 수 없는 의무

1392 ☐☐☐ ★★

plausible

[plɔ́:zəbl]

ⓐ **reasonable, possible, probable**　　그럴듯한, 정말 같은

The student made up a **plausible** excuse for why he didn't complete his homework.

➕ plausibility ⓝ 그럴듯함
➖ implausible ⓐ 믿기 어려운, 그럴듯하지 않은

Tips　**어원으로 어휘 확장하기**

plaus 박수 치다(plaud) + **ible** 할 수 있는 ▶ 박수를 쳐 줄 수 있을 만큼 이야기가 그럴듯한
➕ **possible** ⓐ 가능한, 있을 수 있는　**flexible** ⓐ 잘 구부러지는

1393 ☐☐☐ ★★

prevalent

[prévələnt]

ⓐ **common, general, widespread**　　일반적인, 널리 퍼져 있는

The most **prevalent** diseases of our times are related to modern lifestyles.

➕ prevail Ⓥ 널리 퍼져있다, 만연하다　　prevalence ⓝ 널리 퍼짐, 유행, 보급

---

enforce　　　　　· 교통 법규는 그 도시의 경찰서에 의해 엄격하게 시행된다.
indispensable　· 과학은 현대 작가에게 필수적인 정보의 원천이다.
plausible　　　 · 그 학생은 자신이 왜 숙제를 끝내지 않았는지에 대한 그럴듯한 변명을 만들어 냈다.
prevalent　　　 · 우리 시대에 가장 일반적인 질병들은 현대의 생활 방식과 연관이 있다.

1394 ☐☐☐ ★

engrave

[ingréiv]

☑ carve, sculpt, inscribe

새기다, 조각하다

Julie can **engrave** designs in all kinds of materials, such as wood, leather, and metal.

1395 ☐☐☐ ★

flush

[flʌʃ]

ⓝ blush, redness

(볼 등의) 홍조, 상기

A rosy **flush** arose on Lara's face as the workout became more intense.

1396 ☐☐☐ ★

lone

[loun]

ⓐ solitary, single

혼자 있는, 단 하나의

Lone animals rely on their own senses to defend themselves. 〈모평〉

➕ lonely ⓐ 외로운

1397 ☐☐☐ ★

variable

[vέəriəbl]

ⓐ changeable, unsteady

변덕스러운, 쉽게 변하는

ⓝ something that can be changed

변수

The **variable** weather is rather unpredictable this time of year.

The answers to some questions depend on **variables** that cannot be predicted in advance. 〈모평〉

➕ variation ⓝ 변화

➖ constant ⓐ 끊임없는, 지속적인   steady ⓐ 꾸준한, 안정된

Tips | **시험에는 이렇게 나온다**

dependent variable 종속 변수(다른 변수의 변화와는 관계없이 독립적으로 변화하는 변수)
independent variable 독립 변수(독립 변수의 변화에 따라 값이 결정되는 다른 변수)

---

engrave · Julie는 나무, 가죽, 그리고 금속과 같은 모든 종류의 소재에 무늬를 새길 수 있다.
flush · 운동이 더 격렬해지자 Lara의 얼굴에 장밋빛 홍조가 생겼다.
lone · 혼자 있는 동물들은 스스로를 지키기 위해 자신들의 감각에 의존한다.
variable · 매년 이맘때의 변덕스러운 날씨는 다소 예측할 수가 없다.
· 몇몇 질문에 대한 답은 미리 예측될 수 없는 변수에 따라 달라진다.

1398 □□□ ★

maximize
☑ make as large as possible 극대화하다

[mǽksəmàiz]

You cannot **maximize** the quality of the new knowledge you are taking in if you do not pay attention. (학평)

➕ maximization ⓝ 극대화   maximum ⓐ 최대의, 최고의 ⓝ 최대, 최고

1399 □□□ ★

synchronize
☑ co-occur, coincide 동시에 움직이다

[síŋkrənàiz]

Synchronized flocks make it difficult for predators to focus on a single individual. (학평)

➕ synchronization ⓝ 동기화   synchronously ⓐⓓ 동시 발생하게

1400 □□□ ★

nominal
ⓐ formal, ostensible 명목상의, 이름뿐인

[nάmənəl]

Though Chris is the **nominal** head of the team, Alex does more of the leadership work.

---

maximize · 만약 당신이 주의를 기울이지 않는다면, 당신이 받아들이고 있는 새로운 지식의 질을 극대화할 수 없다.
synchronize · 동시에 움직이는 무리들은 포식자들이 한 개체에게 집중하는 것을 어렵게 만든다.
nominal · 비록 Chris가 팀의 명목상 주장이지만, Alex가 리더의 일을 더 많이 한다.

Daily Quiz

A 알맞은 유의어를 고르세요.

01 legislation   ⓐ make as large as possible

02 synchronize   ⓑ law, law-making

03 engrave   ⓒ carve, sculpt, inscribe

04 anthropology   ⓓ specific, technical

05 maximize   ⓔ reasonable, possible, probable

06 specialized   ⓕ formal, ostensible

07 plausible   ⓖ changeable, unsteady

08 nominal   ⓗ study of humans and their culture

09 variable   ⓘ sequential, consecutive

10 chronological   ⓙ co-occur, coincide

B 밑줄 친 단어와 가장 뜻이 유사한 단어를 고르세요.

11 Mammals are able to live in an <u>incredible</u> variety of habitats.
     ⓐ specific   ⓑ automatic   ⓒ positive   ⓓ unbelievable

12 The fashion designer <u>launched</u> a new line of clothing for autumn.
     ⓐ included   ⓑ performed   ⓒ introduced   ⓓ maintained

13 Traffic rules are strictly <u>enforced</u> by the police department in the city.
     ⓐ involved   ⓑ executed   ⓒ decreased   ⓓ associated

14 The most <u>prevalent</u> diseases of our times are related to modern lifestyles.
     ⓐ serious   ⓑ necessary   ⓒ common   ⓓ reasonable

15 Science is an <u>indispensable</u> source of information for the contemporary writer.
     ⓐ solitary   ⓑ formal   ⓒ essential   ⓓ changeable

C 다음 빈칸에 들어갈 가장 알맞은 것을 박스 안에서 고르세요.

exploit   optimistic   imaginary   contaminate   endow   ally

16 The artist's work represents his _____ views on life.

17 Humans tend to _____ natural resources to benefit themselves.

18 Children may develop _____ friends around three or four years of age.

19 Industrial waste from factories may _____ rivers.

20 The wealthy businessman promised to _____ the orphanage with funds.

1401 □□□ ★★★

serve

[sə:rv]

| ⓥ offer, provide, give | 제공하다 |

| ⓥ act, do, perform | 역할을 하다, 근무하다 |

This restaurant **serves** authentic Vietnamese cuisine.

As a couple, actors Alex and Donna have **served** as goodwill ambassadors worldwide. 학평

➕ server ⓝ 시중드는 사람   serving ⓝ 1인분, 한 그릇   service ⓝ 서비스, 봉사, 근무

> **Tips** **어원으로 어휘 확장하기**
>
> **serv**(e) 섬기다 ▶ 상대를 섬기기 위해 음식을 차리거나 시중을 들며 봉사하다
>
> ➕ re**serve** ⓥ 예약하다   de**serve** ⓥ 마땅히 ~할 만하다

1402 □□□ ★★★

annoyed

[ənɔ́id]

| ⓐ irritate, bother, anger | 짜증이 나는, 약 오르는 |

If others do not accept our values, we become **annoyed** and angry. 수능

➕ annoyance ⓝ 짜증, 약이 오름   annoying ⓐ 짜증스러운, 성가신

1403 □□□ ★★★

consume

[kənsú:m]

| ⓥ spend, use | 소비하다, 소모하다 |

Nine-tenths of the wood **consumed** in the Third World is used for cooking and heating. 수능

➕ consumption ⓝ 소비(량), 소모(량)   consumer ⓝ 소비자

> **Tips** **어원으로 어휘 확장하기**
>
> con 모두(com) + **sum**(e) 취하다 ▶ 어떤 것을 취해서 모두 소비하다, 먹다
>
> ➕ pre**sum**e ⓥ 추정하다   re**sum**e ⓥ 다시 시작하다, 다시 차지하다

---

serve · 이 레스토랑은 진정한 베트남 요리를 제공한다.
· 부부로서, 배우 Alex와 Donna는 전 세계적으로 친선 대사의 역할을 해왔다.
annoyed · 만약 다른 사람들이 우리의 가치를 인정하지 않는다면, 우리는 짜증이 나고 화가 난다.
consume · 제3세계에서 소비되는 나무의 10분의 9는 요리와 난방에 사용된다.

property
[prá:pərti]

ⓝ real estate, possessions   부동산, 재산

The real estate agent gave Herman a tour of the rest of the property.

financial
[fainǽnʃəl]

ⓐ economic, commercial, fiscal   경제적인, 금융의

He worked hard to ensure the financial security of his family.

➕ finance ⓝ 재정, 재무   financially ⓐᵈ 재정적으로, 경제적으로

disaster
[dizǽstər]

ⓝ catastrophe, calamity   재해, 재난

Some people have lost their homes due to natural disasters or war. 학평

➕ disastrous ⓐ 재해의, 처참한, 파멸적인   disastrously ⓐᵈ 비참하게

valid
[vǽlid]

ⓐ effective, reasonable   유효한, 타당한

Our product warranty will be valid for one year from the date of purchase. 학평

➕ validity ⓝ 유효함, 타당성   validate ⓥ 입증하다, 인증하다

➖ invalid ⓐ 무효한, 근거 없는

> Tips   **어원으로 어휘 확장하기**
>
> **val** 가치 있는 + id 형·접 ▶ 가치가 인정되고 있는, 즉 유효한
>
> ➕ **val**ue ⓥ 가치 있게 여기다, 평가하다 ⓝ 가치   e**val**uate ⓥ 평가하다

session
[séʃən]

ⓝ period, meeting   시간, 기간

You can take photos with the singers after the question and answer session is finished. 학평

---

property   · 부동산 중개인은 Herman에게 나머지 부동산을 구경시켜 주었다.
financial   · 그는 가족의 경제적 안정을 보장하기 위해 열심히 일했다.
disaster   · 일부 사람들은 자연재해나 전쟁으로 인해 집을 잃었다.
valid   · 저희의 제품 보증서는 구입일로부터 1년간 유효할 것입니다.
session   · 질의응답 시간이 끝난 후에 당신은 가수들과 사진을 찍을 수 있다.

1409 ☐☐☐ ★★★

grant
[grænt]

n	award, subsidy	보조금
v	present, award, provide	(정식으로) 주다, 수여하다
v	allow, permit	허가하다, 승인하다

The graduate student received a research grant to study semiconductors.

The winner of the award will be granted a full scholarship for next semester. 편입

He was the only photographer granted backstage access for the Beatles' concert. 수능

Tips | **시험에는 이렇게 나온다**
take A for granted A를 당연하게 여기다

1410 ☐☐☐ ★★★

resistant
[rizístənt]

| a | opposed, enduring, immune | 저항력이 있는, 저항하는 |

The densely structured wood is resistant to invasion by insects. 수능

➕ resist v 저항하다, 견디다   resistance n 저항(력)

1411 ☐☐☐ ★★★

domestic
[dəméstik]

| a | national, local, not foreign | 국내의, 자국의 |
| a | household, private | 가정(용)의 |

The domestic oil, natural gas, and steel industries may require protection because of their importance to national defense. 수능

Both the husband and wife should share the domestic chores.

➕ domestically ad 가정적으로, 국내에서   domesticate v 길들이다, 가축화하다

Tips | **시험에는 이렇게 나온다**
domestic economy 국내 경제, 내수   domestic animals 가축
domestic waste 생활 폐기물   Gross Domestic Product (GDP) 국내 총생산

---

grant · 그 대학원생은 반도체를 연구하기 위한 연구 보조금을 받았다.
· 수상자에게는 다음 학기 전액 장학금이 주어질 것이다.
· 그는 비틀즈의 콘서트 무대 뒤 입장이 허가되었던 유일한 사진작가였다.
resistant · 빽빽하게 조직된 목재는 곤충의 침입에 저항력이 있다.
domestic · 국내 석유, 천연가스 그리고 철강 산업은 국방에 있어서 중요하기 때문에 보호를 필요로 할 수 있다.
· 남편과 아내는 모두 가정의 일을 나눠야 한다.

1412 ☐☐☐ ★ ★ ★

desperate

[déspərət]

ⓐ **long for, crave, in great need of**　　필사적인, 간절히 원하는

Cities are desperate to create the impression that they lie at the center of something. 수능

➕ desperately [ad] 필사적으로　desperation [n] 자포자기, 절망

Tips	**어원으로 어휘 확장하기**
	de 떨어져 + **sper** 희망 + ate 형·접 ▶ 희망에서 떨어진 상태인, 즉 절망적인
	➕ pro**sper** [v] 번영하다, 번창하다

1413 ☐☐☐ ★ ★ ★

temporal

[témpərəl]

ⓐ **time-related, worldly**　　시간의, 현세의

Physicists are concerned with both physical and temporal dimensions.

➕ temporary [a] 일시적인

1414 ☐☐☐ ★ ★ ★

revenue

[révənjù:]

ⓝ **income, earnings**　　수익, 세입

Increased commodity sales have generated additional revenues for the business.

➖ expenditure [n] 지출, 소비

1415 ☐☐☐ ★ ★ ★

intrinsic

[intrínzik]

ⓐ **inherent, inborn, fundamental**　　본질적인, 고유한

The necklace has little intrinsic value, but Mona cherishes it anyway.

➕ intrinsically [ad] 본질적으로

1416 ☐☐☐ ★ ★ ★

margin

[má:rdʒin]

ⓝ **end, limit, boundary, edge**　　여백, 가장자리, 한도

Many students' old textbooks have notes written in the margins.

➕ marginal [a] 가장자리의, 경계의

- -

desperate · 도시들은 그들이 무언가의 중심에 있다는 인상을 만들기 위해 필사적이다.
temporal · 물리학자들은 물리적 차원 및 시간적 차원 모두에 관심을 갖는다.
revenue · 증가된 상품 판매는 그 사업에 추가적인 수익을 창출해 주었다.
intrinsic · 그 목걸이는 본질적 가치가 거의 없지만, 어쨌든 Mona는 그것을 소중히 여긴다.
margin · 많은 학생들의 오래된 교과서에는 여백에 필기가 적혀 있다.

1417 ☐☐☐ ★★★

incorporate
ⓥ **include, contain, integrate**　　포함하다, 통합하다

[inkɔ́ːrpərèit]

Romance movies often incorporate the theme of intense love.

➕ incorporation ⓝ 합동, 합병

Tips　**어원으로 어휘 확장하기**
in 안에 + corpor 몸 + ate 동·접 ▶ 다른 것을 몸 안에 합쳐서 통합하다
➕ corporate ⓐ 기업의, 법인의, 단체의

1418 ☐☐☐ ★★

terminal
ⓐ **fatal, untreatable, last, final**　　(병 등의) 불치의, 말기의

[tɔ́ːrminəl]

A man was diagnosed with a terminal illness and given six months to live. 모평

➕ terminate ⓥ 끝내다, 종결시키다　termination ⓝ 종료, 종결, 만기

1419 ☐☐☐ ★★

surpass
ⓥ **outdo, exceed, excel**　　능가하다, 넘어서다

[sərpǽs]

The student's art project surpassed the teacher's expectation.

Tips　**어원으로 어휘 확장하기**
sur 위로(super) + pass 통과하다 ▶ 다른 것의 위로 통과하다, 즉 넘어서다
➕ passenger ⓝ 승객, 통행인　passport ⓝ 여권

1420 ☐☐☐ ★★

compact
ⓥ **compress, condense**　　압축하다, 응축시키다

[kəmpǽkt]

ⓐ **condensed, tight**　　밀집한, 치밀한

This distinctive trash can reduces garbage by compacting it.

The future of the Earth depends on more people gathering together in compact communities. 모평

➕ compactible ⓐ 압축할 수 있는, 굳힐 수 있는　compaction ⓝ 꽉 채움, 압축

---

incorporate · 로맨스 영화는 보통 열정적인 사랑이라는 소재를 포함한다.
terminal · 한 남자가 불치의 병을 진단 받고 6개월을 살 것이라고 통지받았다.
surpass · 그 학생의 미술 프로젝트는 교사의 기대를 능가했다.
compact · 이 독특한 쓰레기통은 쓰레기를 압축함으로써 그것을 줄일 수 있다.
· 지구의 미래는 더 많은 사람들이 밀집한 공동체 속에 함께 모이는 것에 달려 있다.

1421 ☐☐☐ ★★

clarity

[klǽrəti]

🄝 **clearness, lucidity**　　　　명료함, 명쾌함

Clarity is often a difficult thing for a leader to obtain. (모평)

➕ clarify ⓥ 명확히 하다, 분명히 하다
➖ obscurity 🄝 불분명, 모호

> Tips　어원으로 어휘 확장하기
>
> **clar** 명백한, 깨끗한 + ity 명·접 ▶ 명백함, 깨끗함
> ➕ de**clare** ⓥ 선언하다, 공표하다

1422 ☐☐☐ ★★

execute

[éksikjù:t]

ⓥ **perform, carry out**　　　　수행하다, 실행하다

ⓥ **kill, put to death**　　　　처형하다

The cheerleading squad practiced for weeks until they could execute their routine without any mistakes.

The Greek philosopher Socrates was executed by the poison in 339 BC. (학평)

➕ execution 🄝 처형, 실행　　executive 🄝 경영진 🄐 실행의, 행정의

> Tips　어원으로 어휘 확장하기
>
> **ex** 밖으로 + (s)**ecu** 따라가다 + (a)te 동·접 ▶ 계획에 따라 밖으로 나가 어떤 일을 실행하다
> ➕ pro**secu**te ⓥ 고발하다, 기소하다

1423 ☐☐☐ ★★

antecedent

[æntəsí:dnt]

🄝 **predecessor**　　　　전신, 선조

Founded in 1920, the League of Nations was the antecedent of the United Nations.

➕ antecede ⓥ 선행하다, ~에 앞서다　　antecedence 🄝 선행, 상위

---

clarity　　· 명료함은 종종 리더가 얻기 어려운 것이다.
execute　　· 응원단은 어떠한 실수도 없이 정해진 순서를 수행할 수 있을 때까지 몇 주 동안 연습했다.
　　　　　· 그리스 철학자 소크라테스는 기원전 339년에 독에 의해 처형되었다.
antecedent　· 1920년에 설립된 국제 연맹은 국제 연합의 전신이다.

1424 ☐☐☐ ★★

agenda

[ədʒéndə]

⃞ plan, program	의제, 안건

The first item on the agenda is the new marketing plan.

1425 ☐☐☐ ★★

commission

[kəmíʃən]

⃞ committee, board	위원(회)

⃞ fee, cut	수수료

⃝ order, hire	의뢰하다, 주문하다

Ms. Fang serves on the city's health commission.

The auto dealership employees get a commission for every car they sell.

In the past, it was common for countries to commission artists to create portraits of the king and queen.

➕ commissioner ⃞ 위원

Tips │ **시험에는 이렇게 나온다**

international commission 국제 위원회 　　　agent commission 대리점 수수료

1426 ☐☐☐ ★★

antibiotic

[æntibaiá:tik]

⃞ antiseptic	항생제, 항생물질

Garlic can be used as an antibiotic to treat fungal infections. (한영)

Tips │ **어원으로 어휘 확장하기**

anti 대항하여 + bio 생물 + tic 형·접 ▶ 세균 등의 다른 생물에 대항하는 항생 물질의

➕ antibody ⃞ 항체　antisocial ⓐ 반사회적인

---

agenda 　　· 의제의 첫 번째 항목은 새로운 마케팅 계획이다.
commission 　· Ms. Fang은 시 보건 위원회에서 근무한다.
　　　　　　· 자동차 대리점 직원들은 그들이 파는 모든 차에 대해 수수료를 받는다.
　　　　　　· 과거에는, 국가가 화가들에게 왕과 왕비의 초상화를 그리도록 의뢰하는 것이 일반적이었다.
antibiotic 　· 마늘은 곰팡이 감염을 치료하기 위한 항생제로 사용될 수 있다.

1427 □□□ ★★

upcoming

[ʌ́pkʌ̀miŋ]

ⓐ **approaching, imminent** 곧 있을, 다가오는

Sharon received a ticket to an upcoming tango concert from her friend. (모평)

Tips **어원으로 어휘 확장하기**

up 위로 + coming 오고 있는 ▶ 시간상 순서가 위로 오고 있는, 즉 다가오는

➕ upright ⓐ 똑바른, 수직의 [ad] 똑바로, 꼿꼿이 uphold ⓥ 지지하다

1428 □□□ ★★

fidelity

[fidéləti]

ⓝ **accuracy** 정확도

The advent of literacy strengthened the ability of complex ideas to spread with high fidelity. (수능)

1429 □□□ ★

sabotage

[sǽbətὰːʒ]

ⓥ **disrupt, hinder, damage** 방해하다, 고의로 파괴하다

People unknowingly sabotage their own work when they withhold help or information from others. (학평)

1430 □□□ ★

mischief

[místʃif]

ⓝ **prank, playfulness, misconduct** 장난, 나쁜 짓

He is a wild boy, always getting into mischief. (수능)

➕ mischiefful ⓐ 해로운

1431 □□□ ★

longitude

[lάːndʒətjùːd]

ⓝ **the angular distance** 경도

Longitude is a measurement of how far east or west you are.

🔲 latitude ⓝ 위도

---

upcoming · Sharon은 그녀의 친구로부터 곧 있을 탱고 콘서트 티켓을 받았다.
fidelity · 읽고 쓰는 능력의 출현은 복잡한 생각들이 높은 정확도로 확산되는 능력을 강화시켰다.
sabotage · 사람들은 다른 사람들로부터의 도움이나 정보를 허락하지 않을 때 자신도 모르게 자신의 일을 방해한다.
mischief · 그는 항상 장난을 치는 거친 소년이다.
longitude · 경도는 당신이 얼마나 동쪽 또는 서쪽에 있는지의 수치이다.

reconcile

v bring together, reunite　　　화해시키다, 조화시키다

[rékənsàil]

The international mediator attempted to reconcile the two countries.

➕ reconciliation ⓝ 화해, 조화

exhibition

ⓝ display, exhibit, show　　　전시회, 전시

[èksəbíʃən]

The theme of the exhibition is nature's beauty. 🔲

➕ exhibit ⓥ 전시하다, 진열하다

torture

ⓥ torment, harass　　　괴롭히다, 고문하다

[tɔ́:rtʃər]

Steve was tortured by guilt after treating the stranger rudely.

➕ torturous ⓐ 고문의, 고통스러운

> **Tips**　**어원으로 어휘 확장하기**
>
> tort 비틀다 + ure 명·접 ▶ 비틀어서 주는 고통 또는 고통을 주는 행위
>
> ➕ distort ⓥ 비틀다, 왜곡하다

transplant

ⓝ implant　　　이식(수술)

[trǽnsplænt]

ⓥ place in another context, relocate　　　이동시키다, 이식하다

The Eye Bank in Washington supports over 400 cornea transplants each year. 🔲

Migrant workers who have been transplanted to unfamiliar countries often face great hardships.

➕ transplantable ⓐ 이식할 수 있는　　transplantation ⓝ 이식 (수술)

---

reconcile · 국제 중재 기관은 두 국가를 화해시키려고 시도했다.
exhibition · 이 전시회의 주제는 자연의 아름다움이다.
torture · Steve는 낯선 사람에게 무례하게 대하고 나서 죄책감으로 인해 괴로워했다.
transplant · 워싱턴의 The Eye Bank는 매년 400개 이상의 각막 이식을 지원한다.
· 낯선 나라로 이동된 이주 노동자들은 종종 큰 어려움에 직면한다.

Daily Quiz

A 알맞은 유의어를 고르세요.

01	antecedent	ⓐ	period, meeting
02	session	ⓑ	prank, playfulness, misconduct
03	fidelity	ⓒ	income, earnings
04	revenue	ⓓ	accuracy
05	mischief	ⓔ	plan, program
06	margin	ⓕ	predecessor
07	sabotage	ⓖ	bring together, reunite
08	reconcile	ⓗ	long for, crave, in great need of
09	agenda	ⓘ	end, limit, boundary, edge
10	desperate	ⓙ	disrupt, hinder, damage

B 밑줄 친 단어와 가장 뜻이 유사한 단어를 고르세요.

11 Our product warranty will be <u>valid</u> for one year from the date of purchase.
    ⓐ fatal   ⓑ tight   ⓒ effective   ⓓ approaching

12 The necklace has little <u>intrinsic</u> value, but Mona cherishes it anyway.
    ⓐ economic   ⓑ opposed   ⓒ national   ⓓ inherent

13 The auto dealership employees get a <u>commission</u> for every car they sell.
    ⓐ building   ⓑ catastrophe   ⓒ fee   ⓓ subsidy

14 Romance movies often <u>incorporate</u> the theme of intense love.
    ⓐ act   ⓑ include   ⓒ irritate   ⓓ spend

15 This restaurant <u>serves</u> authentic Vietnamese cuisine.
    ⓐ exceeds   ⓑ compresses   ⓒ offers   ⓓ disrupt

C 다음 빈칸에 들어갈 가장 알맞은 것을 박스 안에서 고르세요.

temporal	terminal	antibiotic	clarity	resistant	property

16 Garlic can be used as a(n) _____ to treat fungal infections.

17 Physicists are concerned with both physical and _____ dimensions.

18 _____ is often a difficult thing for a leader to obtain.

19 A man was diagnosed with a(n) _____ illness and given six months to live.

20 The densely structured wood is _____ to invasion by insects.

정답

01 ⓕ	**02** ⓐ	**03** ⓓ	**04** ⓒ	**05** ⓑ	**06** ⓘ	**07** ⓙ
08 ⓖ	**09** ⓔ	**10** ⓗ	**11** ⓒ	**12** ⓓ	**13** ⓒ	**14** ⓑ
15 ⓒ	**16** antibiotic	**17** temporal	**18** Clarity	**19** terminal	**20** resistant	

1436 ☐☐☐ ★★★

achievement

[ətʃíːvmənt]

🄝 **feat, accomplishment, attainment**　　업적, 성취, 달성

It was once considered an amazing achievement to reach the summit of Mount Everest. 학평

➕ achieve ⓥ 성취하다, 달성하다

1437 ☐☐☐ ★★★

contrast

[káːntræst]

🄝 **difference, comparison**　　대조, 차이, 대비

In contrast to European mythology, dragons are associated with prosperity in Asian cultures.

Tips ┃ **어원으로 어휘 확장하기**

contra 반대의 + st 서다(sta) ▶ 반대하는 위치에 서 있어서 드러나는 차이, 대비
➕ contradict ⓥ 반박하다, 모순되다

1438 ☐☐☐ ★★★

independently

[ìndipéndəntli]

🄐🄓 **on one's own, in a solitary state**　　독립하여, 자주적으로

Joe felt ready to live independently and began to search for apartments.

➕ independent ⓐ 독립된, 독립적인
➖ dependently 🄐🄓 타인에 의지하여, 의존적으로

1439 ☐☐☐ ★★★

boundary

[báundəri]

🄝 **border, limit, edge, confine**　　경계, 한계

The boundary between good and bad is a reference point that depends on the immediate circumstances. 수능

---

achievement · 에베레스트산의 정상에 도달한 것은 한때 놀라운 업적으로 여겨졌다.
contrast · 유럽 신화와는 대조적으로, 용은 아시아 문화권에서 번영과 관련된다.
independently · Joe는 독립하여 살 준비가 되었다고 느껴서 아파트를 찾기 시작했다.
boundary · 선과 악 사이의 경계는 직면한 상황에 따라 달라지는 기준점이다.

struggle

[strʌ́gl]

| ⓥ strive, strain, contend | 씨름하다, 싸우다, 분투하다 |

| ⓝ effort, toil, endeavor | 노력, 분투, 몸부림 |

Billions of people around the world struggle with sleep disorders. (학평)

Only after some time and struggle does the student begin to develop insight. (수능)

➕ struggling ⓐ 분투하는

reputation

[rèpjutéiʃən]

| ⓝ name, renown, fame, honor | 평판, 명성 |

Our school is one of the oldest private schools in this district and has a good reputation. (학평)

➕ reputable ⓐ 명성 있는, 평판이 좋은

Tips | **어원으로 어휘 확장하기**

re 다시 + **put** 생각하다 + ation 명·접 ▶ 다시 생각이 날 만큼 대단한 명성

➕ dis**pute** ⓝ 분쟁, 논란   com**pute** ⓥ 계산하다, 산출하다

prompt

[prɑːmpt]

| ⓥ cause, provoke, elicit | 촉구하다, 자극하다 |

| ⓐ immediate, instant | 신속한, 즉각적인 |

Most overeating is prompted by emotion rather than physical hunger. (모평)

A prompt reply is appreciated in most business interactions.

➕ promptly ⓐⓓ 지체 없이, 즉시   promptness ⓝ 재빠름, 신속

Tips | **시험에는 이렇게 나온다**

prompt attention 즉각적인 관심   prompt reply 즉답

---

struggle   · 전 세계 수십억 명의 사람들이 수면 장애와 씨름한다.
　　　　　 · 약간의 시간과 노력을 기울인 후에야 비로소 학생은 통찰력이 생기기 시작한다.
reputation · 우리 학교는 이 지역에서 가장 오래된 사립학교 중 하나이며 좋은 평판을 갖고 있다.
prompt   · 대부분의 과식은 육체적인 배고픔보다는 감정에 의해 촉구된다.
　　　　　 · 대부분의 사업상 상호작용에서는 신속한 답변이 중시된다.

1443 ☐☐☐ ★★★

induce

[indjúːs]

| ⓥ cause, arouse, evoke | 야기하다, 유도하다 |

The anxiety induced by anticipating the loss of jobs damaged workers' health and well-being. (학평)

➕ inducement ⓝ 유인, 권유   induction ⓝ 유도   inductive ⓐ 유도의, 귀납적인

> **Tips** **어원으로 어휘 확장하기**
>
> in 안에 + duc(e) 이끌다 ▶ 안에 들어오도록 이끌다, 즉 유도하다
>
> ➕ introduction ⓝ 도입, 소개   conduct ⓥ 이끌다, 지휘하다

1444 ☐☐☐ ★★★

inflation

[infléiʃən]

| ⓝ a continuous increase in prices | 물가 상승, 통화 팽창 |

| ⓝ expansion, swelling, increase | 팽창 |

Inflation can be a major life concern for most people. (모평)

According to the theory, the universe began a rapid inflation following the Big Bang.

➕ inflate ⓥ 부풀리다, (가격을) 올리다

➖ deflation ⓝ 수축, 통화 수축

1445 ☐☐☐ ★★

skeptical

[sképtikəl]

| ⓐ doubting, dubious, suspicious | 회의적인 |

Many doctors are skeptical about the helpfulness of online medical information. (학평)

➕ skepticism ⓝ 회의론, 회의적 태도

1446 ☐☐☐ ★★

disposal

[dispóuzəl]

| ⓝ removal, clearance | 처리, 처분 |

That waste disposal was an essential service became apparent when the garbage collectors went on strike. (모평)

➕ dispose ⓥ 폐기하다, 처리하다, 배치하다   disposable ⓐ 일회용의

---

induce · 실직을 예상하면서 야기된 불안은 직원들의 건강과 행복을 손상시켰다.
inflation · 물가 상승은 대부분의 사람들에게 삶의 주요한 걱정거리가 될 수 있다.
· 그 학설에 의하면, 빅뱅 후에 우주는 빠른 팽창을 시작했다.
skeptical · 많은 의사들은 온라인 의료 정보의 유용성에 대해 회의적이다.
disposal · 쓰레기 처리가 필수 서비스라는 것은 쓰레기 수거업자들이 파업에 들어갔을 때 분명해졌다.

1447 ☐☐☐ ★★★

fluid

[flúːid]

ⓝ liquid, a liquid substance 액체, 유동체

The car battery was discharging some strange fluid.

➕ fluidity ⓝ 유동성

> Tips **어원으로 어휘 확장하기**
> flu 흐르다 + id 명·접 ▶ 흐르는 것, 즉 액체
> ➕ influence ⓝ 영향, 영향력 fluent ⓐ (언어가) 유창한, 능숙능란한

1448 ☐☐☐ ★★★

introvert

[íntrəvə̀ːrt]

ⓝ a shy or reserved person 내향적인 사람

Introverts tend to find public speaking intimidating and prefer being in smaller groups. 〔학평〕

➕ introverted ⓐ 내향적인

➖ extrovert ⓝ 외향적인 사람

> Tips **어원으로 어휘 확장하기**
> intro 안으로 + vert 돌리다 ▶ 생각, 감정을 표현하지 않고 안으로 돌리는, 즉 내성적인
> ➕ vertical ⓐ 수직의, 세로의 invert ⓥ 뒤집다, 거꾸로 하다

1449 ☐☐☐ ★★★

misery

[mízəri]

ⓝ distress, suffering, despair 불행, 고통, 비참(함)

The economic depression created misery for millions of people. 〔학평〕

➕ miserable ⓐ 비참한

> Tips **어원으로 어휘 확장하기**
> mis 잘못된 + ery 명·접 ▶ 잘못된 일이 가져오는 불행 또는 고통
> ➕ misuse ⓥ 오용하다, 남용하다 mislead ⓥ 잘못 인도하다, 오도하다

---

fluid · 그 자동차 배터리는 이상한 액체를 방출하고 있었다.
introvert · 내향적인 사람들은 대중 연설이 겁이 나는 것으로 생각하는 경향이 있고 더 작은 그룹에 있는 것을 선호한다.
misery · 경제 불황은 수백만 명의 사람들에게 불행을 초래했다.

1450 ☐☐☐ ★★

creep

[kriːp]

Ⓥ **crawl, sneak**   기다, 살금살금 움직이다

Liz saw a dark figure creep into the open and draw near to the trees. 모평

1451 ☐☐☐ ★★

obesity

[oubíːsəti]

Ⓝ **fatness, chubbiness, overweight**   비만

Obesity refers to having too much fat in our body. 학평

➕ obese ⓐ 비만의, 뚱뚱한

Tips **시험에는 이렇게 나온다**

obesity rate 비만율   obesity crisis 비만 위기

1452 ☐☐☐ ★★

entitle

[intáitl]

Ⓥ **authorize, empower, warrant**   권리를 주다, 자격을 주다

Ⓥ **call, name**   ~이라는 제목을 붙이다

I am entitled to receive a full refund within 2 months. 학평

He wrote a brief introduction to economics entitled *The Economic Organization*. 수능

➕ entitlement ⓝ 자격, 권리

Tips **어원으로 어휘 확장하기**

en 하게 만들다 + title 지위, 제목 ▶ 지위를 갖게 만들어 어떤 일을 할 자격 또는 권리를 주다
➕ enrich Ⓥ 부유하게 하다, 풍요롭게 하다   ensure Ⓥ 확실하게 하다

1453 ☐☐☐ ★★

sensational

[senséiʃənəl]

ⓐ **startling, extraordinary**   충격적인, 놀라운, 굉장한

The news report was so sensational that many didn't believe it.

➕ sensation ⓝ 세상을 떠들썩하게 하는 사건

---

creep   · Liz는 어두운 형체가 공터로 기어들어 가 나무들 가까이로 다가가는 것을 보았다.
obesity   · 비만은 우리 몸에 지방이 너무 많은 것을 나타낸다.
entitle   · 나는 2개월 이내에 전액 환불을 받을 권리가 있다.
             · 그는 '경제 기구'라는 제목이 붙은 경제학에 대한 간단한 소개서를 썼다.
sensational · 뉴스 보도는 너무 충격적이어서 많은 사람들이 그것을 믿지 않았다.

1454 □□□ ★★★

conservative

[kənsə́:rvətiv]

ⓐ traditional, conventional

보수적인

People were very conservative by today's standards during the Victorian era.

➕ conserve ⓥ 보호하다, 보존하다   conservation ⓝ 보호, 보존

➖ progressive ⓐ 진보적인

Tips **시험에는 이렇게 나온다**

conservative party 보수당, 보수적인 정당   conservative statement 보수적인 발언
conservative view 보수적인 생각

1455 □□□ ★★★

stun

[stʌn]

ⓥ shock, astonish, astound

놀라게 하다, 기절시키다

Pam was stunned to see that her living room rug was on fire.

➕ stunning ⓐ 굉장히 멋진, 깜짝 놀랄 만한

1456 □□□ ★★★

steer

[stiər]

ⓥ guide, drive, direct

조종하다, 이끌다

The rider sits on a saddle and steers by turning handlebars that are attached to the fork. (모의)

➕ steerable ⓐ 조종 가능한

1457 □□□ ★

evade

[ivéid]

ⓥ avoid, escape, flee

회피하다, 빠져나가다

Wealthy members of the community continually find ways to evade paying taxes. (학평)

➕ evasion ⓝ 회피, 모면   evasive ⓐ 회피적인

Tips **어원으로 어휘 확장하기**

e 밖으로(ex) + vad(e) 가다 ▶ 밖으로 나가서 어떤 것을 피하다

➕ invade ⓥ 쳐들어가다, 침략하다, 침해하다   pervade ⓥ 널리 퍼지다, 고루 미치다

---

conservative · 오늘날의 기준으로 볼 때 빅토리아 시대에는 사람들이 매우 보수적이었다.
stun · Pam은 그녀의 거실 양탄자에 불이 붙은 것을 보고 놀랐다.
steer · 타는 사람은 안장에 앉아 포크에 부착된 핸들 바를 돌려서 조종한다.
evade · 부유한 지역 사회 구성원들이 계속해서 납세를 회피할 방법을 찾는다.

1458 ☐☐☐ ★

vain

[vein]

ⓐ **futile, pointless, useless**   헛된, 쓸데없는, 허영심 강한

The lawyer made several **vain** attempts to prove his client innocent.

➕ vanity ⓝ 헛됨, 자만심

1459 ☐☐☐ ★

inventory

[ínvəntɔːri]

ⓝ **list of stock, stock, supply**   물품 목록, 재고품

The merchant reduced **inventory** to balance supply and demand. 〔모평〕

1460 ☐☐☐ ★

respiration

[rèspəréiʃən]

ⓝ **breathing**   호흡

When we dream, along with rapid eye movement, our heart rates increase and our **respiration** is also elevated. 〔학평〕

➕ respire ⓥ 호흡하다   respiratory ⓐ 호흡의, 호흡 기관의

1461 ☐☐☐ ★

mortgage

[mɔ́ːrgidʒ]

ⓝ **loan, lending**   담보 대출

If you fail to keep up your **mortgage** payments, the bank can sell your property. 〔학평〕

Tips | **시험에는 이렇게 나온다**

have a mortgage 담보 대출이 있다	mortgage payment 담보 대출금
mortgage interest rate 담보 대출 이자율	

1462 ☐☐☐ ★

unify

[júːnəfài]

ⓥ **unite, combine, integrate**   통합하다, 통일하다

The government has decided to **unify** international Korean language schools under the name "King Sejong Institute." 〔학평〕

➕ unified ⓐ 통합된, 통일된   unification ⓝ 통합, 통일

---

vain · 그 변호사는 그의 의뢰인이 무죄라는 것을 증명하기 위해 여러 헛된 시도를 했다.
inventory · 상인은 공급과 수요의 균형을 맞추기 위해 재고를 줄였다.
respiration · 우리가 꿈을 꿀 때, 빠른 눈의 움직임과 함께, 우리의 심장 박동수는 증가하고 우리의 호흡도 빨라진다.
mortgage · 만약 당신이 담보 대출금을 계속 지불하지 못한다면, 은행은 당신의 부동산을 팔 수 있다.
unify · 정부는 '세종학당'이라는 이름으로 국제 한국어 학교를 통합하기로 결정했다.

1463 ☐☐☐ ★

exquisite

[ikskwízit]

ⓐ **beautiful, refined, delicate**

매우 아름다운, 정교한

Tan wished to present to his emperor a gift of an exquisite square tile. (학평)

➕ exquisitely ⓐⓓ 절묘하게, 정교하게

Tips 어원으로 어휘 확장하기

ex 밖으로 + quisit(e) 구하다 ▶ 구한 것을 밖으로 내어 자랑할 만큼 매우 아름다운
➕ requisite ⓐ 필요한 ⓝ 필수품, 필요 조건

1464 ☐☐☐ ★

astrology

[əstrá:lədʒi]

ⓝ **horoscope**

점성술, 점성학

In popular TV astrology shows, people ask whether the eclipse will mean years of bad luck. (학평)

➕ astrologer ⓝ 점성술사, 점성가

Tips 어원으로 어휘 확장하기

astro 별 + log 말 + y 명·접 ▶ 별을 보고 미래를 점쳐서 말하는 점성술
➕ astronomy ⓝ 천문학   astronaut ⓝ 우주 비행사

1465 ☐☐☐ ★

commence

[kəméns]

ⓥ **begin, start, originate, initiate**

시작하다, 착수하다

The film festival commenced on Saturday morning and lasted until Sunday night.

➕ commencement ⓝ 시작, 개시

1466 ☐☐☐ ★★

mere

[miər]

ⓐ **nothing more than, insignificant**

~에 불과한, 겨우 ~의

War is a mere continuation of politics by other means. (수능)

➕ merely ⓐⓓ 그저, 단지

---

exquisite · Tan은 그의 황제에게 매우 아름다운 정사각형 타일을 선물로 바치기를 원했다.
astrology · 인기 있는 TV 점성술 쇼에서, 사람들은 일식이 수년간의 불운을 의미하는지 묻는다.
commence · 그 영화제는 토요일 아침에 시작하여 일요일 밤까지 계속되었다.
mere · 전쟁은 다른 수단에 의한 정치의 연속에 불과하다.

1467 □□□ ★

bizarre

[bizάːr]

ⓐ **strange, odd**   이상한, 기괴한

Everyone stared at the young woman because her dress was so bizarre.

Tips | **시험에는 이렇게 나온다**

bizarre behavior 기이한 행위   a bizarre taste 별난 취미
bizarre-shaped 기괴한 모양

1468 □□□ ★

turnover

[tə́ːrnòuvər]

ⓝ **rate of replacement**   이직률, 매출액(량)

One of the methods to help reduce turnover is by hiring the right people for the job. (학원)

1469 □□□ ★★

executive

[igzékjutiv]

ⓝ **administrator, director, manager**   임원, 경영 간부

ⓐ **administrative, governing**   경영의, 행정적인

A newly retired executive was bothered when no one called him anymore. (학원)

The executive team has been meeting regularly to come up with new ways to boost business.

➕ execute ⓥ 실행하다, 처형하다   execution ⓝ 실행, 처형

1470 □□□ ★★★

cater

[kéitər]

ⓥ **provide food and drink**   (음식을) 제공하다

ⓥ **gratify, tend**   요구를 채워주다

The food service business catered the dinner for our company event.

Online degree programs cater to workers with busy schedules.

---

bizarre · 젊은 여자의 드레스가 너무 이상했기 때문에 모든 사람들이 그녀를 빤히 쳐다보았다.
turnover · 이직률을 줄이는 데 도움이 되는 방법 중 하나는 그 일에 적합한 사람을 고용하는 것이다.
executive · 새로 퇴직한 임원은 더 이상 아무도 그를 부르지 않자 신경이 쓰였다.
· 경영진은 사업을 활성화하기 위한 새로운 방안을 마련하기 위해 정기적으로 회의를 해왔다.
cater · 그 요식업체는 우리 회사 행사에 저녁 식사를 제공했다.
· 온라인 학위 프로그램은 바쁜 일정의 직장인들의 요구를 채워준다.

Daily Quiz

A 알맞은 유의어를 고르세요.

01 reputation		ⓐ removal, clearance
02 induce		ⓑ horoscope
03 steer		ⓒ a shy or reserved person
04 unify		ⓓ list of stock, stock, supply
05 turnover		ⓔ rate of replacement
06 boundary		ⓕ cause, arouse, evoke
07 disposal		ⓖ name, renown, fame, honor
08 inventory		ⓗ unite, combine, integrate
09 astrology		ⓘ guide, drive, direct
10 introvert		ⓙ border, limit, edge, confine

B 밑줄 친 단어와 가장 뜻이 유사한 단어를 고르세요.

11 Most overeating is <u>prompted</u> by emotion rather than physical hunger.
　ⓐ united　　　　ⓑ authorized　　　　ⓒ caused　　　　ⓓ shocked

12 Many doctors are <u>skeptical</u> about the helpfulness of online medical information.
　ⓐ beautiful　　　ⓑ immediate　　　　ⓒ extraordinary　　ⓓ doubting

13 The film festival <u>commenced</u> on Saturday morning and lasted until Sunday night.
　ⓐ began　　　　ⓑ caused　　　　　ⓒ guided　　　　ⓓ shocked

14 The lawyer made several <u>vain</u> attempts to prove his client innocent.
　ⓐ strange　　　　ⓑ administrative　　ⓒ insignificant　　ⓓ futile

15 Billions of people around the world <u>struggle</u> with sleep disorders.
　ⓐ combine　　　　ⓑ sneak　　　　　ⓒ strive　　　　ⓓ encourage

C 다음 빈칸에 들어갈 가장 알맞은 것을 박스 안에서 고르세요.

misery	evade	mere	conservative	bizarre	achievement	

16 War is a(n) ＿＿＿＿＿＿ continuation of politics by other means.

17 The economic depression created ＿＿＿＿＿＿ for millions of people.

18 Wealthy members of the community continually find ways to ＿＿＿＿＿＿ paying taxes.

19 It was once considered an amazing ＿＿＿＿＿＿ to reach the summit of Mount Everest.

20 People were very ＿＿＿＿＿＿ by today's standards during the Victorian era.

음성 바로 듣기

1471 ☐☐☐ ★★★

circumstance

ⓝ situation, condition, surroundings 　상황, 환경

[sə́:rkəmstæns]

When humans encounter a dangerous circumstance, their breathing becomes faster and their heart rate increases. 〔학평〕

➕ circumstantial ⓐ 정황(상황)적인

Tips 어원으로 어휘 확장하기

circum 둘레 + sta 서다 + (a)nce 명·접 ▶ 서 있는 곳의 둘레, 즉 환경

➕ circumference ⓝ 원주, (구의) 둘레

1472 ☐☐☐ ★★★

ground

ⓝ base, land, earth 　땅, 지면

[graund]

ⓝ basis, reason, cause 　이유, 근거

The plant's stems grew long and straight out of the ground.

Kant believed that there are rational grounds for all of our actions.

➕ groundless ⓐ 근거 없는, 사실무근의

Tips 시험에는 이렇게 나온다

on the ground 현장에서 　　　　common ground (관심·이해의) 공통 기반, 공통점

on firm ground 확실한 증거에 입각하여

1473 ☐☐☐ ★★★

capacity

ⓝ ability, capability, competence 　능력, 재능

[kəpǽsəti]

Running improves aerobic capacity, which in turn enhances your endurance. 〔학평〕

➖ incapacity ⓝ 무능력, 기술 부족

---

circumstance · 인간이 위험한 상황을 직면하면, 그들의 호흡은 빨라지고 심박수는 높아진다.
ground 　　· 그 식물의 줄기는 땅 밖으로 길고 곧게 자랐다.
　　　　　· 칸트는 우리의 모든 행동에는 합리적인 이유가 있다고 믿었다.
capacity 　· 달리기는 유산소 능력을 향상시키고, 이것은 결국 당신의 지구력을 향상시킨다.

1474 □□□ ★★★

promote

[prəmóut]

ⓥ encourage, boost, uphold 촉진하다, 장려하다

ⓥ advertise, market 홍보하다

ⓥ raise, advance 승진시키다

The government policy will promote the creation of new businesses.

We should look for better ways to promote our products. (학평)

Self-confident people tend to get promoted more than those who lack self-esteem.

➊ promotion ⓝ 홍보, 승진, 진급   promotional ⓐ 홍보의, 판촉의

Tips **시험에는 이렇게 나온다**

get promoted 승진하다   promote social welfare 사회 복지를 촉진시키다
promote invention 발명을 장려하다

1475 □□□ ★★★

narrow

[nǽrou]

ⓐ restricted, confined 좁은

Birds use their long, narrow beaks to get the flower's sweet liquid called nectar. (수능)

➊ narrowly ⓐd 가까스로, 간신히
➋ broad ⓐ (폭이) 넓은

1476 □□□ ★★★

intend

[inténd]

ⓥ plan, aim, mean 의도하다, 작정하다

Ask yourself why you have failed to do what you intended. (수능)

➊ intention ⓝ 의도, 목적   intentional ⓐ 의도적인

Tips **어원으로 어휘 확장하기**

in 안에 + tend 뻗다 ▶ 마음 안의 의도가 어떤 쪽으로 뻗다, 즉 그럴 작정이다
➊ extend ⓥ 뻗다, 확장하다

---

promote · 정부의 정책은 새로운 사업의 창출을 촉진할 것이다.
· 우리는 우리의 제품을 홍보할 더 나은 방법을 찾아야 한다.
· 자신감 있는 사람들이 자존감이 부족한 사람들보다 더 많이 승진되는 경향이 있다.
narrow · 새들은 꿀이라고 불리는 꽃의 달콤한 액체를 얻기 위해 길고 좁은 부리를 사용한다.
intend · 당신이 의도했던 것을 왜 하지 못했는지 당신 스스로에게 물어보라.

1477 ☐☐☐ ★★★

contract

n [kántrækt]
v [kəntrǽkt]

n	deal, agreement	계약, 약정
v	condense, shrink	줄이다, 수축하다
v	go down with, be afflicted with	(병에) 걸리다

I was able to make a contract with the company in better terms than we had expected. (학평)

The professor decided to contract his lesson plan because he only had an hour for his lecture.

The students contracted malaria during the field trip.

Tips **어원으로 어휘 확장하기**

con 함께(com) + tract 끌다 ▶ 양쪽 당사자들을 함께 끌어와서 계약하다

➕ abstract v 추출하다, 끌어내다 ⓐ 추상적인 subtract v 빼다, 덜다

1478 ☐☐☐ ★★★

justify

[dʒʌ́stəfài]

| v | legitimize, advocate | 정당화하다 |

Two irresistibly romantic gardens justify its reputation as 'the place where poets go to die.' (수능)

➕ justification n 정당화, 정당한 이유   justified ⓐ 정당한, 납득이 되는

Tips **어원으로 어휘 확장하기**

just 올바른 + ify 동·접 ▶ 올바른 것으로 만들다, 즉 정당화하다

➕ justice n 정의, 정당성 adjust v 맞추다, 적응하다, 조정하다

1479 ☐☐☐ ★★★

depress

[diprés]

| v | sadden, upset, distress | 우울하게 하다, 침체시키다 |

Depressed people often feel indifferent about the things that they once enjoyed.

➕ depressed ⓐ 우울한, 암울한   depression n 우울(증), 불경기

➖ delight v 기쁨을 주다

---

contract · 나는 우리가 예상했던 것보다 더 좋은 조건으로 그 회사와 계약을 할 수 있었다.
· 그 교수는 강의 시간이 한 시간밖에 없었기 때문에 수업 계획을 줄이기로 결정했다.
· 학생들은 현장 학습 중에 말라리아에 걸렸다.
justify · 두 개의 거부할 수 없을 정도로 낭만적인 정원은 '시인들이 죽으러 가는 곳'이라는 그곳의 명성을 정당화한다.
depress · 우울해하는 사람들은 그들이 한때 즐겼던 것들에 대해 종종 무관심하게 느낀다.

1480 ☐☐☐ ★ ★ ★

compel

[kəmpél]

Ⓥ oblige, require, constrain

(억지로) ~하게 하다, 강요하다

A food labeled "free" of a food dye will compel some consumers to buy that product. 한평

➕ compelling ⓐ 눈을 뗄 수 없는, 설득력 있는   compulsory ⓐ 강제적인, 의무적인

　compulsion ⓝ 강요, 충동

Tips | **어원으로 어휘 확장하기**

com 함께 + pel 끌어내다 ▶ 억지로 다 함께 끌어내어 어떤 일을 하도록 강요하다

➕ propel Ⓥ 나아가게 하다, 추진하다   expel Ⓥ 쫓아내다, 추방하다

1481 ☐☐☐ ★ ★ ★

intake

[íntèik]

ⓝ consumption, absorption

섭취(량), 흡입(물)

You need to increase your water intake to revive your brain function. 한평

Tips | **시험에는 이렇게 나온다**

food intake 음식 섭취   energy intake 에너지 섭취량

1482 ☐☐☐ ★ ★ ★

telescope

[téləskòup]

ⓝ spyglass

망원경

Giant telescopes are used to detect distant galaxies.

Tips | **어원으로 어휘 확장하기**

tele 멀리 + scope 보다 ▶ 멀리 보는 데 쓰는 망원경

➕ telegraph ⓝ 전보, 전신   telecommunication ⓝ 원격 통신, 원거리 전기통신

1483 ☐☐☐ ★ ★ ★

draft

[dræft]

ⓝ outline, sketch

원고, 초안

A proofreader will often make slight changes to the final draft of a novel.

---

compel　　· 식품 염료가 "없음"으로 라벨이 붙여진 식품은 일부 소비자들이 그 제품을 구매하게 할 것이다.
intake　　· 당신은 뇌 기능을 회복하기 위해서 수분 섭취를 늘려야 한다.
telescope　· 거대 망원경은 멀리 떨어져 있는 은하계를 발견하는 데 사용된다.
draft　　　· 교정자는 종종 소설의 최종 원고에 약간의 변화를 줄 것이다.

1484 ☐☐☐ ★★★

command

[kəmǽnd]

ⓝ order, dictate, instruction	명령, 지시
ⓥ order, demand	명령하다, 지휘하다
ⓝ fluency, mastery, knowledge	구사력, 능력, 지식
ⓥ have a particular view	내려다보다

The troops obeyed every command the officer made.

The soldier commanded him to leave his home. 🅗

Those who have a good command of English will have a better chance of getting the internship. 🅜

She heard that Green Park's camping sites command a nice view of a lake. 🅗

➕ commander ⓝ 사령관, 지휘관

1485 ☐☐☐ ★★

crush

[krʌʃ]

| ⓥ break, crash, smash | 박살 내다, 눌러 부수다 |
| ⓥ overwhelm, put down, subdue | (희망, 사기를) 꺾다 |

We had to abandon our ship when the ice crushed the boat. 🅗

The news that the proposal to build a new subway station had been rejected crushed residents of the neighborhood.

1486 ☐☐☐ ★★★

sob

[sɑːb]

| ⓥ cry hard, shed tears | 흐느껴 울다, 훌쩍거리다 |

As she got out of her car, she noticed a girl sitting on the street sobbing. 🅜

---

command
· 그 군대는 장교가 내리는 모든 명령에 복종했다.
· 그 군인은 그에게 집을 떠나라고 명령했다.
· 영어의 좋은 구사력을 가진 사람들은 인턴쉽을 딸 수 있는 더 좋은 기회를 가질 것이다.
· 그녀는 Green Park의 캠핑장이 호수의 멋진 경치를 내려다본다는 것을 들었다.

crush
· 우리는 얼음이 배를 박살 냈을 때 배를 버려야 했다.
· 새로운 지하철역을 건설하자는 제안이 거부되었다는 소식은 인근 주민들의 사기를 꺾었다.

sob
· 그녀가 차에서 내리자 길거리에 앉아 흐느껴 울고 있는 한 소녀를 발견했다.

1487 ☐☐☐ ★ ★ ★

tremble

[trémbl]

ⓥ **shake, shiver, quake**　　(몸을) 떨다, 흔들리다

He trembled uncontrollably and could hardly move. (학평)

1488 ☐☐☐ ★ ★

alien

[éiljən]

ⓐ **foreign, exotic, remote**　　이질적인, 생경한

Some concepts that are common in wealthy nations are alien to people in the developing world.

➕ alienate ⓥ 소원하게 만들다, 멀어지게 만들다　　alienation ⓝ 멀리함, 소외

➖ familiar ⓐ 익숙한, 친숙한

1489 ☐☐☐ ★

confess

[kənfés]

ⓥ **admit, acknowledge, come clean**　　고백하다, (죄를) 자백하다

He later confessed that he was having a great deal of trouble completing his tasks. (모평)

➕ confession ⓝ 고백, 자백

Tips | **어원으로 어휘 확장하기**
con 모두(com) + fess 말하다 ▶ 감추는 것 없이 모두 말하여 고백하다
➕ profess ⓥ 공언하다, 주장하다

1490 ☐☐☐ ★ ★

outlook

[áutlùk]

ⓝ **view, opinion, perspective**　　전망, 관점

Given the rising inflation rate and lack of jobs, the outlook for the economy is poor.

Tips | **어원으로 어휘 확장하기**
out 밖으로 + look 보다 ▶ 밖으로 내다볼 때 보이는 경치
➕ outlet ⓝ 배출구, 방수구　　outbreak ⓝ 발생, 발발

---

tremble　· 그는 걷잡을 수 없이 몸을 떨었고 거의 움직일 수 없었다.
alien　· 부유한 나라에서 흔한 몇몇 개념들은 개발도상국의 사람들에게는 이질적이다.
confess　· 그는 자신의 임무를 완수하는 데 큰 어려움을 겪고 있었다고 나중에 고백했다.
outlook　· 증가하는 물가상승률과 일자리의 부족을 고려해 보면, 경기 전망이 좋지 않다.

1491 ☐☐☐ ★★

overstate

[òuvərstéit]

ⓥ **exaggerate, overdo**

과장하다

The role of science can sometimes be overstated, with its advocates slipping into scientism. 수능

1492 ☐☐☐ ★★

treaty

[trí:ti]

ⓝ **agreement, contract**

조약, 계약

The two countries finally signed a treaty, ushering in a new era of peace.

1493 ☐☐☐ ★★

restraint

[ristréint]

ⓝ **limitation, constraint, restriction**

제약, 통제

Directors generally work under tight budget and time restraints. 학평

➕ restrain ⓥ 제한하다, 자제하다

1494 ☐☐☐ ★★★

hierarchy

[háiərà:rki]

ⓝ **class system, social order**

계층, 계급

Chimpanzees have a complex, male-dominated social hierarchy.

➕ hierarchical ⓐ 계급에 따른

1495 ☐☐☐ ★★★

suspend

[səspénd]

ⓥ **discontinue, interrupt**

(일시) 중지하다, 정학시키다

ⓥ **hang, dangle, swing**

매달다, 걸다

Renovations were suspended while the building was undergoing a safety inspection.

The workers suspended the lights from the ceiling of the lobby.

➕ suspension ⓝ 중단, 정학

---

overstate ・ 과학의 옹호자들이 과학만능주의에 빠져들면서, 과학의 역할은 때때로 과장될 수 있다.
treaty ・ 양국은 마침내 조약을 체결하여, 새로운 평화의 시대를 열었다.
restraint ・ 감독은 일반적으로 빠듯한 예산과 시간 제약 아래에서 일한다.
hierarchy ・ 침팬지는 복잡하고 남성 주도적인 사회 계층을 가지고 있다.
suspend ・ 그 건물이 안전 점검을 받고 있던 동안 보수 공사가 중지되었다.
・ 인부들이 로비의 천장에 전등을 매달았다.

1496 ☐☐☐ ★★

authorize
[ɔ́ːθəràiz]

Ⓥ **permit, sanction, entitle**   권한을 부여하다, 허가하다

He was appointed a member of the commission authorized to build 50 churches in London. (학평)

➕ authorization Ⓝ 허가   authorized ⓐ 공인된

1497 ☐☐☐ ★★★

biodiversity
[bàioudaivə́ːrsəti]

Ⓝ **variety**   생물의 다양성

The loss of biodiversity has generated concern over the consequences to ecosystems. (수능)

1498 ☐☐☐ ★

accentuate
[ækséntʃuèit]

Ⓥ **emphasize, reinforce, underline**   강조하다, 역설하다

The model's makeup accentuated her features.

➕ accentuation Ⓝ 강조, 역설

1499 ☐☐☐ ★

manuscript
[mǽnjuskrìpt]

Ⓝ **article, document, text**   원고, 필사본

To participate in the contest, you should sign up on the website first by submitting your manuscript. (학평)

Tips   **어원으로 어휘 확장하기**

manu 손 + script 쓰다(scrib) ▶ 손으로 쓴 것, 원고

➕ manual ⓐ 손의, 손으로 하는

1500 ☐☐☐ ★

afloat
[əflóut]

ⓐ **buoyant, floating, drifting**   (물, 공중에) 떠서, 표류하여

A fish's swim bladder stores air much like a balloon does, allowing the fish to stay afloat. (학평)

Tips   **시험에는 이렇게 나온다**

be afloat (배가) 항해 중이다   cargo afloat 해상의 화물
life afloat 해상 생활

---

authorize   · 그는 런던에서 50개의 교회를 짓도록 권한을 부여받은 위원회의 일원으로 임명되었다.
biodiversity   · 생물 다양성의 손실은 생태계에 끼칠 영향에 대한 우려를 낳았다.
accentuate   · 그 모델의 화장은 그녀의 이목구비를 강조했다.
manuscript   · 공모전에 참가하려면 원고를 제출하면서 먼저 웹사이트에 가입해야 한다.
afloat   · 물고기의 부레는 마치 풍선이 그러는 것처럼 공기를 저장하여 물고기가 떠 있을 수 있도록 해준다.

metropolitan

ⓐ relating to a large city

대도시의

[mètrəpálitən]

The city had grown to a large metropolitan hub that functioned as the business center of the country.

➕ metropolis ⓝ 주요 도시, 대도시   metropolitanism ⓝ 대도시주의

complicate

ⓥ make difficult, confuse

복잡하게 만들다

[ká:mpləkèit]

Adding an extra step would complicate our production process needlessly.

➕ complicated ⓐ 복잡한   complication ⓝ 복잡(화), 복잡한 문제

Tips | 어원으로 어휘 확장하기

com 함께 + plic 꼬다 + ate 동·접 ▶ 여러 가지를 함께 꼬아 복잡하게 하다
➕ replicate ⓥ 복제하다

exhale

ⓥ breathe out

내쉬다

[ekshéil]

She relaxed her hands and exhaled a deep breath.

➕ exhalation ⓝ 발산, 숨을 내쉼
➖ inhale ⓥ 숨을 들이마시다

overdue

ⓐ belated, delayed

연체된, 지체된

[òuvərdú:]

A list of the students with overdue books will be posted on the school website. (학평)

hibernate

ⓥ lie dormant

동면하다

[háibərnèit]

Bears hibernate throughout the winter in order to stay warm and conserve energy.

➕ hibernation ⓝ 동면

---

metropolitan · 그 도시는 나라의 비즈니스 센터로서의 역할을 하는 큰 대도시 중심지로 성장했다.
complicate · 추가 단계를 더하는 것은 우리의 생산 공정을 불필요하게 복잡하게 만들 것이다.
exhale · 그녀는 두 손의 긴장을 풀고 깊은숨을 내쉬었다.
overdue · 연체 도서가 있는 학생들의 명단은 학교 웹사이트에 게시될 것이다.
hibernate · 곰은 따뜻하게 유지하고 에너지를 보존하기 위해 겨울 내내 동면한다.

Daily Quiz

A 알맞은 유의어를 고르세요.

01 alien   ⓐ situation, condition, surroundings

02 overstate   ⓑ break, crash, smash

03 afloat   ⓒ basis, reason, cause

04 sob   ⓓ relating to a large city

05 compel   ⓔ exaggerate, overdo

06 circumstance   ⓕ cry hard, shed tears

07 crush   ⓖ class system, social order

08 metropolitan   ⓗ oblige, require, constrain

09 hierarchy   ⓘ foreign, exotic, remote

10 ground   ⓙ buoyant, floating, drifting

B 밑줄 친 단어와 가장 뜻이 유사한 단어를 고르세요.

11 Running improves aerobic <u>capacity</u>, which in turn enhances your endurance.

     ⓐ situation   ⓑ base   ⓒ deal   ⓓ ability

12 We should look for better ways to <u>promote</u> our products.

     ⓐ legitimize   ⓑ confuse   ⓒ advertise   ⓓ break

13 You need to increase your water <u>intake</u> to revive your brain function.

     ⓐ outline   ⓑ consumption   ⓒ agreement   ⓓ article

14 The troops obeyed every <u>command</u> the officer made.

     ⓐ order   ⓑ variety   ⓒ view   ⓓ limitation

15 Renovations were <u>suspended</u> while the building was undergoing a safety inspection.

     ⓐ permitted   ⓑ discontinued   ⓒ emphasized   ⓓ condensed

C 다음 빈칸에 들어갈 가장 알맞은 것을 박스 안에서 고르세요.

restraint	authorize	exhale	outlook	confess	depress

16 Given the rising inflation rate and lack of jobs, the _____ for the economy is poor.

17 He was appointed a member of the commission _____(e)d to build 50 churches in London.

18 She relaxed her hands and _____(e)d a deep breath.

19 Directors generally work under tight budget and time _____(e)s.

20 He later _____(e)d that he was having a great deal of trouble completing his tasks.

정답

01 ⓘ	02 ⓔ	03 ⓙ	04 ⓕ	05 ⓗ	06 ⓐ	07 ⓑ
08 ⓓ	09 ⓖ	10 ⓒ	11 ⓓ	12 ⓒ	13 ⓑ	14 ⓐ
15 ⓑ	16 outlook	17 authorize	18 exhale	19 restraint	20 confess	

DAY 44

음성 바로 듣기

1506 ☐☐☐ ★★★

complete

ⓐ **perfect, absolute, thorough** 　완전한, 완성된

[kəmplíːt]

No living creature, plant or animal, can exist in complete isolation. (수능)

➕ completely ⓐⓓ 완전히, 전적으로　completion ⓝ 완료, 완성

➖ incomplete ⓐ 불완전한

Tips **어원으로 어휘 확장하기**

com 모두 + ple(te) 채우다 ▶ 빈 곳 없이 모두 채워 완성하다

➕ deplete ⓥ 고갈시키다, 크게 감소시키다

1507 ☐☐☐ ★★★

occasionally

ⓐⓓ **sometimes, from time to time** 　가끔

[əkéiʒənəli]

Sarah watches television occasionally and reads news magazines. (모평)

➕ occasion ⓝ 때, 경우, 기회　occasional ⓐ 가끔의, 때때로

1508 ☐☐☐ ★★★

strategy

ⓝ **scheme, tactic, plan** 　전략, 계획

[strǽtədʒi]

Getting meaningful feedback on your performance is a powerful strategy for learning. (학평)

➕ strategic ⓐ 전략적인

1509 ☐☐☐ ★★★

shelter

ⓝ **refuge, place of safety** 　대피소, 피난처

[ʃéltər]

The motorist had to seek shelter from the blizzard.

---

complete 　· 어떤 생물도, 식물도, 동물도, 완전한 고립 상태에서 존재할 수 없다.
occasionally 　· Sarah는 가끔 텔레비전을 보고, 뉴스 잡지를 읽는다.
strategy 　· 성적에 대한 의미 있는 피드백을 받는 것은 학습을 위한 효과적인 전략이다.
shelter 　· 그 운전자는 심한 눈보라로부터 대피소를 찾아야 했다.

1510 □□□ ★★★

submit

[səbmít]

ⓥ hand in, file, present	제출하다, 맡기다
ⓥ surrender, comply	항복하다, 복종하다

We have to submit our team report online by midnight. (수능)

A baboon would probably submit to a predatory attack from a leopard. (학평)

➕ submission ⓝ 제출 submissive ⓐ 순종적인

Tips **어원으로 어휘 확장하기**

sub 아래에 + mit 보내다 ▶ 어떤 사람 아래에 무언가를 보내다, 즉 그에게 제출하다

➕ admit ⓥ 받아들이다, 인정하다 permit ⓥ 허락하다 ⓝ 허가(증), 면허(증)

1511 □□□ ★★★

adapt

[ədǽpt]

ⓥ adjust, modify, conform	적응하다, 조정하다

The cat we rescued from the street was slow to adapt to living inside at first. (학평)

➕ adaptation ⓝ 적응, 조정 adaptability ⓝ 적응성, 순응성 adaptive ⓐ 적응할 수 있는

1512 □□□ ★★★

distinct

[distíŋkt]

ⓐ different, separate, peculiar	별개의, 독특한
ⓐ definite, apparent, obvious	뚜렷한

Each region of Italy maintains its own distinct traditions.

There was a distinct difference in the twins' personalities.

➕ distinctive ⓐ 독특한 distinction ⓝ 차이, 대조, 특별함, 탁월함

Tips **시험에는 이렇게 나온다**

distinct differences 뚜렷한 차이   distinct advantage 뚜렷한 이점

---

submit · 우리는 자정까지 온라인으로 팀 보고서를 제출해야 한다.
· 개코원숭이는 아마도 표범으로부터의 약탈적인 공격에 항복할 것이다.
adapt · 우리가 길에서 구조한 고양이는 처음에 실내에서 사는 것에 적응하는 데 시간이 걸렸다.
distinct · 이탈리아의 각 지방은 그들만의 별개의 전통을 유지한다.
· 그 쌍둥이의 성격에는 뚜렷한 차이점이 있었다.

1513 ☐☐☐ ★★★

stimulate

[stímjulèit]

ⓥ **prompt, promote, activate**　　활성화하다, 자극하다

The money is intended to stimulate the economies of developing countries and to build up schools and hospitals. 〔학평〕

➕ stimulus ⓝ 자극제, 자극(이 되는 것)　　stimulant ⓝ 자극이 되는 일

1514 ☐☐☐ ★★★

hypothesis

[haipá:θəsis]

ⓝ **theory, premise, assumption**　　가설, 가정, 추측

Hypothesis is a tool which can cause trouble if not used properly. 〔학평〕

➕ hypothesize ⓥ 가설을 세우다　　hypothetical ⓐ 가설의

Tips | **어원으로 어휘 확장하기**
hypo 아래에 + **thes** 두다 + (s)is 명·접 ▶ 어떤 결론의 아래에 깔아둔 가설
➕ **thes**is ⓝ 명제, 논제, 학위 논문

1515 ☐☐☐ ★★★

manipulate

[mənípjulèit]

ⓥ **control, handle, maneuver**　　(교묘하게) 다루다, 조작하다

We have two different neural systems that manipulate our facial muscles. 〔모평〕

➕ manipulation ⓝ 조작, 조종　　manipulative ⓐ 조종하는

1516 ☐☐☐ ★★★

era

[érə]

ⓝ **age, time, period**　　시대, 시기

We live in a digital era, with a wealth of information available at our fingertips.

1517 ☐☐☐ ★★★

overwhelm

[òuvərhwélm]

ⓥ **overcome, defeat, overpower**　　압도하다, 사로잡히다

He feels overwhelmed by the amount of work he needs to complete. 〔학평〕

➕ overwhelming ⓐ 압도적인, 견디기 어려운

---

stimulate · 그 돈은 개발도상국의 경제를 활성화하고 학교와 병원을 건설하기 위한 것이다.
hypothesis · 가설은 적절히 사용되지 않으면 문제를 일으킬 수 있는 수단이다.
manipulate · 우리는 우리의 얼굴 근육을 다루는 두 개의 다른 신경계를 가지고 있다.
era · 우리는 즉시 이용할 수 있는 풍부한 정보가 있는 디지털 시대에 살고 있다.
overwhelm · 그는 끝내야 할 일의 양에 압도되었다고 느낀다.

1518 ☐☐☐ ★★★

vivid

ⓐ **bright, brilliant, vibrant**

선명한, 생생한, 생기 있는

[vívid]

The Pop Art movement featured the use of vivid colors and meaningful cultural themes.

➕ vividly ⓐd 생생하게, 선명하게   vividness ⓝ 생생함, 선명함

➖ vague ⓐ 희미한, 애매한

Tips **어원으로 어휘 확장하기**

viv 생명 + id 형·접 ▶ 생명이 있는 듯 생생한

➕ revive ⓥ 활기를 되찾다, 되살리다

1519 ☐☐☐ ★★★

offend

ⓥ **displease, insult, outrage**

기분을 상하게 하다, 위반하다

[əfénd]

When you know you have offended someone, you must take corrective actions. (한평)

➕ offensive ⓐ 불쾌한, 공격적인   offense ⓝ 위반, 공격

➖ please ⓥ 기쁘게 하다

Tips **어원으로 어휘 확장하기**

of 맞서(ob) + fend 치다 ▶ 맞서는 말이나 행동으로 상대를 쳐서 기분을 상하게 하다

➕ defend ⓥ 방어하다, 수비하다

1520 ☐☐☐ ★★

endeavor

ⓝ **effort, attempt**

노력, 시도

[indévər]

ⓥ **strive, struggle**

노력하다, 분투하다

We encourage you to join us in our endeavor to reduce our impact on the environment. (한평)

Although she was exhausted, Corinne endeavored to finish painting the house before nightfall.

Tips **시험에는 이렇게 나온다**

do one's best endeavor 최선을 다하다   endeavor to do one's duty 의무를 다하려고 노력하다

---

vivid   · 팝 아트 운동은 선명한 색상과 의미 있는 문화적 주제들의 사용을 특징으로 삼았다.
offend   · 당신이 누군가의 기분을 상하게 했다는 것을 알았을 때, 당신은 바로잡을 수 있는 조치를 취해야 한다.
endeavor   · 환경에 미치는 영향을 줄이기 위한 우리의 노력에 당신이 동참해 주시기를 권합니다.
            · 비록 Corinne은 기진맥진했지만, 해 질 무렵 전에 집에 페인트칠하는 것을 끝내려고 노력했다.

1521 ☐☐☐ ★★★

ripe
[raip]

ⓐ **mature, grown**

익은, 숙성한

Peter gently squeezed the avocado to see if it was ripe.

➕ ripen ⓥ 익다, 숙성하다
➖ unripe ⓐ 익지 않은, 미숙한

1522 ☐☐☐ ★★

canal
[kənǽl]

ⓝ **waterway, channel, passage**

운하, (체내의) 관

By the late eighteenth century, canal systems started to emerge in Europe. 학원

➕ canalize ⓥ (강을) 운하로 만들다

1523 ☐☐☐ ★★

subconscious
[sʌ̀bkáːnʃəs]

ⓐ **unconscious, suppressed**

잠재 의식적인

Surrealist artists attempted to depict their subconscious thoughts through their work.

➕ subconsciously ⓐⓓ 잠재 의식적으로

Tips	**어원으로 어휘 확장하기**
	sub 아래에 + **conscious** 의식 있는 ▶ 의식의 아래에 있는 잠재 의식의
	➕ **sub**tle ⓐ 미묘한, 감지하기 힘든, 희미한 **sub**merge ⓥ (물속에) 잠기다, 잠수하다

1524 ☐☐☐ ★★★

autonomy
[ɔːtáːnəmi]

ⓝ **self-rule, independence, sovereignty**

자치권, 자치

Local governments have the autonomy to manage their own affairs.

➕ autonomous ⓐ 자율의, 자주적인   autonomic ⓐ 자치권의, 자발적인

---

ripe · Peter는 아보카도가 익었는지 보려고 그것을 살며시 쥐어봤다.
canal · 18세기 후반쯤에, 유럽에서 운하 시스템이 등장하기 시작했다.
subconscious · 초현실주의 예술가들은 그들의 작품을 통해 그들의 잠재 의식적 생각을 묘사하려고 시도했다.
autonomy · 지방 정부는 그들만의 일을 관리할 수 있는 자치권을 지닌다.

1525 □□□ ★★

outstanding

ⓐ **excellent, remarkable, prominent**　　뛰어난, 눈에 띄는

[àutstǽndiŋ]

The award goes to students who have excellent grades and show outstanding leadership. (학평)

➕ outstand ⓥ 눈에 띄다, 돋보이다

1526 □□□ ★★

preoccupy

ⓥ **obsess, absorb, possess**　　몰두하게 하다

[priá:kjəpài]

The administrator was too preoccupied by a problem with the budget to pay attention to the meeting.

➕ preoccupation ⓝ 몰두

Tips | **시험에는 이렇게 나온다**
be preoccupied with ~에 몰두하다, ~에 사로잡히다

1527 □□□ ★★

keen

ⓐ **sharp, acute**　　예리한, 날카로운

[kiːn]

The turkey vulture finds its food using its keen eyes and sense of smell. (학평)

➕ keenly ⓐⓓ 예민하게, 날카롭게

1528 □□□ ★★

surge

ⓥ **increase, rise, rush**　　급증하다, 급등하다

[səːrdʒ]

After the country hosted its first World Cup, interest in soccer among the local population surged.

1529 □□□ ★★

disgrace

ⓥ **shame, humiliate, discredit**　　망신시키다, ~의 수치가 되다

[disgréis]

The renowned scientist was disgraced when it was discovered that he had lied about his work.

➕ disgraceful ⓐ 수치스러운

➖ honor ⓥ 존경하다

---

outstanding ・ 그 상은 우수한 성적과 뛰어난 리더십을 보이는 학생들에게 주어진다.
preoccupy ・ 그 관리자는 예산에 대한 문제에 너무 몰두해서 회의에 주의를 기울이지 못했다.
keen ・ 칠면조 독수리는 예리한 눈과 후각을 이용해 먹이를 찾는다.
surge ・ 그 나라가 첫 월드컵을 개최한 이후에, 지역 주민들 사이에서 축구에 대한 관심이 급증했다.
disgrace ・ 그 유명한 과학자는 자신의 연구에 대해서 거짓말을 했던 것이 발견되자 망신을 당했다.

1530 ☐☐☐ ★★

counteract

ⓥ offset, neutralize, confront

상쇄하다, 대응하다

[kàuntərǽkt]

Various medications that counteract the effects of high blood pressure are available.

➕ counteraction ⓝ 반작용, 방해   counteractive ⓐ 반작용의, 중화성의

Tips **어원으로 어휘 확장하기**

counter 대항하여 + act 행동하다 ▶ 대항하여 행동하다, 즉 대항하다

➕ counterpart ⓝ 상대, 대응 관계에 있는 사물/사람

1531 ☐☐☐ ★★

manifest

ⓥ indicate, reveal, demonstrate

드러내다, 분명해지다

[mǽnəfèst]

Emotional eaters manifest their problem in lots of different ways. 수능

➕ manifestation ⓝ 징후, 나타남

1532 ☐☐☐ ★★

profile

ⓝ figure, portrait

옆모습, 측면, 윤곽

[próufail]

A crack in the wall looks a little like the profile of a nose. 모평

Tips **어원으로 어휘 확장하기**

pro 앞으로 + file 실을 뽑다 ▶ 자세한 것에서 실선만 앞으로 뽑아내 그린 윤곽, 개요

➕ proactive ⓐ 앞서서 주도하는

1533 ☐☐☐ ★

coincidence

ⓝ chance, happening

우연의 일치

[kòuinsáid]

It's no coincidence that some people are just like their dogs. 학평

➕ coincide ⓥ 동시에 일어나다   coincidental ⓐ 우연의 일치인

---

counteract · 고혈압의 영향을 상쇄하는 다양한 약들이 이용 가능하다.
manifest · 감정적으로 음식을 먹는 사람들은 많은 다양한 방법으로 그들의 문제를 드러낸다.
profile · 벽의 갈라진 틈은 코의 옆모습과 약간 비슷해 보인다.
coincidence · 어떤 사람들이 그들의 개와 똑 닮았다는 것은 우연의 일치가 아니다.

1534 ☐☐☐ ★

stern
[stəːrn]

| ⓐ rigid, harsh, strict | 엄격한, 근엄한 |

My mother was stern and meticulous about house cleaning. (모평)

1535 ☐☐☐ ★★★

stripe
[straip]

| ⓝ line, strip | 줄무늬 |
| ⓥ band, bar, streak | 줄무늬를 넣다 |

Tigers' stripes help them blend in with tall grasses. (학평)
The room looks cozy because of the striped rug on the floor. (학평)

1536 ☐☐☐ ★★

mixture
[míkstʃər]

| ⓝ compound, combination | 혼합물 |

Sticky foods encourage the formation of plaque, which is a mixture of the remains of food and bacteria. (학평)

➕ mix ⓥ 혼합하다

1537 ☐☐☐ ★

trail
[treil]

| ⓝ path, track | (산)길, 오솔길 |
| ⓝ trace, footprint | 흔적, 자국 |

Mountain trails in the rain are very slippery and dangerous to walk on. (학평)
Everything we do online leaves behind a trail of data.

> **Tips** 어원으로 어휘 확장하기
>
> trai(l) 끌다 ▶ 어떤 것을 끌고 가서 생긴 자국 또는 길
> ➕ traitor ⓝ 반역자 portrait ⓝ 초상화

---

stern · 어머니는 집 안 청소에 엄격하고 꼼꼼하셨다.
stripe · 호랑이의 줄무늬는 그들이 키가 큰 풀과 어울리도록 도와준다.
· 방은 바닥에 줄무늬가 넣어져 있는 양탄자이기 때문에 아늑해 보인다.
mixture · 끈적끈적한 음식은 음식 찌꺼기와 박테리아의 혼합물인 치석의 형성을 촉진한다.
trail · 빗속의 산길은 매우 미끄러워서 걷기에 위험하다.
· 우리가 온라인에서 하는 모든 것은 데이터의 흔적을 남긴다.

erect

ⓥ establish, raise

세우다, 건설하다

[irékt]

Nearly $4.8 billion was used to erect more than 200 waste disposal facilities.

➕ erection ⓝ 건립, 구조물

Tips | 어원으로 어휘 확장하기

e 밖으로(ex) + rect 바르게 이끌다 ▶ 바르게 이끌어 밖으로 똑바로 선

➕ correct ⓥ 바로잡다, 정정하다 ⓐ 정확한

mock

ⓥ tease, bother

조롱하다, 놀리다

[mɑk]

ⓐ artificial, fake

모의의, 거짓의

The bully mocked other students endlessly, causing them a tremendous amount of emotional damage. 학평

No matter how many mock disasters are staged, the real disaster will never mirror any one of them. 학평

➕ mocking ⓐ 비웃는, 조롱하는 듯한

monument

ⓝ memorial statue

기념비, 유적

[mɑ́ːnjumənt]

The people built a giant monument in the middle of town to commemorate the historical leader.

➕ monumental ⓐ 기념비적인, 기념의

Tips | 시험에는 이렇게 나온다

historical monument 유적, 사적   best-known monument 가장 잘 알려진 기념비

---

erect   · 200개가 넘는 폐기물 처리 시설을 세우는 데 거의 48억 달러가 쓰였다.
mock   · 그 괴롭히는 학생은 다른 학생들을 끝없이 조롱했고, 그들에게 엄청난 정서적 피해를 입혔다.
                · 아무리 많은 모의 재난이 연출되더라도, 실제 재난은 그중 어떤 것과도 흡사하지 않을 것이다.
monument   · 사람들은 역사적인 지도자를 기념하기 위해 마을 중앙에 거대한 기념비를 세웠다.

Daily Quiz

A 알맞은 유의어를 고르세요.

01 stimulate		ⓐ shame, humiliate, discredit
02 preoccupy		ⓑ effort, attempt
03 subconscious		ⓒ excellent, remarkable, prominent
04 mixture		ⓓ unconscious, suppressed
05 mock		ⓔ prompt, promote, activate
06 vivid		ⓕ obsess, absorb, possess
07 outstanding		ⓖ bright, brilliant, vibrant
08 endeavor		ⓗ compound, combination
09 disgrace		ⓘ tease, bother
10 monument		ⓙ memorial statue

B 밑줄 친 단어와 가장 뜻이 유사한 단어를 고르세요.

11 Nearly $4.8 billion was used to <u>erect</u> more than 200 waste disposal facilities.

ⓐ surrender ⓑ prompt ⓒ establish ⓓ displease

12 Emotional eaters <u>manifest</u> their problem in lots of different ways.

ⓐ oppress ⓑ indicate ⓒ prompt ⓓ obsess

13 The turkey vulture finds its food using its <u>keen</u> eyes and sense of smell.

ⓐ excellent ⓑ rigid ⓒ mature ⓓ sharp

14 There was a <u>distinct</u> difference in the twins' personalities.

ⓐ bright ⓑ absolute ⓒ definite ⓓ acute

15 Getting meaningful feedback on your performance is a powerful <u>strategy</u> for learning.

ⓐ theory ⓑ age ⓒ scheme ⓓ channel

C 다음 빈칸에 들어갈 가장 알맞은 것을 박스 안에서 고르세요.

manipulate	coincidence	counteract	adapt	stern	overwhelm

16 The cat we rescued from the street was slow to _____ to living inside at first.

17 We have two different neural systems that _____ our facial muscles.

18 It's no _____ that some people are just like their dogs.

19 My mother was _____ and meticulous about house cleaning.

20 Various medications that _____ the effects of high blood pressure are available.

DAY 45

음성 바로 듣기

1541 ☐☐☐ ★★★

tension

[ténʃən]

ⓝ **pressure, strain, anxiety**　　　긴장(감), 긴장 상태

Most of the tensions and quarrels between children are natural. 〔학평〕

➕ tense ⓐ 긴장한, 긴박한

Tips | **시험에는 이렇게 나온다**
state of tension 긴장 상태　　　　　　　muscle tension 근육 긴장

1542 ☐☐☐ ★★★

educational

[èdʒukéiʃənəl]

ⓐ **academic, instructive**　　　교육적인

People believe that good books are educational and useful to academic success. 〔모평〕

➕ education ⓝ 교육, 훈련　educate ⓥ 교육하다

1543 ☐☐☐ ★★★

accurate

[ǽkjurət]

ⓐ **precise, correct, exact**　　　정확한, 정밀한

Many studies have found that pessimists are more accurate in their assessments than optimists. 〔학평〕

➕ accurately ⓐⓓ 정확하게　accuracy ⓝ 정확도
➖ inaccurate ⓐ 부정확한

Tips | **어원으로 어휘 확장하기**
ac ~에(ad) + cur 관심 + ate 형·접 ▶ 어떤 것에 관심을 쏟아 정확한
➕ curious ⓐ 궁금해하는, 호기심이 많은

---

tension　　　· 아이들 사이의 긴장과 다툼의 대부분은 자연스러운 것이다.
educational　· 사람들은 좋은 책은 교육적이고 학업적 성공에 도움이 된다고 믿는다.
accurate　　· 많은 연구들은 비관론자들이 낙관론자들보다 그들의 평가에 있어 더 정확하다는 것을 알아냈다.

harmonious

ⓐ compatible, balanced, accordant   조화로운

[hɑːrmóuniəs]

Individuals from diverse backgrounds have learned to overlook their differences and live harmonious lives together. (수능)

➕ harmony ⓝ 조화, 화합   harmonize ⓥ 조화를 이루다, 맞추다

emerge

ⓥ appear, spring up, come out   나타나다, 드러나다

[imə́ːrdʒ]

Civilization first emerged in Mesopotamia around 12,000 years ago.

➕ emergence ⓝ 출현, 발생   emerging ⓐ 최근 생겨난

institution

ⓝ foundation, organization, association   기관, 설립

[ìnstətjúːʃən]

The prestigious educational institution is home to several Nobel Prize-winning scholars.

➕ institute ⓥ 도입하다, 시작하다   institutional ⓐ 협회의, 제도의

Tips **시험에는 이렇게 나온다**
financial institution 금융 기관   educational institution 교육 기관

stable

ⓐ steady, reliable, secure   안정된, 차분한

[stéibl]

Brent was seriously injured in the accident, but he is now in stable condition at the hospital.

➕ stability ⓝ 안정, 안전   stabilize ⓥ 안정되다, 안정시키다
➖ unstable ⓐ 불안정한

Tips **어원으로 어휘 확장하기**
sta 서다 + (a)ble 할 수 있는 ▶ 서 있을 수 있게 상태가 안정적인
➕ stage ⓝ 무대   status ⓝ 지위, 신분, 상황

---

harmonious · 다양한 배경 출신의 사람들은 그들의 차이를 눈감아주며 함께 조화로운 삶을 사는 것을 배웠다.
emerge · 문명은 약 1만 2천 년 전에 메소포타미아에서 처음 나타났다.
institution · 그 명문 교육 기관은 노벨상을 수상한 몇몇 학자들의 본거지이다.
stable · Brent는 그 사고로 심하게 다쳤지만, 현재 그는 병원에서 안정된 상태이다.

1548 ☐☐☐ ★★★

architecture

[ɑ́ːrkitèktʃər]

Ⓝ the art or science of building

건축(학), 건축 양식

Classical Roman architecture featured buildings surrounded by outdoor pillars.

➕ architectural ⓐ 건축학(술)의   architect Ⓝ 건축가, 설계자

1549 ☐☐☐ ★★★

conclude

[kənklúːd]

Ⓥ decide, determine

결론짓다, 끝내다

You probably conclude that the shorter one is a woman while the taller one is a man. ㉗

➕ conclusion Ⓝ 결과, 결론   conclusive ⓐ 결정적인

1550 ☐☐☐ ★★★

hardship

[hɑ́ːrdʃip]

Ⓝ adversity, difficulty, rigor

어려움, 고난

Many parents who have experienced personal hardship desire a better life for their children. ㉰

Tips   **시험에는 이렇게 나온다**

financial hardship 경제적 어려움   mental hardship 정신적 어려움

1551 ☐☐☐ ★★★

emit

[imít]

Ⓥ release, discharge, excrete

배출하다, 내보내다, 내뿜다

All animals emit carbon dioxide when they breathe. ㉰

➕ emission Ⓝ 배출, 방출

Tips   **어원으로 어휘 확장하기**

e 밖으로(ex) + mit 보내다 ▶ 안에서 밖으로 내보내다, 즉 배출하다
➕ permit Ⓥ 허락하다   submit Ⓥ 제출하다

1552 ☐☐☐ ★★★

split

[split]

Ⓥ divide, separate, tear

나누다, 가르다, 쪼개다

We can split the fare fifty-fifty. ㉰

---

architecture · 고대 로마 건축은 야외 기둥들로 둘러싸인 건물들을 특징으로 삼았다.
conclude · 당신은 아마도 키가 더 작은 사람이 여자이고 더 큰 사람이 남자라고 결론지을 것이다.
hardship · 개인적인 어려움을 겪었던 많은 부모들은 그들의 아이들이 더 나은 삶을 살기를 원한다.
emit · 모든 동물은 숨을 쉴 때 이산화탄소를 배출한다.
split · 우리는 요금을 반반으로 나눌 수 있다.

1553 ☐☐☐ ★★★

supplement

[sʌ́pləmənt]

n complement, addition, additive 　　보충(제), 추가(물)

v add to, complement 　　보충하다, 추가하다

Beta carotene supplements actually increased the risk of certain cancers. (모평)

Please supplement your report with charts and tables.

➕ supplementary ⓐ 보충의, 추가의

1554 ☐☐☐ ★★★

tremendous

[triméndəs]

ⓐ gigantic, huge 　　엄청난, 거대한, 막대한

The tremendous roar of the thunder frightened everyone.

➕ tremendously ⓐ 거대하게

1555 ☐☐☐ ★★★

sibling

[síbliŋ]

n sister or brother 　　형제, 자매

They model their own behavior after their parents and their older siblings. (학평)

Tips | **시험에는 이렇게 나온다**
　　　plants' siblings 식물의 자매종(種) 　　　　　　newborn sibling 새로 태어난 형제/자매

1556 ☐☐☐ ★★★

appetite

[ǽpətàit]

n hunger, desire, craving 　　식욕, 욕구

Your appetite will not be satisfied if you don't eat the food that you like. (학평)

➕ appetizer n 식욕을 돋우는 것, 전채

---

supplement 　· 베타카로틴 보충제는 실제로 특정 암의 위험성을 증가시켰다.
　　　　　　 · 차트와 표로 당신의 보고서를 보충해 주세요.
tremendous 　· 천둥의 엄청난 굉음은 모두를 깜짝 놀라게 했다.
sibling 　　　· 그들은 그들의 부모와 나이가 더 많은 형제의 행동을 본받는다.
appetite 　　 · 당신이 좋아하는 음식을 먹지 않으면 당신의 식욕은 만족되지 않을 것이다.

1557 ☐☐☐ ★★

prone

[proun]

[a] susceptible, likely

~하기 쉬운, ~하는 경향이 있는

The studies found that the more prone to anxieties a person is, the poorer his or her academic performance is. 수능

1558 ☐☐☐ ★★

conviction

[kənvíkʃən]

[n] strong belief, strong opinion, faith

신념, 확신, 유죄 판결

He recalled his strong conviction during the interview. 모평

➕ convict [v] 유죄를 선고하다, 유죄 판결을 내리다

1559 ☐☐☐ ★★

pastime

[pǽstàim]

[n] hobby, recreation, amusement

취미, 여가, 기분 전환

Heather's favorite pastime is spending time outside with her dog. 모평

Tips | **어원으로 어휘 확장하기**

pas(s) 통과하다 + time 시간 ▶ 시간을 통과해 가기 위해 하는 일, 즉 취미

➕ passage [n] 통과, 통로

1560 ☐☐☐ ★★

protagonist

[proutǽgənist]

[n] leading character, central character

(연극, 이야기 등의) 주인공

In his first starring role, he played the protagonist in a romantic comedy movie.

Tips | **어원으로 어휘 확장하기**

prot 가장 먼저의 + agon 싸우다 + ist 명·접(사람)

▶ 이야기에서 가장 먼저 나서서 싸우는 인물, 즉 주인공

➕ agony [n] 심한 고통, 괴로움

---

prone · 연구는 불안감에 빠지기 쉬운 사람일수록 그 또는 그녀의 학업 성적이 더 나쁘다는 것을 발견했다.
conviction · 그는 인터뷰를 하는 동안 그의 강한 신념을 회상했다.
pastime · Heather가 가장 좋아하는 취미는 그녀의 강아지와 밖에서 시간을 보내는 것이다.
protagonist · 그의 첫 주연 역할로, 그는 로맨틱 코미디 영화에서 주인공을 연기했다.

1561 ☐☐☐ ★★★

impulse

[ímpʌls]

ⓝ urge, drive, instinct 충동, 충동적 행위

ⓝ stimulation, inspiration 자극, 충격

She stopped making impulse purchases of items such as a new swimsuit, movie tickets, and CDs. (학평)

Rivalry between the US and the Soviet Union was the impulse for the space race.

➕ impulsive ⓐ 충동적인

1562 ☐☐☐ ★★

savage

[sǽvidʒ]

ⓐ cruel, brutal, vicious 야만적인, 미개의

The criminal was sentenced to life in prison for his savage acts of violence.

➕ savagery ⓝ 야만성, 야만적인 행위 savagely ⓐⓓ 야만스럽게, 잔인하게

1563 ☐☐☐ ★★

compelling

[kəmpéliŋ]

ⓐ convincing, persuasive, credible 설득력 있는

The speaker made some compelling arguments against immigration reform.

➕ compel ⓥ 강요하다, 억지로 ~을 시키다

Tips │ **시험에는 이렇게 나온다**

compelling evidence 설득력 있는 증거   compelling reason 납득할만한 이유

1564 ☐☐☐ ★★

dignity

[dígnəti]

ⓝ majesty, nobility 기품, 위엄, 품위

The dancer exhibited grace and dignity despite her foot injury.

➕ dignify ⓥ 위엄을 갖추다 dignified ⓐ 위엄 있는

Tips │ **시험에는 이렇게 나온다**

the dignity of man 인간의 존엄성

---

impulse
· 그녀는 새 수영복, 영화 티켓, CD와 같은 물품에 대한 충동구매를 하는 것을 멈췄다.
· 미국과 소련 사이의 경쟁의식은 우주 개발 경쟁에 대한 자극이었다.

savage
· 범인은 자신의 야만적인 폭력행위로 무기징역을 선고 받았다.

compelling
· 그 연설자는 이민 개혁에 반대하는 몇 가지 설득력 있는 주장을 펼쳤다.

dignity
· 그 무용수는 자신의 발 부상에도 불구하고 우아함과 기품을 보여주었다.

1565 ☐☐☐ ★★

pirate

[páiərət]

n **sea robber**   해적

v **infringe the copyright of, plagiarize**   저작권을 침해하다

The children were captivated by his every word as his low voice poured out tales of pirates. (학평)

Media companies must check whether their content is being pirated.

➕ piracy n 저작권 침해

1566 ☐☐☐ ★★

aspiration

[æspəréiʃən]

n **hope, wish, desire**   염원, 열망

Coins reflect both a country's history and its aspirations for the future. (수능)

➕ aspire v 열망하다, 염원하다   aspirational a 열망의, 동경의 대상인

1567 ☐☐☐ ★★

friction

[fríkʃən]

n **conflict, clash, discord**   마찰, 불화

The brakes stop the bike from moving by creating friction.

➕ frictional a 마찰(성)의, 마찰에 의한

1568 ☐☐☐ ★★

transit

[trǽnsit]

n **transport, traverse**   운송, 수송

Passengers whose luggage is lost in transit should file a report at the baggage claim counter.

➕ transition n 변화, 전환

1569 ☐☐☐ ★

spur

[spəːr]

v **stimulate, prompt, promote**   박차를 가하다, 자극하다

He spurred his horse, allowing it to run freely. (학평)

---

pirate
· 그의 낮은 목소리가 해적에 대한 이야기를 쏟아내자 아이들은 그의 말 한마디 한마디에 사로잡혔다.
· 미디어 기업은 그들의 콘텐츠가 저작권이 침해되고 있는지 확인해야 한다.
aspiration   · 동전은 한 나라의 역사와 미래에 대한 그 나라의 염원을 모두 반영한다.
friction   · 브레이크는 마찰을 일으킴으로써 자전거가 움직이는 것을 막는다.
transit   · 운송 중 수하물이 분실된 승객은 수하물 보관소에 신고해야 한다.
spur   · 그는 말에 박차를 가하여, 말을 자유롭게 달리게 했다.

1570 ☐☐☐ ★

premise

[prémis]

Ⓝ **assumption, presupposition**　전제

The premise of Darwin's theory of evolution is that all life descends from a common ancestor.

Tips **시험에는 이렇게 나온다**

on the premise ~을 전제로 하고　　a major/minor premise 대/소전제

1571 ☐☐☐ ★★

peasant

[pézənt]

Ⓝ **agricultural worker, small farmer**　소작농, 농부

Peasants were people who farmed land that was owned by someone else. (학평)

Tips **어원으로 어휘 확장하기**

peas 시골에 사는 + ant 사람 ▶ 시골에 사는 사람, 즉 농부 또는 소작농

✚ participant Ⓝ 참가자

1572 ☐☐☐ ★

inverse

[invə́:rs]

ⓐ **reversed, opposite, converse**　정반대의, 역의

Economists say there is an inverse relationship between the supply of a product and its price.

✚ invert Ⓥ 뒤집다, 도치시키다　inversion Ⓝ 전도, 도치

1573 ☐☐☐ ★

nasty

[nǽsti]

ⓐ **awful, offensive, disagreeable**　고약한, 불쾌한

I can't stand the nasty smell of this tropical fruit. (학평)

✖ pleasant ⓐ 즐거운, 유쾌한

1574 ☐☐☐ ★

textile

[tékstail]

Ⓝ **fabric, cloth**　섬유, 직물

The textile manufacturer makes a lot of the cottons that are used in clothes around the world.

---

premise ・다윈의 진화론의 전제는 모든 생명체가 공통의 조상으로부터 계통이 이어진다는 것이다.
peasant ・소작농은 다른 사람이 소유한 땅을 경작하는 사람들이었다.
inverse ・경제학자들은 상품의 공급과 그것의 가격 사이에 정반대의 관계가 있다고 말한다.
nasty ・나는 이 열대과일의 고약한 냄새를 참을 수 없다.
textile ・그 섬유 제조업자는 전 세계의 옷에 사용되는 많은 면직물을 만든다.

momentary

ⓐ temporary, transitory, brief — 순간적인

[móumentèri]

Because even a momentary loss of control could be deadly, the rock climber moved slowly and carefully.

➕ moment ⓝ 순간, 잠깐, (특정한) 때

Tips | 시험에는 이렇게 나온다

a momentary feeling 순간적인 느낌 a momentary joy 찰나의 기쁨
a momentary impulse 순간적인 충동

---

momentary · 순간적인 통제력 상실조차도 치명적일 수 있기 때문에, 암벽 등반가는 천천히 그리고 조심스럽게 움직였다.

Daily Quiz

A 알맞은 유의어를 고르세요.

01	accurate	ⓐ	temporary, transitory, brief
02	premise	ⓑ	reversed, opposite, converse
03	momentary	ⓒ	assumption, presupposition
04	conviction	ⓓ	fabric, cloth
05	protagonist	ⓔ	precise, correct, exact
06	harmonious	ⓕ	leading character, central character
07	inverse	ⓖ	sea robber
08	textile	ⓗ	strong belief, strong opinion, faith
09	spur	ⓘ	stimulate, prompt, promote
10	pirate	ⓙ	compatible, balanced, accordant

B 밑줄 친 단어와 가장 뜻이 유사한 단어를 고르세요.

11 Brent was seriously injured in the accident, but he is now in <u>stable</u> condition at the hospital.

    ⓐ academic   ⓑ precise   ⓒ compatible   ⓓ steady

12 Many parents who have experienced personal <u>hardship</u> desire a better life for their children.

    ⓐ foundation   ⓑ pressure   ⓒ adversity   ⓓ complement

13 Rivalry between the US and the Soviet Union was the <u>impulse</u> for the space race.

    ⓐ desire   ⓑ stimulation   ⓒ hobby   ⓓ majesty

14 All animals <u>emit</u> carbon dioxide when they breathe.

    ⓐ stimulate   ⓑ attest   ⓒ release   ⓓ decide

15 Civilization first <u>emerged</u> in Mesopotamia around 12,000 years ago.

    ⓐ stated   ⓑ plagiarized   ⓒ prompted   ⓓ appeared

C 다음 빈칸에 들어갈 가장 알맞은 것을 박스 안에서 고르세요.

dignity	conclude	supplement	aspiration	tremendous	tension

16 Most of the _____(e)s and quarrels between children are natural.

17 Please _____ your report with charts and tables.

18 The dancer exhibited grace and _____ despite her foot injury.

19 Coins reflect both a country's history and its _____(e)s for the future.

20 You probably _____ that the shorter one is a woman while the taller one is a man.

정답

01 ⓔ	02 ⓒ	03 ⓐ	04 ⓗ	05 ⓕ	06 ⓘ	07 ⓑ
08 ⓓ	09 ⓘ	10 ⓖ	11 ⓓ	12 ⓒ	13 ⓑ	14 ⓒ
15 ⓓ	16 tension	17 supplement	18 dignity	19 aspiration	20 conclude	

1576 ☐☐☐ ★★★

measure

[méʒər]

ⓥ calculate, evaluate, assess	측정하다
ⓝ standard, criterion, benchmark	(계량·측정 등의) 기준, 단위
ⓝ action, act, means	조치, 수단, 대책

With a thermometer, you can **measure** how hot or cold the air is. 〔학평〕

We need a **measure** of a student's understanding. 〔학평〕

The government must take **measures** to reduce flu cases in the country.

➕ measurement ⓝ 측정, 치수　measurable ⓐ 측정할 수 있는

Tips　**시험에는 이렇게 나온다**

safety measure 안전 대책　　　　　　　take measures 조치를 취하다
preventative measures 예방책

1577 ☐☐☐ ★★★

content

[ká:ntent]

| ⓝ substance, matter | 내용(물), 목차 |
| ⓐ satisfied, fulfilled | 만족한 |

A customs officer looked through the **contents** of my bag.

The farmer was not **content** with his own crops, and he stole crops from nearby farmers. 〔수능〕

➕ contentment ⓝ 만족

1578 ☐☐☐ ★★

vibrant

[váibrənt]

| ⓐ active, energetic | 활기 넘치는, 활발한 |

In the summer, the city's streets are **vibrant** and full of life.

---

measure　· 온도계로, 당신은 공기가 얼마나 뜨겁거나 차가운지를 측정할 수 있다.
　　　　　· 우리는 학생의 이해력에 대한 기준이 필요하다.
　　　　　· 정부는 국내에 독감을 줄이기 위한 조치를 취해야 한다.
content　· 세관원이 내 가방의 내용물을 살펴보았다.
　　　　　· 그 농부는 자신의 농작물에 만족하지 않았고, 그는 근처의 농부들로부터 농작물을 훔쳤다.
vibrant　· 여름에, 도시의 거리는 활기 넘치며 생기발랄하다.

1579 □□□ ★★★

recognize

[rékəgnàiz]

| ⓥ identify, notice | 알아보다, 분간하다 |

| ⓥ acknowledge, admit | 인정하다, 승인하다 |

Oaks vary in appearance but are easily **recognized** by their fruit. (모평)

A small number of people have **recognized** the value of wild plants in Korea. (수능)

➕ recognition ⓝ 인식, 인정   recognizable ⓐ 알아볼 수 있는

1580 □□□ ★★★

expose

[ikspóuz]

| ⓥ uncover, reveal | 노출시키다 |

Salmon migrate randomly when **exposed** to artificial lights at night. (학평)

➕ exposure ⓝ 노출, 폭로
➖ conceal ⓥ 감추다, 숨기다

1581 □□□ ★★★

guarantee

[gærəntíː]

| ⓥ ensure, secure, warrant | 보장하다, 보증하다 |

The introduction of unique products alone does not **guarantee** market success. (수능)

➕ guaranty ⓝ 보증, 담보

1582 □□□ ★★★

colleague

[káːliːg]

| ⓝ coworker, companion | (직업상의) 동료 |

Developing good relations with **colleagues** is essential for teamwork.

Tips **어원으로 어휘 확장하기**

col 함께(com) + leag(ue) 위임하다 ▶ 일을 함께 위임받아 같이 하는 동료
➕ **col**laborate ⓥ 협력하다, 공동 작업하다

---

recognize   · 떡갈나무는 겉모습이 다양하지만 그것의 열매로 쉽게 알아볼 수 있다.
             · 소수의 사람들이 한국에 있는 야생 식물의 가치를 인정했다.
expose   · 연어는 밤에 인공 불빛에 노출되면 무작위로 이동한다.
guarantee   · 독특한 제품들의 소개만으로는 시장의 성공을 보장하지 않는다.
colleague   · 동료들과 좋은 관계를 발전시키는 것은 팀워크를 위해 필수적이다.

1583 □□□ ★★★

vital

[váitl]

| ⓐ essential, necessary | 필수적인 |
| ⓐ life-sustaining | 생명에 중요한, 생명의 |

Expanding your mind is **vital** to being creative. (학평)

Blood distributes oxygen to **vital** organs.

➕ vitalize ⓥ 생명을 주다, 생기를 불어넣다   vitality ⓝ 활력, 생기
➖ unnecessary ⓐ 불필요한

Tips **시험에는 이렇게 나온다**

vital part/factor 필수적인 부분/요소   vital to/for ~에 필요 불가결한
vital nutrient 필수 영양소

1584 □□□ ★★★

pile

[pail]

| ⓥ stack, load, accumulate | 쌓아 올리다, 포개다 |
| ⓝ heap, collection, accumulation | 더미, 쌓아놓은 것 |

Snow poured down for hours and **piled** up very high. (수능)

Please help me move this **pile** of bricks to the back of the restaurant.

1585 □□□ ★★★

inevitable

[inévətəbl]

| ⓐ unavoidable, inescapable | 불가피한, 피할 수 없는 |

Theatres are facing financial difficulties and therefore an increase in ticket prices is **inevitable**. (학평)

➕ inevitably ⓐⓓ 불가피하게, 필연적으로
➖ evitable ⓐ 피할 수 있는

Tips **어원으로 어휘 확장하기**

in 아닌 + evit(e) 피하다 + able 할 수 있는 ▶ 피할 수 있는 것이 아닌

➕ innocent ⓐ 결백한, 무죄의 incorrect ⓐ 부정확한, 틀린 indirect ⓐ 간접적인, 우회하는

---

vital   · 당신의 사고를 확장시키는 것은 창의적이기 위해 필수적이다.
            · 혈액은 생명에 중요한 기관들에 산소를 분배한다.
pile   · 눈은 몇 시간 동안 쏟아졌고 매우 높게 쌓였다.
            · 이 벽돌 더미를 식당 뒤쪽으로 옮기는 것을 도와주세요.
inevitable · 극장은 재정적인 어려움에 직면하고 있으므로 티켓 가격의 인상은 불가피하다.

1586 ☐☐☐ ★★★

venture

ⓥ dare to go, adventure

위험을 무릅쓰고 가다

[véntʃər]

For centuries, people have **ventured** into the icy northern territory. (학평)

1587 ☐☐☐ ★★★

auditorium

ⓝ hall, theater

강당, 관객석

[ɔ:ditɔ́:riəm]

Our club will hold a charity event in the **auditorium**. (학평)

Tips **어원으로 어휘 확장하기**

audi(t) 듣다 + orium 명·접(장소) ▶ 공연, 강연 등을 듣는 장소인 강당

➕ **audi**tory ⓐ 귀의, 청각의　**audi**ence ⓝ 청중, 관중, 시청자, 독자

1588 ☐☐☐ ★★★

usage

ⓝ utilization, method

사용(법)

[júːsidʒ]

Chemical **usage** in gardening has been dropping steadily for the last two decades.

➕ use ⓥ 이용하다, 사용하다

1589 ☐☐☐ ★★★

altitude

ⓝ height, elevation

고도, 높이

[ǽltətjùːd]

Climbers' knowledge of the deadly effects of extreme **altitude** was limited and their equipment was poor. (수능)

Tips **시험에는 이렇게 나온다**

high altitude 높은 고도　　　　　　altitude above sea level 해발 고도

1590 ☐☐☐ ★★

entity

ⓝ existence, presence

실체, 존재, 본질

[éntəti]

Information has become a recognized **entity** to be measured, evaluated, and priced. (수능)

---

venture 　　· 수 세기 동안, 사람들은 얼음처럼 차가운 북쪽 영토로 위험을 무릅쓰고 갔다.
auditorium 　· 우리 동아리는 강당에서 자선 행사를 열 것이다.
usage 　　　· 정원 가꾸기에서의 화학 물질의 사용은 지난 20년간 꾸준히 감소해 오고 있다.
altitude 　　· 극한 고도의 치명적인 영향에 대한 등산가들의 지식은 제한적이었고 그들의 장비는 형편없었다.
entity 　　　· 정보는 측정되고, 평가되며 가격이 책정되는 것으로 인정된 실체가 되었다.

1591 ☐☐☐ ★★★

retain

[v] **keep, contain, maintain**

유지하다, 보유하다

[ritéin]

Studying in multiple locations actually helps the brain **retain** information. (학평)

➕ retention [n] 보유, 기억   retentive [a] 보유하는, 기억력이 좋은

Tips **시험에는 이렇게 나온다**

retain freshness 신선도를 유지하다   retain one's right 권리를 보유하다

1592 ☐☐☐ ★★

invaluable

[a] **precious, priceless, valuable**

매우 귀중한, 값을 매길 수 없는

[invǽljuəbl]

Since you started in the mail room in 1979, your contributions to this firm have been **invaluable**. (수능)

➕ invaluableness [n] 매우 귀중함, 값을 헤아릴 수 없음

1593 ☐☐☐ ★★

innate

[a] **inborn, inherent**

타고난, 선천적인, 고유의

[inéit]

Spiders have an **innate** understanding of how to spin a web.

➕ innately [ad] 선천적으로
➖ acquired [a] 후천적인, 획득한

Tips **시험에는 이렇게 나온다**

innate talent 타고난 재능   innate instinct 타고난 본능

1594 ☐☐☐ ★★

notify

[v] **inform, announce**

알리다, 통지하다

[nóutəfài]

If you see people acting suspicious near cars, please **notify** the police. (학평)

➕ notification [n] 알림, 통지

Tips **어원으로 어휘 확장하기**

not 알다 + ify 동·접 ▶ 어떤 것에 대해 알게 하다, 즉 알리다
➕ notation [n] 표기법, 기호   notable [a] 유명한, 눈에 띄는

---

retain	· 여러 장소에서 공부하는 것은 실제로 뇌가 정보를 유지하는 것을 돕는다.
invaluable	· 당신이 1979년에 우편물실에서 일을 시작한 이후로, 이 회사에 대한 당신의 공헌은 매우 귀중했습니다.
innate	· 거미는 거미줄을 치는 방법에 대해 타고난 이해력을 가진다.
notify	· 만약 차 근처에서 수상한 행동을 하는 사람들을 본다면, 경찰에 알리세요.

1595 ☐☐☐ ★★

definitely

[ad] **certainly, surely, absolutely**　　확실히, 분명히

[définətli]

Speaking is definitely faster than writing. (학평)

➕ definite ⓐ 확실한, 분명한

1596 ☐☐☐ ★★

decay

[v] **decompose, rot**　　썩다, 쇠퇴하다

[dikéi]

A compound in black tea kills bacteria that causes teeth to decay. (학평)

➕ decadence ⓝ 타락, 쇠퇴

1597 ☐☐☐ ★★★

enable

[v] **allow, permit**　　할 수 있게 하다

[inéibl]

Arranging things in advance will enable you to avoid possibly dangerous mistakes. (학평)

1598 ☐☐☐ ★★

soothe

[v] **relieve, calm, ease**　　진정시키다

[suːð]

I'm looking for something to soothe my irritated skin. (모평)

➖ irritate [v] 자극하다, 짜증 나게 하다

1599 ☐☐☐ ★★

earthly

[a] **worldly, terrestrial**　　지상의, 속세의

[ə́ːrθli]

Through the media, Hawaii has become a sort of earthly paradise in the American mind. (학평)

1600 ☐☐☐ ★★

sedentary

[a] **stationary, inactive, sitting**　　앉아서 일하는, 정착성의

[sédntèri]

There has been an 83 percent increase in the number of sedentary jobs since 1950.

➕ sedentarily [ad] 앉아 일하여, 앉아 일하면서

- -

definitely · 말하는 것이 쓰는 것보다 확실히 빠르다.
decay · 홍차에 들어있는 화합물은 치아가 썩게 하는 박테리아를 죽인다.
enable · 미리 준비하는 것은 당신이 일어날 수 있는 위험할 가능성이 있는 실수를 피하게 할 수 있을 것이다.
soothe · 나는 자극 받은 피부를 진정시킬 무언가를 찾고 있다.
earthly · 언론을 통해, 하와이는 미국인의 마음속에 일종의 지상낙원이 되었다.
sedentary · 1950년 이래로 앉아서 일하는 직업의 수에 83% 증가가 있었다.

1601 □□□ ★★

plunge

ⓥ dive, submerge

(물 등에) 뛰어들다, 빠지다

[plʌndʒ]

We dove off the cliff and **plunged** into the water when we went swimming.

Tips　**시험에는 이렇게 나온다**

plunge into ~에 뛰어들다, 돌입하다

1602 □□□ ★★

precaution

ⓝ preventative measure, safeguard

예방 조치, 예방책, 사전 조치

[prikɔ́ːʃən]

Chemists wear gloves as a **precaution** before handling toxic materials.

➕ precautious ⓐ 조심하는, 신중한　precautionary ⓐ 예방의

Tips　**어원으로 어휘 확장하기**

pre 앞서 + caution 주의 ▶ 상황 발생에 앞서 미리 주의하기 위한 예방책

➕ **pre**mature ⓐ 시기상조의, 조기의, 조숙한　**pre**occupy ⓥ 몰두하게 하다, (생각에) 사로잡히게 하다

1603 □□□ ★

solidarity

ⓝ unification

결속, 단결

[sὰlədǽrəti]

Many students felt that the uniform enhanced school spirit and **solidarity**. 학평

➕ solidify ⓥ 굳어지다, 굳히다

1604 □□□ ★

transparent

ⓐ clear, lucid

투명한, 명백한

[trænspέərənt]

Water is formless and **transparent**. 학평

➕ transparency ⓝ 투명도, 투명성

---

plunge　· 우리는 수영을 하러 갔을 때 절벽에서 뛰어내려 물속으로 뛰어들었다.
precaution　· 화학자들은 독성 물질을 다루기 전에 예방 조치로 장갑을 착용한다.
solidarity　· 많은 학생들은 교복이 애교심과 결속을 강화시킨다고 느꼈다.
transparent　· 물은 형태가 없고 투명하다.

1605 ☐☐☐ ★★★

pasture

[pǽstʃər]

ⓝ grassland, meadow, grazing

목초지, 초원

Robert passed horses in a **pasture** as he drove further into the countryside.

1606 ☐☐☐ ★

fetch

[fetʃ]

ⓥ bring, sell for

가져오다, 불러오다

Teresa trained her dog to **fetch** sticks that were thrown for him.

1607 ☐☐☐ ★

altruistic

[æltruːístik]

ⓐ unselfish, charitable

이타적인

Karen had an **altruistic** nature, so she always did whatever she could to help others.

➕ altruism ⓝ 이타주의, 이타심

1608 ☐☐☐ ★

anonymous

[ənɑ́ːnəməs]

ⓐ unknown, nameless

익명의, 작자 불명의

Rosy received an **anonymous** bouquet of flowers at work.

➕ anonymously ⓐ𝖽 익명으로   anonymity ⓝ 익명, 무명
➖ identified ⓐ 확인된, 식별된

1609 ☐☐☐ ★

dispel

[dispél]

ⓥ drive away thought or belief

(느낌 · 믿음 등을) 없애다

A lot of people find that physical movement can sometimes **dispel** negative feelings. 교과

Tips | 어원으로 어휘 확장하기

dis 떨어져 + pel 몰다 ▶ 나쁜 생각이 떨어지도록 몰아내어 떨쳐 버리다
➕ expel ⓥ 쫓아내다, 추방하다   impel ⓥ 몰아대다, 재촉하다, 앞으로 나아가게 하다

---

pasture · Robert는 더 멀리 시골로 차를 몰면서 목초지에 있는 말들을 지나쳐갔다.
fetch · Teresa는 자신의 개에게 던져진 막대기들을 가져오도록 개를 훈련시켰다.
altruistic · Karen은 이타적인 본성을 가지고 있어서, 항상 다른 사람들을 돕기 위해 그녀가 할 수 있는 모든 것을 했다.
anonymous · Rosy는 직장에서 익명의 꽃다발을 받았다.
dispel · 많은 사람들은 신체적인 움직임이 때때로 부정적인 감정을 없앨 수 있다는 것을 발견한다.

deficit

[défəsit]

ⓝ shortage, shortfall

부족, 적자

Rats adjust their eating behavior in response to **deficits** in water, calories, and salt. (수능)

➕ deficient ⓐ 부족한, 결핍된

➖ surplus ⓝ 흑자, 과잉

Tips | **어원으로 어휘 확장하기**

de 떨어져 + fic(it) 만들다 ▶ 만들어서 가져온 돈이 지출보다 떨어지는 것, 즉 적자

➕ sufficient ⓐ 충분한

---

deficit   · 쥐는 물, 칼로리, 소금 부족에 대응하여 그들의 섭식 행동을 조절한다.

Daily Quiz

A 알맞은 유의어를 고르세요.

01	precaution	ⓐ drive away thought or belief
02	dispel	ⓑ unselfish, charitable
03	solidarity	ⓒ unification
04	earthly	ⓓ stack, load, accumulate
05	colleague	ⓔ dive, submerge
06	entity	ⓕ preventative measure, safeguard
07	plunge	ⓖ coworker, companion
08	altruistic	ⓗ worldly, terrestrial
09	pile	ⓘ existence, presence
10	venture	ⓙ dare to go, adventure

B 밑줄 친 단어와 가장 뜻이 유사한 단어를 고르세요.

11 The farmer was not <u>content</u> with his own crops, and he stole crops from nearby farmers.

    ⓐ essential   ⓑ unavoidable   ⓒ satisfied   ⓓ unselfish

12 Studying in multiple locations actually help the brain <u>retain</u> information.

    ⓐ ensure   ⓑ keep   ⓒ stack   ⓓ inform

13 Since you started in the mail room in 1979, your contributions to this firm have been <u>invaluable</u>.

    ⓐ active   ⓑ stationary   ⓒ precious   ⓓ clear

14 Rats adjust their eating behavior in response to <u>deficits</u> in water, calories, and salt.

    ⓐ unifications   ⓑ allocations   ⓒ existences   ⓓ shortages

15 Arranging things in advance will <u>enable</u> you to avoid possibly dangerous mistakes.

    ⓐ calculate   ⓑ acknowledge   ⓒ allow   ⓓ uncover

C 다음 빈칸에 들어갈 가장 알맞은 것을 박스 안에서 고르세요.

anonymous	innate	definitely	transparent	notify	inevitable

16 Theatres are facing financial difficulties and therefore an increase in ticket prices is

_____ .

17 Water is formless and _____ .

18 Rosy received a(n) _____ bouquet of flowers at work.

19 Spiders have a(n) _____ understanding of how to spin a web.

20 Speaking is _____ faster than writing.

1611 □□□ ★★★

emotional

ⓐ **psychological, spiritual** 정서적인, 감정의

[imóuʃənəl]

Mozart can provide **emotional** support for you in stressful times. 모평

➕ emotionally ⓐⓓ 감정적으로, 정서적으로   emotion ⓝ 감정, 정서

1612 □□□ ★★★

evidence

ⓝ **proof, clue, testimony** 증거, 증언

[évədəns]

Because we have objective **evidence** that the Earth is a sphere, the flat Earth belief can be shown to be false. 학평

➕ evident ⓐ 분명한, 명백한

1613 □□□ ★★★

decline

ⓝ **reduction, downturn** 감소, 축소, 하락

ⓥ **decrease, lessen, fall, reduce** 줄어들다, 쇠퇴하다

ⓥ **reject, turn down** 거절하다

Across the Arctic, polar bear numbers are in **decline**. 모평

If the population **declines** too much, we will suffer a labor shortage. 학평

Daniel **declined** to go to the movie theater with Lisa.

➕ declining ⓐ 기우는, 쇠퇴하는   declination ⓝ 경사, 쇠퇴
➖ increase ⓥ 증가하다

> Tips | **시험에는 이렇게 나온다**
>
> in (a) decline 하락(쇠퇴)하고 있는   dramatic decline 급격한 감소

---

emotional · 스트레스를 받을 때 모차르트는 당신에게 정서적인 도움을 줄 수 있다.
evidence · 우리는 지구가 구체라는 객관적인 증거를 가지고 있기 때문에, 평평한 지구에 대한 믿음은 틀렸다고 보여질 수 있다.
decline · 북극 전역에서, 북극곰의 수가 감소하고 있다.
· 만약 인구가 너무 줄어든다면, 우리는 노동력 부족에 시달리게 될 것이다.
· Daniel은 Lisa와 함께 영화관에 가는 것을 거절했다.

manage

[mǽnidʒ]

ⓥ regulate, supervise, handle 관리하다, 경영하다

ⓥ accomplish, carry out (간신히) 해내다

She'll have to learn how to manage her money on her own. 학평

Despite the small size of their brains, bees manage to perform complicated tasks. 학평

➕ management ⓝ 관리   manager ⓝ 관리자

Tips **어원으로 어휘 확장하기**

man(age) 손 ▶ 어떤 것에 손을 대다, 즉 그것을 관리하다

➕ manual ⓐ 수동의, 손으로 하는

intention

[inténʃən]

ⓝ aim, intent, motive 의도, 의사, 목적

A mother's good intention does not always lead to expected results. 수능

➕ intentional ⓐ 의도적인   intend ⓥ 의도하다, 작정하다

obvious

[ɑ́:bviəs]

ⓐ clear, apparent, evident 분명한, 명백한

The environmental benefits of recycling are obvious. 학평

➕ obviously ⓐⓓ 분명히, 확실히

➖ unclear ⓐ 불명확한

gloomy

[glú:mi]

ⓐ depressed, melancholy 우울한

Andrew arrived at the nursing home in a gloomy mood, but he heard some good news. 모평

---

manage   · 그녀는 스스로 자신의 돈을 관리하는 법을 배워야 할 것이다.
          · 뇌의 작은 크기에도 불구하고, 벌들은 복잡한 작업들을 수행해낸다.
intention · 어머니의 좋은 의도가 항상 기대된 결과로 이어지는 것은 아니다.
obvious   · 재활용의 환경적인 이점은 분명하다.
gloomy   · Andrew는 우울한 기분으로 요양원에 도착했지만, 그는 몇 가지 좋은 소식을 들었다.

1618 □□□ ★★★

resist

[rizíst]

ⓥ **withstand, endure**　　　저항하다, 견뎌내다

There are other diseases that our bodies cannot successfully **resist** on their own. (수능)

➕ resistant ⓐ 저항하는, 잘 견디는　resistance ⓝ 저항(력)

➖ accept ⓥ 받아들이다

Tips	어원으로 어휘 확장하기
	re 다시 + sist 서다 ▶ 압박에 굴하지 않고 다시 일어서 저항하다
	➕ insist ⓥ 주장하다, 고집하다　persist ⓥ 집요하게 계속하다, 지속되다

1619 □□□ ★★★

frustration

[frʌstréiʃən]

ⓝ **disappointment, discouragement**　　　좌절, 낙담

Some people continue to pursue a goal even after years of **frustration** and failure. (학평)

➕ frustrate ⓥ 좌절감을 주다

1620 □□□ ★★★

complicated

[kɑ́:mplikeitid]

ⓐ **complex, intricate, elaborate**　　　복잡한

The application form is too **complicated** for me to fill out. (학평)

➕ complicate ⓥ 복잡하게 만들다　complication ⓝ 복잡(화), 복잡한 문제

➖ simple ⓐ 간단한, 단순한

1621 □□□ ★★★

trigger

[trígər]

ⓥ **cause, initiate, stimulate**　　　(사건 등을) 유발하다

The continuous drought conditions have **triggered** a huge increase in the use of lake water for irrigation. (학평)

1622 □□□ ★★★

acid

[ǽsid]

ⓝ **a sour substance**　　　산(酸)

Salmon is rich in omega-3 fatty **acids**. (학평)

---

resist 　　· 우리 몸이 스스로 성공적으로 저항할 수 없는 다른 질병들이 있다.
frustration 　· 어떤 사람들은 심지어 수년간의 좌절과 실패 후에도 계속해서 하나의 목표를 추구한다.
complicated 　· 지원서는 내가 작성하기에 너무 복잡하다.
trigger 　　· 계속되는 가뭄 상태는 관개용 호숫물 사용의 상당한 증가를 유발했다.
acid 　　　· 연어는 오메가3 지방산이 풍부하다.

1623 ☐☐☐ ★★★

certificate

[sərtífikət]

ⓝ document, license

증명(서), 면허증

Participants who attend all classes will receive a **certificate** of completion. (학평)

➕ certification ⓝ 증명, 보증　certify ⓥ 증명하다, 보증하다

Tips 어원으로 어휘 확장하기

cert(i) 확실한 + fic 만들다(fac) + ate 명·접 ▶ 자격이나 능력을 확실하게 만들어 주는 증명(서)
➕ certain ⓐ 확실한, 확신하는

1624 ☐☐☐ ★★★

sophisticated

[səfístəkèitid]

ⓐ highly developed, cultured, refined

정교한, 세련된, 교양 있는

Recent evidence suggests that the ancestor of Neanderthals may have already been using pretty **sophisticated** language. (수능)

➕ sophistication ⓝ 교양, 세련

➖ unsophisticated ⓐ 세련되지 않은, 단순한

Tips 어원으로 어휘 확장하기

soph 현명한 + ist 명·접(사람) + icated 형·접 ▶ 현명한 사람처럼 교양 있고 세련된
➕ philosophy ⓝ 철학

1625 ☐☐☐ ★★★

federal

[fédərəl]

ⓐ civil, nationwide, governmental

연방 정부의, 연방제의

The New Deal included **federal** action to stimulate industrial recovery.

➕ federation ⓝ 연합, 연맹, 연방

Tips 시험에는 이렇게 나온다

federal government 연방 정부　　　　　federal election 연방 선거
federal regulation 연방 법규(규정)

1626 ☐☐☐ ★★★

latitude

[lǽtətjùːd]

ⓝ distance north or south of the equator

위도

New York and Madrid are at almost the same **latitude**. (학평)

---

certificate　· 모든 수업에 참석한 참가자는 수료증을 받을 것이다.
sophisticated　· 최근의 증거는 네안데르탈인의 조상이 꽤 정교한 언어를 이미 사용하고 있었을지도 모른다는 것을 암시한다.
federal　· 뉴딜 정책은 산업의 회복을 격려하기 위한 연방 정부의 조치를 포함했다.
latitude　· 뉴욕과 마드리드는 거의 같은 위도에 있다.

1627 ☐☐☐ ★★

expedition
[èkspədíʃən]

ⓝ journey, voyage

탐험, 원정

During the **expedition** into the forest, the explorers used lanterns to illuminate the way.

1628 ☐☐☐ ★★

journalism
[dʒɜ́ːrnəlìzm]

ⓝ the newspaper business

신문 잡지업, 언론

He moved to London, where he supported himself through **journalism**, gradually acquiring a reputation. 〔학평〕

➕ journal ⓝ 정기 간행물, 저널, 잡지

1629 ☐☐☐ ★★

pitfall
[pítfɔ̀ːl]

ⓝ trap, danger, difficulty

함정, 위험, 어려움

A sudden downturn in the stock market is one of the **pitfalls** of investing.

Tips | **시험에는 이렇게 나온다**

avoid a pitfall 함정을 피하다   a hidden pitfall 숨어있는 함정

1630 ☐☐☐ ★★

inborn
[ìnbɔ́ːrn]

ⓐ innate, inherent, natural

타고난, 선천적인

A person who wastes his **inborn** talents is a fool. 〔학평〕

1631 ☐☐☐ ★★

autobiography
[ɔ̀ːtəbaiɑ́ːgrəfi]

ⓝ written account of one's own life

자서전

The actress's **autobiography** is full of surprising stories about the production of famous films.

➕ biography ⓝ 전기, 일대기

Tips | **어원으로 어휘 확장하기**

auto 스스로 + bio 생애 + **graph** 쓰다 + y 명·접 ▶ 스스로의 생애에 대해 쓴 전기, 즉 자서전

➕ auto**graph** ⓝ 서명, 사인   photo**graph** ⓝ 사진

---

expedition · 숲속으로의 탐험 중에, 탐험가들은 길을 밝히기 위해 손전등을 사용했다.
journalism · 그는 런던으로 이주하여 그곳에서 신문 잡지업을 통해 스스로 생계를 유지하며 점차 명성을 얻었다.
pitfall · 주식 시장의 갑작스러운 하락세는 투자의 함정 중 하나이다.
inborn · 자신의 타고난 재능을 낭비하는 사람은 바보이다.
autobiography · 그 여배우의 자서전은 유명한 영화의 제작에 관한 놀라운 이야기들로 가득하다.

1632 ☐☐☐ ★★

regain

[rigéin]

Ⓥ recover, retrieve

회복하다, 되찾다

To regain energy, it is good to take a nap for a few hours.

1633 ☐☐☐ ★★★

designate

[dézignèit]

Ⓥ appoint, assign, allocate

지정하다, 지명하다

One location designated as a potential nuclear waste site was a small village. (학평)

➕ designation Ⓝ 지정, 지명

Tips **어원으로 어휘 확장하기**

de 아래로 + sign 표시 + ate 동·접 ▶ 누군가의 아래에 특별히 표시하여 어떤 역할을 지정하다

➕ assign Ⓥ 배정하다, (일을) 맡기다

1634 ☐☐☐ ★★

disprove

[disprú:v]

Ⓥ refute, prove false

반증하다

Galileo tried to disprove one particular statement of Aristotle's with scientific evidence.

➕ disproof Ⓝ 반증, 반박

➖ prove Ⓥ 증명하다, 입증하다

1635 ☐☐☐ ★★

glimpse

[glimps]

Ⓝ glance, peep

엿봄, 흘끗 봄

We got a glimpse of what life is like in the third world when we visited Sri Lanka. (학평)

1636 ☐☐☐ ★★

cathedral

[kəθí:drəl]

Ⓝ a main church

대성당

The bell in the clock tower of St. Paul's Cathedral strikes thirteen times at midnight. (학평)

---

regain · 기력을 회복하기 위해서는, 몇 시간 정도 낮잠을 자는 것이 좋다.
designate · 잠재적 핵폐기물 처리장으로 지정된 한 장소는 작은 마을이었다.
disprove · 갈릴레오는 과학적 증거로 아리스토텔레스의 한 특정 진술을 반증하려고 시도했다.
glimpse · 우리가 스리랑카를 방문했을 때 우리는 제3세계의 생활이 어떤지를 엿보았다.
cathedral · 세인트 폴 대성당의 시계탑의 종은 자정에 13번 친다.

1637 ☐☐☐ ★

implicit

[implísit]

ⓐ **unspoken, implied**

무언의, 함축적인, 암시적인

The potential buyer thought he and the homeowner had reached an **implicit** agreement.

➕ implicitly ⓐⓓ 은연중에, 절대적으로
➖ explicit ⓐ 분명한, 명쾌한

1638 ☐☐☐ ★

stale

[steil]

ⓐ **decayed, stereotyped, out-of-date**

퀴퀴한, 상한

The **stale** coffee boiled up and he poured it into a stained cup. 의원

➕ staleness ⓝ 부패, 진부
➖ fresh ⓐ 신선한

1639 ☐☐☐ ★

invoke

[invóuk]

ⓥ **apply, put into effect**

(법·권리 등을) 적용하다, 들먹이다

ⓥ **call upon, pray to, conjure**

기원하다

The defendant **invoked** his constitutional right to avoid testifying during the trial.

The Aztecs sometimes **invoked** their gods to bring a good harvest.

➕ invocation ⓝ 기도, 기원

1640 ☐☐☐ ★

imperative

[impérətiv]

ⓐ **essential, vital, crucial**

필수적인, 의무적인

It is **imperative** that the doctor's instructions be carried out precisely.

➕ imperatively ⓐⓓ 단호하게

---

implicit · 잠재적 구매자는 자신과 집주인이 무언의 합의에 도달했다고 생각했다.
stale · 퀴퀴한 커피가 끓어올랐고 그는 그것을 얼룩진 컵에 부었다.
invoke · 피고는 재판 중에 증언하는 것을 회피할 수 있는 헌법상의 권리를 적용했다.
· 아즈텍 족은 때때로 그들의 신들에게 풍년을 가져다 달라고 기원했다.
imperative · 의사의 지시가 정확하게 수행되어야 하는 것은 필수적이다.

1641 ☐☐☐ ★★

discern

Ⓥ **differentiate, distinguish**

구별하다, 식별하다

[disə́:rn]

We can **discern** different colors. 수능

➕ discernible ⓐ 식별할 수 있는

Tips 어원으로 어휘 확장하기

dis 떨어져 + cern 분리하다 ▶ 섞여 있던 것을 떨어지도록 분리해서 각각을 분간하다

➕ concern Ⓥ 관계하다, 걱정시키다, 걱정하다

1642 ☐☐☐ ★

monopoly

Ⓝ **exclusive possession or control**

독점권, 독점

[mənɑ́:pəli]

Standard Oil, a company owned by John D. Rockefeller, had a **monopoly** on oil.

➕ monopolize Ⓥ 독점하다

Tips 어원으로 어휘 확장하기

mono 혼자 + poly 팔다 ▶ 어떤 물건을 혼자만 파는 독점

➕ **mono**tonous ⓐ 단조로운, 지루한

1643 ☐☐☐ ★

blush

Ⓥ **flush, turn red**

얼굴을 붉히다

[blʌʃ]

Surprised and a little embarrassed, Tony **blushed**.

1644 ☐☐☐ ★

torment

Ⓥ **torture, harass**

괴롭히다, 고통을 주다

[tɔ́:rment]

It is thought that the tendency for cats to **torment** their prey helps them improve their hunting skills.

➕ tormenting ⓐ 고통스러운

Tips 어원으로 어휘 확장하기

tor 비틀다 + ment 명·접 ▶ 비틀어져서 생기는 고통

➕ dis**tort** Ⓥ 비틀다, 왜곡하다 ex**tort** Ⓥ 갈취하다

---

discern · 우리는 다른 색을 구별할 수 있다.
monopoly · John D. Rockefeller가 소유한 회사인 Standard Oil은 석유에 대한 독점권을 갖고 있었다.
blush · 놀라고 약간 당황해서, Tony는 얼굴을 붉혔다.
torment · 고양이들이 먹이를 괴롭히는 성향은 그들의 사냥 기술을 향상시키는 데 도움을 준다고 여겨진다.

abound

[əbáund]

Ⅴ be plentiful

많이 있다, 풍부하다

The island **abounds** greatly in iguanas. 모평

➕ abundant ⓐ 풍부한   abundance ⓝ 풍부

---

abound   · 그 섬에는 이구아나들이 매우 많이 있다.

Daily Quiz

A 알맞은 유의어를 고르세요.

01	sophisticated	ⓐ torture, harass
02	trigger	ⓑ trap, danger, difficulty
03	autobiography	ⓒ exclusive possession or control
04	pitfall	ⓓ cause, initiate, stimulate
05	abound	ⓔ glance, peep
06	evidence	ⓕ proof, clue, testimony
07	torment	ⓖ decayed, stereotyped, out-of-date
08	stale	ⓗ written account of one's own life
09	monopoly	ⓘ be plentiful
10	glimpse	ⓙ highly developed, cultured, refined

B 밑줄 친 단어와 가장 뜻이 유사한 단어를 고르세요.

11 There are other diseases that our bodies cannot successfully resist on their own.

    ⓐ reject   ⓑ regulate   ⓒ cause   ⓓ withstand

12 Galileo tried to disprove one particular statement of Aristotle's with scientific evidence.

    ⓐ recover   ⓑ differentiate   ⓒ refute   ⓓ flush

13 It is imperative that the doctor's instructions be carried out precisely.

    ⓐ decayed   ⓑ essential   ⓒ unspoken   ⓓ complex

14 One location designated as a potential nuclear waste site was a small village.

    ⓐ tortured   ⓑ halted   ⓒ appointed   ⓓ supervised

15 The defendant invoked his constitutional right to avoid testifying during the trial.

    ⓐ initiated   ⓑ assigned   ⓒ retrieved   ⓓ applied

C 다음 빈칸에 들어갈 가장 알맞은 것을 박스 안에서 고르세요.

decline	discern	inborn	certificate	implicit	complicated

16 If the population _____(e)s too much, we will suffer a labor shortage.

17 The application form is too _____ for me to fill out.

18 The potential buyer thought he and the homeowner had reached a(n) _____ agreement.

19 We can _____ different colors.

20 A person who wastes his _____ talents is a fool.

정답

01 ⓙ	02 ⓓ	03 ⓗ	04 ⓑ	05 ⓘ	06 ⓕ	07 ⓐ
08 ⓖ	09 ⓒ	10 ⓔ	11 ⓓ	12 ⓒ	13 ⓑ	14 ⓒ
15 ⓓ	16 decline	17 complicated	18 implicit	19 discern	20 inborn	

1646 ☐☐☐ ★★★

option

[ɑ́:pʃən]

n choice, alternative	선택(지), 선택권

Oatmeal is a great **option** for a healthy breakfast. (학평)

➕ optional ⓐ 선택의, 선택적인

Tips **어원으로 어휘 확장하기**

opt 선택하다 + ion 명·접 ▶ 선택, 선택할 수 있는 권리
➕ ad**opt** ⓥ 채택하다, 입양하다

1647 ☐☐☐ ★★★

transfer

ⓥ [trænsfə́:r]
ⓝ [trǽnsfər]

ⓥ move, conduct	옮기다, 전달하다
ⓥ change to another means of transportation	갈아타다, 환승하다
ⓝ move, transport	이동, 이전

No one likes to step on dog waste, and it can **transfer** infectious particles to other dogs. (학평)

You can **transfer** to the Yellow line at Central Station. (학평)

Tourism can result in the **transfer** of plants and animals to locations where they do not normally occur. (학평)

➕ transferable ⓐ 이동 가능한   transference ⓝ 이동 (과정), 이전

Tips **어원으로 어휘 확장하기**

trans 가로질러 + fer 나르다 ▶ 길을 가로질러 다른 곳으로 날라서 옮기다
➕ **trans**action ⓝ 거래, 매매, 처리   **trans**ition ⓝ 변화, 변천

---

option   · 오트밀은 건강한 아침 식사를 위한 훌륭한 선택이다.
transfer · 아무도 개의 배설물을 밟는 것을 좋아하지 않으며, 그것은 전염성 입자를 다른 개들에게 옮길 수 있다.
          · 당신은 Central 역에서 노란색 선으로 갈아탈 수 있다.
          · 관광은 식물과 동물이 일반적으로 나타나지 않는 곳으로 그것들의 이동의 결과를 초래할 수 있다.

1648 □□□ ★★★

prefer

[prifə́ːr]

ⓥ favor ~을 더 좋아하다, 선호하다

Most readers **prefer** to read something that is clear. (수능)

⊕ preference ⓝ 선호　preferential ⓐ 우선권을 주는

1649 □□□ ★★★

outcome

[áutkʌ̀m]

ⓝ result, consequence 결과, 성과

We cannot predict the **outcomes** of sporting contests. (학평)

Tips

어원으로 어휘 확장하기

out 밖으로 + come 오다 ▶ 노력의 결과의 밖으로 나오는 결과, 성과

⊕ **out**put ⓝ 생산(량), 산출(량)　**out**look ⓝ 경치, 전망

1650 □□□ ★★★

significant

[signífikənt]

ⓐ important, instrumental 중요한, 중대한

ⓐ considerable, notable 상당한, 현저한

What kind of food people eat for each meal plays a **significant** role in improving their health. (학평)

For many young people, peers are of **significant** importance. (학평)

⊕ significantly ⓐⓓ 중요하게, 상당히　significance ⓝ 중요성, 의의

⇔ insignificant ⓐ 중요하지 않은, 하찮은

Tips

시험에는 이렇게 나온다

play a significant role 중요한 역할을 하다　significant difference 유의미한 차이

significant to/for ~에 있어서 의미 있는

1651 □□□ ★★★

detect

[ditékt]

ⓥ notice, discover, spot 감지하다, 발견하다

Special radar systems at major airports **detect** the location of unpredictable thunderstorms. (모평)

⊕ detective ⓝ 탐정, 형사　detection ⓝ 탐지, 발견

---

prefer · 대부분의 독자들은 알아듣기 쉬운 것을 읽는 것을 더 좋아한다.

outcome · 우리는 스포츠 경기의 결과를 예측할 수 없다.

significant · 사람들이 매 끼니마다 어떤 종류의 음식을 먹느냐가 개인의 건강을 향상시키는 데에 중요한 역할을 한다.

· 많은 젊은이들에게, 또래는 상당히 중요하다.

detect · 주요 공항의 특수 레이더 시스템은 예측할 수 없는 뇌우의 위치를 감지한다.

1652 ☐☐☐ ★★★

generate

[dʒénərèit]

Ⓥ produce, create	생성하다, 발생시키다
Ⓥ cause, spawn	야기하다

There are plants that **generate** poisons to protect themselves. 〔모평〕

Businesses need resources that are often not available locally, and this need **generates** the demand for transportation. 〔학평〕

➕ generation Ⓝ 발생, (비슷한 연령의) 세대

Tips **어원으로 어휘 확장하기**

gener 발생 + ate 동·접 ▶ 발생하게 하다

➕ de**gener**ate Ⓥ 퇴화하다, 퇴보하다 **gener**ator Ⓝ 발전기

1653 ☐☐☐ ★★★

permit

Ⓥ [pərmít]
Ⓝ [pə́ːrmit]

Ⓥ allow, enable	허용하다, 가능하게 하다
Ⓝ license, authorization	허가증, 면허

Visitors to national parks are not **permitted** to have campfires during the dry season.

Police issue **permits** to qualified hunters. 〔수능〕

➕ permission Ⓝ 허가, 허락
➖ forbid Ⓥ 금지하다

1654 ☐☐☐ ★★★

lag

[læg]

Ⓥ fall behind, trail, hang back	뒤처지다, 뒤떨어지다
Ⓝ delay	지연, 늦어짐

Even the team that wins the game might make mistakes and **lag** behind for part of it. 〔수능〕

There is a slight **lag** between the transmission and reception of an electronic signal.

Tips **시험에는 이렇게 나온다**

jet lag 비행기 여행의 시차로 인한 피로   time lag 시차

lag behind ~보다 뒤처지다

---

generate · 그들 자신을 보호하기 위해 독을 생성하는 식물들이 있다.
· 기업들은 종종 현지에서 구할 수 없는 자원을 필요로 하며, 이러한 필요성은 운송에 대한 수요를 야기한다.
permit · 국립공원의 방문객들은 건기 동안에 캠프파이어를 하는 것이 허용되지 않는다.
· 경찰은 자격을 갖춘 사냥꾼들에게 허가증을 발급한다.
lag · 심지어 게임에서 이기는 팀도 실수를 하고 게임의 일부에서 뒤처질 수 있다.
· 전기 신호의 전송과 수신 사이에는 약간의 지연이 있다.

1655 ☐☐☐ ★★★

pose
[pouz]

ⓥ **cause, present, create** (문제 등을) 야기하다

ⓥ **assume a particular attitude or position** 자세를 취하다

ⓝ **posture, attitude** 자세, 포즈

Gang-related crimes are thought to pose the biggest threat to urban safety.

Politicians pose for photographers wearing working clothes or buying a hot dog from a snack bar. 학평

Please suggest some nice poses for the pictures. 수능

1656 ☐☐☐ ★★★

distress
[distrés]

ⓝ **suffering** 고통, 괴로움

ⓥ **afflict, upset** 슬프게 하다, 괴롭히다

Certain personality characteristics make some people more resistant to distress. 학평

George could tell that the news distressed Pamela by the look on her face.

➕ distressful ⓐ 괴로운, 고민이 많은
➖ comfort ⓝ 편안함 ⓥ 위로하다

1657 ☐☐☐ ★★★

extrinsic
[ikstrínsik]

ⓐ **external, outward** 외부의, 외적인

The candidate lost because of extrinsic factors rather than any mistakes he had made.

➕ extrinsically ⓐⓓ 비본질적으로, 외부로
➖ intrinsic ⓐ 고유한, 본질적인

Tips **시험에는 이렇게 나온다**

extrinsic reward 외적 보상   extrinsic motivation 외적 동기 부여

---

pose · 범죄 조직 관련 범죄는 도시 안전에 가장 큰 위협을 야기할 것으로 생각된다.
· 정치인들은 작업복을 입거나 매점에서 핫도그를 사면서 사진기자들을 위해 자세를 취한다.
· 사진을 위해 몇몇 멋진 포즈를 제안해 주세요.
distress · 특정 성격의 특징은 몇몇 사람들을 고통에 더 잘 견디게 만든다.
· George는 Pamela의 얼굴 표정으로 그 소식이 Pamela를 슬프게 했다는 것을 알 수 있었다.
extrinsic · 그 후보는 그가 저질렀던 실수보다는 외부 요인들 때문에 패배했다.

1658 ☐☐☐ ★★★

tense

[tens]

[a] **nervous, strained** 긴장한, 팽팽한

Being in the spotlight made him feel **tense**. 모평

➕ tension ⓝ 긴장(감), 긴장 상태

🔄 relaxed ⓐ 느긋한

1659 ☐☐☐ ★★★

exert

[igzə́:rt]

[v] **apply, exercise, employ** (힘, 권력을) 가하다, 행사하다

An object's weight is the force **exerted** on it by gravity. 모평

➕ exertion ⓝ 행사, 노력

Tips **시험에는 이렇게 나온다**

exert pressure on ~에 압력을 행사하다　　　　exert influence on ~에 영향을 미치다
exert authority over ~에 권한을 행사하다

1660 ☐☐☐ ★★★

undergo

[ʌ̀ndərgóu]

[v] **experience, go through** 겪다, 경험하다

The automobile industry is currently **undergoing** great technological developments. 학평

1661 ☐☐☐ ★★

visualize

[víʒuəlàiz]

[v] **make a picture in the mind** 시각화하다, 상상하다

Doctors use ultrasound to **visualize** the size and structure of internal organs. 학평

➕ visualization ⓝ 시각화　　visual ⓐ 시각의, 보이는

1662 ☐☐☐ ★★

thermometer

[θərmá:mitər]

ⓝ **instrument to measure temperature** 온도계, 체온계

Thermometers are supposed to measure air temperature. 학평

Tips **어원으로 어휘 확장하기**

thermo 열 + **meter** 재다 ▶ 열을 재는 온도계

➕ baro**meter** ⓝ 기압계　dia**meter** ⓝ 지름, 직경

---

tense　　　　· 스포트라이트를 받는 것은 그를 긴장하게 했다.
exert　　　　· 한 물체의 무게는 중력에 의해 그것에 가해지는 힘이다.
undergo　　 · 자동차 산업은 현재 엄청난 기술적 발전을 겪고 있다.
visualize　　· 의사들은 내부 장기의 크기와 구조를 시각화하기 위해 초음파를 사용한다.
thermometer · 온도계는 기온을 측정하도록 되어 있다.

1663 ☐☐☐ ★★★

mount

[maunt]

ⓥ **increase, rise, boost**　　증가하다, 올라가다

The pressure on the student **mounted** as the exam date approached.

> Tips **어원으로 어휘 확장하기**
>
> mount 오르다 ▶ 어딘가를 올라가다, 수량 등이 올라 증가하다
>
> ➕ **surmount** ⓥ 타고 넘다, 극복하다　**amount** ⓝ 총액, 양

1664 ☐☐☐ ★★★

thoroughly

[θɔ́ːrouli]

ⓐⓓ **completely, entirely, fully**　　철저히, 완전히

People don't listen to music and analyze the lyrics **thoroughly** at the same time. 학평

➕ thorough ⓐ 철저한, 빈틈없는

➖ carelessly ⓐⓓ 부주의하게, 조심성 없게

1665 ☐☐☐ ★★★

pave

[peiv]

ⓥ **cover a piece of ground**　　(길을) 포장하다

Local governments have **paved** some of the trekking courses with cement. 학평

➕ pavement ⓝ (포장한) 보도, 포장 (지역)　paved ⓐ 포장된

1666 ☐☐☐ ★★

mist

[mist]

ⓝ **fog, cloud, moisture**　　안개, 분무

The night grew darker and the **mist** began to spread around him. 수능

1667 ☐☐☐ ★★

elastic

[ilǽstik]

ⓐ **flexible, resilient**　　신축성이 있는

The mineral has the remarkable property of peeling into thin sheets which are **elastic**. 학평

➕ elasticity ⓝ 탄성, 신축성

---

mount　　· 시험 날짜가 다가올수록 학생들의 압박감은 증가했다.
thoroughly　· 사람들은 음악을 들으면서 동시에 가사를 철저히 분석하지는 않는다.
pave　　· 지방 정부들은 몇몇 트레킹 코스를 시멘트로 포장했다.
mist　　· 밤은 더 어두워졌으며 안개가 그의 주위로 퍼지기 시작했다.
elastic　· 그 광물은 신축성이 있는 얇은 판으로 벗겨지는 주목할 만한 특성이 있다.

1668 ☐☐☐ ★★

naive

ⓐ **innocent, childlike**

순진한, 천진난만한

[naːíːv]

The **naive** young lawyers were still full of hope when they entered the workforce.

➕ naively ⓐⅾ 순진하게

1669 ☐☐☐ ★★

suspicious

ⓐ **questionable, doubtful**

의심스러운, 의혹을 갖는

[səspíʃəs]

Never sign up on **suspicious** websites on your computer. 〔학평〕

➕ suspiciously ⓐⅾ 수상쩍은 듯이   suspicion ⓝ 의심, 의혹, 혐의

Tips | **시험에는 이렇게 나온다**
be suspicious of ~을 의심하다   a suspicious look 수상쩍어하는 표정

1670 ☐☐☐ ★★

detach

ⓥ **disconnect, separate**

분리되다, 떼다

[ditǽtʃ]

At 20, Jim gradually **detached** himself emotionally from his family.

➕ detachment ⓝ 분리, 파견

Tips | **어원으로 어휘 확장하기**
de 떨어져 + **tach** 들러붙게 하다 ▶ 들러붙어 있던 것을 떨어뜨려 분리하다
➕ attach ⓥ 붙이다, 첨부하다

1671 ☐☐☐ ★★

stiff

ⓐ **rigid, hard, firm**

뻣뻣한, 경직된, 굳은

[stif]

Overexercising can aggravate a **stiff** neck.

➕ stiffen ⓥ 뻣뻣해지다, 경직되다   stiffness ⓝ 뻣뻣함, 완고함

---

naive · 그 순진한 젊은 변호사들은 일을 시작할 때까지도 희망으로 가득 차 있었다.
suspicious · 당신의 컴퓨터에서 의심스러운 웹사이트에 가입하지 말아라.
detach · Jim은 스무 살 때 점차 그의 가족으로부터 자신을 감정적으로 분리했다.
stiff · 운동을 지나치게 하는 것은 뻣뻣한 목을 악화시킬 수 있다.

1672 □□□ ★★

feat

[fi:t]

ⓝ achievement, accomplishment

위업, 공(적), 재주

The Taj Mahal is considered a remarkable feat of structural engineering.

Tips | **시험에는 이렇게 나온다**

perform/achieve a feat 위업을 이루다   remarkable/amazing feat 놀라운 업적

1673 □□□ ★

intrude

[intrú:d]

ⓥ trespass, invade

침입하다, 방해하다

Jack intruded on the party in order to talk to his ex-girlfriend.

➕ intrusion ⓝ 침입, 개입   intruder ⓝ 불법 침입자   intrusive ⓐ 침입하는, 방해하는

1674 □□□ ★

prolific

[prəlífik]

ⓐ productive, fruitful

다작의, 풍부한

The man is a prolific author with over 200 published books.

⊟ infertile ⓐ 불모의, 불임의

1675 □□□ ★

diploma

[diplóumə]

ⓝ degree, certificate

졸업장, 수료증

Stevens enrolled at Cornell University to study architecture but left Cornell without a diploma. (학평)

Tips | **어원으로 어휘 확장하기**

di 둘(du) + plo 접다 + (o)ma 명·접 ▶ 두 페이지로 되어 접어지는 졸업 또는 수료 증서
➕ duplicate ⓥ 복제하다

1676 □□□ ★

swiftly

[swíftli]

ⓐⓓ quickly, speedily, rapidly

빠르게, 신속하게

A sparrow flying swiftly across the field struck the glass and was knocked out. (모평)

➕ swift ⓐ 빠른, 신속한

---

feat · 타지마할은 구조 공학에 있어서 주목할 만한 위업으로 여겨진다.
intrude · Jack은 그의 전 여자친구와 이야기하기 위해 파티에 침입했다.
prolific · 그 남자는 200권 이상의 출간된 책을 가진 다작 작가이다.
diploma · Stevens는 건축학을 공부하기 위해 코넬 대학교에 입학했지만 졸업장 없이 코넬 대학교를 떠났다.
swiftly · 들판을 가로지르며 빠르게 날던 참새가 유리에 부딪혀 기절했다.

reign

[rein]

Ⓝ rule, sovereignty

통치 (기간)

Buffon was a famous zoologist and botanist during the reign of the French monarch Louis XVI. 모평

Tips **어원으로 어휘 확장하기**

reig(n) 통치하다 ▶ 통치, 통치하는 기간

➕ regime Ⓝ 정권, 제도, 체제 regulate Ⓥ 규제하다

questionnaire

[kwèstʃənɛ́ər]

Ⓝ question sheet, survey form

문진표, 설문지

Please fill out the questionnaire and take it to the doctor. 모평

assassination

[əsæsənéiʃən]

Ⓝ murder, homicide

암살

The assassination of Franz Ferdinand was the event that started the first World War.

➕ assassinate Ⓥ 암살하다   assassin Ⓝ 암살범

deadlock

[dédlὰk]

Ⓝ standstill, predicament, plight

교착 상태

The game was in a deadlock for two quarters until the home team finally pulled ahead and won.

---

reign · Buffon은 프랑스 군주 루이 16세의 통치 기간 동안 유명한 동물학자이자 식물학자였다.
questionnaire · 문진표를 작성하고 그것을 의사에게 가져가세요.
assassination · Franz Ferdinand의 암살은 제1차 세계대전이 시작되게 했던 사건이었다.
deadlock · 그 경기는 홈팀이 마침내 앞서나가 승리를 거둘 때까지 두 쿼터 동안 교착 상태에 있었다.

Daily Quiz

A 알맞은 유의어를 고르세요.

01	undergo	ⓐ	instrument to measure temperature
02	elastic	ⓑ	flexible, resilient
03	reign	ⓒ	notice, discover, spot
04	extrinsic	ⓓ	experience, go through
05	thermometer	ⓔ	cover a piece of ground
06	detect	ⓕ	rule, sovereignty
07	diploma	ⓖ	completely, entirely, fully
08	pose	ⓗ	degree, certificate
09	thoroughly	ⓘ	external, outward
10	pave	ⓙ	cause, present, create

B 밑줄 친 단어와 가장 뜻이 유사한 단어를 고르세요.

11 At 20, Jim gradually <u>detached</u> himself emotionally from his family.
 ⓐ moved ⓑ transported ⓒ disconnected ⓓ caused

12 A sparrow flying <u>swiftly</u> across the field struck the glass and was knocked out.
 ⓐ naively ⓑ suspiciously ⓒ carelessly ⓓ quickly

13 Being in the spotlight made him feel <u>tense</u>.
 ⓐ important ⓑ external ⓒ nervous ⓓ rigid

14 George could tell that the news <u>distressed</u> Pamela by the look on her face.
 ⓐ conceived ⓑ afflicted ⓒ trespassed ⓓ created

15 For many young people, peers are of <u>significant</u> importance.
 ⓐ outward ⓑ strained ⓒ childlike ⓓ considerable

C 다음 빈칸에 들어갈 가장 알맞은 것을 박스 안에서 고르세요.

intrude	visualize	exert	generate	permit	option

16 Jack _____(e)d on the party in order to talk to his ex-girlfriend.

17 Oatmeal is a great _____ for a healthy breakfast.

18 An object's weight is the force _____(e)d on it by gravity.

19 Doctors use ultrasound to _____ the size and structure of internal organs.

20 There are plants that _____ poisons to protect themselves.

1681 ☐☐☐ ★★★

extreme

ⓐ **intense, severe, acute**

극심한, 극도의

[ikstríːm]

Crop failures of potatoes caused **extreme** hunger in Ireland in the 19th century. 수능

➕ extremely ad 극도로, 극히

Tips | **시험에는 이렇게 나온다**

extreme heat 극심한 열기

extreme pressure 극도의 압박감

extreme weather 기상 이변

1682 ☐☐☐ ★★★

intellectual

ⓐ **very smart, creative**

지적인, 지능의

[ìntəléktʃuəl]

Authors and photographers have rights to their **intellectual** property during their lifetimes. 수능

➕ intellect n 지성, 지적 능력   intelligent ⓐ 지능이 있는   intelligence n 지능, 지성

Tips | **시험에는 이렇게 나온다**

intellectual capacity 지적 능력

intellectual approach 지적 접근법

intellectual curiosity 지적 호기심

intellectual property 지적 재산

1683 ☐☐☐ ★★★

urban

ⓐ **city, metropolitan**

도시의, 도회지의

[ə́ːrbən]

Car alarms are a constant irritation to **urban** civil life. 수능

➕ urbanize ⓥ 도시화하다

🔁 rural ⓐ 시골의, 지방의

Tips | **어원으로 어휘 확장하기**

urb 도시 + an 형·접 ▶ 도시의

➕ suburb n 교외, 시외

---

extreme	· 감자의 흉작은 19세기 아일랜드의 극심한 굶주림을 야기했다.
intellectual	· 작가와 사진작가들은 그들의 일생 동안 지적 재산에 대한 권리를 가진다.
urban	· 자동차 도난 경보기는 도시 시민 생활에 지속적인 짜증거리이다.

1684 ☐☐☐ ★★★

poetic

[pouétik]

[a] **relating to poetry**

시적인, 시의

Marilynne's first novel, *Housekeeping*, was widely acclaimed for its **poetic** language. (학평)

➕ poetical [a] 시로 쓰여진　poet [n] 시인

1685 ☐☐☐ ★★★

encounter

[inkáuntər]

[v] **confront, face**

직면하다, 마주치다

[n] **brief or unexpected meeting**

접촉, 만남, 조우

As a foreign student, you may **encounter** language problems in America. (학평)

Many people went outside around August 27 this year to observe the close **encounter** between Earth and Mars. (수능)

1686 ☐☐☐ ★★★

emphasize

[émfəsaiz]

[v] **highlight, stress**

강조하다

When discussing the work of Shakespeare, it is important to **emphasize** his comedic brilliance.

➕ emphasis [n] 강조, 중점

Tips | **어원으로 어휘 확장하기**

em 안에(en) + phas 보여주다 + ize 동·접 ▶ 안에 있는 여럿 중에 특별히 잘 보여주려고 강조하다

➕ phase [n] 단계, 국면, 모습

1687 ☐☐☐ ★★★

misleading

[mìslí:diŋ]

[a] **confusing, deceptive**

오해의 소지가 있는, 오도하는

The summer Olympic Games contain many events with **misleading** names. (학평)

➕ mislead [v] 오해하게 하다, 잘못 이끌다

---

poetic　　　· Marilynne의 첫 번째 소설인 'Housekeeping'은 그것의 시적인 언어로 널리 호평을 받았다.
encounter　· 외국인 학생으로서, 당신은 미국에서 언어적인 문제를 직면할지도 모른다.
　　　　　　· 많은 사람들이 올해 8월 27일경에 지구와 화성의 가까운 접촉을 관찰하기 위해 밖으로 나갔다.
emphasize　· 셰익스피어의 작품을 논할 때는, 그의 희극적 재치를 강조하는 것이 중요하다.
misleading　· 하계 올림픽은 오해의 소지가 있는 명칭을 가진 많은 종목들을 포함한다.

1 2 3 4 5 6 7 8 9 10 11 12 13 14 15 16 17 18 19 20 21 22 23 24 25

1688 ☐☐☐ ★★★

capital

[kǽpətl]

n metropolis	수도
n fund, financial assets	자본

Kathmandu is now the **capital** of Nepal. 수능

Some say that a freer flow of **capital** has raised the risk of financial instability. 학평

➕ capitalist n 자본주의자　capitalism n 자본주의

1689 ☐☐☐ ★★★

impress

[imprés]

v influence, inspire	깊은 인상을 주다, 감명을 주다

The new employee struggled to **impress** his colleagues.

➕ impressive ⓐ 인상적인　impression n 인상, 감명　impressed ⓐ 감명받은

Tips **어원으로 어휘 확장하기**

im 안에(in) + press 누르다 ▶ 마음 안에 도장 눌러 찍듯 깊은 인상을 주다

➕ express v 표현하다, 나타내다　depress v 우울하게 하다

1690 ☐☐☐ ★★★

poverty

[pɑ́:vərti]

n scarcity	가난, 빈곤

People who live in **poverty** cannot afford to eat a healthy diet. 학평

Tips **시험에는 이렇게 나온다**

poverty-stricken 가난에 시달리는　　poverty trap 빈곤의 올가미

1691 ☐☐☐ ★★★

hatch

[hætʃ]

v breed, incubate	부화하다

Don't count your chickens before they're **hatched**. 학평

➕ hatchery n 부화장

---

capital　· 카트만두는 지금은 네팔의 수도이다.
　　　　· 몇몇은 자본의 더 자유로운 흐름이 재정적 불안정의 위험을 키웠다고 말한다.
impress　· 그 신입 사원은 동료들에게 깊은 인상을 주기 위해 애썼다.
poverty　· 가난하게 사는 사람들은 건강한 식단을 먹을 여유가 없다.
hatch　· 부화하기 전에 닭을 세지 마라. (김칫국부터 마시지 마라.)

1692 □□□ ★★★

segment

[ségmənt]

ⓝ part, portion, fragment — 부분, 조각

The fastest-growing **segment** of the nation's population is people aged 65 and over.

⊕ segmental ⓐ 부분의, 분절된 segmentation ⓝ 분할, 구분

1693 □□□ ★★★

investigate

[invéstəgèit]

ⓥ examine, prove — 조사하다, 수사하다

They **investigated** the unexpected death of Belgium's King Baudouin in 1993. (수능)

⊕ investigation ⓝ 수사, 조사

1694 □□□ ★★★

commute

[kəmjúːt]

ⓥ travel to work — 통근하다, 출퇴근하다

ⓝ a regular journey to and from work — 출퇴근, 통근

Troy is an office worker and **commutes** by subway. (학평)

I don't like long and tiring **commutes**.

⊕ commuter ⓝ 통근자

Tips

어원으로 어휘 확장하기

com 함께 + **mut**(e) 바꾸다 ▶ 집과 학교/직장을 함께 오가며 위치를 바꾸다, 즉 통근/통학하다

⊕ **mut**ation ⓝ 돌연변이, 변화, 변천 **mut**ual ⓐ 상호 간의, 서로의

1695 □□□ ★★★

mimic

[mímik]

ⓥ imitate, copy, reproduce — 흉내 내다, 모방하다

If you are in a group fitness class, don't always **mimic** what everyone else is doing. (학평)

⊕ mimicry ⓝ 흉내

---

segment · 그 국가의 인구 중 가장 빠르게 증가하는 부분은 65세 이상의 인구이다.
investigate · 그들은 1993년 벨기에 국왕 보두앵의 예상치 못한 죽음을 조사했다.
commute · Troy는 회사원이며 지하철로 통근한다.
· 나는 길고 피곤한 출퇴근을 싫어한다.
mimic · 만약 여러분이 그룹 피트니스 수업을 듣는다면, 다른 사람들이 하는 것을 항상 흉내 내지는 마세요.

1696 ☐☐☐ ★★

wrinkle

[ríŋkl]

Ⓝ **crease, fold**

주름

We can hold things because we have **wrinkles** on our hands. 〔학평〕

1697 ☐☐☐ ★★

cease

[siːs]

Ⓥ **stop, halt, end**

멈추다, 끝나다

The rain had **ceased**, but a strong wind still blew from the southwest. 〔학평〕

➕ ceaseless ⓐ 끊임없는

1698 ☐☐☐ ★★

refuge

[réfjuːdʒ]

Ⓝ **shelter**

피난처, 보호 시설

Tons of people from burning cities were desperate to find safe **refuge**. 〔학평〕

➕ refugee Ⓝ 난민, 망명자

Tips **어원으로 어휘 확장하기**

re 뒤로 + **fuge** 도망치다 ▶ 뒤로 도망치는 것, 즉 도피
➕ retire Ⓥ 은퇴하다   replace Ⓥ 교체하다

1699 ☐☐☐ ★★

retrieve

[ritríːv]

Ⓥ **recover, regain**

되찾아오다, 회수하다

Andy went to the embassy to **retrieve** his passport.

➕ retrieval Ⓝ 회수, 복구

1700 ☐☐☐ ★★★

fabulous

[fǽbjuləs]

ⓐ **wonderful, brilliant**

멋진, 믿어지지 않는

Come and enjoy the **fabulous** drawings, sculptures, photographs, and the great music! 〔수능〕

➕ fable Ⓝ 우화, (꾸며낸) 이야기

---

wrinkle · 우리는 손에 주름이 있기 때문에 물건을 잡을 수 있다.
cease · 비는 멈췄지만, 여전히 남서쪽에서 강한 바람이 불었다.
refuge · 불길에 휩싸인 도시로부터 온 수많은 사람들이 안전한 피난처를 찾으려고 필사적이었다.
retrieve · Andy는 그의 여권을 되찾아 오기 위해 대사관에 갔다.
fabulous · 오셔서 멋진 그림, 조각, 사진, 그리고 훌륭한 음악을 즐기세요!

1701 ☐☐☐ ★★

vigorous

[vígərəs]

ⓐ **energetic, strong, healthy, robust**   활발한, 건강한

Students who engaged in **vigorous** activity outside of school were found to have higher academic scores. (모평)

➕ vigor ⓝ 힘, 활력, 원기

Tips	시험에는 이렇게 나온다
	vigorous exercise 활발한 운동 vigorous physical activity 활발한 신체적 활동

1702 ☐☐☐ ★★

astonish

[əstá:niʃ]

ⓥ **surprise, amaze**   깜짝 놀라게 하다

The beauty of Gyeongbok Palace never fails to **astonish** visitors.

➕ astonishment ⓝ 놀람, 놀라운 일   astonishing ⓐ 정말 놀라운, 믿기 힘든

1703 ☐☐☐ ★★

displace

[displéis]

ⓥ **replace, take the place of**   대체하다, 대신하다

The television had **displaced** the radio in American living rooms by 1960.

➕ displacement ⓝ 대체, 이동, 파면

1704 ☐☐☐ ★★★

hazard

[hǽzərd]

ⓝ **risk, danger, peril**   위험

Environmental **hazards** include biological, physical, and chemical ones. (수능)

➕ hazardous ⓐ 위험한

1705 ☐☐☐ ★★★

requirement

[rikwáiərmənt]

ⓝ **requisite, necessity**   필요 조건, 요건

Students who satisfy the **requirements** of their selected challenges will receive a certificate at the end of the year. (수능)

➕ require ⓥ 요구하다, 필요로 하다

---

vigorous	· 학교 밖에서 활발한 활동에 참여한 학생들은 더 높은 학업성적을 가진 것으로 나타났다.
astonish	· 경복궁의 아름다움은 반드시 방문객들을 깜짝 놀라게 한다.
displace	· 텔레비전은 1960년쯤에 미국인들의 거실에서 라디오를 대체했다.
hazard	· 환경적 위험은 생물학적, 물리적 그리고 화학적 위험을 포함한다.
requirement	· 선택한 도전의 필요 조건을 만족시키는 학생들은 연말에 인증서를 받을 것이다.

1706 □□□ ★

insure

[inʃúər]

Ⓥ **guarantee, secure**

보장하다, 보험에 들다

Simply setting aside time to study will not **insure** students will do well in school. 학평

➕ insurance ⓝ 보험, 보험금

1707 □□□ ★

apparatus

[æpərǽtəs]

ⓝ **instrument, device**

기구, 장치

He became a nurse and began designing an exercise **apparatus** for immobilized hospital patients. 학평

1708 □□□ ★

proficient

[prəfíʃənt]

ⓐ **skillful, expert, adept**

능숙한, 능통한

Few North Americans are **proficient** in more than one language.

➕ proficiency ⓝ 능숙, 숙달

Tips | **어원으로 어휘 확장하기**

pro 앞으로 + fic(i) 만들다 + ent 형·접 ▶ 빠르게 만들며 앞으로 나갈 수 있는, 즉 능숙한

➕ sufficient ⓐ 충분한 efficient ⓐ 효율이 좋은

1709 □□□ ★

grieve

[gri:v]

Ⓥ **mourn, lament**

비통해하다

It's natural for us to **grieve** over people and things we've lost. 학평

➕ grief ⓝ 큰 슬픔, 비통 grievance ⓝ 불만, 고충

1710 □□□ ★

sway

[swei]

Ⓥ **swing, rock, roll**

흔들다

Ⓥ **influence, affect**

좌우하다, 영향을 주다

If you don't know yourself, you could be **swayed** by what others think you should do. 학평

The tree he was holding onto was **swaying** dangerously. 학평

---

insure · 단순히 공부할 시간을 따로 두는 것은 학생들이 학교에서 잘 할 것이라는 점을 보장하지 않을 것이다.
apparatus · 그는 간호사가 되어 움직이지 못하는 병원 환자들을 위한 운동 기구를 설계하기 시작했다.
proficient · 한 가지 이상의 언어에 능숙한 북미 사람들은 거의 없다.
grieve · 우리가 잃은 사람들과 물건들에 대해 비통해하는 것은 당연하다.
sway · 만약 당신이 스스로를 모른다면, 다른 사람들이 당신이 해야 한다고 생각하는 것에 좌우될 수 있다.
· 그가 붙잡고 있던 나무가 위태롭게 흔들리고 있었다.

1711 ☐☐☐ ★★

aviation

[èiviéiʃən]

ⓝ aeronautics

항공, 항공술

The program has resulted in numerous improvements to aviation safety. ⓗⓦ

➕ aviate ⓥ 비행하다

1712 ☐☐☐ ★

thermal

[θə́ːrməl]

ⓐ relating to heat

보온의, 열의

People often wear thermal underwear during the coldest winter months.

Tips | 시험에는 이렇게 나온다

solar thermal power 태양열 발전   thermal protection 열 보호

1713 ☐☐☐ ★★

ridiculous

[ridíkjuləs]

ⓐ absurd, silly, stupid

우스꽝스러운, 터무니없는

Nobody wants to look ridiculous by wearing something out of fashion. ⓗⓦ

➕ ridicule ⓝ 조롱, 조소 ⓥ 조롱하다, 비웃다

1714 ☐☐☐ ★

plead

[pliːd]

ⓥ beg, request, ask

간청하다, 탄원하다

ⓥ argue, assert

주장하다, 진술하다

"I just want to know. Please tell me," the little boy pleaded. ⓗⓦ

The defendant on trial pleaded not guilty to the charge of robbery.

Tips | 어원으로 어휘 확장하기

plea(d) 기쁘게 하다 ▶ 기쁘게 해서 원하는 바를 얻고자 간청하다

➕ displease ⓥ 불만스럽게 하다, 불쾌하게 만들다

---

aviation · 그 프로그램은 항공 안전에 많은 개선을 가져왔다.
thermal · 사람들은 가장 추운 겨울 몇 달 동안 보온 속옷을 종종 입는다.
ridiculous · 유행에 뒤떨어진 뭔가를 입어서 우스꽝스러워 보이고 싶은 사람은 아무도 없다.
plead · "저는 그냥 알고 싶어요. 제발 말해 주세요."라고 어린 소년이 간청했다.
· 재판 중인 피고는 강도 혐의에 대해 무죄를 주장했다.

recede

ⓥ **fall back, withdraw**

(물이) 빠지다, 물러나다

[risíːd]

Some sea caves are sunk in water during high tide and can only be seen when the water **recedes.** 히프

➕ recession ⓝ 침체, 후퇴   recess ⓝ 짧은 휴식

recede   · 일부 바다 동굴은 만조 때 물에 잠겨서 물이 빠졌을 때만 볼 수 있다.

Daily Quiz

A 알맞은 유의어를 고르세요.

01	vigorous	ⓐ requisite, necessity
02	encounter	ⓑ energetic, strong, healthy, robust
03	insure	ⓒ instrument, device
04	requirement	ⓓ mourn, lament
05	plead	ⓔ confront, face
06	intellectual	ⓕ very smart, creative
07	emphasize	ⓖ beg, request, ask
08	apparatus	ⓗ guarantee, secure
09	grieve	ⓘ relating to poetry
10	poetic	ⓙ highlight, stress

B 밑줄 친 단어와 가장 뜻이 유사한 단어를 고르세요.

11 If you are in a group fitness class, don't always <u>mimic</u> what everyone else is doing.
    ⓐ withdraw   ⓑ imitate   ⓒ highlight   ⓓ mourn

12 The rain had <u>ceased</u>, but a strong wind still blew from the southwest.
    ⓐ mournd   ⓑ guaranteed   ⓒ recovered   ⓓ stopped

13 The beauty of Gyeongbok Palace never fails to <u>astonish</u> visitors.
    ⓐ replace   ⓑ influence   ⓒ surprise   ⓓ examine

14 Nobody wants to look <u>ridiculous</u> by wearing something out of fashion.
    ⓐ creative   ⓑ wonderful   ⓒ energetic   ⓓ absurd

15 Crop failures of potatoes caused <u>extreme</u> hunger in Ireland in the 19th century.
    ⓐ continuous   ⓑ ludicrous   ⓒ intense   ⓓ energetic

C 다음 빈칸에 들어갈 가장 알맞은 것을 박스 안에서 고르세요.

commute	poverty	proficient	fabulous	recede	refuge

16 Few North Americans are _____ in more than one language.

17 Troy is an office worker and _____(e)s by subway.

18 People who live in _____ cannot afford to eat a healthy diet.

19 Tons of people from burning cities were desperate to find safe _____.

20 Some sea caves are sunk in water during high tide and can only be seen when the water _____(e)s.

DAY 50

1716 ☐☐☐ ★★★

specific
[spisífik]

ⓐ **particular, certain**

특정한, 구체적인

You can choose a **specific** date and time depending on your schedule. (모평)

➕ specifically ⓐ 구체적으로 말하면, 분명히　specify ⓥ 명시하나

1717 ☐☐☐ ★★★

occur
[əkə́:r]

ⓥ **happen, pass**

일어나다, 발생하다

Thanks to satellites, we can find out about events that **occur** on the other side of the world. (수능)

➕ occurrent ⓐ 현재 일어나고 있는, 우연의　occurrence ⓝ 발생, 사건, 존재

Tips
> **어원으로 어휘 확장하기**
>
> oc 향하여(ob) + cur 달리다 ▶ 어떤 일이 나를 향해 달려오다, 즉 일어나다
>
> ➕ recur ⓥ 재발하다　curious ⓐ 호기심이 많은

1718 ☐☐☐ ★★★

practical
[prǽktikəl]

ⓐ **sensible, useful, reasonable**

실용적인, 현실적인

We hope to give some **practical** education to our students in regard to industrial procedures. (학평)

➕ practically ⓐ 실용적으로, 현실적으로, 사실상

➖ impractical ⓐ 실용적이지 않은, 비현실적인　unrealistic ⓐ 비현실적인

Tips
> **시험에는 이렇게 나온다**
>
> practical aspects 현실적인 측면　　practical alternatives 현실적인 대안
>
> practical value 실용석 가치

---

specific　　· 당신은 일정에 따라 특정한 날짜와 시간을 선택할 수 있다.
occur　　· 인공위성 덕분에, 우리는 지구 반대편에서 일어나는 사건들에 대해 알 수 있다.
practical　· 우리는 우리 학생들에게 산업 절차에 관한 몇몇 실용적인 교육을 제공하기를 희망한다.

habitat

[hǽbitæt]

ⓝ natural territory, dwelling — 서식지

It's predicted that nearly all the bamboo in the pandas' **habitat** could disappear by the end of this century. (학평)

➊ habitable ⓐ 주거할 수 있는

demonstrate

[démənstrèit]

ⓥ prove, explain — 증명하다, 설명하다

ⓥ represent, display — 보여주다, 발휘하다

Recently, researchers have **demonstrated** how laughing affects our bodies. (수능)

Join our annual Filmmakers Contest and **demonstrate** your filmmaking skills! (학평)

➊ demonstration ⓝ 증명, 입증, 설명   demonstrable ⓐ 증명할 수 있는, 분명한

remark

[rimá:rk]

ⓝ comment, statement, talk — 말, 발언, 언급, 논평

ⓥ mention, state — 말하다, 언급하다

Children and adults alike want to hear positive **remarks**. (수능)

Dad **remarked**, "Recycling is a necessity." (수능)

➊ remarkable ⓐ 놀랄 만한, 주목할 만한   remarkably ⓐⓓ 놀랍도록, 몹시

Tips | **어원으로 어휘 확장하기**

re 다시 + mark 표시하다 ▶ 의견을 반복해서 다시 표시하는 논평
➊ rejoin ⓥ 다시 합류하다   recycle ⓥ 재활용하다

tightly

[táitli]

ⓐⓓ firmly, securely — 꽉, 단단히

Grip the handle **tightly**, or you'll fall down. (학평)

➊ tight ⓐ 단단한, 꽉 조여있는

---

habitat	· 판다의 서식지에 있는 거의 모든 대나무가 이번 세기말쯤 사라질 수 있다고 예측된다.
demonstrate	· 최근, 연구원들은 웃음이 우리 몸에 어떤 영향을 미치는지 증명했다.
	· 매년 열리는 영화 제작자 콘테스트에 참가하여 여러분의 영화 제작 기술을 보여주세요!
remark	· 어린이와 어른들 모두 긍정적인 말을 듣고 싶어 한다.
	· 아빠는 "재활용하는 것은 필수다"라고 말했다.
tightly	· 손잡이를 꽉 잡아라, 그렇지 않으면 당신은 넘어질 것이다.

1723 ☐☐☐ ★★★

eliminate
[ilímənèit]

ⓥ **remove, exclude**

없애다, 제거하다

The rise of AI might **eliminate** the economic value of most humans. (학평)

➕ elimination ⓝ 제거, 삭제

1724 ☐☐☐ ★★★

cooperate
[kouáːpərèit]

ⓥ **collaborate, assist, aid**

협력하다

Each individual needs to **cooperate** with team members in order to compete effectively. (학평)

➕ cooperation ⓝ 협력, 협조   cooperative ⓐ 협력적인, 협동하는

Tips
어원으로 어휘 확장하기
co 함께(co) + **oper** 일 + **ate** 동·접 ▶ 함께 일하기 위해 협력하다
➕ coexist ⓥ 공존하다, 동시에 존재하다

1725 ☐☐☐ ★★★

restore
[ristɔ́ːr]

ⓥ **recover, regain**

회복하다, 복원하다

Making amends serves to repair damaged social relations and **restore** group harmony. (수능)

➕ restoration ⓝ 복원, 복구   restorable ⓐ 복원할 수 있는

Tips
어원으로 어휘 확장하기
re 다시 + **store** 서다(sta) ▶ 무너진 것을 다시 세워 복원하다
➕ reconcile ⓥ 화해시키다, 조화시키다   reunion ⓝ 재결합, 재회

1726 ☐☐☐ ★★★

ongoing
[áːngòuiŋ]

ⓐ **continued, constant, persistent**

진행 중인

The recovery after the typhoon is still **ongoing**.

---

eliminate	· 인공지능의 부상은 대다수 인간의 경제적 가치를 없앨 수 있다.
cooperate	· 각 개인은 효과적으로 경쟁하기 위해 팀원들과 협력할 필요가 있다.
restore	· 보상을 하는 것은 손상된 사회관계를 회복하고 집단의 화합을 회복하는 역할을 한다.
ongoing	· 태풍 이후의 복구는 아직 진행 중이다.

1727 □□□ ★★★

territory

[térətɔ̀:ri]

ⓝ area, land

영토, 영역

You have to venture beyond the boundaries of your current experience and explore new **territory.** 수능

➕ territorial ⓐ 영토의

1728 □□□ ★★★

caution

[kɔ́:ʃən]

ⓝ attention, notice, care

주의, 조심, 경고

We'll handle your works with every **caution.** 학평

➕ cautious ⓐ 신중한, 조심스러운

1729 □□□ ★★★

edible

[édəbl]

ⓐ eatable, safe to eat

식용의, 먹을 수 있는

To be safe, you must be able to identify **edible** mushrooms. 학평

➖ inedible ⓐ 먹을 수 없는, 못 먹는

Tips

어원으로 어휘 확장하기

ed 먹다 + **ible** ~할 수 있는 ▶ 먹을 수 있는

➕ **elig**ible ⓐ 자격이 있는 access**ible** ⓐ 접근 가능한 compat**ible** ⓐ 양립할 수 있는

1730 □□□ ★★★

worsen

[wə́:rsn]

ⓥ aggravate, deteriorate

악화되다

Timely treatment could prevent conditions like arthritis from **worsening.**

➕ worse ⓐ 심각한, 악화된

➖ improve ⓥ 개선하다, 증진하다

Tips

시험에는 이렇게 나온다

worsen the situation 상황을 악화시키다   worsen the problem 문제를 악화시키다
worsen a crisis 위기를 심화시키다

---

territory   · 당신은 현재 경험의 경계를 넘어 모험을 하고 새로운 영역을 탐험해야 한다.
caution   · 우리는 당신의 작품을 모든 주의를 기울여 다룰 것이다.
edible   · 안전하기 위해, 당신은 식용 버섯을 식별할 수 있어야 한다.
worsen   · 시기적절한 치료는 관절염과 같은 질환이 악화되는 것을 막을 수 있다.

1731 ☐☐☐ ★★★

astronomy

ⓝ **uranology**

천문학

[əstrɑ́:nəmi]

Early **astronomy** provided information about when to plant crop. 모평

➕ astronomer ⓝ 천문학자

1732 ☐☐☐ ★★

dump

ⓥ **abandon, desert, throw away**

(쓰레기를) 버리다

[dʌmp]

The environmental bill prevents citizens from **dumping** garbage into the lake.

1733 ☐☐☐ ★★

cherish

ⓥ **prize, treasure, hold dear**

소중히 여기다, 간직하다

[tʃériʃ]

We all **cherish** certain memories of our childhoods, like birthday parties. 학평

1734 ☐☐☐ ★★

recipient

ⓝ **receiver, beneficiary**

수령인, 수신자

[risípiənt]

I found out I was the **recipient** of the Dean's Scholarship. 학평

➕ receive ⓥ 받다, 얻다

1735 ☐☐☐ ★★

absurd

ⓐ **ridiculous, unreasonable**

터무니없는, 불합리한

[æbsə́:rd]

Claims about UFOs seem **absurd** to many people.

➕ absurdity ⓝ 부조리, 불합리, 모순

Tips **어원으로 어휘 확장하기**

ab 떨어져 + surd 안 들리는 ▶ 상식에서 떨어져 있어 그것이 안 들리는 듯 터무니없는

➕ **ab**normal ⓐ 보통과 다른, 비정상적인

---

astronomy · 초기 천문학은 언제 작물을 심어야 하는지에 대한 정보를 제공했다.
dump · 그 환경 법안은 시민들이 호수에 쓰레기를 버리는 것을 막는다.
cherish · 우리 모두는 생일 파티와 같은 어린 시절의 특정한 기억을 소중히 여긴다.
recipient · 나는 내가 학장 장학금의 수령인이라는 것을 알게 되었다.
absurd · UFO에 대한 주장은 많은 사람들에게 터무니없는 것처럼 보인다.

1736 ☐☐☐ ★★

fragment

[frǽgmənt]

ⓝ **piece, flake, particle, part**   (부서진) 파편, 조각

The police found a **fragment** of glass which would later help them solve the crime.

➕ fragmentary ⓐ 단편적인, 부분적인   fragmentation ⓝ 분열, 파쇄

> Tips **어원으로 어휘 확장하기**
>
> **frag** 부수다 + ment 명·접 ▶ 부서져서 나온 파편
>
> ➕ fragile ⓐ 부서지기 쉬운, 연약한

1737 ☐☐☐ ★★

thrift

[θrift]

ⓝ **frugality, prudence**   절약, 검소

Without diligence and **thrift**, nothing will happen, and with them everything. 수능

➕ thrifty ⓐ 절약하는   thriftiness ⓝ 절약함

➖ waste ⓝ 낭비   extravagance ⓝ 낭비(벽), 사치(품)

1738 ☐☐☐ ★

purify

[pjúərəfài]

ⓥ **refine, clean, make pure**   정화하다

The scientist found out that some plants help **purify** the air. 학평

➕ purification ⓝ 정화, 정제

> Tips **시험에는 이렇게 나온다**
>
> purified air 정화된 공기   purified water 정화된 물

1739 ☐☐☐ ★★

chant

[tʃænt]

ⓥ **shout, chorus**   일제히 외치다, 부르다

Fans began to **chant** the football team's name to encourage the players.

---

fragment	· 경찰은 나중에 범죄를 해결하는 데 도움이 될 유리 파편을 발견했다.
thrift	· 근면과 절약 없이는 아무것도 일어나지 않을 것이고, 그것들과 함께라면 모든 일이 일어날 것이다.
purify	· 과학자는 몇몇 식물들이 공기를 정화하는 것을 도와준다는 것을 알아냈다.
chant	· 팬들은 선수들을 격려하기 위해 축구팀의 이름을 일제히 외치기 시작했다.

1740 □□□ ★★

hollow

[há:lou]

ⓐ **empty, vacant**　　속이 빈

Oil tankers are large ships that have **hollow** containers which can be filled with oil.

1741 □□□ ★★

contemplate

[ká:ntəmplèit]

ⓥ **consider, ponder**　　생각하다, 숙고하다

Humankind has long **contemplated** the reasons for existence.

➕ contemplation ⓝ 숙고, 명상

1742 □□□ ★★

prestige

[prestí:ʒ]

ⓝ **reputation, fame**　　명성, 위세

The change might mean that you lose privileges or **prestige**. 〔학평〕

➕ prestigious ⓐ 명망 있는, 일류의

> Tips　**어원으로 어휘 확장하기**
>
> pre 앞에 + stig(e) 묶다 ▶ 크게 쓴 이름을 앞에 묶어 자랑할 만한 명성
>
> ➕ stigma ⓝ 오명

1743 □□□ ★

acute

[əkjú:t]

ⓐ **urgent, sudden, severe**　　심각한, 급성의

ⓐ **keen, sharp, perceptive**　　예리한, 예민한

Through evolution, our brains have developed to deal with **acute** dangers. 〔학평〕

The student made an **acute** comment about the theory.

➕ acutely ⓐⓓ 강렬히, 몹시

➖ chronic ⓐ 만성적인

> Tips　**시험에는 이렇게 나온다**
>
> acute pain 심각한 통증　　　　　　　　acute heart failure 급성 심부전
>
> acute sense 예민한 감각

---

hollow　　　· 유조선은 기름으로 채워질 수 있는 속이 빈 용기가 있는 큰 배이다.
contemplate　· 인류는 존재의 이유를 오래 생각해 왔다.
prestige　　· 그 변화는 당신이 특권이나 명성을 잃게 된다는 것을 의미할 수 있다.
acute　　　· 진화를 통해, 우리의 뇌는 심각한 위험에 대처하기 위해 발달했다.
　　　　　· 그 학생은 그 이론에 대해 예리한 논평을 하였다.

1744 □□□ ★

lodge

[lɑːdʒ]

Ⓝ cabin, vacation residence

오두막, 산장

I'm looking at a brochure about popular forest **lodges**. 모평

1745 □□□ ★

forefather

[fɔ́ːrfɑ̀ːðər]

Ⓝ ancestor, forebear

(남자) 조상, 선조

Fiona traced her family's heritage and learned that her **forefathers** had come to America in the 1700s.

➡ descendant Ⓝ 후손, 자손

Tips **어원으로 어휘 확장하기**

fore 앞에 + father 아버지 ▶ 아버지의 앞에 있었던 아버지, 즉 조상

➕ forehead Ⓝ 이마 foremost ⓐ 맨 앞의, 가장 중요한

1746 □□□ ★

mercy

[mə́ːrsi]

Ⓝ blessing, compassion, sympathy

자비, 동정

The defendant begged the judge for **mercy** at his sentencing.

➕ merciful ⓐ 자비로운, 다행인 merciless ⓐ 무자비한, 인정사정없는

Tips **어원으로 어휘 확장하기**

merc 보상하다 + y 명·접 ▶ 보상을 잘 베푸는 마음, 즉 자비심

merchandise ⓥ 장사하다, 매매하다

1747 □□□ ★

prerequisite

[priːrékwəzət]

Ⓝ requirement, precondition

필수 조건, 필요 조건

Basic Mathematics is a **prerequisite** for the calculus class.

Tips **시험에는 이렇게 나온다**

prerequisite learning 선행 학습

---

lodge · 나는 인기 있는 숲속 숙소에 대한 안내 책자를 보고 있다.
forefather · Fiona는 가족의 유산을 추적했고 그녀의 조상이 1700년대에 미국에 왔다는 것을 알게 되었다.
mercy · 피고는 판사의 판결에 자비를 구했다.
prerequisite · 기초 수학은 미적분 수업을 위한 필수 조건이다.

discord

[dískɔːrd]

ⓝ **disharmony, disagreement**　　　불화, 다툼

Even the happiest family will experience some **discord** because disagreements will arise. 핵관

➕ discordance ⓝ 부조화, 불일치　　discordant ⓐ 일치하지 않는, 부조화의

❎ concord ⓝ 일치, 조화

Tips　**어원으로 어휘 확장하기**

dis 떨어져 + cord 마음 ▶ 마음이 다른 쪽으로 떨어져 일치하지 않다

➕ accord ⓥ 일치하다, 조화하다

obsolete

[àbsəlíːt]

ⓐ **outdated, unused**　　　쓸모없게 된, 안 쓰이는

The pager has now become **obsolete** because of advances in mobile communications.

➕ obsolescence ⓝ (상품의) 진부화, 구식화

coward

[káuərd]

ⓝ **chicken, wimp**　　　겁쟁이

I knew the men of Ch'i were **cowards**, and after only three days more than half of them have deserted! 핵원

➕ cowardly ⓐ 겁 많은, 비겁한 ⓐⓓ 겁쟁이처럼, 비겁하게도

---

discord　　· 가장 행복한 가족조차도 의견 충돌은 일어날 것이므로 약간의 불화를 경험할 것이다.
obsolete　· 이동 통신의 발전으로 인해 호출기는 이제 쓸모없게 되었다.
coward　　· 나는 Ch'i의 사람들이 겁쟁이들이라는 걸 알았고, 겨우 사흘 만에 그들 중 절반 이상이 탈주했다!

Daily Quiz

A 알맞은 유의어를 고르세요.

01	coward	ⓐ uranology
02	astronomy	ⓑ ancestor, forebear
03	discord	ⓒ shout, chorus
04	restore	ⓓ sensible, useful, reasonable
05	practical	ⓔ chicken, wimp
06	edible	ⓕ disharmony, disagreement
07	ongoing	ⓖ recover, regain
08	forefather	ⓗ eatable, safe to eat
09	obsolete	ⓘ continued, constant, persistent
10	chant	ⓙ outdated, unused

B 밑줄 친 단어와 가장 뜻이 유사한 단어를 고르세요.

11 Humankind has long contemplated the reasons for existence.

ⓐ happened   ⓑ represented   ⓒ considered   ⓓ recovered

12 You can choose a specific date and time depending on your schedule.

ⓐ eatable   ⓑ sensible   ⓒ unused   ⓓ particular

13 Each individual needs to cooperate with team members in order to compete effectively.

ⓐ refine   ⓑ embed   ⓒ collaborate   ⓓ resist

14 Oil tankers are large ships that have hollow containers which can be filled with oil.

ⓐ empty   ⓑ constant   ⓒ certain   ⓓ useful

15 The rise of AI might eliminate the economic value of most humans.

ⓐ pass   ⓑ remove   ⓒ display   ⓓ display

C 다음 빈칸에 들어갈 가장 알맞은 것을 박스 안에서 고르세요.

cherish	prestige	acute	mercy	demonstrate	purify

16 The change might mean that you lose privileges or ＿＿＿＿＿＿.

17 Join our annual Filmmakers Contest and ＿＿＿＿＿＿ your filmmaking skills!

18 We all ＿＿＿＿＿＿ certain memories of our childhoods, like birthday parties.

19 The defendant begged the judge for ＿＿＿＿＿＿ at his sentencing.

20 Through evolution, our brains have developed to deal with ＿＿＿＿＿＿ dangers.

INDEX

- 교재에 수록된 표제어, 유의어, 파생어, 반의어가 INDEX에 포함되어 있어요.
- 표제어는 굵은 글씨를 확인하세요.

INDEX 해커스 보카 수능 심화

INDEX

해커스 보카 수능 심화

해커스 보카 수능 심화

INDEX

해커스 보카 수능 심화

INDEX

해커스 보카 수능 심화

INDEX

해커스 보카 수능 심화

INDEX

해커스 보카 수능 심화

INDEX

해커스 보카 수능 심화

실전에 더욱 강해지는 **1등급 완성 영단어**

해커스 보카

수능 심화

초판 5쇄 발행 2024년 7월 8일

초판 1쇄 발행 2022년 10월 24일

지은이	해커스 어학연구소
펴낸곳	(주)해커스 어학연구소
펴낸이	해커스 어학연구소 출판팀

주소	서울특별시 서초구 강남대로61길 23 (주)해커스 어학연구소
고객센터	02-537-5000
교재 관련 문의	publishing@hackers.com
	해커스북 사이트(HackersBook.com) 고객센터 Q&A 게시판
동영상강의	star.Hackers.com

ISBN	978-89-6542-524-3 (53740)
Serial Number	01-05-01

한국 브랜드선호도 교육그룹 1위,
해커스북 HackersBook.com

해커스북 중·고등

- 교재 어휘를 언제 어디서나 **들으면서 외우는 MP3**
- 전략적인 단어 암기를 돕는 **Daily Quiz 및 나만의 단어장 양식**
- 실제 기출 문장으로 영작을 연습할 수 있는 **예문 영작테스트&필사노트**
- 단어 암기 훈련을 돕는 **무료 보카 암기 트레이너**